U0126282

黃宇和院士著

中山先生與英國

粵人關曉峰題

獻　給

朱國樑先生

對筆者學術生涯關懷備至的忘年之交

序

中山先生不僅是創立中華民國的　國父，而且也是廣受國際人士推崇的一位偉大的思想家。中山先生自謂其思想學說的主要淵源，乃係數千年來中華民族文化的一貫道統。而孔子的大同思想，尤為其終身所嚮往。故中山先生一生欲謀解決的，乃是中國和全世界人類的共同問題。他的思想學說之所以能夠受到各國有識之士的重視，自非無因。

蔡元培先生所撰之〈三民主義的中和性〉一文中，談及古今中外許多思想家和政治家所提出的解決人類問題的主張，大都趨向於兩個極端。例如中國法家的極端專制，道家的極端放任。又如西方人士主張自由競爭的，則要維持私有財產制度，主張階級鬥爭的，則要沒收資本家的一切所有，這些都是兩極端的意見。而具有「中和性」的三民主義，則是「執其兩端，用其中。」主張不走任何一端而選取兩端的長處，使之互相調和。所以蔡先生說：「能夠提出解決人類問題的根本辦法的，祇有我們孫先生，他的辦法就是三民主義。」因此蔡先生一生服膺三民主義，成為中山先生最忠實的信徒。

從中山先生傳記中，可知他青年時期所接受的是醫學的專業教育，故對自然科學具有良好的基礎。加以他博覽中國的經史典籍，並精研西方的「經世之學」，所以他的思想學說，實涵蓋了人文、社會及自然科學的各種領域。因而他對達爾文的進化論，馬克斯的唯物史觀以及西方的資本主義，均能指出其錯誤和偏差。而中山先生一生主張「把中華民族從根救起來，對世界文化迎頭趕上去。」正如孔子一樣，他真正是一位「聖之時者」的偉大人物。

中山先生常言：「有道德始有國家，有道德始成世界」。環顧今日國內則社會風氣日趨敗壞，「四維不張」，人心陷溺；而國際間則爾虞我詐，戰亂不息。在整個世界人人缺乏安全感的環境中，我們更不能不欽佩中山先生數十年前的真知灼見。他這兩句特別重視道德的「醒世警語」，實在是人類所賴以共存共榮的金科玉律，更為一種顛撲不破的真理。今日由於交通及電訊的便捷，有人常稱現在全世界為一「地球村」；但如在此地球村生存的人沒有「命運共同體」的意念，則所謂地球村，僅係一空洞名詞。中山先生所遺墨寶中，最常見者為「博愛」與「天下為公」數字，我們倘能廣為宣揚他這種「為往聖繼絕學，為萬世開太平」的理念，則大家所居住的地球村，將可呈現一片祥和的景象，使人類獲得永久的和平與幸福。

中山先生一生特別強調「實踐」的重要，故創有「知難行易」的學說。所以我們今日研究中山先生的思想學說，似不宜專注意於其理論的層面，而應以中山先生思想學說的重要理念為基礎，進而參酌各種學術研究的最新成果，與世界潮流未來發展的趨勢，以及我國社會當前的實際需要，藉使中山先生思想學說的內涵，能不斷增補充實，與時俱進，成為「以建民國，以進大同」的主要指標。

中山學術文化基金董事會自民國五十四年成立以來，即以闡揚中山先生思想及獎勵學術研究為主要工作。余承乏董事長一職後，除繼續執行各項原定計畫外，更邀請海內外學術界人士撰寫專著，輯為「中山叢書」及「中山文庫」。同時與報社合作，創刊「中山學術論壇」。此外，復就中山先生思想體系中若干易滋疑義之問題，分類條列，悉依中山先生本人之言論予以辨正。務期中山先生思想在國內扎根，向國外弘揚，並進而對促成中國和平統一大業能有所貢獻。

劉真

中華民國八十三年六月
於中山學術文化基金會

凡　例

1. 本書所用史料，如原文是英文，即以英文作註釋。如是漢語，則用漢語作註。以便讀者追閱。但有一些例外：例如粵海關檔案全宗號 94 目錄號 1 案卷號 1582 秘書科類《各項事件傳聞錄》，內容是英語，但鑒於編目是漢語，而該館的工作人員又是按漢語編目操作，故筆者亦按漢語編目作註釋。
2. 若本書正文中的引文是漢語，而註釋所引史料乃外文，則說明正文中的漢語引文乃筆者親自翻譯。由於這樣的事例太多，筆者不在註釋中一一說明。又由於粵海關檔案全宗號 94 目錄號 1 案卷號 1582 秘書科類《各項事件傳聞錄》正文皆英語，故引用時都由筆者翻譯。
3. 全球一體化讓人類的生活節奏急劇加速。當今已甚少人能擠出時間把一本洋洋巨著從頭到尾一字一句地看了，多是抽樣閱讀所需的章節。准此，過去一些慣例也必須相應地修改。過去，在註釋中第一次提到某書時，則詳列作者姓名、該書全名、出版細節（出版地、出版社、出版年份）、頁數等。以後再提，則縮寫書名、略去出版細節。由於目前圖書出版數量與時俱增，縮寫後雷同的書名比比皆是，造成不少混亂。故筆者決定，每次在註釋中提到某種著作時，都與第一次無異。這樣雖然多費紙張，但相信讀者稱便。

4. 中山先生的著作等，首採筆者身邊的、1989 年出版的《國父全集》和北京出版的《孫中山全集》。
5. 至於年譜，則同時採用筆者身邊的、1985 年出版的《國父年譜》和 1981-6 年出版的《孫中山年譜長編》。
6. 但是，由於筆者在環球蒐集史料的同時，又在晚上寫作。有時迫得改為引用當地圖書館或人士所能提供的《全集》和《年譜》的版本。例如 1985 年和 1994 年出版的《國父年譜》（增訂本）就迫得交替使用。雖然所用的不同版本都逐條在註解中標明，但由於時間緊迫而沒能全書統一之處，敬請讀者海涵。
7. 對英、美人名的翻譯，採中國社會科學院近代史研究所翻譯室所編的《近代來華外國人名辭典》（北京：中國社會科學出版社，1981）。
8. 把英文專有名詞翻譯為中文時，則參考《新英漢辭典》增訂本（香港：三聯書店，1975）。

中山先生與英國

目 錄

Sun Yatsen and the British, 1883-1925

By
J.Y. Wong
B.A. (HKU), D.Phil. (Oxon), F.R.Hist.S., FASSA

Contents

前　言

2001 年 4 月 29 日，奉中央研究院近代史研究所前所長陳三井先生同月 12 日來示，囑筆者撰寫《中山先生與英國》一書，作為中山學術文化基金會叢書的《中山先生與世界》系列之一，至以為榮為幸。

但是問題馬上來了。筆者對中山先生的研究，最初集中在其倫敦蒙難。❶接着則探索其旅英時「三民主義之所由完成」，當時還在邊研究邊構思邊寫作，❷並展望將來鑽研中山先生青少年時代在香港唸書時受到英國式教育對其思想的影響，然後慢慢地把研究範圍擴展到中山先生的中年和晚年時代，以便對他的一生，尤其是他一生與英國的關係，有一個比較完整的瞭解。現在陳三井先生讓筆者馬上就撰寫中山先生一生與英國的關係，是很困難的。主要的困難在於筆者對中山先生早年、中年，尤其是晚年與英國的關係的認

---

❶ 黃宇和：《孫逸仙倫敦蒙難真相：從未披露的史實》（臺北：聯經，1998）。簡體字版則見黃宇和：《孫逸仙倫敦蒙難》（上海：上海書店出版社，2004）。

❷ 該書暫定名為《倫敦與中國革命——三民主義探源》。該項研究計劃曾於 1996 年獲蔣經國國際交流基金會補助研究經費 25,000 美元，特此致謝。為了在該書出版前集思廣益，筆者已將該書稿中的第二章「日誌」交臺北的《近代中國》季刊，在第 152-156 期連載。

識，局限於筆者曾閱讀過的、現成的中英刊物。至於原始文獻則涉獵甚少。若如此這般地寫書，就有如炒冷飯，肯定沒有什麼突破。如果寫書沒無任何突破，也就沒意思了。

但既承雅命，只好立刻展開研究。自此以後，凡是在筆者任教的雪梨大學放假——無論是短如一週的復活節假期，或長達三個月的暑假（12 月到 2 月）——筆者都飛往海外的有關檔案館潛修，總期不辱所命。最靠近澳洲而又在復活節和聖誕節等假期都開放的檔案館，莫如廣州市的廣東省檔案館。該館所藏的粵海關檔案中，有「各項事件傳聞錄」一檔；其中的 1917-1925 年部份，對中山先生的報導特別多。中山先生就是在這段期間曾三次在廣東成立政府，並多次與英國發生嚴重糾紛。「各項事件傳聞錄」雖然不具備公文諸如「英國外交部檔案」的權威性，但為該等公文提供了珍貴的「背景音樂」。感謝該館張平安副館長暨同仁張杰勳主任、黃菊艷主任等多方照顧，中午休息時間也讓筆者繼續看檔案，並為筆者打飯，又提供小憩的方便，特此致謝。至於英國國家檔案館，更是筆者在暑假和寒假長駐的地方。感謝老同學、英國交通部常務次長史提芬·賀祺博士（Dr Stephen Hickey）暨夫人瑾恩訥·琿祂教授（Professor Janet Hunter），每次當筆者訪英時，都騰出他們的書房讓筆者暫住，並在生活上給予無微不至的照顧，至以為感。至於香港歷史檔案館，又承蔡長貞副館長，尤其是助理檔案主任許崇德先生幫忙，及時提供了大量縮微膠卷，讓筆者帶回澳洲使用。

2002 年 11 月 29 日，敝校學年剛結束，筆者即自雪梨飛香港轉廣州，鑽研廣東省檔案館所藏的粵海關檔案中，有「各項事件傳聞錄」一檔。由於整個學年已經繁忙不堪，一放下教鞭就全身投入緊張的檔案鑽研工作，加上從雪梨的盛夏飛到廣州的隆冬，身體一下子適應不過來。不久即患重感冒，但由於時間緊張，只好堅持工作。幸虧沒有看醫生。因為當時廣州其實已經爆發了沙士（Severe and Acute Respiratory Syndrom 或簡稱 SARS）瘟疫（中國大陸稱為非典型肺炎），只是中國醫學界還未確診，故政府沒有公佈而已。若當時到醫院求醫而跟那些還未確診沙士病人混在一起，肯定就一命嗚呼！

2002 年 12 月 10 日星期一，筆者帶病飛香港轉臺北，由於當時中國政府仍沒有公佈沙士疫情，讓發燒咳嗽的筆者還能進出自如。如果中國大陸在筆者飛臺期間公佈了沙士疫情，筆者很可能被目為沙士病人而被隔離，就很冤枉。也會浪費大量時間，並會嚴重影響接下來的香港和英國之行。當時筆者的確是因為過勞以致感冒而已。承中央研究院近代史研究所的羅久蓉教授到中正機場接筆者飛機，她見筆者不對勁，第二天馬上帶筆者去看病。接着承陳三井先生帶筆者到臺北市區的中山學術文化基金會，拜訪該基金會秘書陳志先老先生。驚悉多年以來為該基金會出版學術叢書的臺灣書店即將於 2003 年底結束營業。陳秘書催促筆者必須在 2003 年 6 月底以前把拙著《中山先生與英國》一書的稿子交該會找不具名學者審稿後出版。當時已患重感冒並發高燒的筆者，聽後更加天旋地轉。

天旋地轉的原因之一，是時間極度緊迫。若把未來半年的全部時間投入寫作，還勉強可以希望定稿。惟這半年之中白天都不能用於寫作。因爲頭三個月——2002 年 11 月底到 2003 年 2 月底——筆者是承敝校批准，趁暑假期間到海外收集史料，回校不能以撰寫成果作交待。只好在檔案館和圖書館關門後的晚上寫作。接下來的三個月是敝校的第一個學期，所有課程都已公佈了：教學任務很重，每週面對面的教學超過二十個小時。還有備課、改作業、批考卷、課外接見學生解決其公私問題等。再加上必須處理的校內行政事務。在這種情況下，若能稱心滿意地完成校方交來的任務已是邀天之幸。若要在這段時間寫好一本書，談何容易。但有負所託，實非所願。思量再三，惟有本着鞠躬盡瘁、寫多少算多少的心情來拼命趕。但沉重的心情，對當時客病異鄉的筆者，毫無幫助。承中研院近史所羅久蓉教授送來大量水果，呂芳上、陳三井先生關懷備至，病情稍為好轉。

2002 年 12 月 15 日星期六，從臺灣轉飛香港。蒐集中山先生在香港的有關資料。承母校香港大學當時的副校長程介明教授特許，讓該校檔案部的何太太把香港西醫學院董事局和學術委員會的會議記錄打字稿外借予筆者帶回澳洲使用。又承歷史系陳劉潔貞教授鼎力幫忙，為筆者提供各類有關刊物的複印件並代為寄往澳洲，讓筆者在幾天之內，完成了一般來說需要幾個月才能辦到的事情。兩位學長對筆者的特殊照顧，有如及時雨。同時兩度親訪銅鑼灣禮頓道 119 號（Corner of Leighton Road and Pennington Street, Causeway Bay, Hong Kong）的中華基督教會公理堂（Congregational Church）的陳志堅牧師，蓋該堂藏有孫中山在香港洗禮入耶教的紀錄。承陳志堅牧師賜予該堂印刷品，其中複製了孫中山洗禮記錄。惟未獲睹真跡，為憾。又訪基督教合一堂（原名道濟會堂）堂主任余英岳牧師。孫中山在香港唸中學和西醫學院期間，與道濟會堂主牧黃煜初和該堂教友來往頻繁。筆者原希望從該堂記錄中瞭解到一些情況，可惜未獲睹任何文獻。可能由於過度失望，加上奔跑得太厲害，病情惡化。幸得九龍華仁書院的學長、摯友林鉅成醫生及時悉心醫治，逃過肺炎一劫，而且很快就痊癒，特此致謝。

從香港再轉飛廣州，聖誕節就一如既往地在廣東省檔案館中、通過微弱的燈光凝視粵海關檔案的第三代縮微膠卷。新年過後再轉飛倫敦，農曆新年也一如過往地在英國國家檔案館中渡過。後來又轉往倫敦大學亞非學院（School of Oriental and African Studies）的倫敦傳道會（London Missionary Society）檔案。蓋香港道濟會堂的教眾皆該會的華人教友也。承該檔案部主任茹施瑪麗·斯頓女士（Mrs Rosemary Seton）多方幫助，也節省了不少時間。倫敦大學的另一個機構——瓦刊醫學史圖書館（Wellcome Institute Library for the History and Understanding of of Medicine）藏有孫中山在西醫學院考試的親筆答卷和康德黎醫生的手稿與打字稿，亦一併收集。大英圖書館東方部主任吳芳思博士（Dr Frances Wood）多方幫忙，至以為感。接着到劍橋大學看皇家聯邦圖書館藏檔，承該館主任特別關照，把筆者需要的東西提前複印，省了不少時間。

2003 年 1 月 31 日又從英國回到廣州看粵海關檔案。翌日，中國政府即首次宣佈沙士疫情。筆者大有「十面埋伏」之慨。筆者的飛機票是定了 2003 年 2 月 28 日才飛回雪梨。當時筆者必須作出決定：坐以待斃？還是丟盔棄甲地趕快逃回澳洲？最後深感從天涯海角的澳洲飛往北半球的檔案館一次就很不容易，應該珍惜這難得的研究機會，於是決定留下來，天天仍然跑廣東省檔案館。

在華在英期間，都堅持在晚上寫作，惜進度有如蝸牛爬行。原因之一，是筆者只懂得用電腦漢語拼音的輸入法：首先打入一個由一組英文字母組織而成的聲音，螢幕屏上即出現九個漢字。若其中有筆者所須的漢字，則上上大吉。若沒有，則把小老鼠移往九個漢字末端的箭頭上一按，螢幕屏上再出現九個漢字，若其中包括有筆者所需的漢字，則上吉。若仍沒有，則必須重新操作。當三番四次操作而仍未找到所需漢字時，眼睛已快掉下來了！匆忙間出現同音異字的情況極多，改不勝改，大大拖慢撰寫速度。另一個原因，是筆者用以寫作的是美國微軟公司設計的英語系統，只是上面附加美式的漢語輸入法而已。該美式的漢語輸入法，所用詞彙充滿美國的價值觀。當筆者用聯想方法輸入詞組之如「故事」的漢語拼音詞組時，螢幕屏上總是出現「股市」等字樣。當筆者輸入「藉機」的漢語拼音詞組時，螢幕屏上肯定出現「劫機」等字樣；輸入「鑑於」的漢語拼音詞組時，螢幕屏上老是出現「監獄」等字樣。這種由金錢、暴力與地獄所組成的詞組以及其所代表的價值觀，不斷地互相糾纏不清；絲毫沒有筆者夢寐以求的那種具古雅之風的漢語，反而徒增筆者的寫作困難。

2003 年的 2 月 28 日終於來臨了！筆者活下來了，廣東省檔案館和廣州中山大學的朋友們以及筆者在廣州的親戚朋友也安然無恙，大慰！筆者興高采烈地飛回到雪梨。在雪梨大學開課的準備工作一切就緒後，即恢復撰寫本書。在電腦上打開筆者從廣東省檔案館抄錄得來的粵海關檔案中的 1924 年文檔，則空空如也！過去三年以來，雖頻頻到該館抄錄「各項事件傳聞錄」，但進度緩慢。由於時間緊迫，筆者打一開始就從最多事的 1924 年開始抄，在 2002 年底，終於抄完 1924 年的全部傳聞暨其他年份的零星傳聞中、有關孫中山 1917-1925 年間在廣東三次建立政府的資料。現在損失了 1924 的文檔，五內焦焚。時沙士肆虐廣州，世界衛生組織將之列為疫區，敝校禁止任何教職員前往，故四月的復活節假期，也只能耐心地在雪梨等待。坐立不安之情，不在話下。

2003 年 5 月 23 日，世界衛生組織終於把中國從疫區的名單上除名。筆者馬上向敝校申請 7 月寒假三週飛穗尋求補救辦法。蒙其俯允，2003 年 7 月 4 日成行。抵達廣東省檔案館後，待從頭收拾舊山河已來不及了。故商諸廣東省檔案館當局，承其俯允，為筆者提供 1917-1925 年間的「傳聞錄」縮微膠卷，帶回雪梨作撰寫本書參考之用，特此鳴謝。

2003 年 7 月 23 日自廣州轉香港，除了接受英國 BBC 電視臺訪問有關大英帝國興亡史（所及部份見本書第五章「求助情切」）以外，又分秒必爭地繼續蒐集史料。由於寄居在母校香港大學校園內的柏立基學院，近水樓臺，蒐集母校所藏香港《華字日報》暨其他有關中山先生的第一、第二手資料，皆甚方便。並再次承副校長程介明教授，歷史系系主任陳劉潔貞教授，及圖書館的鄭陳桂英和張慕貞女士等鼎力幫忙，事半功倍。尤其難得的是，香港歷史檔案館的許崇德先生，鑑於筆者分身乏術，無法再次親到該館蒐集史料，而犧牲公餘時間為筆者蒐集、複印並把複印件親自送到香港大學交筆者。筆者返回澳洲後，仍通過電郵不斷請他幫忙，他亦欣然給予援手。深情厚意，沒齒難忘。香港歷史檔案館的丁新豹總館長暨同仁邱小金館長和梁潔玲館長，同樣是通過電郵送來史料，至以為感。至於中研院近史所的陳三井先生和呂芳上先生，亦多次應筆者所求，代購書籍和複印史料及時擲下，皆一併致謝。廣州市中山大學的邱捷教授，在筆者多年以來頻頻訪穗期間，皆不吝賜教，並借予各種圖書資料，以及為筆者閱讀了全部草稿，亦致深切謝忱。

總之，若沒有兩岸三地和英國摯友的幫忙，這份珊珊來遲的草稿恐怕永遠也跑不到終點！

正掙扎中，2003 年 8 月 22 日接陳三井先生同月 14 日來示，謂：「由於臺灣書店確定於年底結束業務，已不再接受任何承印工作，所以弟的書稿❸也只能暫時擱置。基金會正在尋覓新的合作夥伴……因此，兄稿可以從容撰寫……吾兄可於……明年六月初將全稿帶來。」世事無常，久經憂患的筆者已不感意外。然此一變化，也的確多給了筆者一些時間，讓這份草稿還有跑到終點的希望。

但筆者對本書或詳或略問題，確實擔心。最後把心一橫，向敝校申請了半薪長假（half pay long service leave），以便繼續作必要的檔案鑽研和專心寫作。承校方俯允，至以為幸。故 2003 年 11 月 28 日到 2004 年 3 月 1 日之間，先後再到廣州、香港、美國和英國等地蒐集原始材料。

在香港期間，再承許崇德先生和陳劉潔貞教授幫忙、龍炳頤教授賜教。特此致謝。

在哈佛大學期間，承孔菲力教授（Professor Philip Kuhn）安排住宿、推薦予檔案館鑽研喜嘉理牧師的文書，並就學術問題親切交談。正是喜嘉理牧師在 1884 年於香港為孫中山洗禮入耶教的。在哈佛大學期間，白天的氣溫也在攝氏零度徘徊，寒風刺骨。不久又發燒咳嗽。筆者已經養成一種習慣，隨時隨地向陳三井先生報告研究和寫作的進度。害病就影響進度，於是用英語電郵通過羅久蓉教授向陳三井先生報導近況。承久蓉教授關懷，教筆者用生薑蜂蜜止咳。可惜蜂蜜易得而生薑難尋。倒是在訪問耶魯大學期間，蒙史景

---

❸ 按即《中山先生與美國》的書稿。

遷教授（Professor Jonathan Spence）開車載筆者到藥房買西藥頂替。史景遷教授熱情感人，盛意拳拳，並與筆者深入討論相關問題。

在紐約期間，承阮祝能、姚雅穗賢伉儷暨兩位公子接到其府上暫住，至以為感。阮祝能先生原籍廣東臺山，同時又是虔誠的基督徒，筆者看過喜嘉理牧師在臺山傳教的有關文書有不懂的地方，就向他請教。聖誕佳節，就在阮氏府上歡渡。歡渡的方式，是各自睡大覺，足不出戶。誰在什麼時候睡醒了就分別到廚房弄點吃的。阮氏賢伉儷，非常勤奮，一年到晚勤勞不息。一週工作六天，星期日大清早駕車到位於紐約市中心的教堂參加禮拜，之後就整天留在教堂，義務教授英語予那些剛移民到紐約的華人教友。可以說阮氏賢伉儷是名副其實的一週工作七天。到了聖誕佳節時就睡足一日一夜來慶祝。賢伉儷提出這種別致的慶祝方式，正中筆者下懷，不禁歡呼！

自紐約飛倫敦。在英國期間，再承已故康德黎爵士的孫子康德黎醫生（已七十高齡）暨夫人接到家裡居住，並迎來新年。白天筆者安心閱讀其祖母的日記，晚上就與康氏賢伉儷共同推敲筆者在白天看不懂的手跡，誰猜對了就賞一顆巧克力糖，其樂融融。日記中有不少藥物的名稱，康德黎醫生都一一為筆者解答，樂哉！過去筆者研究孫中山倫敦蒙難時曾看過該等日記的 1896 年 10 月 1 日到 1897 年 7 月 1 日共九個月的日記，現在則必須看 1887-1895 年間康德黎爵士在香港行醫和教學時期共九年的日記。爲了爭取時間，一般來說筆者從清晨六時左右即俏俏地爬起來到客廳開始工作，過了半夜才休息。如此這般地蠻幹，再次惹來傷風咳嗽。承康德黎醫生親自為筆者把脈開方，得以早日康復，幸焉！

2004 年 2 再到廣州，19 日承廣東省檔案局張平安副局長帶筆者到中山市翠亨村孫中山故居博物館與當地學者交流。讓筆者對孫中山的家世又有了進一步瞭解。翌日張局長又應筆者要求專程陪筆者往開平市，在該市檔案館同仁協助下，參觀了塘口鎮自力村和立園的碉樓。該等碉樓是曾經捐款予孫中山革命的美國華僑所建，不少同時也是要求美國基督教會派喜嘉理牧師到他們故鄉廣東四邑傳教的美國華僑。該等碉樓乃 1920 和 1930 年代初建築，每座碉樓都建有防盜槍眼的所謂燕子窩，讓筆者更深切瞭解到孫中山晚年三次在廣東成立政府所遇到的治安問題，以及商團事變的社會基礎。

筆者感到此行三個月收穫甚豐。對於尚未撰寫的章節幫助最大。至於那些已經寫好了的章節，筆者就決定不去動它們了，期待着將來有機會時再補充和修訂罷，否則本書將永遠不能付梓。

回到雪梨，再向敝校取得半薪假期以便專心寫作。不久，又於 2004 年 4 月 16 日至 5 月 12 日期間飛北京、上海、廣州和香港等地繼續研究、寫作和與有關專家交換意見。在中國社會科學院安排下，於北京則拜會了金沖及先生；北大則王曉秋、茅海建、王立新等教授；在清華則王憲明教授；在上海社會科學院則楊國強教授；在復旦則王立誠、朱蔭貴、馮筱才等教授。在穗又重逢一班老朋友諸如胡守為、林家有、邱捷、桑兵等教授。於港則喜逢丁新豹博士、許崇德先生等。而在廣州停留的時間最長，自費住在中山大學紫荊園，並再度向邱捷教授借來大量工具書。白天跑檔案館，晚上堅持寫作。寫作期間，承胡守為先生和邱捷教授不棄，隨時隨地有問必答，從一些漢語的專有名詞到筆者力求準確的漢語表達詞，都熱情幫助。雖至好不事浮詞，寧不由衷感激？

筆者用漢語寫作的機會不多，自從 1998 年承臺灣政治大學歷史系系主任林能士教授熱情邀請到該系當客座教授，在優美的漢語學術環境下才開始了大型的漢語寫作計劃。這次挑選了中山大學歷史系，也是慕其優美的漢語學術環境而來。日夜趕寫，一天十多小時瞪着電腦，結果身體越來越感不適。首先是眼睛疼，接著是頭昏，胃疼，5 月 27 日起右腳踝陣疼，晚上被陣疼疼醒多次，第二天右腿全疼，稍後半邊身疼痛。看來全是神經疼，迫得提前在 6 月 1 日飛返澳洲。以策安全。

寫作程序進入孫中山晚年了，這是筆者最感吃力的環節。不錯，自從 2001 年 4 月 29 日接獲陳三井先生同月 12 日的來示以後，已經頻頻跑英國國家檔案館看英國外交部的檔案，和跑廣東省檔案館看粵海關檔案，對原始資料是有了一定的認識，但對漢語刊物的認識就有限，而時間又是那麼緊迫！在這種情況下，《國父年譜》和《孫中山年譜長編》就成了筆者的救星。這兩部書凝聚了編者們多年的心血，廣獵博徵，引用了大量前人未用過的、散居在海外、臺灣和中國大陸各地的史料。筆者按照該書所提供的線索，並在該書編者之一的邱捷教授熱情幫助下，儘量親閱該書引用過的史料。在時間許可下，能看多少算多少。來不及看的，將來再補救。將兩書所提供的材料搭起一個骨架，再配以筆者從英國國家檔案館、廣東省檔案館和其他地方所收集到的原始材料，重新勾勒出一幅那怕是非常粗糙的圖畫，進行初步分析研究。

2004 年 6 月 1 日飛返雪梨後繼續在家裡寫作。寫到 1924 年 8 月發生的廣東扣械事件和接踵而來的商團事變時，首先要感謝香港三聯書店前總經理蕭滋先生，早在 2001 年秋已應筆者所求，把香港華字日報社編輯的《廣東扣械潮》（香港：華字日報社，1924）和周康燮先生所編的《中國近代史資料分類彙編之七：1924 年廣州商團事件》（香港：崇文書店，1974）全部複印寄我，隨手檢閱，方便之至。過去兩年來，按照其中線索在香港大學鑽研《華字日報》原件，亦大有收穫。現在重溫香港浸會大學鍾寶賢博士那本優秀的著作時，❹覺得過去看過的《華字日報》也有重溫的必要，而鍾寶賢博士所引滙豐銀行檔案實在太珍貴了，當以親睹為快。承香港大學圖書館特藏部陳桂英主任電覆，特准提前從庫房把《華字日報》調出來，讓筆者一下飛機即可馬上查閱。盛情厚意，讓筆者感激莫名。故又於 2004 年 6 月 30 日飛香港。在飛機上忽然心血來潮，深感研究中國近代史猶如國際刑警辦案，第一是必須得到當地警察的衷心協助，第二是必須盡可能親自前往有關地點查辦。因為中國近代史不少課題的相關史料都散佈在世界各地，非如此難以把一些問題弄個水落石出。飛抵香港，方知滙豐銀行檔案已經調到該行最近在倫敦新建成的總部大樓，惟待將來再說。故轉而集中精神重溫《華字日報》，收穫良多。日間埋首故紙堆中，晚上堅持寫作。留港期間，承申宗仁、曾昭萍賢伉儷照顧起居，雖然氣溫高達攝氏 36 度，仍覺清心涼快。

7 月 4 日重訪廣州，欣悉廣東省檔案館剛搬到天河區龍口中路 128 號新址。重見許大章館長、張平安副館長等朋友，自有一番喜悅。承該館鄭澤隆主任相告，《孫中山與廣東》一書中所載「收回

❹ Stephanie Po-yin Chung, *Chinese Business Groups in Hong Kong and Political Change in South China, 1900-25* (Basingstoke: Macmillan, 1998).

粵海關」等漢譯文件，英語原件乃廣東省檔案館所藏，編號是粵海關檔案全宗號 94，目錄號 1 案，卷號 1752，秘書科類「關於 1921 年孫中山試圖收回粵海關及交涉關餘專卷」。於是商諸該館領導，承其不棄，同意為筆者提供複印本，以便可以立時使用，節省了筆者不少寶貴時間，銘感於心。

7 月 16-20 日，承廣州市中山大學林家有教授熱情邀請，參加該校與黃埔軍校紀念館聯合在廣州珠島賓館舉辦的「孫中山與世界國際學術研討會」。筆者把本書第四章作報告，集思廣益。會上感謝蔣公永敬賜教，謂胡去非乃胡漢民的筆名，讓筆者茅塞頓開，解決了本書一些關鍵性的疑難。白天開會期間，筆者選了個接近電源的角落，搬來一張小桌子，把手提電腦接上電源，右耳傾聽報告，左腦指揮手指寫作，亦一景也。不知我者說是紀錄員；好事之徒藉故挨近偷看後謂我是瘋子。晚上當然堅持繼續寫作。到 7 月 19 日早上，筆者作大會發言時，不幸已發高燒、咳嗽。作過大會發言後，即回中山大學校園内的醫院看醫生。陳醫生一看筆者那個模樣，馬上給氧氣罩。量體溫，攝氏 40 度。照肺，診定是急性嚴重支氣管炎。若處理不好馬上要變成肺炎。於是立刻送往海珠區盈豐路 33 號中山大學附屬醫院第二院南院住院留醫。19-26 日共八天用吊針吊抗生素。感謝該院王連源院長親自關懷，何劍峰、楊濤、陳錦武等醫生悉心治療，歐暉護士長暨 11 樓的全體護士細心護理，得以及早康復。特此鳴謝。突然之間面對數目龐大的醫療帳單，筆者手足無措之餘，幸得表弟陳衛東、王曉萍賢伉儷、中山大學外事處黃小莉秘書以及紫荊園調度室黃敏君主任等合資協助筆者暫渡難關，特此鳴謝。進院時黑黑瘦瘦，在醫院裡睡了八天八夜以後，變得白白胖胖的。照照鏡子，心裡一樂。2004 年 7 月 26 日傍晚出院後，就開始寫第九章，日夜地趕，結果幾天以後再照鏡子，又已經變回原形，命乎！

2004 年 8 月 2 日飛臺北。起飛前在廣州舊白雲機場候機室開始撰寫第十章。遇到孫中山致蘇聯遺書的一些相關問題時致電邱捷教授請教，並得以及時解決。同日到達臺北，承中央研究院近代史研究所所長陳永發院士派車到中正機場接機，免了筆者在酷熱天氣下排隊等候計程車時再度患病的危險，至以為感。8 月 4 日星期三，又承陳永發所長盛情邀請，用本書全稿為基礎在近史所作學術報告。時值盛暑，別人都揮汗如雨，筆者卻穿上厚厚的毛衣登壇演說，亦一景也。蒙在場先進不吝賜教，特致深切謝意。其中黃自進教授關於孫中山與日本關係的高見對筆者啟發最深。李又寧、張存武、陳三井等先生的提問，對筆者的幫助也極大。作過報告後，承陳永發所長賜宴，席上得以繼續向各位先進請教，收穫良多。當天下午，就在陳三井先生的書房整理中、英參考書目和檔案資料等。承陳三井先生鼎力幫忙，一些圖書資料的細節得以補充完整。接着請來助理周維朋先生幫忙刻光碟和打印部分書稿，一直空着肚子忙到晚上八時才完成。當時筆者那種臨急抱佛腳的狼狽情況，現在想起來也覺得好笑，同時也對陳三井先生和周維朋助理的耐心幫助致深切謝意。

本書終於定稿了！從研究到定稿，前後共三年零三個月，但自始至終都在匆匆忙忙中日夜地趕，疏漏之處，只能懇請讀者把它目為「徵求意見稿」：期待着各方賢達賜教。既是區區「徵求意見稿」，則筆者將來必須找機會系統地把它重新整理。至於這個機會，則筆者的遐想是將來研究和撰寫一本暫定名為《列強與孫中山》之類的書。當前急務是要把《中山先生與英國》的書稿如期交卷。在這緊急關頭，先後承陳三井、胡守為、邱捷、張平安等先生分別閱讀拙稿部份或全部，銘感於心。本書題詞，由廣東著名書法家關曉峰先生賜字。插圖方面，則承倫敦佈道會、廣東省檔案館、廣州黃埔軍校博物館、中山故居博物館，香港歷史博物館，現在僑居澳洲的 Soloman Bard 先生和廣東省五邑大學的張國雄教授等提供，並由廣東省檔案館的李春輝、張澤偉等先生給予技術幫助，特此致謝。某天與李春輝在廣東省檔案館並肩作戰到過了下班時間，下樓時才發覺所有交通車都已經開走！小伙子對工作的投入，讓筆者讚嘆不已。

回想筆者過去研究和撰寫《兩廣總督葉名琛》，❺前後八載（1968-1976）；《中英關係》，❻前後十一年（1972-1983）；《孫中山倫敦蒙難》，❼前後八年（1979-1986）；《鴆夢》，❽前後三十載（1968-1998）；唯獨《中山先生與英國》則由於趕時間而前後只用了三年零三個月，不是趕飛機往海外的檔案館就是晚上趕寫作，難怪趕得一病再病了。帶病上陣，自然影響質量，萬望讀者見諒。在

---

❺ J.Y. Wong, *Yeh Ming-ch'en, Viceroy of Liang-Kuang, 1852-58* (Cambridge University Press, 1976).

❻ J.Y. Wong, *Anglo-Chinese Relations, 1839-1860* (Oxford University Press, 1983).

❼ J.Y. Wong, *The Origins of An Heroic Image:Sun Yatsen in London, 1896-1897* (Oxford University Press, 1986).

❽ J.Y. Wong, *Deadly Dreams:Opium, Imperialism, and the Arrow War (1856-60) in China* (Cambridge University Press, 1998).

此，要感謝家人如此體諒和支持筆者的學術生涯，蓋筆者在每年無論大小假期都飛走了。同時也感謝敝校史哲學院院長 Richard Watershouse 教授，在筆者每次申請出國研究假期時，必定鼎力支持。有如此好的領導，三生有幸。

另外，在研究經費方面，值得鄭重一提的是，自從 2001 年 12 月以來這段緊迫關鍵的歲月，香港的衛奕信勳爵文物信託（Lord Wilson Heritage Trust）資助了筆者對中山先生 1883-1895 年在香港活動之研究的少量經費，特此鳴謝。筆者已把部份研究成果寫進本書。2004 年 4 月 18-30 日，又承澳大利亞社會科學院與中國社會科學院的兩院的交流協議資助筆者訪問北京和上海的學者，就孫中山研究和其他學術問題交換意見，獲益良多。若無這兩路救兵，本書的質量可能會更打折扣。

2004 年 8 月 5 日星期四早上，陳三井先生陪筆者坐計程車到臺北市區的中山學術文化基金會拜會陳志先秘書。筆者把拙稿的打印稿和灌有拙稿全部內容的光碟一隻親自交予陳志先先生。蒙陳三井先生當面慨允將來為拙著作一校，陳志先秘書與筆者都感激莫名。領了稿費後，陳三井先生又陪筆者坐計程車到華南商業銀行提款，並全部將之兌換成英鎊，以便筆者在年底重訪英國，為草草成文的《中山先生與英國》作補充。

其中亟待補充的，當然是孫中山晚年的重大事件諸如 1923 年 2 月他經過香港，和 1924 年 8 月到 10 月間廣東扣械潮與商團事變等錯綜複雜的事件。不錯，除了已經出版的檔案史料以外，筆者已經把原始的政府檔案諸如英國外交部、殖民地部、海軍部的檔案，和廣東省檔案館的粵海關檔案翻個透徹，也把有關報紙諸如香港的

《華字日報》、《德臣西報》和《南華早報》等看全。但是，商業機關的原始檔案諸如匯豐銀行所藏的珍貴史料，就必須全面地作有系統的研究。私人的文書，諸如傳教士的目擊記等等，也不容忽視。所以，2004 年 8 月 5 日的筆者雖然身仍在臺北，心已飛到英國去了。若在預計的訪英期間，完成了上述任務後而仍然有時間的話，就繼續研究中山先生思想，蓋三年前當筆者接陳三井先生雅命撰寫《中山先生與英國》時，筆者正在鑽研倫敦對中山先生三民主義形成的影響，並已撰寫了三章。接三井先生函後馬上擱下該書稿轉而為《中山先生與英國》奔命。現在是為《三民主義倫敦探源》這書稿從頭收拾舊山河的時候了。寫到這裡，回顧三年以來陳三井先生對筆者的種種幫助，發覺他其實是《中山先生與世界系列》策劃人和協調者。他不但親自撰寫了《中山先生與法國》和《中山先生與美國》，還多方協調和幫助該系列的其他作者。原來他也是日夜為中山先生奔命。准此，筆者特對三井先生致以崇高敬意。

2004 年 8 月 5 日的晚上，筆者睡得特別香，比過去三年以來任何一個晚上都睡得香。尤其是想到醒來以後，中央研究院近代史研究所所長陳永發院士會再度派車送筆者往遙遠的中正機場坐飛機離開臺北赴香港轉廣州，深情厚意，讓筆者感到異常溫暖。在廣州等待着筆者的是 2004 年 8 月 5 日凌晨起開始啟用的新白雲機場，運作順暢否？

三年零三個月，就這樣飛快地過去了。三年多以來，若缺少一位摯友的幫助，筆者的《中山先生與英國》這項研究項目就根本沒法展開，更無從撰寫。由於筆者蹲了幾十年的檔案館和長期寫作、教書改卷子，本來已經沒法順利地坐飛機前往世界各地的檔案館，追蹤原始文獻了。承國泰航空公司臺、韓地區總經理朱國樑先生對筆者的摯誠關懷，在飛機座位上特殊照顧，讓筆者又能飛起來了！筆者的學術生涯得以延續，再生之德，沒齒難忘！特以此書獻給朱國樑先生，以誌筆者感激之情。

黄宇和 謹識

2004 年 8 月 6 日清晨於

臺北南港中央研究院近代史研究所

第一章　緒　論[1]

吾之外交關鍵，可以舉足輕重為我成敗存亡所繫者，厥為英國。

——孫中山。[2]

---

❶ 本書所用史料，如原文是英文，即以英文作註釋。如是漢語，則用漢語作註。把英語專有名詞翻譯為漢語時，則參考《新英漢辭典》增訂本（香港：三聯，1975）。

❷ 孫中山：〈建國方略：孫文學說第八章「有志竟成」〉，《國父全集》（1989），第一冊，第421頁，第3-4行。

圖一

圖二

圖一之中坐着者，乃後世傳頌不已的四大寇（採自《國父全集》[1989]第 1 冊）。四位青年人，不滿時局，大放厥詞，意氣風發。到頭來誰堅持到底？晚年的孫中山，顯得特別孤單（見圖二，該圖採自《國父全集》[1989]第 1 冊）。

本書宗旨，正是要探索孫中山畢生與英國的關係。

有關孫中山的事蹟，在某一方面來說，資料浩瀚如海，但不可靠的卻多如繁星；另一方面，關鍵性的史料有時候又貧乏得可怕，令人束手無策。由於這兩道難關，過去筆者研究孫中山倫敦蒙難❸的時候，已經吃盡苦頭。當時筆者曾經不只一次地哀鳴曰：「何處得覓真人？！」現承陳三井先生力邀而把研究範圍擴大到孫中山畢生與英國的關係，深感心有餘而力不足。惟鑑於《周易》有云：「天行健，君子以自強不息」❹，筆者還是戰戰兢兢地把任務接下來了。

要克服第一道難關，即史料不可靠惟多如繁星的問題，筆者不斷地告誡自己：耐心地鑑定史料，多求佐證，去蕪存菁。至於第二道難關，即可靠的史料貧乏得可怕的問題，則近代史學大師陳寅恪先生給了筆者很大的啟發。他說：「古人著書立說，皆有所為而發。故其所處之環境，所受之背景，非完全明瞭，則其學說不易評論……吾人今日可依據之材料，僅為當時所遺存最小之一部，欲藉此殘餘斷片，以窺測其全部結構，必須備藝術家欣賞古代繪畫雕刻之眼光及精神，然後古人立說之用意與對象，始可以真瞭解。所謂真瞭解者，必神遊冥想，與立說之古人處於同一境界，而對於其持論所以不得不如是之苦心孤詣，表一種之同情，始能批評其學說之

---

❸ J.Y. Wong, *The Origins of An Heroic Image: Sun Yatsen in London, 1896-1897* (Oxford University Press, 1986).漢語修訂本見黃宇和：《孫逸仙倫敦蒙難真相：從未披露的史實》（臺北：聯經，1998）。

❹ 《周易》，「乾」第一編。載《十三經全文標點本》（北京：燕山出版社，1991）上冊，第2頁。

是非得失，而無隔閡膚廓之論」。❺

陳寅恪先生的話，雖然是針對古代哲學史的研究而發，但仍然給了筆者很大的鼓舞。筆者對陳先生之言的理解是：「對古人」，是可以達到「真瞭解」的境界的。而途徑有二。第一，必須「與古人處於同一境界」；第二，必須在堅實的史料基礎上作適當的「神遊冥想」。關於第一點的妙用，則應古諺所云「讀萬卷書，行萬里路」；至於第二點、即「神遊冥想」的重要性，則牛津大學前皇家近代史教授（Regius Professor of Modern History）核·特瓦若柏（Hugh Trevor-Roper）說得更直接了當。他說：「沒有想像力的人不配治史。」❻陳寅恪先生是中國古代史的專家，特瓦若柏教授是歐洲近代史的專家。可見，無論是古今或是中外的歷史，都有可能達到「真瞭解」的境界，而辦法是作合理適當的「神遊冥想」。至於如何才算合理適當，那就完全靠研究者自己掌握分寸了。倒過來說，如果怕掌握得不好而絲毫不作「冥想」，那就真的「不配治史」了。

1883 年，孫中山到香港求學。❼從這個時候開始，到 1925 年

---

❺ 陳寅恪，〈馮友蘭中國哲學史上冊審查報告〉，《金明館叢稿二編》（上海：古籍出版社，1982），第 247 頁。

❻ 這是他在牛津大學退休演說會上所說的話，可以說是總結了他一生教研歷史的經驗。演講全文刊 Hugh Trevor-Roper, *History and Imagination* (Oxford: Clarendon Press, 1980)。

❼ Rev. W.T. Featherston, *A History of the Diocesan Home and Orphanage for Boys.* 載林友蘭著：《國父在香港中央書院》。轉載於秦孝儀編：《國父年譜》一套 2 冊（臺北：中國國民黨中央黨史委員會，1985），上冊，第 33 頁。以後提到的《國父年譜》（1985），皆指此版本。而中國國民黨中央黨史委員會則簡稱國民黨黨史會。

3 月 12 日他逝世為止，在這漫長的四十二歲月裡，孫中山與英國官方和民間有着千絲萬縷的關係。若要鉅細靡遺地探索，是沒有可能了，唯擇其著者而為之。

准此，本書除了第一章作為緒論而綜合介紹本書脈絡以外，第二章重點探索孫中山從 1883 年到 1895 年間，他與英國殖民地香港的關係。就是在香港，他接受了英國式的中學和大學程度的教育，對他的成長有深遠的影響。可以說，是英國人栽培了他。西醫學院畢業以後，他奔走於香港、澳門和廣州之間，後來更以香港作為基地，準備於 1895 年 10 月 26 日——即農曆重陽節——策動廣州起義。密謀曝光後，香港這塊英國屬地又為他提供了避難的地方；而香港總督更嚴拒了兩廣總督譚鍾麟引渡孫中山的要求。❽因此筆者姑且把第二章題為「培養之情」。

至於本書第三章，則廣州事敗以致孫中山亡命海外，並應恩師康德黎醫生之邀到倫敦。甫抵倫敦十一天，即被滿清駐倫敦公使館幽禁了。若非英僕報信，恩師日夜奔走營救，英相沙侯勒令放人，孫中山肯定一命嗚呼。關於這一情節，筆者早已另書交代。❾本書不同的地方是，經過再接再厲的研究，筆者發現在倫敦蒙難過程中，英國當局不但有意地拯救了他的性命，而且無意地挽救了他的革命事業。原因是：有足夠的史料說明，廣州事敗後的情勢，並非如正史所描述般輕鬆平常，而是對孫中山非常不利。無論是在香港

---

❽ Robinson to Tan Zhonglin, 12 November 1895, FO17/1249, p. 46, quoted in Schiffrin, *Sun Yat-sen and the Origins of the Chinese Revolution*, p. 98.

❾ 黃宇和：《孫中山倫敦蒙難真相：從未披露的史實》（臺北：聯經，1998）。

還是在檀香山，孫中山都成了萬夫所指，到了美洲又完全打不開局面。他之往英國已經是很大程度上放棄了革命的念頭而去深造醫學。但英國當局在蒙難事件上所給他的援手，無疑重燃了他革命的火炬。故第三章之命題——「救命之恩」——之中這個「命」字，就包括了他個人的「性命」和他的「革命」事業這雙重意義。

第四章探索一個新的問題。即英國還進一步無意地栽培了孫中山這個革命領袖：既為他豎立了一個前所未有的英雄形象而一掃過去因廣州失敗而籠罩着他的重重陰影，又提供有利條件讓他自我配備了一個革命領袖不容或缺的先決條件：通過在倫敦長時間的學習、考察和思考，他構思了一套比較完整的革命理論——三民主義。從此以後，三民主義就成了中國革命派的戰鬥口號，在此後一段比較長的歲月裡，凝聚了中華民族無窮無盡的戰鬥力量。

孫中山在 1897 年 7 月 1 日離開英國東歸以後，就不折不撓、屢敗屢起地搞革命。其中不乏零星地與英國當局與私人打過交道，本書就不深究了。直到 1911 年 10 月 10 日武昌起義爆發，由於孫中山深信英國對中國的生死存亡可以起到決定性的作用，❿而積極爭取英國當局的同情和支持。因此本書第五章就集中探索孫中山在這方面所做過的努力和取得的成果。

但英國政府支持袁世凱，認為只有袁世凱能穩定中國的局勢。孫中山有鑑於此，又實在打不過袁世凱。就在袁世凱接受效忠共和體制等條件下，孫中山辭掉自己臨時大總統的職位，改爲推薦袁世

---

❿ 孫中山：〈建國方略：孫文學說第八章「有志竟成」〉，《國父全集》（1989），第一冊，第 421 頁，第 3-4 行。

凱予臨時參議院選舉其為臨時大總統。無奈袁世凱不久即派人暗殺宋教仁，積極籌備稱帝等一連串倒行逆施，迫使孫中山進行二次革命。失敗後再度逃亡海外。在此後的幾年裡，孫中山與英國當局又有過零星的交往，在此不贅。到了 1917 年，情況不同了。從 1917 年到 1925 年，孫中山前後三次在廣州成立了政府，直接影響到英國在廣東甚至全中國的利益，以致多次發生了嚴重糾紛。准此，本書第六章集中探索孫中山從 1911 到 1922 年之間與英國當局的關係及由此而衍生的問題。這章以陳炯明叛變，英國駐廣州總領事派兵艦把孫中山安全送往香港轉上海作結束，故把此章命名為「再予援手」。第七章描述孫中山在 1923-24 年間如何執着地追求英國的援助，並得到香港總督司徒拔的幫忙，但終以關餘的爭執而與英國當局鬧得劍拔弩張，直接和間接地導致某些英國人暗助廣州商團的首領陳廉伯偷運軍火進入廣州陰謀推翻孫中山的政府，造成 1924 年的所謂廣東扣械潮和商團事變。該案錯綜複雜之至，筆者迫得用兩章的篇幅（第八和第九章）才初步解決了有關問題。

准此，第八章探索下列問題：⑴為何武裝團體之如廣州商團能辦起來甚至反對政府？是不是真的由於英國政府的官員官方地煽動而辦起來的？易地而處，若當時的中國政府或個人在倫敦煽動英國商人組織武裝商團反對政府，肯定就搞不起來。英國政府不會容許；英國商人也不會同意，甚至會向政府告發。為何偏偏在當時的廣州就能成為氣候？⑵英國政府有沒有煽動商團的首領陳廉伯組織商人政府以代替孫中山的政府？⑶英國政府有沒有協助陳廉伯購買和偷運軍火到廣州？⑷英國政府有沒有通過其駐廣州的代理總領事在 1924 年 8 月 29 日向孫中山發出最後通牒？⑸為何孫中山在接了該最後通牒後仍然於 1924 年 10 月 14 日晚武裝鎮壓商團？

第九章與第八章一氣呵成，重點衡量兩種成見的可靠性：(1)「哈佛」號輪船上的軍火是黃埔軍校的師生偵查出來的，(2)孫中山曾於 1924 年 10 月 14 日晚上，秘密從韶關返回廣州指揮軍隊鎮壓商團。事實證明，兩種說法都是站不住腳的。同時筆者發覺，1924 年 9 月 1 日，孫中山在國際舞臺上大吵大鬧，是故意挑戰英國並藉此希望起到阻嚇作用，阻嚇英國不要明目張膽地支持廣州商團造反。因為筆者發現，孫中山當時嚴重地誤會英國政府曾暗中幫助商團，故有是舉。筆者更發現，廣州商團費了那麼大的勁，僱「哈佛」號輪船從西歐偷運進廣州的一大批軍火，全是廢銅爛鐵！

至於本書第十章，則一般來說，寫書到了最後一章，應該是作結論的時候。但孫中山一生與英國的關係，錯綜複雜，非匆匆寫成的拙著能一下子說清楚，故不敢妄下結論。而且，光是探索了孫中山與英國的關係而未及其他列強，任何結論都有流於片面的危險。因此，本書第十章就以尾聲為題，配以一些不成熟的想法作結束。

全書十章在開端的地方各配插圖兩幅，均以強烈對照為主，以及幫助傳達書中純粹文字所難於表達達的精神。例如本章縱論中山先生的一生，就配其少年和晚年插圖各一幅，並加按語曰：「圖一之中坐着者，乃後世傳頌不已的四大寇⓫。四位青年人，不滿時局，大放厥詞，意氣風發。到頭來誰堅持到底？晚年的孫中山，顯得特別孤單（見圖二）。」⓬第二章分析孫中山在香港所受教育，

⓫ 採自《國父全集》（1989 增訂本）第 1 冊圖片部份。

⓬ 採自《國父全集》（1989 增訂本）第 1 冊圖片部份。

就配其少年在農村唸書的私塾外景和青年時代在香港雅麗氏醫院讀醫科的插圖各一幅。並加按語曰：「先進與落後成了強烈的對照。」第三章探索孫中山在 1896 年秋到達倫敦後，所見所聞在他心中可能起到的激盪，尤其是當他被清朝公使館綁架以及幽禁起來後、人治與法治兩個概念對他的衝擊。故特別選擇了兩幅有關圖片：「圖五顯示清朝政府向犯人逼供的手段之一。該等手段藉一位旅華英國畫家的寫生而保存下來了。1896 年 10 月 11 日孫中山被綁架進入清朝駐倫敦公使館後，若接下來就被偷運回國，命運可知。倒是英國的法制拯救了他的性命。事緣 1896 年 10 月 22 日，英國外交部通過內政部指示了喬佛斯探長帶領康德黎和孟生兩位醫生到中央刑事法庭（圖六）申請保護人權令。法官以中國公使享有法外治權而拒發該令。但外交部這醉翁之意不在酒，拿了兩位醫生的證詞就以此作為作證據指責清朝公使越權並勒令其立即放人。孫中山死裡逃生。英國人一切依照法律程序辦事，這種法治精神與中國的傳統人治成了強烈的對照。」筆者希望通過各章插圖的強烈的對照，能更有效地奉上該章的精神。

孫中山脫險後，暫留英國自學。他學了些甚麼？他出生的地方，酷似第四章圖七顯示之泥磚屋：⓭寬 4 米，高度與鄰居下戶陳添的屋一樣，但稍長。父親孫達成佃來瘦田二畝半耕種，晚上還得給村中打更。孫中山乃兄孫眉無法在家鄉謀生而迫得遠涉重洋到檀香山當苦力。孫中山童年無錢上學，要等到 10 歲、乃兄孫眉在檀

⓭ 採自張國雄等編：《老房子：開平碉樓與民居》（南京：江蘇美術出版社，2002），圖 228。

香山稍有收入而匯款回家時才得上農村私塾。⓮由於出生在貧窮的農村家庭，家境困苦，所以孫中山特別注意民生問題，對農業尤感興趣。到了倫敦，參觀自然博物館（見圖八）和其他勝地時，再回顧家鄉的貧困，會有甚麼感想？難怪他自稱其民生主義產生於倫敦矣。⓯嚴格來說，孫中山之關心民生，不待 1896 年他到達倫敦時已經開始。因爲他在 1890 年所寫的「致鄭藻如書」、⓰ 1891 年前後所寫的「農功」、⓱ 1894 年撰寫的「上李鴻章書」⓲和 1895 年草擬的「擬創立農學會書」，⓳均可視爲孫中山關心民生的明證。但把關心民生這種心情提升為一種主義來構思和提倡，則似乎是在倫敦所見所聞啓發了他。

武昌起義爆發，滿清官吏倉惶出走，而孫中山從美國趕往求助的英國外交部卻是那麼安逸，湖光樹影，引人如勝。第五章這兩幅

⓮ 中山故居博物館前館長李伯新先生曾所過耐心細緻的調查工作，見其《孫中山史跡憶訪錄》中山文史第 38 輯（中國人民政治協商會議廣東省中山市委員會文史學習委員會，1996），尤其是第 8、20、27、59、61、66、74、77、78、145、146 頁。

⓯ 孫中山：〈建國方略——孫文學說第八章「有志竟成」〉，《國父全集》（1989 增訂本），第 1 冊，第 412 頁第 8-9 行。

⓰ 孫中山：〈致鄭藻如書〉，1890 年，《孫中山全集》，第一卷，第 1-3 頁。

⓱ 孫中山：〈農功〉，1891 年前後，《孫中山全集》，第一卷，第 3-6 頁。

⓲ 孫中山：〈上李鴻章書〉，1894 年 6 月，《孫中山全集》，第一卷，第 8-18 頁。

⓳ 孫中山：〈擬創立農學會書〉，1985 年 10 月 6 日，《孫中山全集》，第一卷，第 24-26 頁。

插圖，讓人遐想：當時孫中山跑到英國外交部時看了這個景象，是否曾向上蒼禱告，求上蒼保佑中國終有一天也能像英國那樣繁榮安定？可惜辛亥革命並沒有為中國帶來繁榮安定。1912 年孫中山無私地把臨時大總統的職位讓給袁世凱後，所換來的只是 1915 年袁世凱的稱帝陰謀。1916 年袁世凱的死亡也只帶來了軍閥混戰。孫中山不得已，也只能希望用武力統一中國。故 1917-1925 年間，孫中山三次在廣東成立政府並計劃北伐，他自己擔任陸海軍大元帥。第六章圖十一⑳所示乃穿上大元帥戎裝的孫中山。1922 年陳炯明叛變，孫中山愴惶逃上「楚豫」號兵鑑再轉「永豐」號兵艦避難。圖十二為孫中山避難「永豐」號一週年時所攝。㉑

1923 年 2 月 17，孫中山一行人自上海赴穗準備第三度成立政府時，途中經過香港，香港政府一反常態地讓其登岸並破格予以隆重接待。孫中山到達香港領域中的港島後，是在卜公碼頭登陸的。鑑於有人曾煞有其事地寫道：「孫中山在碼頭出現時，掌聲雷動，歡呼四起」，㉒而筆者的考證則證明，孫中山在卜公碼頭登陸時人群已經散去，何來「掌聲雷動」？故特找來卜公碼頭舊照㉓（該碼頭早已被拆掉）作為第七章插圖，供讀者參考。香港政府之破格接待孫中山，乃鑑於 1922 年的香港海員大罷工，於是積極與孫中山修好。第七章圖十四所示乃香港海員工會幹事 1922 年從香港步行回

⑳ 廣東省檔案館提供。

㉑ 廣東省檔案館提供。

㉒ 《孫中山年譜長編》下冊，第 1583 頁，1923 年 2 月 17 日條，引周卓懷：〈四十二年前國父經過香港盛況〉，《傳記文學》第 7 卷第 5 期。

㉓ 香港歷史檔案館提供。

到廣州後所攝。㉔

孫中山三次在廣東成立政府的年代（1917-1925），廣東治安都極差，盜匪如毛，有錢人家都買槍自衛。著名僑鄉開平縣的華僑所建之房子更如碉堡，故名碉樓，四角有所謂燕子窩，從中可以打槍拒盜。第八章圖十五所示乃該等碉樓之一。㉕廣東商人更組織商團軍自衛，並準備全省聯防。廣州商團團長陳廉伯企圖藉商團軍推翻孫中山的政府，但苦於缺乏槍支彈藥。於是暗中從西歐偷運大批軍械進入廣州。若非粵海關代理稅務司職務的副稅務司英國人羅雲漢（W.O. Law）堅持載運該批軍火的「哈佛」號輪船船長如實報關，陳廉伯的陰謀就可能得逞。圖十六所示乃當時粵海關副稅務司在沙面的公館。㉖

第九章圖十七所示乃該「哈佛」號輪船。㉗看圖可知是該船一艘體積高大的遠洋輪，無論從陸地日夜遠眺，或搖着小舢舨圍繞着該船團團轉一萬次也無法偵知船上秘密載有軍械。而且該等軍械都密封在箱子裡！偏偏有人說該等軍械是被黃埔軍校的師生偵查出來的。㉘如此治史也太兒戲！圖十八所示乃當時黃埔軍校學生在操練。㉙

㉔ 廣東省檔案館提供。

㉕ 廣東五邑大學張國雄教授提供。

㉖ 廣東省檔案館提供。

㉗ 黃埔軍校博物館提供。

㉘ 徐嵩齡：〈1924 年孫中山的北伐與廣州商團事變〉，《歷史研究》，1956年第3期，第59-69頁：其中第61頁。

㉙ 廣東省檔案館提供。

1925 年 3 月 12 日上午 9 時 30 分，為中國的獨立統一而奮鬥一生的孫中山，終於病逝於北京鐵獅子胡同行轅。第十章圖十九所示乃中山先生遺體。[30]圖二十所示乃廣州方面為中山先生所舉行的追悼會；[31]後來正是圖中所示的這批黃埔軍校的學生，繼承孫中山遺志，1926 年冒死北伐，終於統一中國。

---

[30] 採自《國父全集》（1989）第 1 冊。

[31] 廣東省檔案館提供。

第二章[1]
培養之情 1883-1895[2]

孫中山自稱其走上革命道路，是由於在香港唸書時所受到的影響。

——香港《德臣西報》[3]

---

[1] 本章是在比較艱苦的情況下研究和撰寫的。幸虧自從 2001 年 12 月以來這段緊迫關鍵的歲月，香港的衛奕信勳爵文物信託（Lord Wilson Heritage Trust）資助了筆者對中山先生 1883-1895 年在香港活動的研究部份經費，特此鳴謝。筆者已把部份研究成果收入本章。如沒這救兵，本章的質量可能會更受影響。

[2] 本書所用史料，如原文是英文，即以英文作註釋。如是漢語，則用漢語作註。把英語專有名詞翻譯為漢語時，則參考《新英漢辭典》增訂本（香港：三聯，1975）。

[3] Hong Kong *China Mail*, Wednesday 21 February 1923.

圖四

圖三所示乃孫中山少年讀私塾的所在地——馮氏宗祠（中山故居博物館供稿）。圖四所示乃孫中山青年時代在香港讀醫科的所在地——雅麗氏醫院（英國倫敦傳道會供稿）。先進與落後成了強烈的對照。

1883 年，孫中山到香港求學，❹其與英國之關係約自此始。❺

從讀書到革命——即從 1883 年他往香港唸書到 1895 年在廣州起義——這具關鍵性的 12 年，我們對孫中山的活動卻所知甚少。該說的，《國父年譜》早說了。該補充的，《孫中山年譜長編》❻早補充了。海峽兩岸各集菁英競賽多年，碩果累累，筆者從心底裡景仰。但兩書對孫中山在這 12 年當中的活動，投入的篇幅比其他歲月還是大不相稱。無他，有些海外史料有待發掘也。本章試圖在前賢苦功的基礎上，利用筆者在外國發掘出來的一些新史料，再補充點滴，藉此重建當時孫中山在香港的活動概況。

竊以為已發表的文獻當中，有三件提供了重要線索。第一是上述香港英文報章《德臣西報》報導孫中山在香港大學作公開演講的

---

❹ 見羅家倫、黃季陸主編，秦孝儀增訂：《國父年譜》一套 2 冊（臺北：中國國民黨中央黨史委員會，1985），上冊，第 33 頁。以後提到的《國父年譜》（1985），皆指此版本。而中國國民黨中央黨史委員會則簡稱國民黨黨史會。《國父年譜》所據乃林友蘭著：〈國父在香港中央書院〉一文。而該文所據乃 Rev. W.T. Featherston, *A History of the Diocesan Home and Orphanage for Boys*, 但未說明頁數。承香港歷史檔案館許崇德先生把該書有關部份複印傳真擲下，但反覆查核不果。倒是許崇德先生複印寄來的 *History and Records of the Diocesan Boys School, Part 3a – Year by Year (1860-1947)*, p. 29, year 1883, HKMS88-294, Hong Kong Public Record Office，其中提到孫中山。見下文。

❺ 筆者在這裡說孫中山與英國的關係大約在這個時候開始，是因爲嚴格來說，他在 1879 年到檀香山的意奧蘭尼學校讀書時，他與英國的關係就開始了。理由是：意奧蘭尼學校是英國聖公會韋禮士主教（Bishop Alfred Willis）創辦的，非常英國氣。由於時間緊迫，筆者無暇兼顧此段前由而已。

❻ 陳錫祺主編，北京中華書局 1991 年版，一套 2 冊。

內容摘要。第二是孫中山 1895 年在廣州起草的擬創立農學會徵求同志書。❼第三是 1896 年孫中山從滿清駐倫敦公使館逃出生天後給區鳳墀竹報平安的信。❽三份文獻，似乎風馬牛不相及，其實正是孫中山走向革命的里程碑。

先從第三份文獻入手。據考證，給區鳳墀的信，是孫中山逃出生天後用第一時間發出的。❾在該信中，孫中山自稱為弟。這種稱謂，除了符合基督教一些教會裡諸教眾互以兄弟姊妹相稱的習慣以外，是否還有是難兄難弟之意？他們曾共患難？不錯，徵諸英國倫敦傳道會（London Missionary Society，以後簡稱 LMS）檔案，證明區鳳墀與廣州起義有關係。起義失敗後亡命香港。❿馮自由更說區鳳墀是與孫中山同舟逃往香港的。⓫區鳳墀與孫中山的關係可知。這時的孫中山已把革命事業放在人生第一位，故倫敦脫險後首要急務是向同道中人竹報平安，以免他們洩氣。所以他趕緊寫信給陳少白和

---

❼ 秦孝儀主編：《國父全集》（臺北：近代中國出版社，1989），一套 13 冊，第 4 冊第 11-13 頁。以後提到的《國父全集》（1989），皆指此版本。又見《孫中山全集》一套 11 卷（北京：中華書局，1981-6），第 1 卷，第 24-6 頁。

❽ 《國父全集》（1989）第 4 冊，第 14-5 頁。《孫中山全集》第 1 卷，第 45 頁。

❾ 見拙稿《三民主義倫敦探源》第二章「日誌」。該書將由臺北聯經和上海書店出版社聯合出版，敬請讀者留意。

❿ Rev. T.W. Pearce (Hong Kong) to Rev. R. Wardlaw Thompson (London, LMS Foreign Secretary), 7 November 1895, p. 4, CWM, South China, Incoming correspondence 1803-1936, Box 13 (1895-97), Folder 1 (1895).

⓫ 見《中華民國開國前革命史》，第一冊第 23 頁。

區鳳墀。⓬這一發現開拓了嶄新的研究方向。

一、倫敦傳道會廣州站

區鳳墀者，世謂為基督教香港道濟會堂牧師。⓭又說孫中山在香港「拔萃書院讀書，課餘則隨區鳳墀補習國學」。⓮皆不確——至低限度在廣州起義以前，區鳳墀既不在香港也不是牧師（pastor）——當時他是倫敦傳道會廣州站（Canton Station）所僱用的宣教師（preacher），長期以來在廣州河南的福音堂（preaching hall）宣道，月薪 15 元港幣。⓯孫中山之認識區鳳墀並隨其習國學，似乎是 1886 年他在香港的中央書院畢業後到廣州博濟醫院（Canton Hospital）習醫的日子。該院任醫務兼翻譯醫書者尹文楷，與孫中山

⓬ 見拙稿《三民主義倫敦探源》第二章「日誌」。又見拙著《孫逸仙倫敦蒙難》（臺北：聯經，1998）。

⓭ 《國父全集》（1989）第四冊，第 14-5 頁。

⓮ 王誌信編著《道濟會堂史——中國第一家自立教會》（香港：基督教文藝出版社，1986），第 30 頁。王誌信乃道濟會堂首任牧師王煜初的曾孫。但此段消息來源似乎非自其曾祖父而是抄自馮自由：《革命逸史》（北京：中華書局，1981），第 2 集，第 10 頁。以後所引《革命逸史》，皆此中華版本。陳錫祺主編的《孫中山年譜長編》一套兩冊（北京：中華書局，1991）亦照抄如儀。見該書上冊，第 36 頁。以後簡稱《孫中山年譜長編》。

⓯ Rev. T.W. Pearce to Reve Wardlaw Thompson, Canton 5 April 1889, p. 6. CWM, South China, Incoming letters 1803-1936, Box 11 (1887-92), Folder 3 (1889). 此件沒 preacher 暨 preaching hall 的漢語專有名詞，筆者不願隨意翻譯，參之王誌信的《道濟會堂史》，可知該會分別稱之為宣教師和福音堂。筆者為了尊重該堂教友及避免混淆，決定沿用之。

熟善。尹文楷的岳父正是區鳳墀。通過尹文楷，孫中山與區鳳墀「相與過從，朝夕契談，倍極歡洽。」⑯

倫敦傳道會廣州站的英人主任傳教士——托馬斯·皮堯士牧師（Rev. Thomas W. Pearce），⑰對區鳳墀的評價是這樣的：「才具出眾，能力不凡。」⑱他的國學修養尤好：香港政府曾擬高薪聘請他到香港替公務員訓練班教授國文。徵詢皮爾斯牧師時，皮爾斯暗中阻止，不果。⑲無他，怕失掉良才也。後來德國的柏林大學東方研究所慕名聘請他前往講學四年，月薪 300 馬克。因為柏林大學沒有預先徵求皮爾斯牧師的意見，以致他沒法再次暗中阻止，只好強顏歡送。⑳區鳳墀就在 1890 年 10 月去了德國四年（1890-94）。任滿

---

⑯ 國民黨黨史會：《總理年譜長編鈔本》，第 10 頁。載《國父年譜》（1985），上冊，第 43-44 頁。

⑰ 王誌信把他誤作 T. W. Pierce，不確，應是 T. W. Pearce。又把他音譯作皮堯士，不準。見其編著的香港《道濟會堂史》，第 10 頁。Pearce 一般音譯作韋爾斯。鑑於王誌信把他音譯作皮堯士，似乎是沿用張祝齡牧師遺作「合一堂早期史略」的稱呼。筆者同樣是為了尊重該堂教友及避免混淆，這裡姑沿舊習稱之為皮堯士。

⑱ Rev. T.W. Pearce to Rev. Wardlaw Thompson, Canton 5 April 1889, p. 7. CWM, South China, Incoming letters 1803-1936, Box 11 (1887-92), Folder 3 (1889).

⑲ Rev. T.W. Pearce to Rev. Wardlaw Thompson, Canton 5 April 1889, p. 7. CWM, South China, Incoming letters 1803-1936, Box 11 (1887-92), Folder 3 (1889).

⑳ Thomas Pearce's Decennial Report (Canton & Outstations) for 1880-1890, 27 February 1891, p. 5. CWM, South China, Reports 1866-1939, Box 2 (1887-97), Envelope 25 (1890).

仍回廣州河南重操舊業，㉑但已有如脫胎換骨：當時的德國，教育水平之高與受教育人數之眾，為全球之冠。政治之廉潔，紀律之嚴明，與當時區鳳墀在滿清治下之廣州，無異天與地比。稍存愛國心的人都會矢志改變中國的落後局面，更何況他是先知先覺的知識份子。

當時德國的民族主義高漲，可以說蓋過其他歐洲國家，原因是其教育最普遍以致宣傳最成功也。筆者甚至懷疑，區鳳墀之所以被柏林大學看中，是通過倫敦傳道會廣州站的德人傳教士艾書拉（Rev. Ernst R. Eichler）的介紹。艾書拉牧師原來是德國禮賢會（Rhenish Mission）的傳教士，1881 年參加了倫敦傳道會，被派往廣州站負責客家地區的傳道工作。1889 年 2 月因病離開，㉒繞道德國回倫敦總部述職。㉓很可能正是他繞道在德國老家期間，知道柏林大學要物色漢語教師，就積極推薦區鳳墀。柏林大學當局徵諸其他傳教士，證實在中國的外國傳教士圈子裡，區鳳墀的名字是響噹噹的。㉔於是決定聘請他。結果他就在 1890 年 10 月成行了。當時

㉑ Rev. Thomas Pearce to Rev. Warlaw Thompson, 20 February 1895, CWM, South China, Incoming correspondence 1803-1936, Box 13 (1895-97), Folder 1 (1895).

㉒ Rev. Thomas Pearce's Decennial Report (Canton & Outstations) for 1880-1890, 27 February 1891, p. 2. CWM, South China, Reports 1866-1939, Box 2 (1887-97), Envelope 25 (1890). 此件文獻沒說出 Rhenish Mission 的漢語名稱叫甚麼。王誌信的《道濟會堂史》又沒道出禮賢會是何方神聖。筆者把中西文獻比較，得出的結論是：Rhenish Mission 在華的稱呼乃禮賢會，故云。

㉓ Rev. Ernst R. Eichler to Rev. Wardlaw Thompson, 29 January 1889, CWM, South China, Incoming letters 1803-1936, Box 11 (1887-92), Folder 3 (1889).

㉔ Rev. T.W. Pearce to Rev. Wardlaw Thompson, Canton 5 April 1889, p. 6.

德國正積極準備對華擴張，需要訓練懂漢語的人材。如果筆者對於艾書拉牧師之推薦區鳳墀予柏林大學的推想屬實，則證明該牧師的愛國心高於對倫敦傳道會的忠心，甚至蓋過他本人對自己宗教信仰的忠誠而挖了廣州站的牆角。德國傳教士的愛國熱情尚且如此，柏林大學師生的愛國熱情可知。區鳳墀置身其中四年，耳聞目染，以其知識份子的高度敏感，一定深受感染。而且，他是隻身上任的，夫人又在他出國後不久即去世了。㉕區鳳墀感懷身世之餘，受到德國強大愛國主義浪潮的影響，內心世界會起了甚麼變化？

這種變化是巨大的：1894 年底甫回廣州，㉖翌年即支持了孫中山的廣州起義！

起義的總部是廣州農學會。事敗，陸皓東本已與孫中山下舟準備逃亡，卻「復返農學會，欲取回機密」，結果「在會所被逮就義」。㉗這農學會是甚麼玩意？是區鳳墀發起的。起義前的 5 天——革命黨人決定在陰曆乙未年九月九日重陽節（陽曆 1895 年 10 月 26 日）起義——倫敦傳道會廣州站的代理主任傳教士威禮士

CWM, South China, Incoming letters 1803-1936, Box 11 (1887-92), Folder 3 (1889).

㉕ Thomas Pearce's Decennial Report (Canton & Outstations) for 1880-1890, 27 February 1891, p. 5. CWM, South China, Reports 1866-1939, Box 2 (1887-97), Envelope 25 (1890).

㉖ Rev. Thomas Pearce to Rev. Warlaw Thompson, 20 February 1895, CWM, South China, Incoming correspondence 1803-1936, Box 13 (1895-97), Folder 1 (1895).

㉗ 高良佐：〈總理業醫生活與初期革命運動〉，《建國月刊》，南京 1936 年 1 月 20 日版。轉載於《孫中山全集》第 1 卷，第 24-6 頁。

（Herbert R. Wells）[28]還與高采烈地寫信給倫敦總部說：「區先生目前正在致力於創辦一所農學院，所有建築所需費用和將來的日常開支都由他們華人自己去籌措。」[29]

准此，話題自然就回到本章開頭所說的、已發表的文獻當中有三件提供了重要線索的第二件，即「擬創立農學會徵求同志書」。[30]執筆起草該書的人正是區鳳墀。[31]最初面世的是油印件。[32] 1895年 10 月 6 日更刊於廣州的《中西日報》。[33]學術界一致認為，創立農學會的真正目的是為革命打掩護。現在看了威禮士牧師的信，我們可以補充說，所謂為農學院籌措建築費用和將來的日常開支，籌款的真正用途是廣州起義。

威禮士牧師接着又寫道：「他們更在努力籌款以便創建一家名叫《大光報》（*Light*）[34]的日報。領導這個計劃的都是我們自己

---

[28] Wells 一般音譯作韋爾斯。見《新英漢辭典》第 1670 頁。鑑於王誌信編著之《道濟會堂史》把他音譯作威禮士，而王誌信似乎又是沿用張祝齡牧師遺作「合一堂早期史略」的稱呼，筆者為了尊重該堂教友及避免混淆，這裡姑沿舊習稱之為威禮士。

[29] Rev. Herbert R. Wells to Rev. Wardlaw Thompson, 21 October 1895, CWM, South China, Incoming correspondence 1803-1936, Box 13 (1895-97), Folder 1 (1895).

[30] 《國父全集》（1989）第 4 冊第 11-13 頁。《孫中山全集》第 1 卷，第 24-6 頁。

[31] 《孫中山全集》，第 1 卷，第 24 頁，註*。

[32] 黨史會藏，編號 054/28，載《國父全集》（1989）第 4 冊第 13 頁，註 1。

[33] 見高良佐：〈總理業醫生活與初期革命運動〉，《建國月刊》，南京 1936 年 1 月 20 日版。轉載於《孫中山全集》第 1 卷，第 24-6 頁。

[34] 按英語 Light 一般翻譯作光明或光線。鑑於區鳳墀後來於 1912 年終於在

人，包括區先生和來自香港的王牧師（Pastor Wong）。」㉟輕描淡寫的一句話，卻道出兩個驚人的信息。

第一，過去的權威記載，像鄒魯那《乙未廣州之役》㊱和陳少白的《興中會革命史要》，㊲談到廣州起義時，多集中描述孫中山如何聯結綠林，運動民勇等。殊不知倫敦基督教傳道會在廣州的教友在不同程度上支持了孫中山的廣州起義。難怪起義失敗後，威禮士牧師的夫人憂心忡忡地向倫敦總部報告說：「我們的教友是起義首領們的朋友。雖然我們深信我們的教友是無辜的，但很難逆料他們的命運將會是怎樣。」㊳

第二，經考證，王牧師者，香港道濟會堂的主牧王煜初是也。㊴王煜初原屬德國禮賢傳道會（Rhenish Mission），在該會香港

香港成功地創辦了一家名為《大光報》的日報，讓筆者推測區鳳墀和王煜初在 1895 年擬創辦的日報很可能就是《大光報》。因為 Light 同樣可以翻譯成為《大光報》。關於 1912 年創辦《大光報》事，見王誌信：《道濟會堂史》，第 96 頁。

㉟ Rev. Herbert R. Wells to Rev. Wardlaw Thompson, 21 October 1895, CWM, South China, Incoming correspondence 1803-1936, Box 13 (1895-97), Folder 1 (1895). In another document, Wong Yuk ch'o.

㊱ 載柴德庚等編《中國近代史叢刊——辛亥革命》，一套 8 冊（上海：人民出版社，1981），第 1 冊，第 225-234 頁。以後簡稱《辛亥革命》。

㊲ 載《辛亥革命》第 1 冊，第 29 頁。

㊳ Mary M. Wells to Rev. Wardlaw Thompson, 2 November 1895, CWM, South China, Incoming correspondence 1803-1936, Box 13 (1895-97), Folder 1 (1895).

㊴ Rev. Thomas Pearce to Rev. Warlaw Thompson, 18 February 1890, p. 6, CWM, South China, Incoming correspondence 1803-1936, Box 13 (1895-97), Folder 1 (1895). Mr Pearce spelt Pastor Wong's name as Wong Yuk Choh. In another

的巴陵育嬰堂任教師。㊵ 1884 年被倫敦基督教傳道會香港華人自理會聘為主牧，品德之高尚，被譽為「窮讚美之詞仍不足」（Above all praise）。㊶同年春，孫中山轉學於香港中央書院，每星期日恒致鄰近福音堂聽王煜初牧師說教。㊷ 1887 年該華人自理會建成自己的教堂，㊸ 1888 年啟用，稱道濟會堂。㊹王煜初既曾多年在德國傳教士領導下工作，對德國人嚴謹的工作作風與濃厚的愛國主義思想感情，會深受感染。目睹時艱，轉而憂國憂民，他與區鳳墀可以說有共同語言。當時香港已為英屬，言論與結社等自由都比內地充份，王煜初傳道之餘亦授西學。㊺當時香港道濟會堂的二百多名教友，原都是倫敦傳道會歷代傳教士在香港辛勤傳教的成

---

document, Pastor Wong himself spelt his own name as Wong Yuk ch'o. 徵諸王誌信：《道濟會堂史》，第 11 頁，可知乃王煜初。

㊵ Rev. John Chalmers's Decennial Report (Hong Kong District) for 1880-1890, 12 February 1891, p. 6, CWM, South China, Reports 1866-1939, Box 2 (1887-97), Envelope 25 (1890). 此件只說王煜初乃 Rhenish Mission 的教師。徵諸王誌信：《道濟會堂史》，第 11 頁，可知乃巴陵育嬰堂教師。

㊶ Rev. John Chalmers (Hong Kong) to Rev. R. Wardlaw Thompson (London, LMS Foreign Secretary), 30 April 1890, CWM, South China, Incoming correspondence 1803-1936, Box 11 (1887-92), Folder 4 (1890).

㊷ 馮自由：《革命逸史》（北京：中華書局，1981），第 2 集，第 11 頁。馮自由把中央書院說成是皇仁書院，不確。中央書院遲到 1894 年才改名為皇仁書院。馮自由又把原來是福音堂說成是道濟會堂，亦不確。道濟會堂遲到 1887 年才建成並以此命名。見下文。

㊸ Rev. John Chalmers (HK) to Rev. R. Wardlaw Thompson (London, LMS Foreign Secretary), 28 July 1887, CWM, South China, Incoming Correspondence 1803-1936, Box 11 (1887-92), Folder 1 (1887).

㊹ 王誌信：《道濟會堂史》，第 16 頁。

㊺ 王誌信：《道濟會堂史》，第 29-30 頁。

果。與廣州的教友是一脈相承的。而且，自從 1890 年以來，每年的農曆新年，王煜初牧師都帶領香港道濟會堂的代表團到廣東與當地教友聯歡，每年輪流在廣州和廣州以外的分站博羅、從化、佛山等地進行。㊻

准此，話題自然就轉到(1)倫敦傳道會香港地區委員會（LMS Hong Kong District Committee）(2)由該委員會的歷代傳教士們哺育成長的香港道濟會堂。

二、倫敦傳道會與香港道濟會堂

當廣州起義的消息傳到香港時，倫敦傳道會香港地區委員會秘書托馬斯·皮堯士牧師（Rev. Thomas W. Pearce）——他本來是廣州站的主任傳教士，到了 1895 年則已被提昇為香港地區的主任傳教士了——向倫敦總部的外事秘書報告說：「您可能已通過其他渠道得悉去週有人在廣州企圖起義而失敗了。該舉只不過是廣大群眾對他們自己的政府所存在的普遍不滿意以致動亂的一點點苗頭。」㊼從這劈頭第一句話，就可以看出他是同情起義者的。

接着他寫道：「對我們來說，該舉的重要性在於我們的華人教

㊻ Rev. Thomas Pearce to Rev. Warlaw Thompson, 18 February 1890, p. 6, CWM, South China, Incoming correspondence 1803-1936, Box 11 (1887-92), Folder 4 (1890).

㊼ Rev. Thomas Pearce to Rev. Warlaw Thompson, 7 November 1895, p. 4, CWM, South China, Incoming correspondence 1803-1936, Box 13 (1895-97), Folder 1 (1895).

友被證實曾積極參與其事。至於本會的兄弟姊妹的參與程度，據我所知則不像我們（華人教會）的華人教友那麼深，雖然有些（本會的）兄弟之如區鳳墀先生等都認為還是暫避香港為佳。」。㊽他所說的本會的兄弟，是指直接受僱於倫敦傳道會的宣教師（preacher）之如區鳳墀等。而他所指的華人教友，正是道濟會堂的教眾。倫敦傳道會的一貫政策是鼓勵佈道地區教會自立。香港的教眾到了 1880 年代已超過二百人。1884 年初又向在香港的德國禮賢會（Rhenish Mission）聘來王煜初當首任牧師。㊾ 1888 年更建築了自己的禮拜堂——道濟會堂。㊿經濟和行政都從母會獨立出去，母會的西牧只充當顧問的角色。

皮堯士牧師繼續寫道：「毫無疑問，很多皈依我主的人都深深地感覺到，採取行動以爭取自由已刻不容緩了。生活在這個土政權之下的滋味，只有華人他們自己最清楚。」㊿此話顯出，他的態度已從第一句話中表現出來對起義者的同情變成支持了。無他，皮堯

㊽ *Ibid.*

㊾ Rev. John Chalmers's Decennial Report (Hong Kong District) for 1880-1890, 12 February 1891, p. 6, CWM, South China, Reports 1866-1939, Box 2 (1887-97), Envelope 25 (1890). 王誌信：《道濟會堂史》，第 11-12 頁及第 18 頁註 7。

㊿ Rev. John Chalmers's Report (Hong Kong District) for 1888, 6 March 1889, CWM, South China, Reports 1866-1939, Box 2 (1887-97), Envelope 23 (1888). 王誌信：《道濟會堂史》，第 16 頁。

51 Rev. Thomas Pearce to Rev. Warlaw Thompson, 7 November 1895, p. 4, CWM, South China, Incoming correspondence 1803-1936, Box 13 (1895-97), Folder 1 (1895).

士本人曾在廣州生活過十多年，[52]對該地政權的性質已深有體會。

但他馬上發覺自己說漏了嘴，於是草草收場：「當然，我們是不斷努力不懈地教導我們的聽眾必須服從於自己的政府。」[53]

上述皮堯士牧師短短的一段書簡，道出了非常重要的情況：⑴倫敦傳道會的傳教士同情，甚至在道義上支持孫中山的廣州起義。⑵該會的教徒，包括香港道濟會堂的教友，在不同程度上支持了孫中山的廣州起義。關於第二點，上面已提到了區鳳墀和王煜初對農學會的支持。在這裡可以補充說，道濟會堂黃平甫長老之子黃詠商[54]賣掉了祖產香港蘇杭街洋樓一所，得資八千，支持起義。[55]另一支持者何啟，香港名流，乃倫敦傳道會宣教師何福堂的第四子。[56]何福堂曾被該會派往佛山傳道，而「區鳳墀便是佛山堂的第

---

[52] Thomas Pearce's Decennial Report (Canton & Outstations) for 1880-1890, 27 February 1891, p. 2. CWM, South China, Reports 1866-1939, Box 2 (1887-97), Envelope 25 (1890).

[53] Rev. Thomas Pearce to Rev. Warlaw Thompson, 7 November 1895, p. 4, CWM, South China, Incoming correspondence 1803-1936, Box 13 (1895-97), Folder 1 (1895).

[54] 王誌信：《道濟會堂史》，第 35 頁。

[55] 馮自由：《革命逸史》（北京：中華書局，1981），初集，第 6 頁。

[56] 王誌信：《道濟會堂史》，第 13 頁。王誌信在該頁稱何福堂為牧師，在第 10 頁又說何福堂為佛山堂主牧，「區鳳墀便是佛山堂的第一位領洗教友」。時間上與倫敦傳道會的原始文獻有重大衝突。蓋遲至 1887 年，倫敦傳道會廣州站的主任傳教士還直接僱用佛山的負責人，並稱之為宣教師（preacher），隨意調遣。見 Rev. Thomas Pearce to Rev. Wardlaw Thompson, 7 March 1887, CWM, South China, Incoming Correspondence 1803-1936, Box 11 (1887-92), Folder 1 (1887)。准此，筆者決定稱何福堂為宣教師，而不沿王誌信稱之為牧師，蓋當時佛山還沒有牧師也。國人有個陋習，隨便為其所尊敬的人「加官晉爵」。像孫逸仙從來就沒有博士學

一位領洗教友。」[57]

倫敦傳道會哺育成長的道濟會堂諸教友也好，仍由該會僱用的宣教師也好，他們在廣州起義中作過甚麼具體的貢獻？

先談道濟會堂主牧王煜初。1894-5 年甲午中日戰爭中國戰敗，王煜初與區鳳墀等憤慨之餘，籌辦《大光報》以喚醒國人。[58]另一方面，他又決定在 1895 年 10 月下旬為兒子王寵光娶媳婦。因為女家在廣州，所以王煜初帶了一家大小以及道濟會堂諸長老到廣州去。[59]而孫中山與興中會同志秘密決定在廣州起義的日子正是 10 月 26 日重陽節。由此我們可以初步推斷王煜初對廣州起義預先並不知情。據道濟會堂資深長老黎福池的女兒黎玩瓊複述家傳口碑說：「誰知孫文來，不住的勸王煜初說，『王牧師，你不要酬酒啦！娶完新抱（媳婦），飲完頭餐酒，就好返香港了。』他又不明說要起事。明說起事，就大家都幫你，快點娶完就返來。他只是一味勸王煜初，要快點回港。那時例興要酬酒，王煜初便說，『這不行，還是要酬酒，回請人家才好。』誰料他竟起事。」[60]這口碑可以讓我

位，卻故意誤解其英文 Dr 的稱呼而把醫生的稱號曲稱為博士。混淆視聽，殊不可取。

[57] 王誌信：《道濟會堂史》，第 10 頁，引述楊襄甫：〈區鳳墀先生傳略〉。楊襄甫又是在廣州聽了區鳳墀宣教而歸信者。

[58] Rev. Herbert R. Wells to Rev. Wardlaw Thompson, 21 October 1895, CWM, South China, Incoming correspondence 1803-1936, Box 13 (1895-97), Folder 1 (1895). In another document, Wong Yuk ch'o.

[59] 黎玩瓊：〈談談道濟會堂〉，1984 年 1 月 6 日，載王誌信：《道濟會堂史》，第 85-87 頁：其中第 86 頁。

[60] 黎玩瓊：〈談談道濟會堂〉，1984 年 1 月 6 日，載王誌信：《道濟會堂史》，第 85-87 頁：其中第 86 頁。

們進一步推論王煜初並非興中會的核心人物，沒有參與起義機密。

次談區鳳墀。據國民黨員老鄒魯記載：「初九日，總理與區鳳墀赴王煜初牧師宴，途遇李家焯所遣探勇，鳳墀詫曰：『何今日所遇營勇之多耶？』總理曰：『來偵吾行跡也。』鳳墀曰：『何故？』總理曰：『道路皆云孫文舉事，汝未知耶？』李部探勇以未得捕人之命，又為總理所道破，相顧而去。」[61]所言宴會者，該是王煜初之酬酒也。這段記載，除了道出區鳳墀同樣非興中會核心人物也沒參與起義機密之外，也佐證了上述口碑：廣州起義期間王煜初的確是去了廣州──不是去參加革命而是去為兒子娶媳婦。

三談道濟會堂的元老之一──黎福池。道濟會堂正中壁上所懸匾額上所書「天道下濟」四字，正是黎福池的題詞。[62]他妻子的弟弟正是王煜初。廣州起義失敗孫中山逃回香港後，曾到過道濟會堂。據黎福池女兒黎玩瓊回憶說，黎福池見了孫中山，便急忙讓他快快離開，以免連累教會。「他死賴着要進辦公室（見王煜初）」，說只呆一會。黎福池說呆一會也不行。孫中山不得已走下地窖，再從地窖的後門往後街溜掉。不久果然有偵探來調查。「幸虧孫文走快點，不然真的拖累教會。」廣州方面的教會則真的被牽連了：「所有賣聖經的、賣入教書籍的，全被查抄。」她又說：連左光斗「聾的，開家聖書公會，賣聖經及教會物品的，也遭查抄。」[63]

---

[61] 鄒魯：《乙未廣州之役》載《辛亥革命》，第1冊，第230頁。

[62] 黎玩瓊：〈談談道濟會堂〉，1984年1月6日，載王誌信：《道濟會堂史》，第85-87頁：其中第85頁。

[63] 黎玩瓊：〈談談道濟會堂〉，1984年1月6日，載王誌信：《道濟會堂史》，第102頁。

綜合分析了上述各方史料，包括英國倫敦傳道會諸傳教士的私人信件與年報，革命黨人之如陳少白、馮自由、鄒魯等的記載，道濟會堂本身的記載和口碑，一個比較一致的情況浮現出來了：倫敦傳道會哺育成長了的香港道濟會堂的一些出色領導人之如王煜初，以及該會還在哺育中的廣州福音堂的一些傑出領導人之如區鳳墀，雖然沒有直接參與孫中山廣州起義的機密，但是卻間接曾給與很大的支持。難怪孫中山在倫敦脫險後，就用第一時間向區鳳墀竹報平安。區鳳墀見字自然會向道濟會堂其他機要人物傳達這個喜信。可見孫中山對這批教友是非常重視的。

至於教會怕被牽連，也是實情。首先，倫敦傳道會諸傳教士就絕對不願意負上顛覆當地政府的罪名與惡譽。而在廣州起義後，更會加意克制教眾。其次，教會是公開運作的團體，一切受當地法律約束。所以行為要非常檢點，不能像孫中山的興中會那樣鋌而走險。區鳳墀的一句話道出了心聲：「革命事業固需有急激份子打前鋒，也需要有穩健份子作後衛支援。」[64]據王誌信云「廣州起義失敗後，興中會（在香港）的機關不能再用，道濟會堂竟一度成為興中會人士傳遞消息和會面的地方。」所據事例乃宮崎寅藏、平山周持陳少白介紹信先後到澳門、廣州、香港見孫中山。輾轉在澳門見了張壽波、在廣州見過何樹齡，最後才在香港道濟會堂見到區鳳墀。到了這第三關，興中會人士對來訪者已有了一定的認識，再經

[64] 王誌信：《道濟會堂史》，第 36 頁，引楊襄甫：《區鳳墀先生傳略》。楊襄甫乃區鳳墀在廣州宣教時受感而領洗入教者。王誌信沒道出所引材料的出版日期和頁數。筆者又至今無緣奉讀該史料，無從核實。

區鳳墀驗證後，區鳳墀終於坦然說孫中山「前月已有發倫敦之報，不日當至貴國。」[65]准此，可見王誌信所言不虛。筆者更希望藉此補充說，孫中山似乎是通過區鳳墀而與道濟會堂其他的熱血人士以及興中會會員保持聯繫。

這批熱血人士當然包括王煜初：他是主牧，沒他支持或默許，誰能讓興中會人士用道濟會堂來傳遞消息和會面？當然也包括區鳳墀：廣州起義失敗後他一直不敢回廣州，就留在香港當道濟會堂的長老。1899 年陳少白奉孫中山之命自日本回香港創辦《中國日報》，[66]據云得區鳳墀助力不少。民國成立後，孫中山曾邀其出仕，區謝辭，以宣教師終。[67]至於王煜初，則一向健康不佳，[68]且不待民國成立已於 1903 年 1 月病逝。[69]逝世前帶病奮力編著了《中日戰輯》，以喚醒國人。又著了《拼音字譜》，希望藉此普及

---

[65] 王誌信：《道濟會堂史》，第 36 頁，引《中華民國史事紀要》第 784-786 頁，但沒說是該《紀要》中的第幾冊。筆者函臺灣中央研究院近代史研究所的陳三井先生求助，查出是《中華民國史事紀要 1894-1897》。

[66] Howard L. Boorman (ed.), *Biographical Dictionary of Republic China*, 6 vs. (New York: Columbia University Press, 1967-70), v.1, pp. 229-231: entry on 'Chen' Shao-pai', p. 230. 又見陳少白：《興中會革命史要》，轉載於《中國近代史資料叢刊——辛亥革命》（上海：上海人民出版社，1981），第 1 冊，第 25 頁。

[67] 王誌信：《道濟會堂史》，第 99-100 頁。

[68] Rev. John Chalmers (Hong Kong) to Rev. R. Wardlaw Thompson (London, LMS Foreign Secretary), 30 April 1890, CWM, South China, Incoming correspondence 1803-1936, Box 11 (1887-92), Folder 4 (1890).

[69] 王誌信：《道濟會堂史》，第 37 頁。

教育。據云 1952 年北京語文改革社曾將這書翻印發行。[70]可見區鳳墀與王煜初都是高度愛國的虔誠基督徒。

孫中山在香港受洗時，虔誠的程度不見得比區鳳墀與王煜初差。為了繼續當基督徒，他可以跟哥哥孫眉鬧翻，不惜把哥哥曾贈送給他的財產奉還。[71]替他洗禮的傳教士喜嘉理牧師（Rev. Charles Robert Hager）[72]甚至說，當孫中山領洗後，曾立志「學習傳道科，蓋彼時其傳道之志，固甚堅決也。」[73]他們也有另一個共同點：憂國憂民，亟願為國家民族作點事情。但為甚麼後來孫中山去打前鋒的時候，區、王卻甘心當後衛？不單如此，區、王均以宣教終。孫中山則在離開香港以後，馮自由發覺「在日本及美洲與總理相處多年，見其除假座基督教堂講演革命外，足跡從未履禮拜堂一步。」[74]在星加坡支持孫中山奔走革命多年的僑商張永福也說：「永不見其

---

[70] 兩書皆藏哈佛大學的哈佛——燕京圖書館。見王誌信：《道濟會堂史》，第 32-34 頁。

[71] 《孫中山年譜長編》，上冊，第 39 頁，引黃彥、李伯新：〈孫中山的家庭出身和早期事跡〉，《廣東文史資料》第 25 輯，第 187-290 頁。

[72] 據香港的史密夫牧師（Rev. Carl T. Smith）說，他在 1965 年返回美國研究時，發覺波士頓市貝肯街（Beacon Street, Boston）的綱紀慎會圖書館藏有喜嘉理牧師（Rev. Charles Hager）的材料。見 Carl Smith, *A Sense of History: Studies in the Social and Urban History of Hong Kong* (Hong Kong: Hong Kong Educational Publishing Co., 1995), p. 310. 筆者閱後，心癢難搔。但目前迫於趕稿子，也只好暫時忍耐。將來必定沿這條珍貴綫索專程飛波士頓市追蹤去。

[73] 喜嘉理：〈美國喜嘉理牧師關於孫總理信教之追述〉。載馮自由：《革命逸史》，第 2 集，第 12-17 頁：其中第 14 頁。

[74] 馮自由：《革命逸史》，第 2 集，第 12 頁。

至教堂一步。」[75]為甚麼？准此，話又轉到本章開頭所說的、已發表的文獻當中有三件提供了重要線索的第一件，即孫中山自稱其走上革命道路，是由於在香港唸書時所受到的影響。[76]

孫中山在香港共唸過三所學府：兩所中學，一所大學。

三、孫中山所唸過的兩所中學

第一所中學，《國父年譜》稱之為拔萃書院。[77]《孫中山年譜長編》稱之為拔萃書室。[78]稱之為拔萃書院，看來是受到某種影響：即目前在香港有一所非常著名的中學，名為拔萃書院。20 世紀的 50 年代和 60 年代，當筆者在香港唸書時，拔萃書院被稱為「貴族學校」之一，以校園環境優美、成績卓越著稱，在九龍與華仁書院、喇沙書院等齊名。由於當時香港政府容許各校自由招生、自由收費，富家子弟趨之若鶩，故有「貴族學校」之稱。但把 1883 年孫中山就讀的那所中學稱之為拔萃書院，則既與事實不符，也無意地掩蓋了一些重要史實。

1883 年孫中山就讀的那所中學，據香港教育署的紀錄，英文

[75] 張永福：〈孫先生起居注〉，載尚明軒、王學莊、陳崧（合編）：《孫中山生平事業追憶錄》（北京：人民出版社，1986），第 820-823 頁：其中第 822 頁。

[76] Hong Kong *China Mail*, Wednesday 21 February 1923.

[77] 《國父年譜》，上冊，第 33 頁。

[78] 《孫中山年譜長編》上冊，第 36 頁。

全名是 Diocesan Home and Orphanage (Boys)。[79]直譯的話可作「主教區男童收容所、男孤兒院」。該所又提供教育，並因此而得到香港政府的教育補助（grant-in-aid）。[80]香港教育署的另一份文獻又標明該所是 C.M.S.所辦。[81] C.M.S.者，Church Missionary Society 的簡稱。直譯的話可作「教會傳道會」，屬英國國教聖公會（Church of England）。聖公會設主教（bishop），其轄下教區稱為 dioceses。1849 年英國的聖公會在香港設主教，香港就自成一個主教區。[82]故筆者把 Diocesan Home and Orphanage (Boys) 直譯作「主教區男童收容所、男孤兒院」。看來該所是教會的一個慈善機構，以收容為主，教育為副。後來該所遷址到九龍太子道，獨佔一個山頭，樹木參天，環境幽靜。又把目標改為致力於教育，再不作收容。名字又改為 Diocesan Boys' School。中文則定名為男校（或稱拔萃書院），表示其所作育之英才，乃出類拔萃也。

找出了孫中山就讀的那所學校的真實名字，有助於我們了解他當時的具體情況。孫中山 1883 年秋天之到香港，是因為在此之前他在故鄉翠亨村，「入北帝廟，戲折北帝偶像一手，並毀其他偶像

---

[79] Cf E. J. Eitel, *Educational Report for 1888, Presented to the Legislative Council by command of His Excellency the Governor*, Hong Kong, Education Department, 11 February 1889: Tables XI – XV.

[80] Ibid.

[81] See the table in E. J. Eitel to. F. Fleming, 28 January 1890. Dr Eitel was the Inspector of Schools and the Hon. F. Fleming, C.M.G. was the Colonial Secretary of Hong Kong.

[82] *Church Missionary Society Archive: Section I: East Asia Missions, Parts 10-14* (Marlborough Wiltshire: Adam Matthew Publications, 2002), p. 9.

三具，以示木偶不足為世人害。」[83]此舉又源自孫中山在 1879-1883 年間於夏威夷（又稱檀香山）唸書時，首讀英國聖公會所設意奧蘭尼學校（Iolani School），[84] 1883 年春升讀美國基督教綱紀慎會（Congregational Church）傳教士所設的奧阿厚中學（Oahu College）。[85]由此而「久受宗教教義薰陶，信道漸篤……遂有克日受洗禮之議。」其兄反對，遣返歸里，遂有橫掃偶像之舉。[86]鄉人大為鼓譟，群向其父問罪，「聲勢洶洶，達成公怒，操杖覓總理，總理因避至香港。」[87]孫中山倉猝離鄉，隻身逃往香港，不名一文，哪來的經費唸甚麼貴族學校？而且，來到這個那陌生的地方又舉目無親，最後求助於當地的「主教區男童收容所」，應屬實情。[88]

---

[83] 馮自由：《革命逸史》，第 2 集，第 10 頁。

[84] Lum, Yansheng Ma and Raymond Mun Kong Lum, *Sun Yat-sen in Hawaii: Activities and Supporters* (Honolulu HI: Hawaii Chinese History Center, 1999), p. 1.

[85] Lum, *Sun Yat-sen in Hawaii*, p. 3, quoting the Punahou School (formerly Oahu College) archives. In the 1882-1883 catalogue of Punahou School, Sun was listed under the name of Tai Chu. In the Punahou School archives, there is also a ledger that recorded the payment of $55 to the account of Tai Chu, dated 19 June 1883.

[86] 馮自由:《革命逸史》，第 2 集，第 10 頁。

[87] 馮自由：《革命逸史》，第 2 集，第 10 頁。

[88] 他在該所登記冊上填寫的名字是 Sun Tui-chew（孫帝象）。見 the year 1883 in "List of Boys' Names from 1870 to January 1912", Hong Kong Diocesan Home and Orphanage (Boys), HKMS91-1-435, Hong Kong Public Office，載許崇德：〈從建制到反建制：香港歷史文獻中的孫中山先生〉（19/9/2001）。

後來筆者得閱香港歷史檔案館許崇德先生大文，89方知有《拔萃書院編年史》。更承許崇德先生幫忙，代筆者公函向拔萃書院校長張灼祥先生取得許可之後，把該原件有關部份複印擲下，更證實了筆者的想法。並據此可知在 1883 年，該所、院共收容了 50 名男女兒童，年齡在 6 歲到 17 歲之間，皆該會的傳教士從中國各口岸送來的。至於收費（包括學費、食宿費、衣服、醫療、洗滌等），則規定 12 歲以下的男童每人每月共收費 $12.50，而 12 歲以上的男童每人每月共收費 $15。90孫中山哪來的錢每月付 $15 的費用？當時香港佣人之如廚子等的工資每月只得 8 元左右！91所以，該編年史說孫中山乃日校走讀生，92應為信史。孫中山既然是拔萃的走讀學生，則他還要為居住的問題大費周章。經考證，他很可能是居住在美國綱紀慎會傳教士喜嘉理牧師所設福音堂兼學堂的二樓，同室者還有其他華人。該牧師本人則居於三樓。而最後為孫逸仙施洗進入基督教的，也是喜嘉理牧師。93

翌年、1884 年，有幾件大事值得注意。

---

89 許崇德：〈從建制到反建制：香港歷史文獻中的孫中山先生〉（19/9/2001）。

90 15th Annual Report of the Doccesan Home, quoted in the *History and Records of the Diocesan Boys School, Part 3a – Year by Year (1860-1947)*, p. 29, year 1883, HKMS88-294, Hong Kong Public Record Office.

91 Carl T. Smith, *A Sense of History*, p. 330.

92 15th Annual Report of the Doccesan Home, quoted in the *History and Records of the Diocesan Boys School, Part 3a – Year by Year (1860-1947)*, p. 30, year 1883, HKMS88-294, Hong Kong Public Record Office.

93 馮自由：《革命逸史》，第 2 集，第 13 頁。

第一、在該年 4 月 15 日，孫中山在香港中央書院（Government Central School）註冊入學。註冊名字孫帝象，註冊編號 2746。所報住址乃比利者士街 2 號（No. 2 Bridges Street）。[94]該地址正是綱紀慎會喜嘉理牧師所設福音堂兼宿舍的所在地。[95]徵諸喜嘉理牧師的文書，則筆者推算孫逸仙受洗的具體日期應為 1884 年 5 月 4 日，[96]比他入讀中央書院的日期遲了二十天。

至於為何孫中山在 1883 年 12 月停學後，遲至 1884 年 4 月 15 日才復課。則至今是個謎。竊以為：若經濟許可的話，以孫中山在夏威夷讀書成績之優良，他大可在 1884 年 1 月就進入香港中央書院。若經濟果真是主要障礙的話，則竊以為孫中山在 1883 年秋逃離故鄉，抵達香港後馬上函夏威夷向乃兄求助學費和生活費，則半年之後的 1884 年 4 月 15 日，應該已收到匯款。[97]且有記載顯示，乃兄有感孫中山求學上進之志，曾以財產分授之，使其不虞匱乏，

---

[94] I have seen references to Gwenneth Stokes' *Queen's College, 1862-1962* (Hong Kong, 1962), p. 52, but have so far failed to locate the book itself. This is a line of inquiry I shall pursue in the future. 見《國父年譜》（1985），上冊，第 36 頁。中山大學孫中山研究所、香港中文大學聯合書院（合編）《孫中山在港澳與海外活動史跡》（香港：聯合書院，1986），第 10-14 頁。

[95] Carl Smith, *Chinese Christians: Elites, Middlemen, and the Church in Hong Kong* (Oxford University Press, 1985), p. 90.

[96] Hager to Clark, 5 May 1884, ABC 16.3.8: South China v. 4, no. 17, p. 3. See next section for more details.

[97] 至於乃父從鄉間發出之信，幾經轉折才到達夏威夷，則乃兄召孫中山赴夏威夷之信，遲到 1884 年 11 月方抵達香港，就毫不稀奇了。

以便安心讀書。[98]入學後，中央書院的學科一如當時英國本土的中學，所有課程用英語授課，課程本身則包括閱讀、默書、算數、中譯英、英譯中、文法、地理、繪地圖、作文、歷史、幾何、代數、拉丁文、常識、測量、莎士比亞、三角等。[99]

這些科目中，歷史課對他思想的影響可能最大，他後來於 1923 年在香港大學演講時重點提到的、英國人及歐洲人爭取自由的歷史，相信都是在此時認識到的。他說：「英國及歐洲之良政治，並非固有者，乃經營而改變之耳。從前英國政治亦復腐敗惡劣，顧英人愛自由，僉曰：『吾人不復能忍耐此等事，必有以更張之』。卒達目的。我因此遂作一想曰：『曷為吾人不能改革中國之惡政治耶？』」。[100]孫中山這句話，使筆者聯想到 1886 年——即孫中山在中央書院唸書最後的一年——該校歷史課考試的課題包括：「第一級、占姆士二世為何喪失他的皇位？第二級、你認為查理士被處死一事是否公道？你回答此問題時必須羅列你答案的理據。」[101]把兩條史料連在一起神遊冥想，可知四十多年前孫中山上

---

[98] Paul Linbarger, *Sun Yat-sen and the Chinese Republic*, pp. 164-168.

[99] Cf E. J. Eitel, *Educational Report for 1888, Presented to the Legislative Council by command of His Excellency the Governor*, Hong Kong, Education Department, 11 February 1889: Table IX 'Enrolment and Attendance at the Central School during 1888'.: p. 3, Table 'Government Central School – Number of boys passed in Each Subject in 1888'.

[100] 孫中山：〈在香港大學的演說〉，1923 年 2 月 19 日，《孫中山全集》第 7 卷（北京：中華，1981），第 115-117：其中第 116 頁。

[101] Hong Kong Administrative Report, 1887, No. 108, Public Record Office, Hong Kong, quoted in 吳倫霓霞：「孫中山早期革命運動與香港」，《孫中山研究論叢》第三集（廣州：中山大學，1985），第 67-78 頁：其中第 70 頁

過的歷史課，在他心目中印象還是那麼深刻！准此也可以理解到，孫中山絕對不是個「學而不思」的人。

此外，我們會注意到，中央書院的課程中沒有生物學（biology）這一門課。否則他會想得更多。因為生物學了挑戰基督教。此點下文自有分解。另一方面，由於中央書院不是教會所辦，課程也不包括基督教教義。於是虔誠的孫中山在每星期日恒致鄰近福音堂聽王煜初牧師說教。[102]這樣比聽喜嘉理牧師用他那彆腳的漢語宣道更為直接了當。[103]

第二、在 5 月 26 日，他奉父命回翠亨村與素未謀面的盧慕貞（1867-1952）成親。[104]當時孫中山實齡 18 歲。雖屬盲婚啞嫁，但孫

及該頁腳注 3。吳倫霓霞教授發掘並利用了這條珍貴史料，可喜可賀。筆者有一癖好，看過別人的引文後總愛找來原件鑽研，故拼命追查該條史料，終於覓得香港教育署 1887 年對中央書院的調查報告，相信是吳倫霓霞教授所用過的史料，但裡邊卻沒有她所提到的歷史科考試題目。筆者已經於 2003 年 8 月 13 日致函吳倫霓霞教授請其指點迷津。待奉覆示再將此注修改。若等到本書付梓時仍未奉覆，則保留此注，留待將來追查。又承香港檔案館許崇德先生幫忙，從 1884 年到 1886 年孫中山在中央書院唸書期間的香港政府施政報告查遍了，可惜再沒發現別的有關中央書院的報告。

[102] 馮自由：《革命逸史》，第 2 集，第 11 頁。馮自由把中央書院說成是皇仁書院，不確。中央書院遲到 1894 年才改名為皇仁書院。馮自由又把原來是福音堂說成是道濟會堂，亦不確。道濟會堂遲到 1887 年才建成並以此命名。見下文。

[103] For Dr Hager's lack of proficiency in the Cantonese dialect, see Carl T. Smith, Chinese *Christians: Elites, Middlemen, and the Church in Hong Kong* (Oxford University Press, 1985), p. 89.

[104] 《國父年譜》（1985），上冊，第 37 頁。

中山既婚，日後在香港繼續讀書時若遇到心中真愛，他會如何取捨？若追求真愛，則他與教會中人的關係又會怎樣？

第三、7 月 27 日發生了一件足以大大挑起其民族主義情緒的事情。當天，與孫中山同時住在比利者士街 2 號（No. 2 Bridges Street）、喜嘉理牧師所設福音堂兼宿舍的廚子曹國謙（音譯）和該福音堂主日學的主管宋毓林，共同坐在一張公共長椅上欣賞從軍營裡傳出來的、當地駐軍演奏的銅管樂。突然來了一位英國人（Charles Bond），高舉手仗，像趕狗般要趕他們離座，以便他自己和他的妻女能坐下來。宋毓林乖乖地站起來走開。廚子卻勃然大怒，用洋涇濱英語（Pidgin English）指着該英人臭罵曰：「你又不是甚麼達官貴人，憑甚麼趕我走，你狗娘養的！」說罷拉開架子就要跟該英霸廝打。[105]英霸外強中乾，不敢接招之餘卻召來警察。警察把廚子逮捕，罰款 3 元後才把他釋放。按當時香港法律，公共長椅是專為歐洲人而設，華人儘管是先到但也不許先得。[106]此外，當時香港佣人之如廚子等的工資每月只得 8 元左右。[107]該廚子被欺負以後還被罰了約半個月的工資，氣憤可知。他天天為孫中山燒飯，向這位年輕人訴點苦水，在所不免。宋毓林則是喜嘉理牧師第一位在香港領洗入教的人（孫中山是第二位），[108]與孫中山有「同窗」之誼。孫中山聽了兩人的遭遇後，心中會有何感想？

---

[105] *China Mail*, 28 July 1884, quoted in Carl T. Smith, Chinese Christians, p. 90.

[106] Carl T. Smith, *Chinese Christians*, p. 91.

[107] Carl T. Smith, *A Sense of History*, p. 330.

[108] 《中華基督教會公理堂慶祝辛亥革命七十週年特刊》（香港：1981），第 2 頁。

第四、8 至 10 月，在中法戰爭中，攻打臺灣受創的法國軍艦開到香港，華工拒絕為其修理。法國商船開到香港，艇工拒絕為其卸貨。香港政府對該等工人罰款，導致全港苦力大罷工。罷工工人與警察磨擦之餘又導致警察開槍，造成不少傷亡。[109]香港的《循環日報》評論說：「中法自開仗之後，華人心存敵愾，無論商賈役夫，亦義切同仇……此可見我華人一心為國，眾志成城，各具折衝禦侮之才，大有滅此朝吃之勢。」[110]孫中山耳聞目染，大受影響。翌年清朝戰敗，屈辱求和，對孫中山更是一個很大的衝擊。事後他回憶說：「予自乙酉中法戰敗之年，始決傾清廷，創建民國之志。」[111]這段回憶，佐證了本章開宗明義第一條，即孫中山自稱其走上革命道路，是由於在香港唸書時所受到的影響。[112]回顧 1883 孫中山受洗時，為他洗禮的喜嘉理牧師觀察到他虔誠之至，矢志終身當傳教士。[113]曾幾何時，孫中山現在又說要搞革命。但竊以為人

[109] Tsai Jung-fang, *Hong Kong in Chinese History: Community and Social Unrest in the British Colony, 1842-1913* (New York: Columbia University Press, 1993), pp. 142-146.

[110] 香港《循環日報》1884 年 10 月 9 日。所謂「滅此朝吃」者，源自「滅此而朝食」：《左傳・成公二年》載：晉軍在早晨前來進攻齊國、「齊侯曰：『余姑翦滅此而朝食。』不介馬而馳之。」又，朝食：吃早飯。消滅掉這些敵人再吃早飯。形容急於取勝的心情和高昂的鬥志。《漢語成語詞典》（成都：四川辭書出版社，2000 年 10 月再版）。

[111] 孫中山：〈建國方略、孫文學說第八章「有志竟成」〉，《國父全集》，第 1 冊，第 409-422：其中第 410 頁。《孫中山全集》，第 6 卷，第 228-246 頁：其中第 229 頁。

[112] Hong Kong *China Mail*, Wednesday 21 February 1923.

[113] 〈美國喜嘉理牧師關於孫總理信教之追述〉。載馮自由：《革命逸史》，第 2 集，第 12-17 頁：其中第 14 頁。

的思想瞬息萬變，此時作是想，那刻又作那想。這一切都是人性自然的表現。且看孫中山如何處理 1884 年所發生的第四件事。

第五、在 11 月接乃兄來信命其前往夏威夷。據云乃父函孫眉告以孫中山曾於鄉間毀壞神像及在香港入教事。孫眉怒不可遏，藉故命其赴夏。見面時大加責打，命其退教。孫中山則跑到孫眉書房把懸在壁上之關帝神像取下扔進廁所。[114]孫眉乃命其退還所授之財產以迫其屈服。孫中山毫不在乎，兄弟乃同至律師樓辦理退產手續。[115]孫中山於是決意返香港回到教會的懷抱，苦無盤川，求助於過去基督教綱紀慎會（Congregational Church）傳教士所設的瓦湖中學（Oahu College 又音譯奧阿厚中學）授業恩師芙蘭締文牧師（Rev. Francis Damon）等，籌足船資後馬上放舟香港。[116]待重返喜嘉理牧師處居住和回到中央書院校園復課時，已是 1885 年 8 月。輟學共九個月。

這時期的孫中山表現得又是如此虔誠，似乎復燃了他那終身當傳教士之志。果真如此，則可以想像他在每星期日仍常到鄰近福音堂聽王煜初牧師說教。[117]

---

[114] 《孫中山年譜長編》，上冊，第 39 頁，引黃彥、李伯新：〈孫中山的家庭出身和早期事跡〉，《廣東文史資料》第 25 輯，第 187-290 頁。

[115] Linegarber, *Sun Yat-sen and the Chinese Republic*, pp. 189.

[116] Chung Kung Ai, *My Seventy Nine Years in Hawaii, 1879-1958* (Hong Kong: Cosmorama Pictorial Publisher, 1960), p. 107. 徵諸《國父年譜》，上冊，第 39 頁，可知 Chung Kun Ai 乃鍾工宇，但《國父年譜》卻把 Francis Damon 誤作 Frank Damon，又省去了牧師稱謂。

[117] 馮自由：《革命逸史》，第 2 集，第 11 頁。

孫眉跟乃弟鬧翻後，大悔，匯鉅款給乃父，助孫中山向學。118 孫中山乃得安心讀書不輟。他在中央書院再讀了月十二個月的書，就在 1886 年夏天畢業了，前程如何取捨？當傳教士？他的思想感情似乎又回到 1884/5 年中法戰爭期間香港工人罷工的那種愛國主義情緒，更難忘清朝戰敗之痛。於是又考慮投考陸軍或海軍學校，報效國家。119 但如此反而變成清廷鷹犬！與他推翻清朝之志相悖。如果要推翻滿清，則必須有群眾。從何取得群眾？他察覺到，基督教傳教士有兩種厲害的武器：辦學教人、辦醫濟世。因此他覺得搞革命應該「以學堂為鼓吹之地，借醫術為入世之媒。」120 當時美國傳教士在廣州已經設有博濟醫院（Canton Hospital），兼授醫學。於是孫中山就求助於同是美國傳教士的喜加理牧師，請其介紹給該院院長嘉約翰牧師醫生（Rev. Dr John Kerr）。1886 年秋，孫中山就到該院習醫了。並由此而結交了該院尹文楷，再通過他而與區鳳墀「相與過從」121 等情，已如前述，此處不贅。後來香港成立了西醫學院，孫中山以其「學科較優，而地較自由，可以鼓吹革命，故投香港學校肆業。」122 故本章下節就追尋他在香港西醫學院的活動，

---

118 《國父年譜》，上冊，第 39 頁。

119 Linebarger, *Sun Yat-sen and the Chinese Republic*, p. 195-196.

120 孫中山：〈建國方略、孫文學說第八章「有志竟成」〉，《國父全集》，第 1 冊，第 409-422：其中第 410 頁。《孫中山全集》，第 6 卷，第 228-246 頁：其中第 229 頁。

121 國民黨黨史會：《總理年譜長編鈔本》，第 10 頁。載《國父年譜》（1985），上冊，第 43-44 頁。

122 孫中山：〈建國方略、孫文學說第八章「有志竟成」〉，《國父全集》，第 1 冊，第 409-422：其中第 410 頁。《孫中山全集》，第 6 卷，第 228-246 頁：其中第 229 頁。

而探索焦點是：在他搖擺於終身當傳教士還是身投革命之間，為何終於選擇了革命。[123]

孫中山具體在什麼時候回香港唸醫科？[124]

四、香港雅麗氏醫院

1887 年 8 月 30 日，當時在香港行醫的蘇格蘭人康德黎醫生（James Cantlie, *M.A., M.B. F.R.C.S.*），召開了一個會議。出席的人士除了召集人康德黎醫生以外，還有（按會議記錄名次排列）湛約翰牧師（Rev. John Chalmers, *M.A. LLD.*），何啟醫生（Ho Kai, *M.D., C.M., M.R.C.S., Barrister-at-law*），楊威廉醫生（William Young, *M.D.*），孟生醫生（Patrick Manson, *M.D., LLD.*），格拉醫生（D. Gerlach, *M.D.*），卡特奧先生（W. E. Crow, Esq.），佐敦醫生（Gregory P. Jordan, *M.B., M.R.C.S.*）等。康德黎醫生謙虛地把自己的名字排在最後。[125]

筆者發現，出席者全是香港雅麗氏醫院（Alice Memorial Hospital）的在職人士。難怪會議地點在該醫院，時間是當天辦公時

---

[123] 〈美國喜嘉理牧師關於孫總理信教之追述〉。載馮自由：《革命逸史》，第 2 集，第 12-17 頁：其中第 14 頁。

[124] 羅香林教授權威的《國父之大學時代》（重慶：獨立出版社，1945）說，1887 年 1 月。是否如此，且待下節分解。

[125] Minute-book of the Senate, First meeting, 30 August 1887, College of Medicine for Chinese, in the Registrar's Office, University of Hong Kong. Cf. *College of Medicine for China, Hong Kong* (Hong Kong, 1887), p. 9, Royal Commonwealth Instutite Library.

間過後的黃昏 5 時 15 分。[126]

會議開始。大家公選湛約翰牧師當主席，主持會議。主席就座後，恭請召集人說明他召開這次會議之目的。康德黎醫生就說，曾徵詢過何啟、孟生、佐敦等醫生，大家都覺得成立一家西醫學院是個好主意。於是他就召開這個會議，徵求大家的意見。經過一番討論後，大家表決一至贊成他的主意。接着主席邀請康德黎醫生出示他構思中的西醫學院藍圖，以資討論。結果，由康德黎醫生動議，佐敦醫生附和，一至通過由當天會議出席人士組成該西醫學院的學術委員會（Senate），並有權邀請其他人士參加他們的行列。大家委任孟生醫生為教務長（Dean），負責在當年 10 月 1 日於香港大會堂（City Hall）的創院大會上致創院詞（inaugural address）。同時委任康德黎醫生為秘書（Secretary），負責印刷創院計劃廣為傳播，並在報章上刊登創院啟示。會議又通過了邀請斯圖爾特博士（Hon. Frederick Stewart, *M.A., LLD.*）當院長（Rector）、香港總督為庇護人（Patron）的決議。最後，會議通過了由該會成員之一的楊威廉醫生、代表學術委員會出席將要成立的西醫學院董事局（Court）會議。[127]

1887 年 9 月 27 日，西醫學院董事局舉行第一次會議。出席者有：康德黎醫生、孟生醫生、楊威廉醫生、和這三位邀請來當西醫學院院長的斯圖爾特博士。會議一致通過邀請雅麗氏醫院派出代

---

[126] Minute-book of the Senate, First meeting, 30 August 1887, College of Medicine for Chinese, in the Registrar's Office, University of Hong Kong.

[127] Minute-book of the Senate, First meeting, 30 August 1887, College of Medicine for Chinese, in the Registrar's Office, University of Hong Kong.

表，作為董事局成員之一，並決定首任代表應為湛約翰牧師。[128]由此可知，根據西醫學院的憲法，該院是一個完全獨立於雅麗氏醫院的單位：雅麗氏醫院借地方給該學院師生上課；如此而已，其他就沒甚麼直接的法律關係了。對這一點，湛約翰牧師最清楚不過。[129]

1887 年 9 月 29 日，西醫學院學術委員會舉行第二次會議，授權該院秘書康德黎醫生找印刷商印刷西醫學院信箋、購買筆記簿以便開課時分發給學員、課堂登記冊（class registers）、以及一應文具等。[130]准此，所有關於孫中山何時入學的爭論，又有了進一步發展。因為該會議記錄證明該學院不曾在 1887 年 10 月 1 日正式成立以前就為學生開課。[131]但竊以為預先招生卻無不可，學生應招似乎

---

[128] Minute-book of the Court, First Meeting, 27 September 1887, College of Medicine for Chinese, in the Registrar's Office, University of Hong Kong. There were only three donors and three subscribers this round, yielding a total of $305.

[129] Rev. John Chalmers's report for 1887, 6 March 1888, CWM, South China, Reports 1866-1939, Box (1887-97), Envelope 22 (1887).

[130] Minute-book of the Senate, Second meeting, 29 September 1887, College of Medicine for Chinese, in the Registrar's Office, University of Hong Kong.

[131] 關於孫中山進入西醫學院的具體日期，過去眾說紛紜。後來陳錫祺先生經過一番考訂，推翻了羅香林教授權威的《國父之大學時代》（重慶：獨立出版社，1945）所倡的、孫中山在 1887 年 1 月進入西醫學院學習之說。接着陳先生推測孫中山的入學日期應在 1887 年 9 月。見陳錫祺：〈關於孫中山的大學時代〉，載陳錫祺：《孫中山與辛亥革命論集》（廣州：中山大學出版社，1984），第 35-64 頁：其中第 40-44 頁。筆者有幸得閱西醫學院學術委員會會議記錄（見上注），確知學院不曾在 1887 年 10 月 1 日星期六宣佈正式成立以前就為學生開課。陳先生推測錯了。但預先招生卻無不可。故入學日期可否酌定為 1887 年 10 月 3 日星期一？學問功夫是一點一滴地建築在前賢的血汗上，信焉！見下注。

不需要通過「統一入學考試」之類的手續，有意者謁見過康德黎醫生後，若得他首肯便可。筆者這種想法是基於一份主證和兩份旁證。主證是後來繼康德黎醫生任該學院學術委員會秘書的湯姆生醫生，(132)承認學生入學是不須預先考核的。(133)旁證則有二。第一，康德黎自己說，當初有 24 位少男來謁要求入學。(134)第二，後來陳少白經孫中山引謁康德黎並經他首肯後便上課了。(135)

那麼，孫中山何時正式上課？竊以為是 1887 年 10 月 3 日星期一。因為，第一，香港西醫學院已由孟生醫生在 1887 年 10 月 1 日星期六於香港大會堂宣佈過正式成立了。(136)該院從此便可以名正言順地開課。第二，西醫學院學術委員會舉行第二次會議，通過康德

---

(132) Minute-book of the Senate, Twelve meeting, 19 January 1891, College of Medicine for Chinese, in the Registrar's Office, University of Hong Kong.

(133) B.C. Ayres and J.M. Atkinson, 'Reservations by Dr Ayres and Dr Atkinson', paragraph 10, 20 July 1896, pursuant to the 'Report of the Committee Appointed by His Excellency by the Governor to Enquire into and Report on the Best Organization for a College of Medicine for Hongkong', 15 July 1896, Hong Kong Legislative Council Sessional Papers 1896, pp. 479-485, No. 30/96, Hong Kong University Libraries http://lib.hku.hk/Digital Initiatives/Hong Kong Government Reports/Sessional Papers1896/College of Medicine.

(134) See Neil Cantlie and George Seaver, *Sir James Cantlie: A Romance in Medicine* (London: John Murray, 1939), p. 97.

(135) Howard L. Boorman (ed.), *Biographical Dictionary of Republic China*, 6 vs. (New York: Columbia University Press, 1967-70), v.1, pp. 229-231: entry on 'Chen' Shao-pai'.

(136) Hong Kong *China Mail*, Saturday 1 October 1887; Hong Kong Daily Press, Monday 3 October 1887.

黎所教授的解剖學逢星期一到星期五的早上七時三十分上課。[137]而康德黎自己又說，孫中山是第一位加入課程的人。[138]第三，康德黎在 1887 年 10 月 9 日星期天即舉行解剖學測驗，看來是要檢查學員看來是要檢查學員的進展程度，而這次測驗孫中山榜上有名。[139]別以為星期天康德黎就不舉行考試：這位活躍的醫生當時忙到迫得把一切在雅麗氏醫院進行的手術都安排在星期天。[140]

康德黎醫生後來在 1896 年 10 月孫中山倫敦蒙難時拯救他脫險的事情，舉世皆知。他構思並推動了孫中山就讀的西醫學院的成立，確鑿證據則時至今天才被公開。[141]至於那位被邀主持建院會

---

[137] Minute-book of the Senate, Second meeting, 29 September 1887, College of Medicine for Chinese, in the Registrar's Office, University of Hong Kong.

[138] See Neil Cantlie and George Seaver, *Sir James Cantlie: A Romance in Medicine* (London: John Murray, 1939), p. 97.

[139] List of examinees, [1887], and Sun Yatsen's handwritten examinations scripts for Anatomy, 9 Octoher 1887, Wellcome Institute Western MS 2934.

[140] Dr John Thomson's supplementary report for 1889, 14 February 1890, paragraph 17, CWM, South China, Reports 1866-1939, Box 2 (1887-97), Envelope 24 (1899). See also Dr John Thomson's supplementary report for 1893, - January 1894, Section 6 'Obsercance of the Lord's Day', CWM, South China, Reports 1866-1939, Box 2 (1887-97), Envelope 28 (1893).

[141] The biographers of James Cantlie claimed that he initiated "the plan to teach the science and practice of Western medicine to the Chinese people". See Neil Cantlie and George Seaver, *Sir James Cantlie*, p. 68. The evidence used to support this claim was Cantlie's own words "I regretted giving up teaching, as that was, and is, my chief enjoyment in life. So on the way out I contemplated how I could minimise the loss, and the College of Medicine for the Chinese was the result." See *ibid*. Biographers often tend to claim more for their heroes than their heroes deserve. Thus the claim in this case has always been taken

議、後來又被邀參加該院董事局的湛約翰牧師，則並非別人，他正是基督教倫敦傳道會香港地區的主牧（Senior Missionary, Hong Kong District Committee, London Missionary Society）。[142]

倫敦傳道會在香港開埠兩年後的 1843 年，即派員前往傳道。而且從一開始就以治病作為手段：第一批派往香港的三位傳教士當中就有兩位持有醫生執照，在港島甚至深入至當時還是中國領土的九龍城行醫。可惜從 1853 年開始就後繼無人了。雖然該會三返番四次地不斷嘗試，希望恢復提供醫療服務，結果都成泡影。終於，到了 1884 年才有轉機。[143]當年何啟醫生的愛妻、英婦雅麗氏（Alice Walkden）[144]病殆。何啟悲痛之餘，決定斥巨資建立一慈善醫院以資

---

with a pinch of salt. I am glad to have found concrete evidence to show that the claim in question was indeed well deserved, namely the minute-book of the Senate of the College of Medicine for Chinese. This evidence is corroborated by the first Treasurer of the College, Stewart Lockhart, who was also the Colonial Secretary of Hong Kong at the time. See *China Mail*, Monday 25 July 1892, p. 3, cols. 1-6: at col. 4. It is also corroborated by J.J. Francis, Q.C., the first Standing Counsel of the College, who described Cantlie as "practically the founder of the College of Medicine for the Chinese." See the *Overland China Mail*, 13 February 1896, quoted in Cantlie and Seaver, *Sir James Cantlie*, p. 89.

[142] Rev. John Chalmers's Report (Hong Kong District) for 1887, 6 March 1888, CWM, South China, Reports 1866-1939, Box 2 (1887-97), Envelope 22 (1887).

[143] Rev. John Chalmers's Decennial Report (Hong Kong District) for 1880-1890, 12 February 1891, pp. 18-19, CWM, South China, Reports 1866-1939, Box 2 (1887-97), Envelope 25 (1890).

[144] She was born at Blackheath, near Greenich, on 3 February 1852, seven years before Ho Kai. She married him in 1881 and went with him back to his native Hong Kong early in 1882. See G.H. Choa, *The Life and Times of Sir Kai Ho Kai* (Hong Kong: Chinese University Pres, 1981), p. 17. She died in Hong

紀念。同年 9 月 5 日，何啟商諸湛約翰牧師。雙方同意：由倫敦傳道會籌款買地，何啟出資建築醫院。1887 年 2 月 17 日建成並於當天早上以祈禱大會的形式開幕。[145]

因為湛約翰牧師本身不是醫護人員，所以醫院的一切具體業務都委託該院的專業醫護人員處理。這批專業醫護人員包括上述名醫之如孟生、康德黎、佐敦等醫生。而以佐敦醫生總理一切行政事務。這批醫生都是義務為這所慈善醫院服務的。所以湛約翰牧師說，如果沒有這批優秀醫生的鼎力支持，這所醫院是建立不起來的。醫院的最高權力機關是該院的醫務委員會（Medical Committee），由該院醫生組成，湛約翰牧師以及另一位名叫博恩費特（G.H. Bondfield）的牧師在該委員會中只充當輔助的角色（co-operation in Committee）。委員會的秘書是佐敦醫生，而他正是以醫務委員會秘書的身份而總理醫院行政事務。[146]無形中成了臨時院長。醫院成立甫半年，康德黎、孟生等醫生就倡議建立西醫學院了。

由於西醫學院成立後的好幾年都在雅麗氏醫院內授課，而孫中

Kong on 8 June 1884, aged thirtyt-two, of typhoid fever. See Carl. T. Smith, *A Sense of History: Studies in the Social and Urban History of Hong Kong* (Hong Kong: The Hong Kong Educational Publishing Co., 1995), p. 332, n. 8. In view of these new pieces of evidence, Luo Xianglin's assertion (in his *Guofu zhi daxue shidai*, p. 5), that Alice Walkden died in 1880 and that the Alice Memorial Hospital was founded in January 1880, cannot stand.

[145] Rev. John Chalmers's Decennial Report (Hong Kong District) for 1880-1890, 12 February 1891, pp. 20-21, CWM, South China, Reports 1866-1939, Box 2 (1887-97), Envelope 25 (1890).

[146] Rev. John Chalmers's Report (Hong Kong District) for 1887, 6 March 1888, CWM, South China, Reports 1866-1939, Box 2 (1887-97), Envelope 22 (1887).

山五年的醫科學生生涯（1887-1892）都在該醫院裡渡過——上課、實習、值班、寄吃、寄宿等。[147]所以筆者就在該醫院的事情上多花一點必要的筆墨。因為，雅麗氏醫院裡發生的一切，都直接影響到他最後要當傳教士或搞革命的決定。

在建立雅麗氏醫院這個問題上，傳教士與專業醫護人員的目標是一致的：濟世。但傳教士有個更高的目標：傳教。對傳教士來說，濟世只不過是一種手段，爭取更多的教眾才是最終目標。正因為如此，雅麗氏醫院的管理層很快就出現了嚴重的意見分歧。接下來就是激烈的權力鬥爭。

事情是這樣的。建院不久，湛約翰牧師就正式要求倫敦總部派遣一位持有醫生執照的傳教士到香港主持雅麗氏醫院的工作，以便充分利用該醫院所能提供的傳教機會。[148]翌年，總部就決定派出一位醫生傳教士（medical missionary）湯姆生醫生（John C. Thomson, *M.A., M.B., C.M.*）。消息傳來，該醫院的醫務委員會就指示總理該院院務的佐敦醫生就給他寫了一封聘請信。信的日期是 1888 年 10 月 24 日，但遲至 1889 年 1 月初、湯姆生醫生到達香港後才親自交他。湯姆生醫生接信後怒不可遏。讓他同樣憤怒的是，作為該醫院的醫務委員會成員之一的湛約翰牧師，竟然有份參與構思、並投票通過

---

[147] *Report of the Alice Memorial Hospital, Hongkong, in connection with the London Missionary Society, for the year 1889* (Hong Kong: Printed at the *China Mail* Office, 1890), CWM, South China, Reports 1866-1939, Box 2 (1887-97), Envelope 24 (1889).

[148] Rev. John Chalmers's Report (Hong Kong District) for 1887, 6 March 1888, CWM, South China, Reports 1866-1939, Box 2 (1887-97), Envelope 22 (1887).

它的內容！[149]

它的內容中心是甚麼？雅麗氏醫院是一所公共慈善醫院，其運作模式和管理制度皆仿效英國本土的慈善醫院——它不是一所傳教醫院（Mission Hospital）。[150]換句話說：「本院的最終目的是治病救人，請不要把傳教放在治病之前。」持此見最堅者，莫如倡議建立西醫學院的康德黎醫生。[151]為何湛約翰牧師又同意這種指導思想？因為他本人不是醫生，對醫學一竅不通，雅麗氏醫院全靠這批義務醫生支撐，只好尊重他們的意見。醫院的經費又是一個嚴重的問題。1887 年和 1888 年的經費都是靠多次舉行義賣和一年一度地在公園舉行園遊會（fete）所籌得。1888 年的園遊會更蒙香港總督德輔（Des Voeux）伉儷鼎力支持而籌得$6,000——足一年經費了。[152]湛約翰牧師恐怕過份強調傳教而忽視了濟世的形象時，香港上下人士就不會再那麼熱心地在經費上支持雅麗氏醫院了。最後，他認為以倫敦傳道會的名義辦醫濟世，本身就是宣傳基督真愛的好辦法，以致一位信仰天主教的醫生——哈德根醫生 Dr Hartigan——也不分

---

[149] Rev. Dr John Thomson to Rev. R. Wardlaw Thomson, 24 April 1889, CWM, South China, Incoming correspondence 1803-1936, Box 11 (1887-92), Folder 3 (1889).

[150] Dr G.P. Jordan to Dr John C. Thomson, 24 October 1888, enclosed in Dr John C. Thomson to Rev. Ralph Wardlaw Thompson, 24 April 1889.

[151] See Dr John Thomsom's Report (Hong Kong District) for 1889, 14 February 1888, CWM, South China, Reports 1866-1939, Box 2 (1887-97), Envelope 24 (1887). In this report, Dr Thomson described Dr Cantlie as "perhaps the leading doctor in Hongkong, though not the longest established."

[152] Rev. John Chalmers's Report (Hong Kong District) for 1888, 6 March 1889, CWM, South China, Reports 1866-1939, Box 2 (1887-97), Envelope 23 (1888).

畛域地到雅麗氏醫院來當義務醫生。當然，如果能在醫院多做傳教工作固然好，但限於目前形勢，只好期待新人到任後情況會有所改善。[153]

新人湯姆生醫生很年輕，城府卻極深。他雖然怒不可遏，卻不動聲色。趁年長的孟生醫生去了福州，[154]而剛巧楊威廉醫生又去世不久，[155]醫生群人丁單薄之際，他召開了醫務委員會會議。[156]出席的醫生只有康德黎、佐敦、哈德根。出席的牧師則有湛約翰、博恩費特、和湯姆生他自己。是三對三的局面。在會上湯姆生毫不客氣，從一開始就以新任院長的身份自居，接着按部就班地實踐他的策略：第一、出示倫敦傳道會總部發給他的指示。第二、感謝各位醫生過去對醫院所作出的貢獻。第三、挽留他們繼續在原醫療崗位上繼續工作。第四、表示他會集中精神致力於醫院的行政工作和發展傳教方面的具體事業。各醫生皆表示了友好合作的精神。「讓湛約翰牧師、博恩費特牧師和我都如釋重負」，湯姆生向倫敦總部報

---

[153] Rev. John Chalmers to Rev. R. Rardlaw Thompson, 19 December 1888, CWM, South China, Incoming Correspondence 1803-1936, Box11 (1887-92), Folder 2 (1888).

[154] Dr John Thomson to Rev. R. Wardlaw Thompson, 15 January 1889, CWM, South China, Incoming Correspondence 1886-1939, Box 11 (1887-92), Folder 3 (1889).

[155] Rev. John Chalmers's Report (Hong Kong District) for 1888, 6 March 1889, CWM, South China, Reports 1866-1939, Box 2 (1887-97), Envelope 23 (1888).

[156] Dr John Thomson to Rev. R. Wardlaw Thompson, 15 January 1889, CWM, South China, Incoming Correspondence 1886-1939, Box 11 (1887-92), Folder 3 (1889).

告說。157

湯姆生的第二步是重組雅麗氏醫院的最高權力機構。即組織一個醫院管理委員會（House Comittee）來代替原來的醫務委員會（Medical Committee）。158顧名思義，醫務委員會的靈魂是醫務人員。而醫院管理委員會的中心人物則是該院的行政領導之如湯姆生他自己和其他兩位牧師。康德黎醫生可能已注意到這微妙的變化。但他為人熱情爽直，不拘小節，仍樂觀地幹下去。兩個月後，老於世故的孟生醫生從福州回到雅麗氏醫院時即辭職，並收拾包袱回英國去。159康德黎醫生又失去一位可靠盟友。

湯姆生的第三步是架空這個最高權力機構。辦法是長期不召開醫院管理委員會會議。當他終於召開會議時，已是一年以後的事情。而在這次會議上，其他委員只有聽他工作報告的份兒。160就是

157 Dr John Thomson to Rev. R. Wardlaw Thompson, 15 January 1889, CWM, South China, Incoming Correspondence 1886-1939, Box 11 (1887-92), Folder 3 (1889).

158 Dr John C. Thomson (HK) to Rev. R. Wardlaw Thompson, 15 January 1889, CWM, South China, Incoming correspondence 1803-1936, Box 11 (1887-92), Folder 3 (1889). See also Dr John Thomsom's Report (Hong Kong District) for 1889, 14 February 1888, CWM, South China, Reports 1866-1939, Box 2 (1887-97), Envelope 24 (1887).

159 Dr John C. Thomson (HK) to Rev. R. Wardlaw Thompson, 18 March 1889, CWM, South China, Incoming correspondence 1803-1936, Box 11 (1887-92), Folder 3 (1889). I am not suggesting that Dr Manson left Hong Kong solely or even principally because of this new development. There were bound to be other reasons, but the new bloom's actions certainly played a part in his decision to resign.

160 Dr John Thomsom's Report (Hong Kong District) for 1889, 14 February 1890, CWM, South China, Reports 1866-1939, Box 2 (1887-97), Envelope 24 (1889).

說，他剝奪了該最高權力機構的決策權。此後，他甚至連一年一度的會議都不召開。如此再過三年，他就很驕傲地向倫敦總部報告說，醫院管理委員會已名存實亡。[161]那麼，醫院的重大決策由誰來決定？倫敦傳道會香港委員會——委員全部是傳教士傳教婦。他們的決策，初期湯姆生還通過「通告」（circular）定期通知醫務人員。[162]後來他乾脆連這趟正規手續也免了，他愛在甚麼時候選擇告訴醫務人員些什麼，都一切由他隨意所之。[163]就是說，他不但剝奪了該醫院醫務人員的決策權，也剝奪了他們的知情權。

難怪該醫院的醫務人員越來越為自己的前途而擔憂。[164]到了 1892 年 6 月——即孫中山醫科畢業前一個月[165]——他們終於在忍

---

[161] See Dr John Thomsom's Report (Hong Kong District) for 1893, pp. 2-3 [- January 1894], CWM, South China, Reports 1866-1939, Box 2 (1887-97), Envelope 28 (1893).

[162] Dr John C. Thomson (HK) to Rev. R. Wardlaw Thompson (London, LMS Foreign Secretary), 4 September 1890, CWM, South China, Incoming correspondence 1803-1936, Box 11 (1887-92), Folder 3 (1890). See also, Dr John C. Thomson to the LMS District Committee, 14 June 1890, in *ibid*, enclosed in Dr John Chalmers to Rev. R Wardlaw Thompson, 26 June 1890, *ibid*.

[163] Dr John Thomsom's Report (Hong Kong District) for 1893, pp. 2-3[- January 1894], CWM, South China, Reports 1866-1939, Box 2 (1887-97), Envelope 28 (1893).

[164] Dr John C. Thomson (HK) to Rev. R. Wardlaw Thompson (London, LMS Foreign Secretary), 18 June 1892, CWM, South China, Incoming correspondence 1803-1936, Box 11 (1887-92), Folder 6 (1892).

[165] 孫中山是在 1892 年 7 月 23 日畢業的。見 Hong Kong *China Mail*, Saturday 23 July 1892, p. 3, cols. 1-5.

無可忍的情況下，公推康德黎醫生代表他們私下與湛約翰牧師熟商，目的是澄清他們在該醫院的法律地位，讓大家知道何去何從。湛約翰牧師同意了。但此舉正中湯姆生下懷。他乘機宣佈說：「從今以後所有醫生都是在他的邀請之下才能在該醫院工作。」就是說，他可以隨時把任何醫生解僱。康德黎尷尬之餘，打個哈哈，一邊接受現實，一邊戲謔地指湯姆生是個「無可救藥的暴君」。湯姆生也打個哈哈，春風得意地向倫敦總部報告說，以後總部派員來繼承他的位置時，委任狀可以書明他在雅麗氏醫院享有絕對權力。[166]

康德黎醫生慘敗了，孫中山有何感想？師徒兩人感情之好，可以從下列事例看出：第一、當時痲瘋病肆虐中國。康德黎為了找尋治療痲瘋的辦法，1890 年 12 月 30 日親往廣州的痲瘋村調查研究，還帶了妻子當助手。他們都不懂漢語，就帶孫中山隨行當翻譯。[167]須知痲瘋是可怕的傳染病。師徒就是不怕，並肩戰鬥，從此建立了戰友般的友誼。第二、孫中山畢業後，在澳門行醫，每個星期天例行割症。康德黎深怕愛徒經驗不足而出事，故每個星期天都

---

[166] Dr John C. Thomson (HK) to Rev. R. Wardlaw Thompson (London, LMS Foreign Secretary), 18 June 1892, CWM, South China, Incoming correspondence 1803-1936, Box 11 (1887-92), Folder 6 (1892).

[167] Mrs Cantlie's diary, 30 December 1890. See also Neil Cantlie and George Seaver, *Sir James Cantlie*, pp. 72-73. 由於孫中山隨行當翻譯，又有學者因而目康德黎為「傳教士醫生」，又說孫中山「在很多傳道事業中協助康德黎」。見陳建明：〈孫中山與基督教〉，《孫中山研究論叢》，第五集（廣州市中山大學，1987），第 5-25 頁：其中第 6 頁。實屬不確。筆者看過的所有原始和出版過的史料，通通證明康德黎不是傳教士醫生。而廣州療痲瘋村之行也絕對不是為了傳教，他是進行純粹的醫學調查。

犧牲休息而不辭勞苦地從香港坐小汽船到澳門與其並肩戰鬥。[168]師生感情之深可知。第三、後來廣州起義失敗，孫中山逃回香港，趕快向康德黎仰詢行止，對恩師信賴可知。[169]第四、康德黎讓其以第一時間商之律師，對愛徒之關懷可知。[170]第五、1896 年康德黎舉家取道夏威夷回英國，偶遇孫中山，乃給予倫敦住址，囑其來訪，愛護可知。[171]第六、孫中山甫抵倫敦，即頻頻造訪康家，親密可知。第七、孫中山被滿清駐倫敦公使館幽禁後，康德黎忘我地日夜奔走營救，友情真是非同小可。[172]准此我們可以推論，孫中山在雅麗氏醫院學醫和實習五年以來，該院洶湧的暗潮，通過康德黎醫生也衝擊了他。竊以為華人之獻身基督教者，多少帶有佛家出世之想。孫中山可沒想到西方的新教是非常入世的，其爭權奪利之烈，絕對不亞於俗家人。若孫中山當初立志當基督教宣道師之想法，是帶有出世之想的話，那麼湯姆生醫生牧師的手段，足以令這種幻想破滅。

---

[168] Neil Cantlie and George Seaver, *Sir James Cantlie*, p. 97. 馮自由：《革命逸史》第 2 集，第 10、15-16 頁。

[169] Harold Schiffrin, *Sun Yat-sen and the Origins of the Chinese Revolution* (Berkeley: University of California Press, 1968), p. 98.

[170] Harold Schiffrin, *Sun Yat-sen and the Origins of the Chinese Revolution* (Berkeley: University of California Press, 1968), p. 98.

[171] Neil Cantlie and George Seaver, *Sir James Cantlie*, p. 100.

[172] J. Y. Wong, *The Origins of An Heroic Image: Sun Yatsen in London, 1896-1897I* (Oxford University Press, 1986), chapter 1.

五、西醫學院：宣道耶？革命耶？

當孫中山在西醫學院習醫時，還發生了其他事情，讓這位搖擺於宣道和革命之間的孫中山，越來越覺得當宣道師不是味兒。

首先，為甚麼他尊敬的康德黎老師會屈服於雅麗氏醫院的湯姆生醫生牧師的淫威？因為第一，如果跟湯姆生鬧翻了，康德黎所孕育的西醫學院就變得無家可歸。須知該院是他構思並推動成立的，但由於西醫學院沒有自己的校舍，所以甚至董事局的大部份會議，都要靠康德黎醫生挪出他自己的私人醫務所才得舉行。[173]後來西醫學院遇到財政困難，康德黎醫生又保證每年私下掏腰包五百塊錢作津貼，為期五年。[174]可謂出錢出力，呵護備致。康德黎可真不願意見到西醫學院夭折。第二，自從孟生在 1889 年 7 月辭職以來，康德黎一直就繼他而當了西醫學院的教務長。[175]而教務長其實就是負責該院具體事務的首長，院長的職位，只是找社會上位高勢隆的人來掛名填補，以增加號召力而已。[176]康德黎任重而道遠啊！第三，

---

[173] See Minute-book of the Court, Fifth meeting, 28 January 1891, College of Medicine for Chinese, in the Registrar's Office, University of Hong Kong. See the records of subsequent meetings until Dr Canltie's departure from the Colony in 1896.

[174] Minute-book of the Court, Seventh meeting, 14 March 1891, College of Medicine for Chinese, in the Registrar's Office, University of Hong Kong.

[175] Minute-book of the Senate, Seventh meeting, 9 July 1889, College of Medicine for Chinese, deposited in the Registrar's Office, University of Hong Kong.

[176] I have not been able to find out the exact positon of the first Rector, the Hon. Frederick Stewart, L.LD; but subsequent Rectors such as His Honour Fielding Clarke was the Chief Justice and the Hon. Stewart Lockhart was the Colonial

退一部說，康德黎是外科醫生，外科醫生離不開手術室。只有醫院這的機構才能負擔得起手術室的設備和手術所帶來的龐大開支，私人醫務所是負擔不起的。而康德黎不是一般的外科醫生，他是英國皇家外科學院的院士（Fellow of the Royal College of Surgeons）。在當時西醫學院所有的教員當中，只有他具備這個資格，比他年長的孟生醫生也沒有。(177)湯姆生醫生牧師也承認，儘管康德黎在香港的時間不如其他醫生那麼長，但他的醫術恐怕是全港首屈一指的。(178)以康德黎聲譽之高，地位之隆，人品之佳，卻要受湯姆生醫生牧師的鳥氣。孫中山打抱不平之餘，對於自己當基督教宣道師的看法會起了甚麼變化？

第二件重大事情則與孫中山在道濟會堂的知己朋友有關。本章第二節提到，該堂主牧王煜初健康不佳，原因是甚麼？其一是他在1889 年精神崩潰了！(179)當時道濟會堂的教眾與哺育他們成長的倫敦傳導會香港地區委員會劍拔弩張。導火線是倫敦會把教眾拒於愉

Secretary of Hong Kong. One cannot expect the role of such dignitaries in the College as anything but honorific.

(177) *College of Medicine for Chinese, Hong Kong* (Hong Kong, 1887), p. 9. See also *College of Medicine for Chinese, Hong Kong* (Hong Kong, 1893), p. 5.

(178) Dr John Thomsom's Supplementary Report for 1889, 14 February 1890, CWM, South China, Reports 1866-1939, Box 2 (1887-97), Envelope 24 (1889). In this report, Dr Thomson described Dr Cantlie as "perhaps the leading doctor in Hongkong, though not the longest established."

(179) Rev. John Chalmers (HK) to Rev. R. Wardlaw Thompson (London, LMS Foreign Secretary), 27 July 1889, CWM, South China, Incoming correspondence 1803-1936, Box 11 (1887-92), Folder 3 (1889).

寧堂（Union Church）門外。[180]過去，在 1845 年籌建愉寧堂時，中外教友都積極捐款。建成後該堂的董事局（trustees）卻沒有一位華人代表，而華人教友除了星期天下午二時用該堂作粵語崇拜外，其餘聚會都用英語進行，以致英人教友總認為華人教友是借用他們的教堂。[181]後來華人教友下定決心籌建自己的教堂。待建成房子後已人財枯竭，無力再置傢私，故仍沿用愉寧堂，倫敦傳導會香港地區委員會不耐煩之餘，乾脆在星期天上午的英語崇拜結束後就把愉寧堂重門深鎖。華人教友怒不可遏，聲稱要採取法律途徑解決。[182]雙方勢成水火，王煜初受不了，結果瘋了好一陣子。[183]孫中山天天在雅麗氏醫院裡與道濟會堂的華人教友朝夕相處——該醫院除了醫生以外的龐大工作隊伍幾乎全是香港道濟會堂的教友[184]——會有甚麼感受？星期天跟大約 280 位[185]道濟會堂的教友一起崇拜時，又會有甚

[180] Rev. John Chalmers (HK) to Rev. R. Wardlaw Thompson (London, LMS Foreign Secretary), 5 February 1889, and 21 May 1889, CWM, South China, Incoming correspondence 1803-1936, Box 11 (1887-92), Folder 3 (1889).

[181] 王誌信：《道濟會堂史》，第 11 頁。

[182] Rev. John Chalmers (HK) to Rev. R. Wardlaw Thompson (London, LMS Foreign Secretary), 21 May 1889, CWM, South China, Incoming correspondence 1803-1936, Box 11 (1887-92), Folder 3 (1889).

[183] Rev. John Chalmers (HK) to Rev. R. Wardlaw Thompson (London, LMS Foreign Secretary), 27 July 1889, CWM, South China, Incoming correspondence 1803-1936, Box 11 (1887-92), Folder 3 (1889).

[184] Rev. John Chalmers's Report for 1887, 6 March 1888, CWM, South China, Reports 1866-1939, Box 2 (1887-97), Envelope 22 (1887).

[185] Rev G.H.Bondfield (HK) to Rev. R. Wardlaw Thompson (London, LMS Foreign Secretary), 17 July 1889, Encl., L.M.S. (HK) balance sheet, 15 May 1889, CWM, South China, Incoming correspondence 1803-1936, Box 11 (1887-92), Folder 3 (1889).

麼感受？他要不要步王煜初後塵？

翌年發生了第三件事情，對孫中山同樣地起了很大的衝擊。當時他在西醫學院唸第三年級。1890 年 2 月 21 日星期天，是倫敦傳道會香港委員會一年一度的、華洋教友共同慶祝的傳道週年禮拜（Annual Missionary Service）。委員會特別邀請了該會在廣州河南地區宣道的區鳳墀，到香港的愉寧堂作主日宣道。理由是：由一位著名的本地宣道師向本地人宣道，必定會比一位外國傳教士向本地人宣道的效果要好得多。因為參加這盛會的教眾，除了英人以外還有大批的本地人。孫中山身為基督徒，又是區鳳墀的好朋友，肯定也參加了這盛會。英人教眾聽了區鳳墀通過翻譯的講道後，非常不滿。有些甚至鼓噪起來，嚷着不應該讓一個華人來向他們講道：「一週以來我已經被那些華人弄得糟糕透了，不料到了星期天休息日，還搞一個華人來給我囉唆！」[186]區鳳墀聽不懂英語，還可以心安理得地繼續當他的華人宣道師。孫中山聽懂英語，能聽出其中濃厚的種族歧視，不由此而產生同樣濃厚的民族主義情緒才怪！

孫中山這種民族主義情緒，在 1884 年中法戰爭期間、香港工人拒絕修理受創的法國軍艦而導致的大罷工時，已激盪起來。現在更如翻江倒海。為甚麼？他歷來所敬重的外國傳教士、在邀請區鳳墀講道失利後的表現也真不怎麼樣！由於英國教眾歧視區鳳墀這個華人講道者，所以在奉獻的時候都以拒絕奉獻或減少奉獻的行動來

---

[186] Rev G.H.Bondfield (HK) to Rev. R. Wardlaw Thompson (London, LMS Foreign Secretary), 7 March 1890, CWM, South China, Incoming correspondence 1803-1936, Box 11 (1887-92), Folder 4 (1890).

表達他們的不滿。以致奉獻所得，不及過往同樣場合所得的三份之一。[187]傳道會損失了超過三份之二的收入，傳教士群也怨聲載道。孫中山聽了，反應會怎樣？可以想像，他要當基督教宣教師的念頭慢慢淡出，而愛國主義情緒就越來越濃厚起來。同時可以想像，區鳳墀由於不懂英語而可能沒聽進英國教眾那些難聽的話，而孫中山可能又覺得不好意思複述給他聽，以致思想感情沒受到同樣的衝擊。結果區氏仍樂安天命地繼續當他的基督教宣道師、滿足於當「穩健份子」，作革命派的「後衛支援。」[188]

在孫中山虔誠篤信基督教時，如果有人作推廣基督教信仰的活動，相信他會積極支持。但在孫中山對某基督教傳教士已顯得反感時，若該傳教士用「強人所難」的方式推廣基督教宣傳工作，恐怕他會加倍地反感。這是人之常情。加倍反感之餘，就加倍地把他推向相反的方向。這相反的方向，就是孫中山的民族主義情緒。剛巧，用「強人所難」方式傳教的一位傳教士，在這關鍵時刻出現了，他就是湯姆生醫生牧師。由於西醫學院當時還沒有自己的校舍，同學們都在雅麗氏醫院上課、見習、寄宿，[189]所以作為該醫院院長的湯姆生醫生牧師所推行的一切政策，都直接地影響到每一位學生。

---

[187] Rev G.H.Bondfield (HK) to Rev. R. Wardlaw Thompson (London, LMS Foreign Secretary), 7 March 1890, CWM, South China, Incoming correspondence 1803-1936, Box 11 (1887-92), Folder 4 (1890).

[188] 王誌信：《道濟會堂史》，第 36 頁，引楊襄甫：《區鳳墀先生傳略》。

[189] 孫中山是寄宿生之一，與他同房的是關景良。羅香林：《國父之大學時代》（重慶：獨立出版社，1945），第 39 頁。

當 1887 年 10 月孫中山進入香港西醫學院學習時，雅麗氏醫院的運作模式與一般公共慈善醫院無異。病人來看病，醫生給予治療，贈醫施藥，院方對病人沒有任何要求。這是真正的濟世。孫中山慢慢也習慣了這種運作模式。1889 年 1 月，新任院長湯姆生到達後，馬上改變這種運作模式。湯姆生的第一步是，每天門診部為大批輪候的病人看病前，都必須舉行祈禱禮拜儀式。院方同時為留醫的病人每天舉行祈禱禮拜。⑲⓪病人——無論是基督徒或非基督徒——通通要參加，沒有選擇的餘地。⑲①外國醫生們之如康德黎等倒覺得沒甚麼。⑲②因為身為基督徒，他們自己也有早經晚課的習慣。但從中國那種救急扶危的傳統道德觀念來說，湯姆生院長那種做法就有點乘人之危之嫌了。孫中山固然是基督徒，但也讀過中國的聖賢書，反應會如何？

慢慢地，這種每天一次的宗教活動，發展成為每天多次連續不斷的活動。規律如下：

0745 在醫院裡的五個病房同時舉行祈禱禮拜。

1000 在醫院的門診部舉行祈禱禮拜。

---

[190] Dr John C. Thomson to Rev. R. Wardlaw Thompson, 18 March 1889, CWM, South China, Incoming correspondence 1803-1936, Box 11 (1887-92), Folder 3 (1889).

[191] Dr John C Chalmers (HK) to Rev. R. Wardlaw Thompson (London, LMS Foreign Secretary), 30 April 1890, CWM, South China, Incoming correspondence 1803-1936, Box 11 (1887-92), Folder 4 (1890).

[192] Dr John Thomson's supplementary report for 1889, 14 February 1890, paragraph 13, CWM, South China, Reports 1866-1939, Box 2 (1887-97), Envelope 24 (1889).

1100 到關門為止：在醫院的門診部與輪候的病人逐個談心。

1300-1700 在病房裡與留醫的病人在病榻旁邊逐個談心。

1630 逢星期二和星期五，在眼科門診部舉行祈禱禮拜。

1900 在醫院裡的五個病房同時舉行祈禱禮拜。

湯姆生院長那來的人力幹這事兒？——倫敦傳導會哺育成長的香港道濟會堂教友和西醫學院的基督徒學生（包括孫中山在內）。比方說，七時三刻在五個病房同時舉行祈禱禮拜，是由王煜初牧師、兩位宣教師和兩位學生共五人分別輪番進行的。湯姆生院長驕傲地向倫敦總會報告說：「在雅麗氏醫院的傳教工作，自清晨到黃昏，都一直不斷地進行着。但又毫不影響醫院的其他工作。」[193]

湯姆生院長如此明目張膽地利用雅麗氏醫院作為傳教的工具，難道他不怕因此而引起社會的反感而拒絕支持該院的籌款活動之如義賣和一年一度的園遊會嗎？不怕。自從他在 1889 年 1 月初上任以來，就努力收集雅麗氏醫院的各種數據，到了年底就刊刻年報公佈這些數據：包括醫院建立的前因後果，醫院管理委員會委員的名單，醫生龍虎榜，一年以來診治了多少病人，處理了那些疾病，收支平衡如何等等。[194]拿着年刊，就與湛約翰牧師連袂挨家湊戶地探

---

[193] Dr John Thomsom's supplementary report for 1890, - February 1890, p. 3, CWM, South China, Reports 1866-1939, Box 2 (1887-97), Envelope 25 (1890).

[194] *Report of the Alice Memorial Hospital, Hongkong, in connection with the London Missionary Society, for the year 1889* (Hong Kong: Printed at the *China Mail* Office, 1890), CWM, South China, Reports 1866-1939, Box 2 (1887-97), Envelope 24 (1889).

訪，請人家定期捐款（subscribe）。[195]集腋成裘，醫院的經費有了保障，不必依靠義賣、園遊會等不規則的經費來源。結果是財大氣粗，才不怕那種批評！為何過去的臨時院長佐敦醫生不作同樣努力？他有自己的私人診所，個人收入主要靠這。在雅麗氏醫院的職務是義務的，在那多花時間，對他個人收入無補。湛約翰牧師也想過這個問題，但他不是醫務人員，搞不出這樣的年報。又不敢催促佐敦醫生。[196]結果是，佐敦醫生從來就沒把 1887 和 1888 年的年報弄出來。湯姆生不同，他是全職的院長，以他的才幹，要搞一份年報，不費吹灰之力。

湯姆生在雅麗氏醫院是徹底地勝利了。以致他在 1892 年 4 月 30 日——孫中山畢業前三個月——他驕傲地向倫敦傳導會總部宣佈：該會在香港的分支從今可以改名為「香港醫學傳道會（Hongkong Medical Mission）[197]」！

湯姆生的基督神掌也伸到西醫學院本身。

1889 年 9 月 25 日，繼康德黎醫生任西醫學院秘書的何啟醫生，受該院學術委員會之託，公函邀請湯姆生參加該院的教師行列，負責教授病理學。[198]他欣然答應，但馬上就在每個星期天的早

---

[195] Dr John Thomsom's supplementary report for 1890, - February 1891, pp. 4-5, CWM, South China, Reports 1866-1939, Box 2 (1887-97), Envelope 25 (1890).

[196] Rev. John Chalmers's report for 1888, 6 March 1889, CWM, South China, Reports 1866-1939, Box 2 (1887-97), Envelope 23 (1888).

[197] Dr John C. Thomson to Rev. R. Wardlaw Thompson, 30 April 1892, CWM, South China, Incoming correspondence 1803-1936, Box 11 (1887-92), Folder 6 (1892).

[198] Dr Ho Kai to Dr John Thomson, 19 September 1889, transcribed in Dr John C.

上都召集西醫學院的所有學生一塊閱讀聖經。沒有一個學生缺席。他大感滿意。[199]他可沒想到，中國學生與英國學生不一樣，很聽話的。尤其是 1890 年代的中國學生，尊師重道之處，遠遠超過當代的中國學生。老師有命，焉敢不從？更何況是老師親自主持的閱讀課？至於同學們心裡到底怎麼想，這位洋老師就不知道也不管。不但如此，他還得寸進尺。每個星期四的黃昏都把西醫學院所有的學生都召到家裡，藉口是練習唱聖詩，以便在星期天主日崇拜時演唱。程序是：先練唱半個小時，然後喝茶和閒談半個小時，再練唱半個小時。最後是祈禱、結束。湯姆生很愉快地向倫敦總會報告說：每次聚會，所有學生總是到齊。[200]孺子可教！湯姆生沾沾自喜之餘，可沒想到，中國學生固然很乖，但也異常用功。讀醫科非常艱難，醫科學生巴不得爭分奪秒地把時間化在書本上。在 1887 年與孫中山同時入學並參加首次考試的共有 17 人。[201]到 1892 年 7 月拿到畢業證書的，只有孫中山和江英華兩人。艱難可知。湯姆生卻每週都奪去他們一個上午和一個黃昏的讀書時間！尤幸孫中山聰敏

Thomson (HK) to Rev. R. Wardlaw Thompson (London, LMS Foreign Secretary), 25 September 1889, CWM, South China, Incoming correspondence 1803-1936, Box 11 (1887-92), Folder 3 (1889).

[199] Dr John C. Thomson (HK) to Rev. R. Wardlaw Thompson (London, LMS Foreign Secretary), 24 February 1890, CWM, South China, Incoming correspondence 1803-1936, Box 11 (1887-92), Folder 4 (1890).

[200] Dr John C. Thomson (HK) to Rev. R. Wardlaw Thompson (London, LMS Foreign Secretary), 4 September 1890, CWM, South China, Incoming correspondence 1803-1936, Box 11 (1887-92), Folder 4 (1890).

[201] List of examinees, [1887], Wellcome Institute Western MS 2934.

過人，儘管多了這些課餘活動，到考畢業試時，12 科中有 10 科考了優等成績。[202]不但如此，他似乎還從湯姆生的行動得到啟發而發起華人教友少年會。[203]

湯姆生在西醫學院同樣是徹底勝利了！他利用自己的職權，把康德黎等醫生構思並創立的一所公立高等學府、一所與倫敦傳道會沒有任何直接關係的公立學府，[204]變成了一所教會學校！但他的徹底勝利將導致後來的徹底失敗。事情是這樣的。1912 年香港大學成立，收納了西醫學院為該校的醫學院。雅麗氏醫院的老師順理成章本應繼續當該校醫學院的老師；而雅麗氏醫院順理成章本也應繼續是該醫學院的實習醫院。但香港大學當局決定割斷與雅麗氏醫院的一切關係。[205]其中原因是複雜的。但不難讓人想到，香港大學當局處心積慮要擺脫倫敦傳道會那湯姆生式的基督神掌。

至於孫中山本人，當他獲得越多的醫學知識，就發覺自己與基督教的距離拉得越遠。回顧他在中學唸書時，是沒有生物學（biology）這門課的。[206]在西醫學院，他唸生物學了：而且是分門

---

[202] College of Medicine: Exam results, 1892, KMT archives, Taipei, consolidated and tabulated by J.Y. Wong.

[203] 見本章第六節。

[204] Dr John Chalmers's Report (Hong Kong District) for 1887, 6 March 1888, CWM, South China, Reports 1866-1939, Box 2 (1887-97), Envelope 22 (1887).

[205] Peter Cunich, "Godliness and Good Learning: The British Missionary Societies and HKU", in Chan Lau Kit-ching and Peter Cunich (eds.), *An Impossible Dream: Hong Kong University from Foundation to Re-establishment, 1910-1950* (Oxford University Press, 2002), pp. 39-64: at pp. 59-60.

[206] Cf E. J. Eitel, *Educational Report for 1888, Presented to the Legislative Council by command of His Excellency the Governor*, Hong Kong, Education

別類得很細緻的生物學。[207]他讀了生物學後，思想感情起了甚麼變化？1896 年 11 月 14 日，[208]他在覆翟理斯（Herbert Giles）函中寫道：「於西學則雅癖達文之道（Darwinism）」。[209]達爾文（Charles Darwin, 1809-1882）是著名的英國生物學家。生物學，作為一專門科學，始自十九世紀初。1802 年法國科學家拉馬克（Jean Baptiste de Lamarck, 1744-1829）創造了生物學這個名詞。從那個時候開始，人類的身體就成為英國科學家努力研究的對象。到了十九世紀中，達爾文經過環球實地考察和鑽研後在 1859 年推出其進化論。他認為物競天擇，適者生存。人類能夠生存下來，主要是因為戰勝了其他動物。而戰勝的原因，是因為人類是高等動物（higher organism）。[210]若人類果真是進化而來的，則基督教那「神造人」的說法就真的變成神話了。孫中山說他雅癖達文之道，表示他這個虔誠基督徒的信仰已基本動搖了。

當孫中山在西醫學院唸書時，發生了另一件事情，令他感到自己的思想感情與基督教會已經到了水火不容的地步：他談戀愛

Department, 11 February 1889: Table IX 'Enrolment and Attendance at the Central School during 1888'.: p. 3, Table 'Government Central School – Number of boys passed in Each Subject in 1888'.

[207] *College of Medicine for Chinese, Hong Kong* (Hong Kong: Printed at the *China Mail* Office, 1893), p. 8.

[208] 見行將面世的拙著《孫中山三民主義倫敦探源》第四章 961114 條。

[209] 孫中山：〈覆翟理斯函〉，載《孫中山全集》第一卷，第 46-48 頁：第 48 頁。

[210] Charles Darwin, *The Origin of Species of Natural Selection; or the Preservation of Favoured Races in the Struggle for Life* (London: John Murray, 1859).

了！[211]記他已於 1884 年 5 月 26 日與盧慕貞結了婚。[212]但那是盲婚啞嫁，雙方沒有感情。現在他遇到自己的至愛，何去何從？懸崖勒馬，他不願意。繼續下去，則以當時基督教會的嚴厲態度，是絕對不能容忍的，認為是不道德的事情。[213]雅麗氏醫院的首批醫學生當中，就有三位被湛約翰牧師以行為不道德為理由開除了。[214]湯姆生醫生牧師掌院不出三個月，又以類似的理由開除一位該醫院的高年班醫科學生，醫院委員會的其他醫生極力反對都無效。[215]不錯，這些似乎都是雅麗氏醫院自己的學生而不是西醫學院的學生，但像其他西醫學院的學生一樣，孫中山當時是在雅麗氏醫院上課、實習、值班、寄食、寄宿的。萬一他的婚外情曝光，肯定難逃湯姆生牧師的基督神掌。不要低估愛情的力量：熱戀中的男女可以幹出不可思議的事情。孫中山情願冒着天大的風險，天天提心吊膽地過日子，也不願意放棄所愛。他對教會越是恐懼，對教會的離心力就越強。

---

[211] 楊惠芬：〈舊書函揭孫中山有妾侍〉，《星島日報》，2002 年 9 月 14 日。該報導還刊出原始文獻、照片等。過去已有學者憑各種口碑提出過孫中山有第二位夫人的事情，見莊政：《孫中山的大學生涯——擁抱祖國、愛情和書的偉人》（臺北：中央日報，1995），第 4 章。現在原始文獻面世了，應再無異議。

[212] 《國父年譜》（1985），上冊，第 37 頁。

[213] Cf. Rev. Carl. T. Smith, *Chinese Christians*, p. 97.

[214] Rev. John Chalmers's Report for 1887, 6 March 1888, CWM, South China, Reports 1866-1939, Box 2 (1887-97), Envelope 22 (1887).

[215] Dr John C. Thomson to Rev. R. Wardlaw Thompson, 18 March1889, paragraph 4, CWM, South China, Incoming correspondence 1803-1936, Box 11 (1887-92), Folder 3 (1889).

當宣教師云云，豈不是開玩笑！[216]

就在孫中山要當基督教宣教師的念頭越來越淡化，愛國主義情緒越來越濃厚起來的關鍵時刻，西醫學院發生了一件事情又將他的愛國主義情緒向前推進一步。康德黎醫生說，香港慶祝建埠五十週年而舉行閱兵典禮時，他曾帶西醫學院全院學生步操經過檢閱臺，接受香港總督德輔爵士（Sir William Des Vouex）和巴駕少將（Major-General Digby Barker）的檢閱。[217]按英軍於 1841 年 1 月 28 日在香港港島登陸並宣佈該島為英國殖民地。[218]故建埠五十週年應為 1891 年 1 月 28 日。慶祝活動該在這個日子前後。徵諸香港《德臣西

[216] 女方陳粹芬（1873-1960），原籍福建廈門，出生於香港屯門，排行第四，革命黨人尊稱陳四姑，屯門基督教綱紀慎會教友。與孫中山同樣是受洗於該會的喜嘉理牧師。孫中山在西醫學院唸書時兩人墮入愛河成伴侶。後來孫中山到廣州行醫為名革命為實，陳粹芬積極參與之餘並從暗地轉為公開地與孫中山以夫妻名義出現，以資掩護。見莊政：《孫中山的大學生涯》，第 179-180 頁。廣州起義失敗後，清廷通緝孫中山、香港政府發驅逐令，有云香港的基督教綱紀慎會把孫中山除名，原因相信除了孫中山已成通緝犯以外、亦與其婚外情曝光有關。惜筆者 2002 年 12 月 21、22 日親訪香港綱紀慎會時，陳志堅牧師都不肯出示傳聞中、孫中山受洗紀錄曾被塗去名字的真跡。筆者只好留待後人去繼續調查了。翠亨孫氏長房孫眉承認陳粹芬為家族一員，名分為「孫文之妾」，載諸族譜。見莊政：《孫中山的大學生涯》，第 191 頁。

[217] Anon, “College of Medicine for Chinese”, *China Mail*, Monday 25 July 1892, p. 3, cols. 1-6: at col. 1.

[218] Commodore Bremer to Colonel Lai Enjue of Dapeng, 28 January 1841, FO682/1974/27, as summarised in J.Y. Wong, *Anglo-Chinese Relations 1839-1860: A Calendar of Chinese Documens in the British Foreign Office Records* (Published for the British Academy by Oxford University Press, 1983), p. 52.

報》，可知閱兵典禮在 1891 年 1 月 22 日舉行。[219]當時孫中山正在西醫學院唸書，而他又是非常活躍的學生，應該是參加了這次檢閱。又按康德黎醫生抵達香港不久即加入當地的後備兵團（Reserve Forces of Hong Kong），他說是以後備兵團成員的身份帶領學生步操經過檢閱臺的。他又說，由於他事前沒有通知當局，所以當他帶領着這批年輕人步操經過檢閱臺時，港督和將軍都非常驚訝。[220]

徵諸《德臣西報》，可知康德黎所言不虛。該報在簡短的報導中卻突出地提到康醫師所帶領的、由西醫學院學生所組成的救傷隊在操過檢閱臺時特別顯眼。[221]學生哥以後備兵團附屬救傷隊的身份操兵，自然不能穿便服。軍服從那兒來？康德黎醫生自己掏腰包——當他還在倫敦的查靈十字醫院教學的時候，為了吸引醫科學生參加他所組織的自願軍醫隊（Voluntary Medical Staff Corps）並接受檢閱，他就曾經自己掏腰包為一百幾十人度身縫製一百幾十套軍服。[222]孫中山與同學們穿上軍裝，不光是要來觀賞的。為了接受檢閱事先還必須操練，接受一定程度的軍訓。後來孫中山決定以革命

---

[219] Anon, 'Naval and Military Review', *China Mail*, 23 January 1891, p. 4 cols. 2-3.

[220] Anon, "College of Medicine for Chinese", *China Mail*, Monday 25 July 1892, p. 3, cols. 1-6: at col. 1.

[221] Anon, 'Naval and Military Review', *China Mail*, 23 January 1891, p. 4 cols. 2-3: at col. 3. All the articles about the jubilee celebrations previous printed in the *China Mail* were later collected in *Fifty Years of Progress: The Jubilee of Hong Kong as a British Crown Colony, being an historical sketch, to which is added an account of the celebrations of 21st to 24th January 1891*. (Hong Kong: Daily Press, 1891).

[222] Niel Cantlie and George Seaver, *Sir James Cantlie*, p. 59.

手段推翻滿清而於 1894 年冬在檀香山成立興中會後，即創建華僑兵操隊，並聘丹麥教習（Victor Bache）當義務教練，又借其原瓦湖中學（Oahu College）受業恩師芙蘭締文牧師（Francis Damon）所設的尋真書院（Mill's School）操場為興中會會員舉行軍事訓練，以便將來回國參加革命。(223)如此種種，看來與 1891 年初孫中山自己所受過的軍事訓練不無關係。

中國的北洋艦隊提督丁汝昌是慶典貴賓之一，自始至終在檢閱臺上站在香港總督旁邊觀禮。(224)當孫中山把這位穿上寬袍大袖滿清官服的丁提督與穿着貼身軍裝的巴駕少將比較，會有甚麼感想？滿清的八旗官兵穿長袍馬褂是為了騎在馬上時雙膝被蓋上後暖和好作戰，所用的武器是弓矛。巴駕少將穿着貼身軍裝是為了行動靈活好指揮，武器是機槍大砲。在 1891 年的世界，貼身軍裝代表現代化，日本的官兵早已全部脫下和服而換上貼身軍裝了！可憐那位受過現代軍事訓練的丁提督，還被迫穿上那寬袍大袖的滿清官服而顯得那麼保守落後，令人慘不卒睹。(225)

---

(223) 馮自由：《中國革命運動二十六週年組織史》，轉載於《孫中山年譜長編》，上冊，第 76 頁。蘇德用：《國父革命運動在檀島》，轉載於《國父年譜》，上冊，第 87 頁；另參《國父年譜》第 32、39 頁，以及 Chung Kun Ai, *My Seventy Nine Years in Hawaii, 1879-1958*, p. 107。

(224) Anon, 'Naval and Military Review', *China Mail*, 23 January 1891, p. 4 cols. 2-3: at col. 3. All the articles about the jubilee celebrations previous printed in the *China Mail* were later collected in *Fifty Years of Progress: The Jubilee of Hong Kong as a British Crown Colony, being an historical sketch, to which is added an account of the celebrations of 21st to 24th January 1891*. (Hong Kong: Daily Press, 1891).

(225) 筆者在雪梨大學所開的中國近代史課程中，有一次學生討論，一位澳大利至於康德黎醫生，可能比誰都要忙。他在自己的私人醫務所為病人看病以謀生，在雅麗氏醫院當義務外科醫生，創辦西醫學院並義務為其教書、當教務長，創辦香港山頂醫院（Peak Hospital）並總理其事務，(226)創辦了香港防禦疾病疫苗研究所（Vaccine Institute）並長期在那兒做實驗，籌建了香港公共圖書館。這一切早已把他忙跨了，但他還抽時間參加香港後備兵團。(227)當義務軍人是一種高度愛國的表現。孫中山與這位恩師非常接近，他會受到甚麼感染？

不當宣教師！搞革命去？不。孫中山面臨另一種選擇：改革耶？革命耶？

六、西醫學院：改革耶？革命耶？

提供這新的選擇者，不是別人，還是倫敦傳道會和它哺育成長的香港道濟會堂。

先談革命。孫中山說，他回香港到西醫學院讀書，原因之一是以其「地較自由，可以鼓吹革命。」(228)但他在西醫學院，鼓吹革命

亞同學特別用投射器放出當時日本官兵和清朝官兵所穿的服裝做比較，痛詆清軍落後，讓人慘不卒聽。

(226) 包括從英國邀來了第一位受過正規訓練的護士。

(227) Speech by Mr. J. J. Francis, Q.C., acting as spokeman for the residents of Hong Kong, 5 February 1896, quoted in Niel Cantlie and George Seaver, *Sir James Cantlie*, pp. 88-90.

(228) 孫中山：〈建國方略：孫文學說，第八章：有志竟成〉，《國父全集》，第1冊，第491頁。《孫中山全集》，第6卷，第229頁。

多年，來來去去就只得包括他自己在內的「四大寇」。[229]若真要造反，談何容易？四個人去對付滿清的千軍萬馬，無異蚍蜉撼樹。孫中山儘有滿腔革命熱情，也不能不面對這殘酷的現實。

西醫學院人丁單薄。相形之下，香港道濟會堂就顯得人多勢眾了。更重要的是，香港道濟會堂的教友是雅麗氏醫院的中堅。該院除了醫生以外，其龐大的工作隊伍幾乎全是港道濟會堂的教友——助手、見習生、工人等等，[230]還有湯姆生賴以在該院自晨至昏連綿不斷地宣道的人。[231]這批人除了接受西方傳教士帶來的基督教義以外，也接了該會帶來的西學。王煜初、區鳳墀都是顯著的例子。[232]甚至陳少白之成為「四大寇」之一的主要原因，也因為他的叔父從廣州帶回一些傳教士散發的有關西學的印刷品而深為所動。[233]可見當時基督教傳教士所帶來的西學在中國年輕一代所發生的深遠影響。

據云，王煜初牧師「比孫先生年長十來歲，王牧師的幾個兒子寵勳、寵光等，則比孫先生小了幾歲，很容易談得來。加上其他年

---

[229] 其餘三人是楊鶴齡、陳少白、尤烈。見馮自由：《革命逸史》第 1 集，第 13-15 頁。

[230] Rev. John Chalmers's Report for 1887, 6 March 1888, CWM, South China, Reports 1866-1939, Box 2 (1887-97), Envelope 22 (1887).

[231] Dr John Thomsom's supplementary report for 1890, - February 1890, p. 3, CWM, South China, Reports 1866-1939, Box 2 (1887-97), Envelope 25 (1890).

[232] 見本章第二節。

[233] Howard L. Boorman (ed.), *Biographical Dictionary of Republic China*, 6 vs. (New York: Columbia University Press, 1967-70), v.1, pp. 229-231: entry on 'Chen' Shao-pai', p. 230.

長有識教友如區鳳墀、何啟等的支持，年輕教友如陳少白、鄭士良等的唱和，於是道濟會堂的副堂，自自然然便成了這一群青年人談新政、論國情的大好場所了。」[234]這段描述，除了明顯的錯誤之如提前了區鳳墀在香港活動的時間以外，[235]發人深省。為甚麼？它佐證筆者的看法：筆者認為，在改革與革命之間何去何從，孫中山有很長一段時間是躊躇不決的。我們不能因為後來的孫中山全心全意地獻身革命，就因而斷定他之前的思想也是如此義無反顧。否則我們將沒法解釋他在 1894 年 6 月下旬上書李鴻章提倡改革。[236]當時的現實是：與他有共同語言、深受西方新學影響的人，絕大部份都是奉公守法的基督教徒。講愛國、論新政，可以。用暴力手段推翻政府，則「聞吾言者，不以為大逆不道而避之，則以為中風病狂相視也。」[237]鑑於這種形勢，孫中山曾認為自己太過曲高和寡因而有過改革的想法，是毫不奇怪的。

另一份佐證是：1891 年，孫中山在上海的《中西教會報》發表了一篇題為〈教友少年會紀事〉的文章，報導了該會於 1891 年 3 月 27 日在香港成立的盛況。「一時集者四十餘人，皆教中俊秀。」並「望各省少年教友亦仿而行之。」因為這種組織之目的是

---

[234] 王誌信：《道濟會堂史》，第 30 頁，引張祝齡：《香港少年德育會、三十週年紀念冊》卷首語。

[235] 見本章第一節。

[236] 《國父全集》，第 4 冊，第 3-11 頁。《孫中山全集》，第 1 卷，第 8-19 頁。

[237] 孫中山：〈建國方略、孫文學說第八章「有志竟成」〉，《國父全集》，第 1 冊，第 409-422：其中第 410 頁。《孫中山全集》，第 6 卷，第 228-246 頁：其中第 229 頁。

「聯絡教中子弟。」手段則包括延集西友於晚間「講授專門之學。」[238]西友講授的專門之學，除了西學還有甚麼？孫中山很可能是發起人之一，目的是希望在全國造成一種提倡西學的氣候，並藉此為改革造勢。而他參加發起教友少年會，很可能是受了湯姆生召集學生唱聖詩的行動而得到啟發。[239]

某日，事情又有了轉機。事緣四大寇相偕去廣州，遊觀音山三元宮，有所感觸，大放厥詞，誹謗朝廷。在三元宮內潛修之八十老人鄭安，聞之大異，招入垂詢。孫中山興之所至，乃暢言革命，磅礴之處，至為動人。鄭謂倘若反滿，必須聯絡會黨，始克有望。因詳述會黨之組織宗旨，及各地會堂分佈地址。孫中山一一牢記。[240]孫中山終於找到了他夢寐以求的反滿群眾，而這批群眾的人數比香港道濟會堂的教友多上何止千百萬倍。但孫中山不是會黨中人，各個會堂又有自己的聯絡暗號。沒有暗號，會眾絕對不會表露身份，以免招來殺身之禍。孫中山如何去聯絡會黨，並把各會堂的會眾團結起來一起行動？

苦無良策之餘，很可能他在志同道合的小圈子裡說了一些苦惱的話，於是他的摯友鄭士良終於表露了身份。這麼一個偶然場合，

---

[238] 陳建明：〈孫中山早期的一篇佚文——「教友少年會紀事」〉，《近代史研究》，1987 年第 3 期，第 185-190 頁：其中第 189-190 頁。

[239] 見本章第五節。

[240] 南洋會黨領袖鄧宏順談述，文載《大同雜誌》創刊號，轉載於《國父年譜》，上冊，第 52 頁。原文乃追述間接聽來的故事，其真實性有待考證，這裡姑從其說。事發具體日期又不詳，，如果真有其事，則大概是孫中山在西醫學院讀書五年中的後期。

有史可徵。馮自由說，四大寇聚談之楊燿記，「同志鄭士良、陸皓東等來往廣州、上海（而經）過（香）港時，亦常下榻其間，故該店可稱革命黨人最初之政談俱樂部。」241鄭士良與三合會頗有淵源，於兩廣秘密會社交遊甚廣。正是孫中山所需要的突破點。其實，早在 1886 年孫中山在廣州博濟醫院唸醫科時，已認識鄭士良。當時他們是該醫院的同學：鄭士良剛卒業於德國禮賢會在廣州開辦的學校並受洗為基督徒，繼而在博濟醫院學醫。242由於鄭士良有三合會的背景，具反清複明的思想感情，因而不會像普通基督教徒那樣對革命談虎色變，甚至可能默許。難怪孫中山「奇其為人，過從甚密，歡洽逾恆。」243後來孫中山轉到香港習醫，鄭士良則仍留博濟醫院肄業，但兩人往返穗港頻繁，保持聯繫。正由於鄭士良本身屬三合會，長期以來必須隱藏身份，故言詞謹慎，不能像四大寇那樣肆無忌彈。後來經過與孫中山長期來往，慢慢對他建立了信心，深信孫中山不會出賣他的，於是就表露了真正身份。

孫中山喜出望外，醫科畢業後便決心把其「借醫術為入世之媒」244的革命策略付諸實踐。結果在 1893 年 9 月便於葡屬澳門設

---

241 馮自由：〈華僑革命開國史〉，載《華僑與辛亥革命》（北京：中國社會科學出版社，1981），第 2 頁。

242 孫逸仙博士醫學院籌備會編：《總理業醫生活史》，轉載於《國父年譜》，上冊，第 42 頁。

243 孫逸仙博士醫學院籌備會編：《總理業醫生活史》，轉載於《國父年譜》，上冊，第 42 頁。

244 孫中山：〈建國方略、孫文學說第八章「有志竟成」〉，《國父全集》，第 1 冊，第 409-422：其中第 410 頁。《孫中山全集》，第 6 卷，第 228-246 頁：其中第 229 頁。

中西藥局，以其地與故鄉翠亨陸路相連，又與香港、廣州水程暢通，便於革命活動也。[245]無奈行醫一年左右即被鏡湖醫院的司事、值事等排擠，[246]更遭葡醫妒嫉，迫得提前結業而遷廣州，[247]懸牌於雙門底聖教書樓。[248]該書樓乃長老會的左斗山所開設，出售新學書籍。[249]書樓內進為基督教禮拜堂，宣道師為王質甫。[250]又於西關設東西藥局。「所得診金藥費，悉充交結之用。」[251]結交誰？正史說：「納交官紳，爭取同情，且謀掩護」。[252]竊以為造反而向官紳爭取同情謀掩護，無異與虎謀皮。因為誰也知道，一旦事敗，受牽連的官紳必然被誅九族，智者不為。鑑於當時孫中山要爭取的主要對象是秘密會社中人，竊以為他花大錢結交的人正是這批灌大杯酒啖大塊肉的江湖草莽。須知秘密會社有他們反清複明的一面，也有他們「黑社會」犯罪的一面。准此，野史可以提供珍貴的參考資

---

[245] 孫逸仙博士醫學院籌備會編：《總理業醫生活史》，轉載於《國父年譜》，上冊，第 61 頁。

[246] 見行將出版的拙著《孫逸仙思想系統的的形成：香港教育對孫逸仙的深遠影響》（上海書店出版社：黃宇和院士系列之三）。

[247] Sun Yat-sen, *Kidnapped in London* (Bristol: Arrowsmith, 1897).

[248] 《總理開始學醫與革命運動五十週年紀念史略》第 18 頁，轉載於《孫中山年譜長編》，上冊，第 66 頁。

[249] 陳建明：〈孫中山早期的一篇佚文——「教友少年會紀事」〉，《近代史研究》，1987 年第 3 期，第 185-190 頁：其中第 187 頁。

[250] 《總理開始學醫與革命運動五十週年紀念史略》第 18 頁，轉載於《孫中山年譜長編》，上冊，第 66 頁。

[251] 孫逸仙博士醫學院籌備會編：《總理業醫生活史》，轉載於《國父年譜》，上冊，第 64 頁。

[252] 孫逸仙博士醫學院籌備會編：《總理業醫生活史》，轉載於《國父年譜》，上冊，第 64 頁。

料。據云「先生在（香）港曾接納三點會首領，並親自切實調查其實力，約定時間在茶樓飲茶，先生入時，凡起立者即會員。先生如約前往，直十餘處，每處茶客起立者百數十人，喜出望外。實則其頭目事先邀集工人充數，為一騙局。」㉕³按中國風俗習慣，這一百數十人共十餘次的飲茶錢，亟欲結交他們的孫中山會主動提出為他們付賬。結果當然是該黑社會頭頭袋袋平安。又例如正史所說的，後來在 1895 年 10 月 27 日從香港開往廣州參加起義的、「在香港召集的會黨三千人」[254]之所謂「決死隊」，[255]其實都是會黨中人臨時召集的苦力，召集的藉口是為廣州招募兵勇，他們對革命內幕全不知情，而應招人數實際上也只有大約四百人。[256]又是一個騙局！東西藥局能提供多少錢給孫中山受騙？

難怪該藥局不出一年就面臨破產。他搞革命搞進了死胡同。1894 年初的某天，孫中山突然失蹤了！原來他跑回翠亨村躲起來起草上李鴻章書。[257]擬好就赴滬、津找尋上書李鴻章的途徑。很明

---

[253] 田桐：〈革命閑話〉，《太平雜誌》，第 1 卷，第 2 號，轉載於《孫中山年譜長編》，上冊，第 88 頁。負責編輯該冊的諸位先生，把這段野史也收進去，寧縱無枉，可謂別具眼光。

[254] 馮自由：《中國革命運動二十六年組織史》，第九年乙未，轉載於《中華民國開國前革命文獻》，第 1 編，第 9 冊《革命至倡導與發展：興中會》，第 531 頁。

[255] 《孫中山年譜長編》，上冊，第 90 頁。

[256] Memorandum by the Acting Assistant Colonial Secretary F. J. Badeley on the Canton Uprising of October 1895, enclosed in Robinson to Chamberlain, 11 March 1896, CO129/271, pp. 437-447. Robinson was the Governor of Hong Kong and Chamberlain was the Secretary of State for the Colonies.

[257] 陳少白：《興中會革命史要》，轉載於《中國近代史資料——辛亥革命》

顯，他的思路又回到改革途上。但李鴻章貴為傅相，權傾中外，孫中山憑甚麼企望傅相垂顧？除了利用人事關係打通其幕僚以便轉呈外，孫中山還希望：第一、通過香港西醫學院與李鴻章拉點關係。因爲該院首任教務長孟生醫生曾「救過李鴻章一命」。事緣 1887 年 11 月，李鴻章被告知患了舌癌，自忖必死，姑且召孟生醫生赴津診治。孟生診斷結果是舌下膿腫，經排膿即痊癒。[258]有過這種關係後，翌年該院董事局（Court）就邀請李氏當該院的庇護人，以壯聲威。李氏回信接受校長（President）殊榮。[259]這種由英、漢、英反覆翻譯而造成的誤會，在西醫學院成為佳話。但准此，按中國風俗習慣李鴻章與孫中山就有了掛名的師生關係。故孫中山上書時一開始就說「曾於香港考授英國醫士。」[260]第二、通過聆聽西醫學院教

（上海：上海人民出版社，1981），第 1 冊，第 27 頁。以後簡稱《辛亥革命》。

[258] 見陳錫祺：〈關於孫中山的大學時代〉，載陳錫祺：《孫中山與辛亥革命論集》（廣州：中山大學出版社，1984），第 35-64 頁：其中第 62 頁，引王吉民、伍建德合著：*A History of Chinese Medicine*, p. 320. I have found corroborative evidence in the minutes of the Senate meeting of the College of Medicine, in which a letter from Dr Manson was tabled, requesting leave of absence on account of 'professional engagement to go to Tientsin' – Minute-book of the Senate, Third meeting, 23 December 1888, College of Medicine for Chinese, in the Registrar's Office, University of Hong Kong.

[259] 顯然是李鴻章的幕僚把 patron 的漢譯再倒譯為英語時就便成了 president. See Li Hongzhang to the Directors of the Hong Kong College of Medicine, n.d., Wellcome Institute Western MS6931/96. See also Cantlie to Li Hongzhang, 12 July 1889, MS 6931/95, in *ibid*, thanking Li Hongzhang for his acceptance of the honour.

[260] 孫中山：〈上李傅相書〉，原載上海《萬國公報》1894 年第 69、70，轉

務長康德黎醫生在孫中山的畢業典禮中的致詞，孫中山對李鴻章產生了好感與希望。康德黎透露，李鴻章回信接受提名為西醫學院庇護人時，建議該院重點講授化學（chemistry）和解剖學（anatomy）這兩門學問。康德黎對李鴻章這種觀點的分析非常精闢，認為李鴻章在說：「給我們科學，其他都好辦」；而不是像一般凡夫俗子那般一股勁地喊：「治好我的病呀！」[261]這種尊重科學的態度，會讓孫中山產生幻想，認為他與一般守舊官僚不同。第三、孫中山畢業的時候，康德黎曾嘗試過把應屆畢業生——孫中山和江英華——給李鴻章引見。雖然引見不成，[262]但孫中山知道李鴻章是聽過他的名字的。

幾經週折，孫中山終於在 1894 年 6 月下旬把書投遞了，但「鴻章藉詞軍務匆忙，拒絕延見，僅由羅豐祿代領得農桑會出國籌款護照一紙。」[263]孫中山沒有經驗，不知道西醫學院董事局之獲得李鴻章當該院庇護人，是事先大費周章的。儘管有了孟生醫生治癒其病之恩，還首先通過天津的爾文醫生（Dr Irving）探聽李鴻章當該院庇護人（Patron）的可能性。[264]待爾文醫生謁見過李氏後回信說，

載於《孫中山全集》第 1 卷，第 8-18 頁：其中第 8 頁。《國父全集》（1989）未收進該文。

[261] *China Mail*, Hong Kong Saturday 23 July 1892, p. 3, cols. 1-5: at col. 3.

[262] Neil Cantlie and George Seaver, *Sir James Cantlie*, p. 79.

[263] 馮自由：《中國革命運動二十六週年組織史》，轉載於《孫中山年譜長編》，上冊，第 73 頁。

[264] Minute-book of the Senate, Third meeting, 20 July 1888, College of Medicine for Chinese, in the Registrar's Office, University of Hong Kong.

如蒙正式邀請，將欣然接受。該院董事局才決議發公函邀請。[265]孫中山似乎還未懂這種先探聽後行動的做法，謬謬然上書，自然碰壁。

有謂「上書失敗，先生決志以革命手段推翻清廷。」[266]竊以為此說尚有待商榷，蓋上書雖然失敗，孫中山還是把該書全文八千餘字刊於當年上海出版的《萬國公報》（*Review of the Times*）月刊。[267]此舉目的很明顯：他希望藉此引起李鴻章重視，或其他大員注意。如果他的改革建議得到接納，並被邀請參加推動新政，則仍有望改變清廷以圖強。無奈日復一日，仍如石沉大海。同時，在 1894 年 7 月 25 日，中日甲午戰爭就爆發了。清軍節節敗退，清廷顯得越是腐敗無能，他的革命決心就越是堅決。終於「憮然長嘆，知和平之法無可復施。」[268]結果他的思路又返回革命的途徑。

史家多屬意孫中山自小即矢志革命之說，並津津樂道其童年於鄉間聽太平天國老兵談洪、楊軼事以為據。[269]此說發展到極端時，甚至說孫中山上書只是個藉口，深夜冒險晤李鴻章於其北京官邸時卻「勸李革命，李以年老辭。」[270]這種極端說法之目的不外是要把

---

[265] Minute-book of the Senate, Fourth meeting, 28 September 1888, College of Medicine for Chinese, in the Registrar's Office, University of Hong Kong.

[266] 《孫中山年譜長編》，上冊，第 73 頁。

[267] 以〈上李傅相書〉為題在第 69、70（1894 年）兩冊連載。

[268] 孫中山：《倫敦被難記》，轉載於《孫中山年譜長編》，上冊，第 73 頁。

[269] 《國父年譜》（1985），上冊，第 19 頁。

[270] 持此說者有上海時事新報館編《中國革命記》和吳敬恆編《中山先生年系別傳》，轉錄於《國父年譜》（1985），上冊，第 68 頁註 4。《國父年譜》（1985）認為這種說法的可能性不大。見下文。

孫中山當時尋找改良途徑說成是革命的手段。已有學者指出：⑴李為北洋大臣，常駐天津，北京相見說似不甚合。⑵勸李革命，揆諸當時局勢，恐無此可能。[271]竊以為應該進一步指出。⑶「深夜冒險晤李」云云，大有把孫中山描述成能飛簷走壁、視傳相侍衛如無物的武林高手的味道。而我們都知道，孫中山是不懂武術的。⑷此說雖有孫中山童年軼事為據，卻完全忽視了孫中山少年和青年時代（13-26 歲）在夏威夷、香港、廣州、香港等地所唸的學校全都與基督教會有直接或間接的關係。傳教士不滿清朝政府是事實，他們全都傾向於改革而不贊成暴力革命也是事實。⑸如果說傳教士是洋人，不像孫中山這個華人有切膚之疼，則道濟會堂的教友又如何？孫中山也自承他們對革命之說談虎色變。所以孫中山才鑑於曲高和寡而有過改革之想。⑹此說忽略了為革命找經費的困難。孫中山就是在東西藥局面臨破產的時刻上書李鴻章的。

幾經週折，孫中山終於得出非革命無以救中國的結論。後果就是 1895 年 10 月的廣州乙未起義。

七、廣州起義與英國的關係[272]

孫中山發動廣州起義，他與英國的關係，就從民間（以倫敦傳導會為主要代表）變成與英國政府及英國在香港的殖民政府兼而有

---

[271] 《國父年譜》（1985），上冊，第 68 頁註 4。

[272] 所謂與英國的關係，包括孫中山與個別英國人與英國政府及英國在香港的殖民政府的關係。

之。

起義必須經費，孫中山先前在香港、澳門、廣州等地能賺到的錢都已全用光了，再往那兒找？他在香港雅麗氏醫院唸西醫學院時，學會了兩種籌款方法：⑴ 1887 年和 1888 年，在湛約翰牧師領導下在公園舉行園遊會作公開義賣而為雅麗氏醫院籌款。[273]這種活動，不但師出有名，而且招牌是冠冕堂皇的，以致香港總督伉儷也樂意出面贊助，而香港上下人士也踴躍支持。籌得的款項可觀。作為該院學生的孫中山，也積極參加了工作。⑵ 1889-1892 年間，湯姆生院長，每年刊刻該院的工作報告，讓世人有目共睹，然後與湛約翰牧師挨家湊戶地探訪，請人家定期捐款（subscribe）。[274]這種活動，同樣師出有名，招牌同樣輝煌。每年所籌得的款項不但可觀而且穩定可靠。

若用這兩種方法籌款造反，師出無名。而亮出名堂後群眾也只會爭相走避，而當事人肯定要遭到逮捕。但孫中山到底是聰明人，從湯姆生的方法得到啟發，變通一下，「中國商務公會股單」[275]（Commercial Union of China Bond）[276]就出爐了。變通之處有三：⑴湯姆生的捐款對象是明的，孫中山就創造一批暗的捐款對象。即成立一個秘密會社——興中會，而會員就成了捐款對象了。⑵湯姆生刊

---

[273] Rev. John Chalmers's Report (Hong Kong District) for 1888, 6 March 1889, CWM, South China, Reports 1866-1939, Box 2 (1887-97), Envelope 23 (1888).

[274] Dr John Thomsom's supplementary report for 1890, - February 1891, pp. 4-5, CWM, South China, Reports 1866-1939, Box 2 (1887-97), Envelope 25 (1890).

[275] 《國父全集》（1989），第 9 冊，第 546-547 頁。

[276] 《國父全集》（1989），第 10 冊，第 477 頁。

刻工作報告，報導已取得的成果。捐款人可以從中確知其捐出的金錢會妥善地用於慈善義舉而得到精神上的安慰。孫中山發行股單，預期革命成功後，新政府會利用財政收入付款予持股人，讓其得到經濟上的回報。每股股金為 100 美元。(277)(3)湯姆生在香港運作，孫中山則回到他少年時代上學的夏威夷。理由很明顯，他在香港多年而能找到的知音寥寥，檀香山華僑約四萬，他希望有發展的空間。

無奈在檀島多時，舌敝唇焦，最後只得乃兄、其他親屬與舊同窗共 20 餘人從而和之！(278)但在這基礎上仍組織了興中會。入會方式採宣誓結盟方式：各人在開卷聖經上置其左手，右手向上高舉，懇求上帝鑒察，然後宣讀誓詞曰：「聯盟人某省某縣人某某，驅除韃虜，恢復中國，創立合眾政府，倘有二心，神明鑒察。」(279)方式不採中國傳統的歃血為盟，而用基督教手按聖經發誓，可見入會者可能大多數為基督徒或受西方文化影響甚深的人。縱合會員所繳交的會費、售賣股單等所得，僅得美金千餘元，難成氣候。孫中山異常焦急，孫眉乃賤售其牛牲一部，鄧松盛則盡數變賣其商店及農場，以充義餉，綜合各款，亦僅美金六千餘元，折合港幣約 13,000 元，遂於 1894 年 12 月間放舟返回香港。(280)

返港後即召集舊友組織興中會總部。又勸諭另一類似之團體

---

(277) 《國父全集》（1989），第 9 冊，第 547 頁，註 3。

(278) 《國父年譜》（1985），上冊，第 69 頁。

(279) 馮自由：《華僑革命開國史》（臺北：臺灣商務印書館，1953），第 26 頁，轉載於《國父年譜》（1985），上冊，第 70 頁。

(280) 馮自由：《中國革命二十六年組織史》，第 16 頁，轉載於《孫中山年譜》，上冊，第 77 頁。

——輔仁文社——與其合併。該社社長楊衢雲、秘書謝纘泰等欣然答應。[281] 1895 年 2 月 21 日兩會正式合併，人數乃不過數十人而已。會名仍稱興中會。入會儀式則改為一律舉右手向天宣誓。誓詞曰：「驅除韃虜，恢復中華，創立合眾政府。倘有貳心，神明鑒察。」[282]

由於清軍在中日戰爭中節節敗退，清廷威信掃地，民心激憤已極，發難機不可失。促使興中會員加緊準備。此後事態的發展，握要如下：

⑴經費方面：革命黨人不能公開籌款，於是黃詠商賣掉了祖產香港蘇杭街洋樓一所，得資八千，支持起義，[283]已如前述。鄧蔭南賣其私產得資萬數千元、余育之助款萬數千元。[284]至於這批款項純屬捐贈還是償以股單，則現存文獻沒有記載。竊以為很可能屬後者。

⑵國際關係：1895 年 3 月 1 日，孫中山拜會日本駐香港領事中川恆次郎，請其援助起義，不果。[285]接着孫中山拜會德國駐香港

---

[281] Tse tsan-tai, *The Chinese Republic – Secret History of the Revolution* (Hong Kong, 1924), p. 7.

[282] 馮自由：《革命逸史》，第四集，第 8-9 頁。

[283] 馮自由：《革命逸史》，初集，第 6 頁。

[284] 馮自由：《革命逸史》，初集，第 43 頁；第 4 集，第 4 頁。

[285] 中川致原敬函，1895 年 3 月 4 日，《原敬關係文書》（東京：日本放送出版協會，1984），第 2 卷，書翰篇，第 392、393 頁，轉載於《孫中山年譜》，上冊，第 81-82 頁。有關此事的進一步敘述和分析，見李吉奎：《孫中山與日本》（廣州：廣東人民出版社，1996），第 3-7 頁。又見：《孫中山與日本關係研究》（北京：人民出版社，1996）第 35-36 頁。

領事克納普，[286]看來目的與結果相同。又通過謝纘泰的關係，孫中山首次取得香港英人的支持。謝纘泰出生於澳洲雪梨，後回香港就讀於中央書院。由於英語甚佳，畢業後在香港政府服務，由此而認識了香港兩大英語報章的主筆，即《德臣西報》（*China Mail*）的黎德（Thomas H. Reid）和《士蔑西報》（*Hong Kong Telegraph*）的鄧勤（Chesney Duncan），爭取他們對革命的同情。[287]在此前後，該《德臣西報》社論及文章曾多次暗示有革命黨密謀推翻滿清，並呼籲外人給予支持。[288]黎德對清廷之不滿，與傳教士如出一轍，只是言論更公開而已。至於何啟則常在中西各報發表中國改革政見，名重一時。現他又表示同情革命。[289]其搖擺於改革和革命之間，與孫中山的情況亦一樣，只是鑑於身份，言論不能像學生哥的孫中山那麼肆無忌彈而已。可見是當時曾受過西方教育的有志之士的一種比較普遍的現象。此外，在 1895 年 3 月 18 日的社論中，黎德指出革命黨

---

[286] 史扶鄰：《孫中山與中國革命的起源》（北京：中國社會科學出版社，1981），第 68 頁，所引乃英國的情報，1896 年 10 月，enclosed in MacDonald to Salisbury, 19 October 1896, CO129/274.

[287] Tse Tsan-tai, *The Chinese Republic – Secret History of the Revolution* (Hong Kong, 1924), pp. 7-9. 鄒魯《乙未廣州之役》載《辛亥革命》，第 1 冊，第 225 頁，卻說是何啟聯繫兩報主筆的。這可能也是實情。但鄒魯隻字不提謝纘泰的關係，則顯然是由於原興中會會員於輔仁文社之間的矛盾而有意埋沒謝纘泰所起過的作用。關於這一點，筆者在本書第四章第一節還要做進一步分析。

[288] Editorials, *China Mail*, 12, 15, 16, 18 March 1895. 本書第三章第四節對這些社論和文章有較詳細的分析。

[289] 馮自由：《中華民國開國前革命史》，第 1 冊，第 10-11 頁，轉載於《國父年譜》（1985），上冊，第 74 頁。

不準備創立合眾政府而準備成立君主立憲。[290]有學者因為此說有悖興中會誓言而大感困惑。[291]其實這現象好解釋：內外有別。興中會的誓詞是秘密的，怎能隨便公開？向外國人公開的言論必須服從於一個目標——爭取他們同情和支持。試想，當時孫中山正奔走於日本領事、德國領事和英報主編之間，而三國政制都是君主立憲。他若明倡廢掉君主，就會失去他們的同情和支持了。智者不為。而且黎德也沒參加興中會，故沒作誓詞，自然不知誓詞內容是甚麼。關於這一點，筆者在本書第三章第四節會進一步作分析。

(3)戰略部署：兵分兩路。第一、廣州方面，由孫中山帶領的原興中會一股前往廣州組織興中會分會，主要骨幹包括鄭士良、陳少白、左斗山、王質甫等。皆基督教徒。尤記這四人當中的鄭士良乃三合會人士，由他去聯絡廣州方面的會黨（包括在防營、水師內的會黨中人）。陳少白是四大寇之一。左斗山在雙門底開設聖教書樓，孫中山曾借該書樓一角懸牌行醫。[292]現在則成了起義機關之一。[293]王質甫乃宣導師，主理聖教書樓內進之福音堂，現用其身份與福音堂作掩護，偷運槍械。[294]第二、香港方面，由楊衢雲的原輔仁文社一股在香港購買軍火，並率領香港會黨三千人的決死隊，準備於

---

[290] Editorial, *China Mail*, 18 March 1895.

[291] 霍啟昌：〈幾種有關孫中山先生在港策進革命的香港史料試析〉，《回顧與展望》（北京：中華書局，1986），第 440-455 頁：其中第 452 頁。

[292] 《總理開始學醫與革命運動五十週年紀念史略》第 18 頁，轉載於《孫中山年譜長編》，上冊，第 66 頁。

[293] 王誌信：《道濟會堂史》，第 35 頁。

[294] 王誌信：《道濟會堂史》，第 35 頁。

1895 年 10 月 26 日重陽節趁掃墓而出入廣州人潮擠擁之際，於 25 日晚乘夜輪去廣州，並用木桶裝載短槍，充作水泥，同船運往。同時準備在 26 日晨該船抵達廣州時劈開木桶取出槍械，首先進攻各重要衙門，同時埋伏水上及附近之會黨，會分路響應。英文對外宣言則預請香港《德臣西報》的編輯黎德起草，何啟等修改，以便屆時通告各國，要求承認為「民主國家交戰團體」。[295]竊以為所謂「民主國家交戰團體」，可能是從英語的「belligerent party」翻譯過來。按國際法，如果外國視革命軍為這樣的一個團體，則保持中立。若目為叛黨，就有可能幫助與其有邦交的政府平亂。

⑷事敗逃亡：為何失敗？孫中山那一派怪楊衢雲那一派在香港措置失當，沒有按原定起義日期在 1895 年 10 月 26 日重陽節清晨 6 時，把起義主力、配備了槍枝彈藥的「敢死隊三千人」從香港開到廣州。而在廣州方面聚集的各路人馬大多數是一般的綠林、散勇，屬配合性質，因為他們沒有現代化武器。當天清晨在廣州各路人馬的首領紛紛來討口令、等候命令時，卻沒有主力部隊蹤影。遲至當早 8 時許，方接楊衢雲電報說「貨不能來。」怎辦？陳少白說：「凡事過了期，風聲必然走漏，再要發動一定要失敗的，我們還是把事情壓下去，以後再說吧！」孫中山同意，便發錢給綠林中人讓他們回去待命，又電楊衢雲曰：「貨不要來，以待後命。」孫、陳均以處境危險，宜儘快離開。但孫讓陳先走，自己留下善

---

[295] 馮自由：〈廣州興中會及乙未庚子二役〉，載馮自由：《革命逸史》，第 4 集，第 11 頁。

後。陳就於當晚乘「泰安」夜航去香港。[296]果然當天已走漏了風聲，尤幸兩廣總督譚鍾麟「以孫文時為教會中人，無舉義憑據，萬一辦理錯誤，被其反噬，着李家焯不可鹵莽從事。」[297]故當天李家焯仍不敢逮捕孫中山。當天晚上，孫中山還與區鳳墀宣教師連袂赴王煜初牧師宴。[298]李家焯的探勇仍是不敢動手，甚而被孫中山奚落一番，已如前述。[299]孫中山可知道，是他與基督教會的關係救了他一命！

翌日，1895 年 10 月 27 日，孫中山即避過探勇坐船輾轉逃亡香港。[300]離穗時間比「決死隊」在 28 日清晨 6 時抵穗約早了 20 個小時。

八、為何密謀瓦解？

為何密謀瓦解？關於這個問題，有多種解釋：

⑴黨屬告密：馮自由說：舉義前一、二日，有朱湘者，以其弟朱淇列名黨籍，且作討滿檄文，恐被牽累，「竟用朱淇名向緝捕委員李家焯自首，以期將功贖罪。李得報一面派兵監視總理行動，一

---

[296] 陳少白：《興中會革命史要》，轉載於《辛亥革命》，第 1 冊，第 31-32 頁。

[297] 鄒魯：《乙未廣州之役》，轉載於《辛亥革命》，第 1 冊，第 230 頁。

[298] 鄒魯：《乙未廣州之役》，轉載於《辛亥革命》，第 1 冊，第 230 頁。按該宴會是王煜初牧師為兒子王寵光娶媳婦而設。

[299] 鄒魯：《乙未廣州之役》，轉載於《辛亥革命》，第 1 冊，第 230 頁。

[300] 《孫中山年譜長編》，上冊，第 94-95 頁。《國父年譜》（1985），上冊，第 80-81 頁。

面親赴督署稟報……粵督譚鍾麟聞李家焯報告有人謀反，急問何人。李以孫某對。譚大笑曰：『孫乃狂士，好作大言，焉能造反？』堅不肯信，李失意而退。」[301]馮自由從何得悉這一切？竊以為朱湘告密一節，馮自由還可以從審訊朱淇的公報中得悉。譚大笑一節，就近乎虛構故事了。究馮動機，似乎是希望藉此刻意襯托孫中山臨危不亂的領袖才幹。蓋馮自由在上述引文中被筆者暫時略去的一段是這樣說的：「是日（1895 年 10 月 26 日）總理方赴省河南[302]王宅婚禮宴會，見有兵警偵伺左右，知事不妙，乃笑語座客曰：『此輩豈來捕余者乎？』放言驚座，旁若無人。宴後從容返寓。兵警若熟視無睹。」[303]為何要突出孫中山的領袖才幹？這與孫、楊爭當首領有關。這一點，筆者在本書第四章第一節會作進一步分析，在此不贅。關鍵是：雖然譚鍾麟「堅不肯信」，難道李家焯會就此罷休？他在官場混跡多年，深知將來若出問題，粵督還不是仍然對他限期破案？所以他還是我行我素，當晚仍派遣探勇監視孫逸仙不放。

⑵穗府偵知：據譚鍾麟事後奏曰：「旋據管帶巡勇知縣李家焯率千總鄧惠良等，於初十日（1895 年 10 月 27 日）在雙門底王家祠拿獲匪夥陸浩東、程懷、程次三名，又於鹹蝦欄屋內拿獲程耀臣、梁

[301] 馮自由：〈廣州興中會及乙未庚子二役〉，載馮自由：《革命逸史》，第四集，第 11-12 頁。

[302] 這裡的「省」字，指廣東省城，即廣州城，該城建於珠江河北岸，省城南岸地區叫河南。故鄒魯、馮自由等把省城南岸地區簡稱為省河南。

[303] 馮自由：〈廣州興中會及乙未庚子二役〉，載馮自由：《革命逸史》，第四集，第 11 頁。

榮二名，搜出洋斧一箱，共十五柄。十一日（1895 年 10 月 28 日）香港泰安（保安）輪船搭載四百餘人抵省登岸，李家焯率把總曾瑞璠等往查獲朱桂銓（朱貴全）、邱四等四十五名，餘匪聞拿奔竄。」[304] 李家焯從何得悉雙門底王家祠藏有武器？譚鍾麟奏稿沒作解釋。馮自由則說，密謀被粵吏「駐港密探韋寶珊所偵知，遂電告粵吏使為戒備。……譚督於初十日（1895 年 10 月 27 日）聞報，急……令李家焯率兵至王家祠……。」[305]馮自由從何得悉此事，則他也沒作解釋。至於李家焯又從何得悉保安輪上藏有匪夥，則譚鍾麟與馮自由都沒作交代。

⑶港府偵破：據香港政府事後的一份調查報告說，1895 年 10 月初，香港警方已獲線報，謂有三合會份子正在香港招募壯勇。10 月 27 日，香港警官士丹頓探長（Inspector Stanton）更獲線報，謂該等份子已募得約四百人，並將於當晚乘保安輪往廣州。士丹頓親往碼頭調查，發覺為數約六百名的、最窮苦的苦力，因無船票而被拒

---

[304] 兩廣總督譚鍾麟奏稿，載中國第一歷史檔案館（編）：《光緒朝硃批奏摺》第 118 輯（北京：中華書局，1996），第 137-139 頁：其中第 137 頁。該稿又轉載於鄒魯《乙未廣州之役》，轉載於《辛亥革命》，第 1 冊，第 232-234 頁：其中第 233 頁。

[305] 馮自由：〈廣州興中會及乙未庚子二役〉，載馮自由：《革命逸史》，第四集，第 12 頁。竊以為要麼是同名同姓，要麼是馮自由搞錯了，因為香港名流韋玉被英女王冊封的名字正是韋寶珊爵士（Sir Poshan Wei Yuk）。見 G.H. Choa, *The Life and Times of Sir Kai Ho Kai* (Hong Kong: Chinese University Pres, 1981), p. 18. 以這位韋寶珊的身份，不至於淪為滿清密探。而且，若真的曾當過滿清密探，香港政府在調查他身家底細以便在 1896 年由香港總督任命他為立法局議員，和 1919 年冊封他為爵士時，恐怕都會被查出來。但真相如何，還有待歷史學家去耐心考證。

登船。此時朱貴全等帶了一袋銀元來為他們買船票，不久大批警員也步操進入現場搜查軍火，既搜船也將各苦力逐一搜身，並無所獲。結果有為數約四百名的苦力登船。保安輪啟航後，朱貴全對諸苦力說：船上藏有小洋槍，抵埠後即分發候命。眾苦力方知中計。他們早已被政府的威力——如臨大敵的香港警察——嚇得魂飛魄散。現在更加拒絕參與起義。朱貴全等見勢色不對，船甫泊定即潛逃上岸。當時派駐碼頭的兵勇人數一如平常，可知廣州當局全不知情。待五十多名「募勇」向碼頭駐兵申冤，才東窗事發。[306]

有學者完全肯定第三種解釋，即港府偵破。並因此而批評正史之謂 1895 年 10 日 28 日「晨，該輪抵埠時，南海縣令李徵庸及緝捕委員李家焯已率兵在碼頭嚴密截緝」云云，[307]實屬不確。[308]該學者追源禍開始，認為是兩廣總督譚鍾麟奏稿[309]在作怪。該學者的結論是：譚鍾麟文過飾非，虛構故事，「其可靠性值得懷疑」。[310]言

---

[306] Memorandum by the Acting Assistant Colonial Secretary, F. J. Badeley, on the Canton Uprising of October 1895, enclosed in Robinson to Chamberlain, 11 March 1896, CO129/271, pp. 437-445: here, pp. 441-445.

[307] 《國父年譜》（1985），所據乃馮自由：《革命逸史》，第 4 集，第 12-13 頁。

[308] 霍啟昌：〈幾種有關孫中山先生在港策進革命的香港史料試析〉，《回顧與展望》（北京：中華書局，1986），第 440-455 頁：其中第 448-449 頁。

[309] 兩廣總督譚鍾麟奏稿，載中國第一歷史檔案館（編）：《光緒朝硃批奏摺》第 118 輯（北京：中華書局，1996），第 137-139 頁。該稿又轉載於鄒魯《乙未廣州之役》，轉載於《辛亥革命》，第 1 冊，第 232-234 頁。

[310] 霍啟昌：〈幾種有關孫中山先生在港策進革命的香港史料試析〉，《回顧與展望》（北京：中華書局，1986），第 440-455 頁：其中第 449 頁。

下之意是諸位依靠《革命文獻》來撰寫正史的賢達紛紛中計。[311]

該學者的結論，引起筆者無限興趣。原因之一，是筆者有一癖好：最愛考證史料的可靠性。因為只有在翔實史料的基礎下，方能「神遊冥想」來重建歷史，否則歷史研究就無法開拓新天地。

首先，筆者旁徵其他史料。看了《德臣西報》在 1895 年 10 月 28 日星期一刊登的一篇報導，深受啟發。既是 28 日星期一刊登，當然是 27 日星期天發稿。發稿之日，正是那四百苦力在香港登船之時。按西方習慣，新的一週從星期天算起。所以，在 27 日星期天發稿時說「上週」，所指的日期就包括了 9 月 30 日星期天到 10 月 26 日星期六的一週。該報導一開始就說：「上週在廣州發現了由一批革命黨人企圖佔領該城的計劃。」[312]此話佐證了馮自由所說的，在舉義前一、二日（即 1895 年 10 月 24、25 日），有朱湘假其弟「朱淇名向緝捕委員李家焯自首」之事。[313]而且，這樣的消息傳到香港，證明事情已公開了。該報導繼續說：這個發現，讓廣州當局馬上動員起來，千方百計偵緝禍首以防範於未然。[314]此話間接佐證了馮自由所說的、1895 年 10 月 26 日已有李家焯的兵警偵伺孫中

---

[311] 霍啟昌：〈幾種有關孫中山先生在港策進革命的香港史料試析〉，《回顧與展望》（北京：中華書局，1986），第 440-455 頁：其中第 448、449 頁。

[312] Anon, 'The Threatened Rising at Canton – Searching the Canton Steamer', *China Mail*, 28 October 1895, p. 4, col. 2.

[313] 馮自由：〈廣州興中會及乙未庚子二役〉，載馮自由：《革命逸史》，第四集，第 11 頁。

[314] Anon, 'The Threatened Rising at Canton – Searching the Canton Steamer', *China Mail*, 28 October 1895, p. 4, col. 2.

山左右。(315)該報導又說，廣州當局早就派員在香港進行秘密調查。(316)此話間接佐證了馮自由所說的、駐港密探韋寶珊(317)偵知興中會準備在廣州起義的密謀。(318)

《德臣西報》駐廣州記者在 1895 年 10 月 29 日星期二從廣州發來的報導也值得注意。他說：「謠言導致當局在碼頭等候抵穗夜渡并逮捕了數名懷疑是（該大批苦力）的首領。」(319)該報導在 29 日晚刊刻（30 日面世），所說的自然是 28 日的事。

《德臣西報》又翻譯了香港《華字日報》（*Chinese Mail*）的有關報導而刊登。(320)筆者將該報導倒譯後不感滿意（理由之一是其中有些專有名詞之如人名地名等被該報譯者省略或迴避了而令人很難準確掌握），於是在 2003 年 7 月下旬，因利乘便再飛香港查閱《香港華字日報》原文。(321)喜得珍貴報導數則，茲轉錄以作分析：

---

(315) 馮自由：〈廣州興中會及乙未庚子二役〉，載馮自由：《革命逸史》，第四集，第 11 頁。

(316) Anon, 'The Threatened Rising at Canton – Searching the Canton Steamer', *China Mail*, 28 October 1895, p. 4, col. 2.

(317) 正如前面說過的，這位韋寶珊的真正身份有待考證。

(318) 馮自由：〈廣州興中會及乙未庚子二役〉，載馮自由：《革命逸史》，第四集，第 12 頁。

(319) From our Own Correspondent, 'The Threatened Rising at Canton – Numerous Arrests', *China Mail*, 30 October 1895, p. 4, col. 3.

(320) From our Own Correspondent, 'The Threatened Rising at Canton – Numerous Arrests', *China Mail*, 30 October 1895, p. 4, col. 3.

(321) 由於時間緊迫，承香港大學鄭承陳桂英、張慕貞兩位大力幫忙，破格讓筆者翻閱原件，讓筆者很快就查出原文，特致深切謝意。

> 統帶巡防營卓勇李芷香大令（按即李家焯）……查得省垣雙門底王家祠內雲岡別墅，有孫文即孫逸仙在內引誘匪徒運籌畫策，即於初九日（按即 1895 年 10 月 26 日星期六）帶勇往捕。先經逃去，即拿獲匪黨程準、陸皓東二名。又在南關鹹蝦欄李公館拿獲三匪並搜獲大飯鍋二隻、長柄洋利斧十五把。是屋崇垣大廈，能容千人。聞前兩日有數十人在屋內團聚。續因風聲洩漏，先被逃去。[322]

香港《華字日報》這段報導，消息來源是甚麼？該報解釋說：「正據省城訪事人來函登報間，忽接閱省中《中西報》所載此事甚詳，因全錄之以供諸君快睹」。[323]

那麼，香港《華字日報》本身在省城訪事人的來函又怎麼說？

> 初十日（按即 1895 年 10 月 27 日星期天），前任西關汛官管帶中路辦理善後事務鄧守戎惠良會同卓營勇弁潛往城南珠光里南約空屋內，搜出洋槍兩箱及鉛彈快碼等件，即拿獲匪徒四名。兩匪身著熟羅長衫，狀如紈袴。（其）餘二匪，則絨衫緞履，類商賈中人。是晚番禺惠明府開夜堂提訊四匪，供稱所辦軍火，因有人托其承辦，並供開夥黨百數十人，定十一日（按即 1895 年 10 月 28 日星期一）由香港搭附輪來省，或由夜火船而來。[324]

---

[322] 香港《華字日報》，1895 年 10 月 30 日星期三，第 2 版，第 2 欄。
[323] 香港《華字日報》，1895 年 10 月 30 日星期三，第 2 版，第 2 欄。
[324] 香港《華字日報》，1895 年 10 月 30 日星期三，第 2 版，第 2 欄。

當局得到這項情報，會採取甚麼行動？

> 十一日早（按即 1895 年 10 月 28 日星期一），鄧守戎於晨光熹微之際，即帶兵勇駐紮火船埔頭，俟夜輪船抵省，按圖索驥，一遇生面可疑之人，立行盤詰。遂拿獲廿餘人，解縣審辦。[325]

這位訪事人的報告可有佐證？有。廣州的《中西報》報導說：

> 十一早（李家焯）派勇前往火船埔頭及各客棧，嚴密查訪。未幾而香港夜火船保安，由港抵省船上，搭有匪黨四百餘人。勇等見其形跡可疑，正欲回營出隊截捕，已被陸續散去，只獲得四十餘人回營訊問，內有朱貴銓、邱四二名，均各指為頭目。[326]

上述中西記者當時從廣州發出的報導都有一個共同點：1895 年 10 月 28 日星期一清晨，廣州當局在碼頭佈了兵勇等候從香港來的夜渡并當場逮捕了朱貴全、邱四等兩名首領。這共同點佐證了譚鍾麟的奏稿和馮自由的敘述，並直接牴觸了香港政府的事後調查報告中所說的、廣州當局全不知情，碼頭駐兵人數如常，待為數大約五十名船上苦力向該等駐兵申訴被騙過程而報告李家焯後才東竄事

---

[325] 香港《華字日報》，1895 年 10 月 30 日星期三，第 2 版，第 2 欄。
[326] 香港《華字日報》，1895 年 10 月 30 日星期三，第 2 版，第 2-3 欄。

發，以致朱貴全、邱四等首領成功地潛逃上岸逸去。[327]

為何出現這種矛盾？

竊以為香港政府的調查報告本身就提供了線索：第一、該報告不是當時香港政府為了本身需要而雷厲風行般調查的結果，而是英國殖民地部大臣得悉香港苦力曾牽涉入廣州起義後，在 1895 年 12 月 23 日和 1896 年 1 月 6 日先後公函質問香港總督為何不曾吭一聲，[328]香港總督轉而下令調查其事，最後由一位署助理輔政司長經過調查後撰寫而成的。第二、該報告有關保安輪上發生的事情和該輪抵穗靠岸的情況，全賴乘客當中的一位香港華籍警察[329]回港後向上司的報告。可以想像，船還沒靠岸，幾百名心急如焚的苦力已經把船的出口塞得水洩不通，該警察能把岸上情況看得有多清楚？船一靠岸，就有約五十名苦力急跑向駐兵表示清白，其他約 350 名苦力即發足狂奔，火急逃命，碼頭立刻亂成一團，當然還有其他急於

---

[327] Memorandum by the Acting Assistant Colonial Secretary F. J. Badeley on the Canton Uprising of October 1895, enclosed in Robinson to Chamberlain, 11 March 1896, CO129/271, pp. 437-445: here, p. 444, paragragh 12.

[328] Robinson to Chamberlain, 11 March 1896, CO129/271, pp. 438-440: here, p. 438, paragragh 1.

[329] 有學者稱其為警長。見霍啟昌：〈幾種有關孫中山先生在港策進革命的香港史料試析〉，《回顧與展望》（北京：中華書局，1986），第 440-455 頁：其中第 447 頁。筆者查核原文，可知為“A Chinese Police Constable”，即普通警員而已。見 Memorandum by the Acting Assistant Colonial Secretary F. J. Badeley on the Canton Uprising of October 1895, enclosed in Robinson to Chamberlain, 11 March 1896, CO129/271, pp. 437-445: here, p. 443。感謝香港歷史檔案館的許崇德先生，及時為筆者複印原件航空擲下，讓筆者解決了一個關鍵問題，關鍵之處見下文。

上岸乘客，在人山人海你推我擠的情況下，廣州輪渡的碼頭面積又非常狹小，作為乘客而不是以記者身份進行採訪的這位香港警察，對週遭所發生的事情會有多大興趣？第三、竊以為該調查報告有推卸責任之嫌。筆者發現，香港《士蔑西報》在其 1895 年 11 月 15 日的社論是這樣寫的：

> 香港的警察當局正快馬加鞭地贏得文過飾非之惡名。就以最近廣州起義為例吧，六百名香港人，在香港政府的眼皮底下，被招募去屠殺我們的鄰居！至於香港政府那禁運軍火的法令，也形同廢紙：看！好幾百支手槍在香港被購入、裝箱、運往廣州！[330]

香港殖民政府的老爺們，看了該社論後仍是無動於衷。等到英國外交部得悉其事而詢諸殖民地部，[331]殖民地部又轉而公函質問香港總督，該督才下令調查。在這種情況下出籠的報告，不盡推諉之能事才怪！推諉的高招，莫過於把最攸關生死存亡的廣州當局也描述成毫不知情！相形之下，早已偵出香港會黨募勇的香港警方，就顯得高明得多了。

總的來說，該事後聰明的調查報告中有關香港方面的情節——

---

[330] Editorial, *Hong Kong Telegraph*, 15 November 1895, p. 2, col. 3. I am grateful to Mr Bernard Hui of the Hong Kong Public Office for scanning the relevant page and e-mailing it to me.

[331] 'FO22134, FO51/95.6', being minutes in the margin of Robinson to Chamberlain, 11 March 1896, CO129/271, p. 438.

例如香港警察在碼頭搜查該等苦力以尋找武器、有六百苦力候命但只有四百苦力登船等——是翔實可靠的，也有其他史料佐證其事。332而在香港眾目睽睽之下，對這些情節既不能誇大也不能隱瞞，只能老老實實地報導。否則是拿仕途開玩笑。至於其對廣州碼頭情況的報導，就有大量反證而顯得有問題了。上述學者依賴這份英方的調查報告中、有嚴重問題的部份來質疑譚鍾麟的奏稿，就顯得同樣問題嚴重了。此外，該學者說，該份英方調查報告中有關廣州碼頭情況，所據乃香港的一位華籍「警長」的報告。333筆者核對原文，可知為該人乃「A Chinese Police Constable」，即普通「警員」而已。334「警長」與「警員」所作的報告，水平自有高低之分。該學者整篇論文的基礎是建築在這位所謂「警長」所作的、有嚴重問題的報告，來質疑賴譚鍾麟奏稿以成文的《革命文獻》部份（指鄒魯的「乙未廣州之役」），335也顯得問題嚴重了。

---

332 Anon, 'The Threatened Rising at Canton – Searching the Canton Steamer', *China Mail*, 28 October 1895, p. 4, col. 2. 該報導說：有四百名不帶任何行李的男漢，坐星期天的夜渡上廣州，香港警察大舉搜查個透徹，目的自然是為了該船的安全而不是為了照顧廣州當局，但沒有找到任何武器。此話有力地佐證了香港政府的事後調查報告。

333 霍啟昌：〈幾種有關孫中山先生在港策進革命的香港史料試析〉，《回顧與展望》（北京：中華書局，1986），第 440-455 頁：其中第 447 頁。

334 Memorandum by the Acting Assistant Colonial Secretary F. J. Badeley on the Canton Uprising of October 1895, enclosed in Robinson to Chamberlain, 11 March 1896, CO129/271, pp. 437-445: here, p. 443.

335 霍啟昌：〈幾種有關孫中山先生在港策進革命的香港史料試析〉，《回顧與展望》（北京：中華書局，1986），第 440-455 頁：其中第 448、449 頁。

此外，該學者賴以質疑譚鍾麟奏稿可靠性的理由，還包括該「奏稿全文對同樣事件的報導，就有幾處是前後矛盾的。」[336]接着該學者就列舉兩個例子：

第一、最初是「據稱九月間香港保安輪船抵省」。其後是「十一日香港泰安輪船搭載四百餘人抵省」。該學者批評譚鍾麟「報導同一件事，先是指保安輪，其後已改為泰安輪」。[337]筆者核對原文，發覺譚鍾麟的奏稿其實是奏覆。凡是奏覆，其開頭部份都扼要地重複上諭的主要要內容，隨後才是奏覆本身。正是上諭部份提及保安輪；[338]奏覆部份提到泰安輪。[339]兩句話各出自兩個人的口，不能說譚鍾麟自相矛盾，只能說他把船的名字搞錯了。而搞錯的原因有多種，要麼是部下把船名記錯了，要麼幕僚之誤。不影響奏覆主要內容的可靠性。

第二、該學者批評譚鍾麟原先報導「千總鄧惠良等探悉前往截捕，僅獲四十餘人」。但在原奏稍後則已經不是鄧惠良，而改為「李家焯率把總曾瑞璠等往查獲朱桂銓、邱四等四十五名」。[340]筆

---

[336] 霍啟昌：〈幾種有關孫中山先生在港策進革命的香港史料試析〉，《回顧與展望》（北京：中華書局，1986），第 440-455 頁：其中第 449 頁。

[337] 霍啟昌：〈幾種有關孫中山先生在港策進革命的香港史料試析〉，《回顧與展望》（北京：中華書局，1986），第 440-455 頁：其中第 449 頁。

[338] 兩廣總督譚鍾麟奏稿，載鄒魯《乙未廣州之役》，轉載於《辛亥革命》，第 1 冊，第 232-234 頁：其中第 232 頁。

[339] 兩廣總督譚鍾麟奏稿，載鄒魯《乙未廣州之役》，轉載於《辛亥革命》，第 1 冊，第 232-234 頁：其中第 233 頁。

[340] 霍啟昌：〈幾種有關孫中山先生在港策進革命的香港史料試析〉，《回顧與展望》（北京：中華書局，1986），第 440-455 頁：其中第 449 頁。

者核對原文後，發覺該學者犯了同樣的毛病。即提「鄧惠良」者乃上諭部份，[341]提「李家焯」者是奏覆本身，[342]譚鍾麟沒有自相矛盾。若要批評譚鍾麟奏稿，只能說它把朱貴全誤作朱桂銓。但據筆者看過的清代原始檔案中的供詞，大部份名字都出現同音異字的情況。當時沒有身份證，當局對登記準確名字的重要性似乎都不夠重視。

該學者又指出鄒魯在其「乙未廣州之役」中犯了自相矛盾的毛病。[343]查該學者所據，正是鄒魯附錄於其文中的譚鍾麟的奏覆。[344]該學者分不出正文與附件，並因此進而質疑鄒文的可靠性。又由於鄒文被收入了《革命文獻》，更進而認為《革命文獻》也不可靠。[345]實在冤枉。

澄清了上述的一些關鍵細節，可知廣州起義密謀敗露，似乎主要是出了兩件事故。第一是來自廣州的密探在香港偵知。但據各方史料顯示，他所偵知者只是會黨在港招勇赴穗，而不是興中會在穗的機關及首腦人物。這種公開招勇行為，而且一招就是數以百計，

---

[341] 廣總督譚鍾麟奏稿，載鄒魯《乙未廣州之役》，轉載於《辛亥革命》，第1冊，第232-234頁：其中第232頁。

[342] 兩廣總督譚鍾麟奏稿，載鄒魯《乙未廣州之役》，轉載於《辛亥革命》，第1冊，第232-234頁：其中第233頁。

[343] 霍啟昌：〈幾種有關孫中山先生在港策進革命的香港史料試析〉，《回顧與展望》（北京：中華書局，1986），第440-455頁：其中第449頁。

[344] 兩廣總督譚鍾麟奏稿，載鄒魯《乙未廣州之役》，轉載於《辛亥革命》，第1冊，第232-234頁：其中第233頁。

[345] 霍啟昌：〈幾種有關孫中山先生在港策進革命的香港史料試析〉，《回顧與展望》（北京：中華書局，1986），第440-455頁：其中第448-449頁。

穗探不輕而易舉地偵得才怪。第二是革命黨人朱淇乃兄告密。朱淇被抓，受不了嚴刑而供出王家祠、鹹蝦欄等機關重地，以及香港夜渡等情，是可以想像到的。

九、逃出生天

廣州舉義，未舉先敗。1895 年 10 月 27 日，孫中山即自穗坐船逃亡。[346]離穗時間比「決死隊」在28日清晨6時抵穗約早了20個小時。他在 29 日即輾轉自澳門坐船抵達香港。可以想像，此時的孫、楊兩派矛盾更深：孫派怨楊派不如期「發貨」；楊派怨孫派拒不「接貨」。應該指出，孫逸仙回到香港後有沒有再見到楊衢雲，目前還是椿懸案。對於這個問題，《國父年譜》和《孫中山年譜長編》都避而不談。究其原因，很可能是沒有掌握到確鑿證據，所以不談為佳。就連當事人之一的謝纘泰，在其後來所撰的《中華民國秘史》，和孫逸仙的追憶，均沒提及。可能雙方都不願意再提這讓人痛心的事情。但從情理推，雙方在香港再見過面的可能性是存在的，[347]可惜目前史學界還沒找到有力證據以證其事，只好存疑。

竊以為孫、楊兩派在這方面的積怨，很大程度都是由香港的三合會造成的，因爲兩派都被該會矇騙了。看來香港的會黨曾向他們保證派出「決死隊員」三千人，實際上只是欺騙當地的苦力去做替

---

[346] 《孫中山年譜長編》，上冊，第 94-95 頁。《國父年譜》（1985），上冊，第 80-81 頁。

[347] 見本書第 4 章第一節。

死鬼。由是觀之，則「決死隊」在 1895 年 10 月 25 日晚無法如期從香港出發，很可能是與會黨濫竽充數也不足有關。會黨這樣做，帶來的嚴重後果有四：第一，是誤了出發日期。第二，是喪失軍心。試想：以募勇之名騙人去造反，誰甘心？那算甚麼「決死隊」？第三，是人丁單薄。就算全部四百苦力都同意造反，與預定之人數三千相差懸殊。第四，是招疑以致暴露密謀。香港的一位英國人向當地記者透露，他曾命其華僕僱用四名苦力當其轎夫，1895 年 10 月 27 日開始工作。不料該四名苦力卻沒有如期報到。該華僕解釋說，四名苦力都赴廣州打仗去了！[348]香港這個鳥蛋般的小地方（當時還沒有新界，只有港島和九龍半島），突然缺少了四百苦力的人力供應，能不招疑？

那麼，誰是在香港負責招募苦力的會黨人士？據那四十多名在廣州碼頭被兵勇帶走問話的苦力所供：

> 係朱貴銓偕其兄朱某及邱四聲言招募壯勇，每名月給糧銀十員，惟未知何往。其兄朱某前數日經已招得四百人，先行他往。當在火船時有銀八百餘員，由朱貴銓及邱四交輪船水脚（按即船票）外，每人先給過銀五毫。其銀係朱貴銓親手分派，並由邱四每人給紅邊帶四尺五寸，以為暗號。又教以除暴安良口號四字，言到省登岸即分給軍裝。[349]

---

[348] Anon, 'The Threatened Rising at Canton – Searching the Canton Steamer', *China Mail*, 28 October 1895, p. 4, col. 2.

[349] 香港《華字日報》，1895 年 10 月 30 日星期三，第 2 版，第 3 欄。

這段供詞的內容，與香港警官士丹頓探長（Inspector Stanton）在香港方面所瞭解到的情況雷同，[350]可互相佐證。而其中提到的朱貴銓乃兄，招得四百苦力以後就「先行他往」，讓乃弟去冒險。看來這位會黨中人，不但騙了孫中山、楊衢雲等，也騙了乃弟。此人為了金錢而欺騙乃弟讓其當替死鬼，連最起碼的江湖道義也沒有！騙了乃弟，在中國近代史上沒發生深遠影響。騙了孫、楊，就加深了兩派之間的怨恨，左右革命事業的發展。

至於廣州方面的會黨，則孫中山又追憶說，在預定起事當天清晨：「忽有密電馳至，謂西南、東北兩軍中途被阻。兩軍既不得進，則應援之勢已孤，即起事之謀已敗。然急使既遣，萬難召回。一面又連接警報，謂兩軍萬難進行。」[351]這很可能是廣州方面的會黨連濫竽充數的辦法也沒有、而推搪塞責的一派胡言。因為，在香港還可以冒險藉募勇之名騙來苦力，在內地則這種欺騙手段也用不上。

關鍵是：由於孫中山一直被會黨蒙在鼓裡，讓他對會黨的「反滿」決心深信不疑，忽視了會黨同時也是非法的犯罪組織，以致他此後的革命手段仍堅守兩個方針：⑴在海外向華僑捐款⑵把捐款用在國內聯絡會黨，利用會黨推翻滿清。結果當然仍是屢起屢敗，直到 1905 年同盟會成立後，留學生與新軍代替了會黨作爲骨幹，才

---

[350] Memorandum by the Acting Assistant Colonial Secretary F. J. Badeley on the Canton Uprising of October 1895, enclosed in Robinson to Chamberlain, 11 March 1896, CO129/271, pp. 437-445: here, p. 441-443.

[351] 孫中山：〈倫敦被難記〉，轉載於《國父全集》（1989），第 2 冊，第 197 頁；《孫中山全集》，第 1 卷，第 54 頁。

取得武昌起義的成功。

廣州起義失敗了。結果是：除了極少數貞忠份子以外，大多數本來同情孫中山的人對他都不怎麼樣。謝纘泰謂自此再不言革命了。[352]黃詠商甚至宣佈與孫中山絕交。[353]由於謝纘泰和黃詠商自始至終沒有出面，所以他們還可以在香港安居樂業。孫中山則已曝光，性命要緊。怎辦？首先，在香港還安全嗎？有事弟子問其師：孫中山慌忙探訪西醫學院其恩師康德黎。恩師命其往見其律師達尼思（Mr. H. L. Dennys）。律師勸其馬上遠走高飛。[354]孫中山即往香港滙豐銀行提款三百元。提款期間，香港的偵探盯上了他，並一直跟蹤至皇后大道一樓宇，「之後便失其行蹤，大概是從後門遁走。」[355]時為 1895 年 10 月 31 日。[356]偵探眼利。孫中山也夠機靈：一發現有人跟蹤，馬上藉後門遁。故「不及與康德黎君握別，即匆匆乘日本汽船赴神戶。」[357]

幸虧他及時離開，因為翌日，即 1895 年 11 月 1 日，兩廣總督譚鍾麟即透過英國駐廣州領事，向香港總督羅便臣爵士要求把孫中

---

[352] Tse Tsan-tai, *The Chinese Republic – Secret History of the RevolutionI*, pp. 4-5.

[353] Tse Tsan-tai, *The Chinese Republic – Secret History of the RevolutionI*, p. 9.

[354] Schiffrin, *Sun Yat-sen and the Origins of the Chinese Revolution*, p. 98.

[355] Memorandum by the Acting Assistant Colonial Secretary F. J. Badeley on the Canton Uprising of October 1895, enclosed in Robinson to Chamberlain, 11 March 1896, CO129/271, pp. 437-447: here, p. 445, paragraph 16.

[356] 同上。

[357] 孫中山：〈倫敦被難記〉，轉載於《國父全集》（1989），第 2 冊，第 197 頁；《孫中山全集》，第 1 卷，第 54 頁。

山引渡回廣州。[358]也幸虧英國有庇護政治犯的傳統，以致香港總督據此而拒絕了譚鍾麟的要求。[359]而該調查報告所掌握到有關孫中山的資料是這樣的：

> 為（朱貴銓等）提供那大量現金的人，同時又是這個組織的脊骨，是一位名叫孫文，又名孫逸仙的人。他在美國出生，曾經是香港雅麗氏醫院的學生。[360]

可見除了「美國出生」一條外，香港警方所掌握到的孫中山資料是相當準確的。羅便臣總督看了這篇調查報告後，有甚麼感想？他可曾記得，正是這位香港雅麗氏醫院的學生，曾經在 1892 年 7 月 23 日，從他手裡接過畢業證書？[361]

十、青山常在，綠水長流

英國外交部急於瞭解的另一個問題，是據聞有一位英國公民參加了廣州起義。心急的程度，可從該部在 1895 年 12 月 31 日除夕

---

[358] Memorandum by the Acting Assistant Colonial Secretary F. J. Badeley on the Canton Uprising of October 1895, enclosed in Robinson to Chamberlain, 11 March 1896, CO129/271, pp. 437-447: here, p. 444, paragraph 14.

[359] 同上。

[360] Memorandum by the Acting Assistant Colonial Secretary F. J. Badeley on the Canton Uprising of October 1895, enclosed in Robinson to Chamberlain, 11 March 1896, CO129/271, pp. 437-447: here, p. 444, paragraph 16.

[361] *China Mail*, Hong Kong, Saturday 23 July 1892, p. 3, cols. 1-5.

還公函詢諸殖民地部可知。[362]而殖民地部接函後，又馬上於 1896 年 1 月 1 日元旦函詢香港總督。[363]英國外交部的消息，源自英國駐廣州領事布倫南（Brron Brenan）的報告：

> 似乎有兩位外國人——一個英國人和一個德國人——曾經服務於試圖在廣州起義的人。那位英國公民的名字叫克特（Crick）。[364]

筆者一看到克特（Crick）這個名字，眼睛一亮。多年以來，筆者不斷地追查一位名字類似克特（Crick）這樣的人。事緣《俄國財富》[365]（漢譯本見有關《全集》[366]）曾報導說，在倫敦報章刊登了孫逸仙被綁架消息後數星期，俄國的一些流亡份子在倫敦會見了孫中山。孫逸仙向在場的人士推薦了《倫敦被難記》，其中的一位俄國人似乎答應把它翻譯成俄文。後來果然不負所托，俄文版於 1897 年年底全

---

[362] Francis Bertie (FO) to CO, 31 December 1895, CO129/269, p. 442.

[363] CO Minuntes, 1 January 1896, on Francis Bertie (FO) to CO of 31 December 1895, CO129/269, p. 441. It is poetic justice that Francis Bertie was to handle Sun Yatsen's kidnapping case in London less than a year later. See J.Y. Wong, *The Origins of an Heroic Image: Sun Yatsen in London, 1896-1897* (Oxford Univeristy Press, 1986).

[364] Brenan to O'Conor, 12 November 1895, enclosed in FO to CO, 31 December 1895, CO129/269, pp. 441-446: at pp. 445-446.

[365] 1897 年第 12 期。

[366] 《國父全集》（1989）第二冊，第 381-2 頁；《孫中山全集》第 1 卷，第 86-7 頁。

書發表於《俄國財富》。至於會談的地點，《俄國財富》[367]的底本說是在一位名叫 KP3ΓC 的英國人的家裡。此人是何方神聖？漢語本把此人的名字音譯作克雷各斯，[368]幫助不大。筆者的同仁、俄國史教授 Zdenko Zlater 教授幫忙筆者為這奇怪的名字倒譯為英文字母，約得 Cregs。英文名字中沒有 Creg 字。卻有 Crick 字或其擁有辭 Crick's。在英語用法上，「在 Crick's」即「在 Crick 的家裡」的意思。所以 Cregs 字應作 Crick's 字無疑。筆者聯想致此，不禁歡呼。1897 年 1 月，那位介紹他認識俄國流亡者的英國人，正是 1895 年 10 月參與孫中山廣州起義的英國人克特（Crick）先生。他們又在英國恢復了聯繫。「青山常在，綠水長流」，信焉。

根據英國駐廣州領事的調查報告，克特（Crick）先生：

> 先前曾捲入三文治島嶼（Sandwich Islands）（按即夏威夷群島）的政治動亂而被遞解出境。廣州起義前三個月即移居廣州，並租了一棟房子居住。他的行止沒有引起任何人的注意。直到廣州起義的密謀曝光後，人們才回憶起他經常與孫文在一起。數日前他才離開廣州，離開前誰也沒有對他發生懷疑。他離開後，海關人員搜查他曾居住過的房子，發現了一些盛士敏土的空箱。由於盛有士敏土的箱子已被海關發現藏有軍械，故海關人員懷疑該等空箱曾用作偷運軍火給他暫時收

---

[367] 1897 年第 12 期。

[368] 《國父全集》（1989）第二冊，第 382 頁，注 1；《孫中山全集》第 1 卷，第 86 頁，注*。

> 藏。海關人員又發現，房子的地下曾被人挖了一個洞，洞裡藏有炸葯，導爆線，化學藥劑等。他是一位化學師，他正是以這種專業為謀反者提供服務。[369]

這位克特（Crick）先生，先捲入了三文治島嶼動亂，後參與了廣州起義，現在又與俄國的流亡份子混在一起並把他們介紹給孫中山，可見其行動具有一貫性。

准此，話題又轉到孫中山與英國之關係的下一個關鍵時刻：倫敦蒙難。且看下章分解。

---

[369] Brenan to O'Conor, 12 November 1895, enclosed in FO to CO, 31 December 1895, CO129/269, pp. 441-446: at pp. 445-446.

第三章
救命之恩 1895-1896

圖五

GAROTTING A CHINESE CRIMINAL.—FROM A DRAWING BY A CHINESE ARTIST.

圖六

圖五顯示清朝政府向犯人逼供的手段之一。該等手段藉一位旅華英國畫家的寫生而保存下來了。1896 年 10 月 11 日孫中山被綁架進入清朝駐倫敦公使館後，若接下來就被偷運回國，命運可知。倒是英國的法制拯救了他的性命。事緣 1896 年 10 月 22 日，英國外交部通過內政部指示了喬佛喬佛斯探長帶領康德黎和孟生兩位醫生到中央刑事法庭（圖六）申請保護人權令。法官以中國公使享有法外治權而拒發。但外交部這醉翁之意不在酒，拿了兩位醫生的證詞就以此作爲作證據指責清朝公使越權並命其立即放人。孫中山死裡逃生。英國人一切依照法律程序辦事，這種法治精神與中國的傳統人治成了強烈的對照。

孫中山倫敦蒙難，英國政府拯救了他的性命，傳為佳話。鮮為人知者，是英國政府藉此也間接地挽救了他的革命事業。

一、何去何從？

其實，不待倫敦蒙難，英方已曾經救過他的性命了。上一章提及，廣州起義失敗後，孫中山逃回香港向恩師康德黎仰詢何去何從？恩師是有識之士，第一個感到的是法律問題：若孫中山繼續在香港居留，是否可有被引渡回國的危險？故介紹他往見律師達尼思（Mr. H.L. Dennys）。這位律師不是別人，正是西醫學院開基的贊助人之一，與康德黎醫生的關係甚佳。康德黎倡議創辦西醫學院後而向他募捐時，他就慨捐一百元，數目與中國海關（Maritime Customs）的摩根（J.A. Morgan）同是最高者。❶達尼思律師聽了孫中山的故事後，以香港尚無先例可援，但仍勸他馬上離開，以防萬一。於是他在當天（1895 年 11 月 1 日）就打算與陳少白坐船離開，惜無客輪。❷也就在同一天，兩廣總督譚鍾麟照會英國駐廣州領事，咨照香港總督，要求交出被懷疑在香港避難的孫中山等五人。❸幸虧他

---

❶ Minute-book of the Court, First Meeting, 27 September 1887, College of Medicine for Chinese, in the Registrar's Office, University of Hong Kong. There were only three donors and three subscribers this round, yielding a total of $305.

❷ Schiffrin, *Sun Yat-sen and the Origins of the Chinese Revolution*, p. 98.

❸ 譚鍾麟致總理衙門密電，1896 年 4 月 5 日，載羅家倫：《孫中山倫敦被難史料考訂》（南京：京華印書館，1935），第 1-2 頁。以後所引均據此版本，而非 1930 年 8 月之上海商務印書館的初版。

們在第二天就坐上了一隻開往日本的貨輪離開。❹待譚鍾麟的咨照到達香港時，孫中山已人去樓空。孫中山逃過一劫。這是英國——具體應該說是英國的民間人士康德黎、達尼思——第一次救了他的命。

不是說香港總督羅便臣（William Robinson）必定會應譚鍾麟所求而交出孫中山——因為這樣做會違反英國保護政治犯的悠久傳統。違者將會被萬夫所指。而羅便臣也的確以此為理由在 1895 年 11 月 12 日拒絕了譚鍾麟的要求。❺另一方面，香港總督也實在不願意見到其轄下的殖民地繼續被革命派利用為推翻友邦的基地。於是就在 1896 年 3 月 4 日，援 1882 年第 8 號放逐條例第 3 條之規定，下令將其驅逐出境，自當天起，為期 5 年。❻簽發此令的根據是站不住腳的：該條例書明是用來懲罰在香港犯了法的人。孫中山並沒有在香港違反了任何香港法律，所以香港總督在行政局通過議案把孫中山驅逐出境，是沒有法律根據的。但結果這驅逐令反而救了孫中山一命，倒是香港總督始料所不及：若孫中山留在香港的話，他的命運就將與楊衢雲的命運一樣。楊衢雲逃離香港❼一段時候又回到

---

❹ Schiffrin, *Sun Yat-sen and the Origins of the Chinese Revolution*, p. 98.

❺ Robinson to Tan Zhonglin, 12 November 1895, FO17/1249, p. 46, quoted in Schiffrin, *Sun Yat-sen and the Origins of the Chinese Revolution*, p. 98.

❻ Robinson to Chamberlain, 11 March 1896, CO129/271, pp. 438-440: here, p. 440. 又見陸丹林：〈總理在香港〉，載陸丹林著《革命史譚》（重慶，1944），第 9 頁，轉載於《國父年譜》（1985），上冊，第 86 頁。

❼ 楊衢雲依謝纘泰意，離開香港往越南西貢，再輾轉到新加坡、麻加拉斯、哥倫坡、最後在南非暫住。見謝纘泰：《中華民國秘史》，第 10 頁，轉載於《國父年譜》（1985），上冊，第 84 頁。

香港生活，並參與 1900 年的惠州起義，失敗後再逃回香港，結果就被廣州當局雇兇手暗殺了。❽

羅便臣總督是香港西醫學院的庇護人，康德黎醫生是該院的教務長。兩位領導人都分別間接和直接地救了孫中山一命。香港西醫學院待這位高才生真不薄！

孫中山逃離香港抵達神戶後，翌日轉橫濱，訪馮鏡如，組興中會分會，入會者十餘人。馮鏡如為會長，其年僅 14 虛歲的兒子馮懋龍（後改名馮自由）也宣誓入會。外傳日本政府將引渡革命黨人，孫中山乃斷髮改裝。將來行止如何？孫中山決定遠遊美洲，向當地華僑醵資，再圖起義。於是商借五百元旅費於同志而不可得，幸馮氏兄弟慨然捐贈，始得成行。陳少白則沒有隨行而留在日本。❾

為何孫中山認為在美洲華僑當中能夠籌集到革命經費？竊以為這與他在香港受洗於美國傳教士喜嘉理牧師（Rev. Charles Robert Hager）有關。

喜嘉理牧師是在美國三藩市（舊金山）的華人基督教綱紀慎會（Congregational Chinese Mission, San Francisco）的要求下，被美國海外傳道會（American Board of Commissioners for Foreign Missions）派遣到香港

❽ 見拙文'Chinese Attitudes Towards Hong Kong: An Historical Perspective', *Journal of the Oriental Society of Australia*, v. 15-16 (1983-84), pp. 161-169.

❾ 陳少白：《興中會革命史要》；馮自由：《革命逸史》，第 4 集，第 15 頁。此後馮自由積極參加革命活動，後來撰寫了《革命逸史》等名著，甚具權威性。但竊以為馮自由在這之前的有關記載，由於他未曾親歷其事，所據可能皆口碑。

及華南地區傳教的。他於 1883 年到達香港。[10]據說大約在同年底或翌年初就在香港為孫中山洗禮入教了。[11]孫中山是他在華施洗的第二位教友。[12]又云孫中山在受洗前後搬進香港港島的比利者士街 2 號（No. 2 Bridges Street）即喜嘉理牧師所設的福音堂兼宿舍居住。[13]孫中山與喜嘉理牧師朝夕相處，而且當時的孫中山充滿傳道的熱情，受洗後即「熱心為基督作證，未幾，其友二人，為所感動，亦虛心奉教。」[14]據云該二友即陸皓東和唐宏桂（孫中山夏威夷時代的老同學）。[15]喜嘉理牧師甚至認為孫中山「彼時傳道之志，固甚堅也，向使當日香港及附近之地，設有完善之神學院，俾得入院授以相當之課程，更有人出資為之補助，則孫中山先生殆必為當代著名之宣教師矣。」[16]所以，竊以為當時喜嘉理牧師與孫中山兩人會有很多共同語言。而且，喜嘉理牧師會把他自己如何被派到香港

---

[10] Carl Smith, *A Sense of History*, p. 310.

[11] Carl Smith, *Chinese Christians*, p. 88. 目前現存的出版物都說孫中山是在 1883 年底或 1884 年初領洗的。筆者最不喜歡這種模糊的說法，決心將來必須把孫中山領洗的具體日期搞清楚，讀者且拭目以待。

[12] 《中華基督教會公理堂慶祝辛亥革命七十週年特刊》（香港：中華基督教會公理堂，1981），第 2 頁。

[13] Carl Smith, *Chinese Christians*, p. 90.

[14] Robert Charles Hager, "Some Personal Reminiscences", *Missionary Herald*, 12 April 1912, quoted in Carl Smith, *Chinese Christians*, p. 88. 漢語本則見喜嘉理：〈關於孫逸仙（中山）先生信教之追述〉，《中華基督教會公理堂慶祝辛亥革命七十週年特刊》，第 5-7 頁：其中第 5 頁。

[15] Carl Smith, *Chinese Christians*, p. 229, n. 1.

[16] 喜嘉理：〈關於孫逸仙（中山）先生信教之追述〉，《中華基督教會公理堂慶祝辛亥革命七十週年特刊》，第 5-7 頁：其中第 6 頁。

傳教的前因後果盡情向孫中山傾訴。

事緣 1870 年，美國各基督教會團體成立了一個名叫美國傳教協會（American Missionary Mission）的組織，成員包括了美國綱紀慎會。該協會的傳道對象主要是美國本土被解放了的黑奴，手段是為他們提供教育，澤及當時在美國西岸的華工。三藩市的華工入教後，對基督教熱情之高漲，與孫中山受洗後的表現如出一轍。受洗華工的宏願是把基督福音帶到他們華南故鄉的親友們。他們向該協會表達了這個願望。協會表示同意，但該協會的目標是對內而非對外的，於是就把他們的願望轉達給美國海外傳道會。[17] 1882 年 8 月 4 日，也就是美國限制華工入境法律生效當天，美國海外傳道會宣佈將會在香港成立一個傳道站（Hong Kong Mission）。三藩市華工教友頭頭們聞訊，「歡喜莫名。叩神恩之餘，馬上召集各兄弟姊妹，告以喜訊。雖然主耶穌曾下過有求必應之諾言，但當十年祈求終於應驗時，我們簡直不敢相信自己的耳朵。讓我們共同再次讚美上主對我們暨我們中國同胞的寵愛。」[18]翌年，喜嘉理牧師就被派到香港來開荒了。

孫中山在 1883 年底聽了喜嘉理牧師描述了三藩市華工教友的熱情時，會對他們感到莫名的親熱。他會覺得，他與他們有共同語

---

[17] Carl Smith, *Chinese Christians*, p. 92.

[18] Gee Gam's prayer, 4 August 1882, quoted in Carl Smith, *Chinese Christians*, p. 94. 承王賡武教授相告，GeeGam 的中文名字叫朱金。廣東省開平人。又承廣東省檔案局張平安副局長關懷，2004 年 2 月 20 日陪我到開平市，並蒙當地檔案局協助實地調查朱金的家世，可惜收穫不多，以後還得繼續努力。

言。當他在 1895 年底回憶這個故事時，他仍然會感到與他們有共同語言。不過，這已是另外一種語言了，即亟盼中國擺脫貧窮落後、總是被人看低的處境。

要擺脫這種處境，則必須推翻滿清這個腐敗無能的政府。而推翻滿清又必須首先籌集革命經費。在美華工會贊同革命而慷慨解囊嗎？孫中山猶豫了。經驗告訴他，無論在香港、澳門和夏威夷，當人們——那怕是那些與他一樣希望中國進步的人士——聽了他的革命言論後，「不以為大逆不道而避之，則以為中風病狂相視也。」⓳至於旅日華僑，則參加興中會者同樣寥寥。而且向其商借五百元旅費亦不可得，若不是馮氏兄弟慨然捐贈，他連夏威夷也去不了。美國的華工教友與港、澳、檀、日的華人會有很大分別嗎？而且，廣州新敗，革命的言論更沒號召力了。他自己的聲譽也大不如前。類似的念頭，在孫中山離日赴檀時，難免要在他心中翻來覆去。且不管它，見一步行一步，到了檀島再算吧！

回到檀島，他更涼了半截。且不要說那盡數變賣了商店及農場以充義餉的鄧松盛⓴。就是那些以每股 100 美元為股金而購入股單㉑的人對他的態度，都是可以想像的，因為這些股單現在都全部變成廢紙了。且不談經濟上的損失，光是面子已極不好過：捐了錢

⓳ 孫中山：〈建國方略、孫文學說第八章「有志竟成」〉，《國父全集》，第 1 冊，第 409-422：其中第 410 頁。《孫中山全集》，第 6 卷，第 228-246 頁：其中第 229 頁。

⓴ 馮自由：《中國革命二十六年組織史》，第 16 頁，轉載於《孫中山年譜》，上冊，第 77 頁。

㉑ 《國父全集》（1989），第 9 冊，第 547 頁，註 3。

起義，但「起義軍」連一槍也未打響就已土崩瓦解，一敗塗地！㉒孫中山自己追憶說：「余到檀島後，復集合同志以推廣興中會，然已有同志以失敗而灰心者」。㉓他說得倒輕鬆！審度當時形勢，沒人破口大罵才怪。孫中山更馬上又補充說：「亦有新聞道而赴義者。」㉔在先一年孫中山在檀島盡了九牛二虎之力，托盡了一切人事介紹，才招來了這批會員。現在廣州新敗，聞者喪膽。而且，「適是時駐檀領事已奉虜廷命，令調查在檀興中會員姓名籍貫，藉以查抄原籍家產；而香山知縣查封翠亨鄉孫姓房產之消息，亦傳遍一時。」㉕在這種情況下，試問還有誰願意再次冒險？筆者不完全排除孫中山找到一個半個新會員的可能性。只是覺得這種可能性微乎其微而已。故竊以為孫中山那句補充的話，只是他在 1919 年㉖寫該段追憶時自勉勉人之語而已。1919 年孫中山已退出他在廣州建立的護法政府，他本人閒居上海，伺機復出，洩氣的話不能多說。

1896 年初在檀島的實際情況肯定比我們所知道的壞得多。就以孫中山乃兄孫眉為例。正史都盛讚孫眉堅定不移地支持孫中山的

㉒ L. Eve Armentrout Ma, *Revolutionaries*, p. 44.

㉓ 孫中山：〈孫文學說，第八章：有志竟成〉，《國父全集》，第 1 冊，第 411 頁。《孫中山全集》，第 6 卷，第 230 頁。

㉔ 同上。

㉕ 馮自由：《中國革命運動二十六年組織史》，轉載於《孫中山年譜長編》，上冊，第 104 頁。

㉖ 孫中山：〈孫文學說〉（上海：華強書局，1919 年），可知該文最先是在 1919 年 6 月 5 日以單行本面世：見《國父全集》，第 1 冊，第 352 頁，註 1。

革命事業。竊以為實情並不一定如此。當孫眉聞知廣州起義失敗而有多人被殺頭時，他會否為乃弟極度擔心而後悔沒阻止過他？現在乃弟平安歸來，他歡喜若狂之餘會採取什麼態度？當時他的母親楊太夫人、孫中山的妻子盧慕貞、長子科、長女金琰等均剛逃離翠亨村而被接養檀島，㉗與孫眉合住。㉘母親、妻子等會對孫眉說些什麼？她們逃離故鄉前，得悉「廣州起義失敗，清吏捕索甚急，時達成公已去世，其母則尚健存。盧氏夫人居家奉姑養子」，㉙自然「手足無措」。㉚「盧夫人還要扶老攜幼，帶着一個四歲大的孫科，一有風吹草動，被官兵抓着，如何是好？」孫中山的嬸母（學成妻），「一邊幫助收拾鋪蓋，一邊叨咕。」㉛此時之孫家婦孺，自忖必死。適值僑居檀島之同村人士陸文燦君，回鄉結婚。陸文燦乃烈士陸皓東之侄，「見此險狀，乃自告奮勇擔任搬取先生及眉公家眷之事。於是老夫人、眉公夫人、盧氏夫人及公子科全家隨其遷

㉗ 見鄭照：〈孫中山先生逸事〉，載尚明軒、王學莊、陳松等編：《孫中山生平事業追憶錄》（北京：人民出版社，1986）第 516-520 頁：第 518 頁。

㉘ 《國父年譜》，上冊，第 86 頁。

㉙ 見尚明軒、王學莊、陳松等編：《孫中山生平事業追憶錄》（北京：人民出版社，1986），第 516-520 頁：第 518 頁。

㉚ 參閱李伯新訪陸天祥（88 歲），1964 年 5 月 13 日，載李伯新：《孫中山史蹟憶訪錄》，中山文史第 38 輯（中山市：政協中山文史會，1996），第 73-78 頁：其中第 76 頁。

㉛ 李伯新：《孫中山史跡憶訪錄》（廣東省中山市：政協文史學習委員會，1996），第 1 頁。

往澳門，復至香港得陳少白兄之接濟而乘輪赴檀。」㉜孫氏婦孺，死裡逃生，會對孫眉說過甚麼話？孫眉的反應是否就是「勗先生不必氣餒，應再接再勵」㉝那麼簡單？果真如此，則我們將如何解釋孫中山在檀島滯留了六個月㉞仍無法去他早已準備去的美洲大陸？如果孫中山腰纏萬貫而又矢志赴美的話，他可以不顧一切地去。但當時他不名一文：若哥哥不給盤川，同志不予貸款，他就行不得也哥哥！

就在這關鍵時刻，事情又有了轉機。時值恩師康德黎一家在 1896 年 2 月 8 日坐船離開香港㉟取道檀島回國。3 月即於火奴魯魯與孫中山街頭偶遇，㊱恍如隔世。其實，恩師在先一年，即 1895 年初，已決定回國，原因是當時康德黎在香港已接近八年，異常繁忙的生活㊲已讓他健康大受影響。只是由於他的繼任人突然改變計劃，以致他無法如期成行而決定在香港多留一年。㊳若康德黎如期在 1895 年初離開香港的話，則 1895 年秋孫中山廣州起義失敗逃回香港的時候，肯定恩師早已人去樓空。孫中山在求詢無門之際，若

㉜ 見鄭照：〈孫中山先生逸事〉，載尚明軒、王學莊、陳松等編《孫中山生平事業追憶錄》（北京：人民出版社，1986）第 516-520 頁：第 518 頁。

㉝ 《國父年譜》，上冊，第 86 頁。

㉞ 孫中山說他在 1896 年 6 月離檀赴美，見其〈倫敦被難記〉，轉載於《國父全集》（1989），第 2 冊，第 198 頁。

㉟ Niel Cantlie and George Seaver, *Sir James Cantlie*, p. 95.

㊱ 'On my way home from China in March 1896, I passed through Honolulu and by accident encountered Sun Yat Sen'. See Cantlie to the Underscretary of State for Foreign Affairs, 19 October 1896, paragraph 3, FO17/1718, pp. 8-10.

㊲ 見本書第一章第五節。

㊳ Niel Cantlie and George Seaver, *Sir James Cantlie*, p. 88.

存僥倖心理繼續留在香港的話，就會慘遭毒手。現在重逢，恩師額手稱慶之餘，乃給予倫敦地址，勉其來訪。㊴有種種跡象顯示，恩師此舉是希望孫中山到倫敦深造，完成他的醫學學位。㊵因為孫中山在香港西醫學院所取得的並不是世界公認的醫學全科學士（M.B., B.S.）學位，而是次一等的證書。

該院教務長孟生醫生在創院詞中已經把事情說得很清楚。他說：當前香港有兩所民用醫院：香港政府民用醫院（Government Civil Hospital）和東華醫院（Tung Wah Hospital ㊶）。前者完全按照西方慣例行事，香港的華裔病人避而遠之。後者則完全採取中醫方式治病，絲毫不容許西方的醫療和管理制度「入侵」。多年以來各方熱心人士都亟望香港的廣大華人能受惠於西方醫學而不可得。自從 1887 年 2 月成立了專為華人治病的西醫醫院——雅麗氏醫院——以後，情況就起了翻天覆地的變化。該院成立後病床馬上全住滿了，門診部每天都大排長龍。但該醫院只有四位義務洋人醫生，加上一位華人住院外科醫師共只有五位醫生，人手短缺可知。而且，他們需要大量的助手諸如敷裹員（dressers）等。這些助手都必須經過正規訓練才可以勝任愉快。要開訓練班嘛，則一位老師教 6 個學

㊴ 孫中山：〈倫敦被難記〉，轉載於《國父全集》（1989），第 2 冊，第 197 頁；及《孫中山全集》，第 1 卷，第 54 頁。

㊵ 見拙著 *The Origins of an Heroic Image: Sun Yatsen in London, 1896-1897* (Oxford University Press, 1986), chapter 4.

㊶ For an authoritative account of the this institution, see Elizabeth Sinn, *Power and Charity: The Early History of the Tung Wah Hospital, Hong Kong* (Oxford University Press, 1989).

生與教 60 個學生都沒多大分別。於是就產生了在該醫院裡教授醫學的主意。並由此而衍生了創辦西醫學院的藍圖。㊷

有人會懷疑，孫中山唸了五年（1887-1892）醫科，學習時間與當今的醫科五年制一樣，為何不能領取醫科全科學士學位？那就是水平的問題。倫敦的醫學史圖書館（Wellcome Institute Library for the History and Understanding of of Medicine）保存了孫中山在香港西醫學院考試的部份答卷。筆者看後也覺得與現代全科學士應有的水平有相當距離。㊸後來筆者有幸得閱香港西醫學院董事會的會議記錄，更知判斷不差。為甚麼？就連香港政府也拒絕承認西醫學院畢業生的資格。以致 1895 年 12 月 6 日，西醫學院董事局通過一項議案，要求香港政府付予該院畢業生合法的地位，並授權一個由何啟、康德黎、湯姆生等醫生所組成的三人小組負責去遊說政府。㊹遊說結果如何，該院董事會的會議記錄沒說。筆者查閱香港立法局文書，發覺該三人小組的遊說導致香港總督下令成立一個委員會去調查香港西醫學院的水平。調查結果就連該院學術委員會的秘書湯姆生醫生

㊷ Patrick Manson, "The Dean's Inaugural Address – Delivered in the City Hall on 1 October 1887, at a largely attended public gathering – H.E. the Acting Governor in the chair", *College of Medicine for Chinese, Hong Kong* (Hong Kong, 1887), appendix, pp. 1-2. See also Dr. John Thomson's supplementary report for 1889, 14 February 1890, paragraph 20, CWM, South China, Reports 1866-1939, Box 2 (1887-97), Envelope 24 (1889).

㊸ See Sun Yatsen's hand written examination script, Western MS2934, Wellcome Institute Library for the History and Understanding of of Medicine, London.

㊹ Minute-book of the Court, Sixteenth meeting, 6 December 1895, College of Medicine for Chinese, in the Registrar's Office, University of Hong Kong.

都不得不承認該院的教學水平和考試標準都不符合英國國會 1886 年通過的醫療法例（General Medical Act of 1886）的要求。㊺湯姆生醫生是遊說成員之一，真可謂自討沒趣。

調查進行時，康德黎醫生剛離開香港，免了這場沒趣。但他對畢業生們的水平是心裡有數的。比方說，孫中山在澳門行醫時都把手術都安排在星期天，而康德黎則無論怎麼辛苦也堅持在星期天坐汽船到澳門監督手術的進行，當天來回。㊻所以，調查小組的主席、香港政府首席外科醫生（Colonial Surgeon）與香港政府民用醫院院長（Superintendent, Government Civil Hospital）之認為香港西醫學院的畢業生還未達到獨立行醫與獨立動手術的水平，㊼竊以為是中肯的。

㊺ B.C. Ayres and J.M. Atkinson, 'Reservations by Dr. Ayres and Dr. Atkinson', paragraph 10, 20 July 1896, pursuant to the 'Report of the Committee Appointed by His Excellency by the Governor to Enquire into and Report on the Best Organization for a College of Medicine for Hongkong', 15 July 1896, Hong Kong Legislative Council Sessional Papers 1896, pp. 479-485, No. 30/96, Hong Kong University Libraries http://lib.hku.hk/Digital Initiatives/Hong Kong Government Reports/Sessional Papers1896/College of Medicine.

㊻ Neil Cantlie and George Seaver, *Sir James Cantlie*, p. 97. 馮自由：《革命逸史》第 2 集，第 10、15-16 頁。

㊼ B.C. Ayres and J.M. Atkinson, 'Reservations by Dr. Ayres and Dr. Atkinson', paragraph 7, 20 July 1896, pursuant to the 'Report of the Committee Appointed by His Excellency by the Governor to Enquire into and Report on the Best Organization for a College of Medicine for Hongkong', 15 July 1896, Hong Kong Legislative Council Sessional Papers 1896, pp. 479-485, No. 30/96, Hong Kong University Libraries http://lib.hku.hk/Digital Initiatives/Hong Kong Government Reports/Sessional Papers1896/College of Medicine.

在這種情況下，如果孫中山向乃兄說，準備到倫敦完成他的醫科學業，相信是能打動孫眉的心的。但看來孫眉沒有馬上答應。當然孫中山還必須說服母親、妻子等。看來她們同樣沒有馬上同意。她們都猶如驚弓之鳥，可能大家都怕他藉學醫為名再去冒險搞革命。結果孫中山總是纏着他們不放，並足足纏了近三個月，他們才勉強放人。㊽至於孫中山心中實際是怎麼想的，則竊以為他很可能是搖擺於深造與革命之間，就正如他過去曾搖擺於革命與改革之間一樣。經驗告訴他，在他熟悉的檀島、香港等地籌款搞革命已夠困難了，到陌生的美洲籌款搞革命會更困難。只是由於他過去從喜嘉理牧師那裡聽說過三藩市華人教友熱情關心祖家親友的宗教生活，以致他一廂情願地希望他們會同樣地關心祖國的安危而慷慨解囊而已。而且赴美赴英，在行程上兩者並不相悖，他經美赴英，行程要比經過香港再往英國為短。

㊽ 康德黎說，他於 1896 年 3 月在檀島偶遇孫中山。見 James Cantlie, "Dr. Cantlie's Statement", *Globe*, 23 October 1896, p. 4, col. 5. 孫中山說他在 1896 年 6 月離檀赴美。見其《倫敦被難記》，轉載於《國父全集》（1989），第 2 冊，第 198 頁。中間隔了三個月。其實，要找出康德黎在檀島偶遇孫中山的具體日期毫不困難，再飛英國求康氏後人俯允查閱康德黎夫人日記就是了。康德黎夫人日記中那本 1896 年的日記，筆者在 1984 年就看過了，並應用在拙著 *The Origins of an Heroic Image: Sun Yatsen in London, 1896-1897* (Oxford University Press, 1986). 但筆者當年的注意力集中在 1896 年秋孫中山蒙難事件。對於 1896 年春康德黎在檀島偶遇孫中山的具體日期，就無暇兼顧了。待 2003 年 12 月底筆者專程重訪康氏後代時，則康德黎夫人日記中那本 1896 年的日記已遍尋不着。筆者頓足之餘，只好留待將來再把具體日期找個水落石出。以便更準確地算出孫中山見過康德黎後留在檀香山的時間。

到達三藩市，㊾「憑教友介函往謁牧師陳韓芬，復由陳介見教友何柏如、鄺華汰等。是時旅美華僑風氣異常閉塞，十九缺乏國家思想，與談革命排滿，莫不掩耳驚走。在耶教徒中因同情總理而加入興中會者，僅鄺華汰等數人耳。」㊿於是孫中山改變策略，嘗試接觸在美的華人秘密會社洪門致公堂，以其乃緣自華南三合會，宗旨同是反清復明。但孫中山並未列會籍，甚麼暗號切語等一概不知。故屢訪致公堂父老而不果。51方知「美洲華僑之風氣蔽塞，較檀島尤甚。」52孫中山在美洲三個月，從三藩市到紐約，「肯與往還者，僅耶穌教徒數人而已。」53

美洲華僑是孫中山籌款革命的最後一絲希望，現在連這一絲希望也破滅了，何去何從？無法可施之餘，看來他是決定到英國深造。因為，他在 1896 年 9 月 23 日從紐約坐船往英國了。54

㊾ 按總理衙門 1896 年 6 月 27 日接使美公使電文，羅家倫先生推算孫中山是 26 日前抵達三藩市。見羅家倫：《中山先生倫敦蒙難史料考訂》（南京：京華印書館，1935），第 7 頁。

㊿ 馮自由：《中國革命運動二十六年組織史》第 27-28 頁，轉載於《孫中山年譜長編》，上冊，第 104 頁。

51 同上。

52 孫中山：〈孫文學說，第八章：有志竟成〉，《國父全集》，第 1 冊，第 411 頁。《孫中山全集》，第 6 卷，第 231 頁。

53 《中華民國開國前革命史》，第 1 冊，第 36-37 頁，轉載於《孫中山年譜長編》，上冊，第 110 頁。

54 楊儒致龔照瑗密電，1896 年 9 月 25 日，引述紐約領事施肇曾探報，載羅家倫：《中山先生倫敦蒙難史料考訂》，第 16-17 頁。

二、深造醫科

康德黎醫生說，當他在檀香山重見孫中山時，即極力勸他到倫敦深造醫科，並敦促他必須在 10 月醫科開課前到達。「他聽取了我勸告，準時在 10 月 1 日到我倫敦家裡來報到。」[55]

恩師見了他可高興了。因為康德黎心中又有了一幅更大的藍圖——尤記香港西醫學院的創立本來就是他的主意[56]——現在他要在倫敦建立一所類似的西醫學院，目標同樣是為了專門訓練華人西醫。他指出，香港西醫學院的畢業生，登門為病人診治時，受華人歡迎的程度，遠遠比洋人西醫傳教士高。正因為如此，基督徒西醫藉行醫而在中國進行教育和傳達福音，成就要比任何西醫傳教士都要高。[57]

孫中山可知道香港西醫學院的創立本來是康德黎醫生的主意？如果他最初不知道的話，那麼在 1892 年 7 月 23 日星期六該院所舉行的首屆畢業晚宴上，他親耳聽該院的司庫（Treasurer）斯圖爾特·洛克（Hon. J.H. Stewart Lockhart）致詞時就知道了。洛克同時指出，如果沒有康德黎醫生多年以來忘我地努力不懈，香港西醫學院儘管成立了，也維持不下來；該院有了康德黎這樣的人掌舵，業務一定會蒸蒸日上。[58]洛克之當西醫學院司庫只是義務兼職。他的本職是香

---

[55] James Cantlie, "Dr. Cantlie's Statement", *Globe*, 23 October 1896, p. 4, col. 5.

[56] Minute-book of the Senate, First meeting, 30 August 1887, College of Medicine for Chinese, in the Registrar's Office, University of Hong Kong.

[57] *Globe*, 26 October 1896, p. 7 col. 2.

[58] Lockhart's toast, *China Mail*, Monday 25 July 1892, p. 3, cols. 1-6: at col. 4.

港殖民地政府輔政司（Colonial Secretary），[59]可不是隨便說話的。當天晚宴上最後一位祝酒並致答謝詞的是剛畢業的孫中山。他的答詞很簡單：「感謝各位這麼熱情地回應我的祝酒。為了同學們和全香港的福祉，我謹祝願母校興旺發達」（熱烈鼓掌）。[60]

康德黎的抱負非同小可。在當日白天舉行的畢業典禮上，他以教務長（Dean）的身份致詞時就說得很清楚。他希望畢業生不要把自己限制在香港這個小地方，而應該走遍神州大地，從東北的黑龍江到西南的（發源自西藏高原而往南流入緬甸的）伊洛瓦底江（Irrawaddy River）[61]以及（發源自西藏高原而往西流入印度的）布拉馬普特拉河（Brahmaputra River）；從波濤洶湧的黃海到白雪皚皚的西藏以及（阿富汗）的興都庫什山脈（Hindu Kush Mountains），既行醫濟世又破除迷信，更要蒐集各種草本回來讓植物學家（botanist），化學家（chemist），生理學家（physiologist），治療學家（therapeutist），和內科醫生（physician）分別化驗研究，以便鑑定它們的特徵、用途、療效等。一句話，把中藥科學化，而不是靠瞎猜。這樣可以為醫學界創新紀元，對中國、對全人類都極有好處。[62]

這種抱負，對於曾受過五年醫學訓練而又愛國熱情極高的孫中山，是很有號召力的。而且，他學醫時的表現，非常卓越，證明他

---

[59] Lockhart to Sun Yatsen, 4 October 1897, CO129/283, p. 137.

[60] Sun Yatsen's toast, *China Mail*, Monday 25 July 1892, cols. 1-6: at col. 6.

[61] 此名漢語音譯按繆鑫正等編：《英漢中外地名詞匯》（香港：商務印書館，1977）。下同。

[62] Dr. James Cantlie's speech, *China Mail*, Hong Kong Saturday 23 July 1892, p. 3, cols. 1-5: at col. 3.

對醫學有濃厚的興趣和高度的能力。1892 年 7 月，當香港西醫學院首屆畢業考試結束後，該院學術委員會（Senate）開會討論考生成績時，一致通過頒授孫中山「卓越成績」（High Distinction）榮銜准予畢業，是應屆考生當中唯一獲此殊榮的人。另外准予畢業，但未獲此殊榮的同學，則只有江英華一人。[63]回顧 1887 年 10 月 9 日，香港西醫學院解剖學科舉行第一次測驗時，共有 17 名學生參加。[64]到頭來只有兩個人畢業，標準之嚴格可知。

為甚麼能達到這標準的人數寥寥？洛克有一種解釋，即當時華人的民族性、文化內涵、歷史背景、思維方法等等，與西方都不一樣。結果是，他們對西方所發展起來的科學——包括西方醫學——都一無所知。在香港的 25 萬華人居民如此，在中國大陸的三億居民同樣是如此。而中國大陸的居民甚至強烈反對科學。其偏見之深，匪夷所思。洛克打趣說，沒有別人比他更有資格說這種話，因為作為香港殖民政府輔政司，天天處理華民事務，對這個問題體會最深。准此，他高度讚揚香港西醫學院的康德黎等醫生，竟能克服這種不可思議的困難而調教出兩名出色的醫科學生，罕矣哉！[65]從這個角度看，孫中山成功地跨越了兩種文化。

要作這種時代性的跨越，孫中山是作過一番艱苦奮鬥的。1887 年 10 月 9 日，當他參加香港西醫學院康德黎醫生所舉行的第一次

[63] Minute-book of the Senate, Twentieth meeting, 16 July 1892, College of Medicine for Chinese, in the Registrar's Office, University of Hong Kong.

[64] List of candidates and their grades, (October 1887), Western MS2934, Wellcome Institute.

[65] Lockhart's toast, *China Mail*, Monday 25 July 1892, cols. 1-6: at cols. 2-3.

解剖學測驗時，孫中山的成績並不是最佳者。總分 50 之中他只得 26 分，與同分的胡爾楷同列第三名。[66]當第一學年結束後，醫學院決定在 1888 年 8 月 6 日星期一開始舉行各科（植物學、化學、解剖學、生理學、藥物學、物理、臨床觀察）筆試。8 月 10 日星期五舉行各科口試。[67]考試結果，孫中山的平均分數是 71%，同樣是排名第三。[68]其中的藥物學（Materia Medica）還只有 39%，不及格。[69]但四年後考畢業試時，他就名列前茅了。證明他科學的思維方法有了飛躍的進步。洛克認為，孫中山與江英華所取得的醫學知識，賽過世界上其他地方任何同類、同齡西醫的學院的畢業生。[70]洛克以輔政司的身份也管醫療。雖是在宴會鬧酒之際，說話也很有分寸：從他用詞之謹慎——同類、同齡的西醫學院——可見一斑。他是在說，在大英帝國殖民地中之非白人地區（同類）的第一批畢業生（同齡）當中，孫中山與江英華是首屈一指的。此外，西醫學院的老師諸如

---

[66] List of candidates and their grades, (October 1887), Western MS2934, Wellcome Institute. 江英華則只得 7 分，與其他三位同學同列第 12 位。

[67] Minute-book of the Senate, Sixth Meeting, 18 July 1888, College of Medicine for Chinese, in the Registrar's Office, University of Hong Kong

[68] Consoliated examination resultes, (1888), KMT Archives, Taipei. 江英華總分 55，與關景良同列第 4 位。

[69] Consoliated examination resultes, (1888), KMT Archives, Taipei. 羅香林先生說藥物學的分數是 39%，他是看對了。見其《國父的大學時代》（重慶：獨立出版社，1945），第 60 頁。但他卻把植物學的 63%誤作 43%，害得陳錫祺先生誤認孫中山有兩科不及格。見陳錫祺：〈關於孫中山的大學時代〉，載見陳錫祺：《孫中山與辛亥革命論集》（廣州：中山大學出版社，1984），第 35-64，其中第 46 頁。

[70] Lockhart's toast, *China Mail*, Monday 25 July 1892, cols. 1-6: at col. 3.

康德黎等，也是非常認真的一群。他們為西醫學院上課純屬義務性質，⓫積極負責的態度可知。他們也為自己辛勤勞動的首批成果感到驕傲，特別邀請香港總督在畢業典禮上非常隆重地親自為畢業生頒發證書，同時為取得優越成績的孫中山等頒發獎品。香港總督為了對這種新生事物表示支持，亦予俯允。⓬下不為例。⓭

康德黎要實現他在倫敦創建專門訓練華人的西醫學院的抱負，是具備了豐富的經驗和有利的條件的。

第一、經驗方面，香港的西醫學院主要是由於他的構思和推動才得成立並維持下來的。他哺育了該院近十年（1887-1896），積累了豐富的經驗。他對香港西醫學院的熱情和投入，感人肺腑。例如，由於捐款不夠踴躍，該院辦到了 1891 年初即出現嚴重財政困難，康德黎馬上保證每年出資五百元作為該院的日常經費，為期五年。⓮香港富商比利羅士先生（Hon. E.R. Belilios）就是被康德黎苦苦支撐該院的無私表現所深深感動，而自動提出捐獻一塊地皮和所有建築費用以便該院擁有自己的校舍，條件是香港政府從此負責該院

⓫ Dr. John Thomson's supplementary report for 1889, 14 February 1890, paragraph 20, CWM, South China, Reports 1866-1939, Box 2 (1887-97), Envelope 24 (1889).

⓬ Anon, "College of Medicine for Chinese: Presentation of Diplomas by Sir William Robinson", *China Mail*, Hong Kong Saturday 23 July 1892, p. 3, cols. 1-5: at col. 1.

⓭ 把香港西醫學院董事局和學術委員會的會議紀錄從頭到尾地反覆看過後，筆者發現香港總督為該院首界畢業生孫中山和江英華親自頒授過畢業證書後，接下來的畢業生都是從院長手裡接過證書了事。可謂風光不再。

⓮ Minute-book of the Court, Seventh Meeting, 14 March 1891, College of Medicine for Chinese, in the Registrar's Office, University of Hong Kong.

的日常開支，但政府遲遲不作答覆。1896 年 2 月康德黎離開香港返回英國，該院馬上再度出現財政危機。香港政府有意把該院由民辦改為官辦。比利羅士就撤銷原議，理由是原議全是為了支持康德黎的無私奉獻與湯姆生的有效行政；現在康德黎已離開香港，湯姆生又準備轉業，故無庸議。⑮可見康德黎本人的熱情和誠懇深具魅力，並由此而積累了工作經驗。

第二、條件方面，他回到倫敦以後，就恢復在查靈十字醫院當醫生和在該醫院的附屬醫學院教學。他年輕的時候正是在這個機構學醫和實習的。畢業後「留校」工作了 17 年後才去香港。去香港前他剛被查靈十字醫院提昇為該院的高級外科醫生（senior surgeon）。他在 1887 年 7 月甫抵香港，⑯ 8 月就倡議創立西醫學院了。⑰現在他回到查靈十字醫院工作並在附屬醫院教學，名聲比過去更響，因為他在香港時努力研究各種熱帶疾病，有關著作等

---

⑮ Governor William Robinson to Hon. E.R. Belilios, 31 July 1896; and E.R. Belilios to Robinson, 4 August 1896, both pursuant to the 'Report of the Committee Appointed by His Excellency by the Governor to Enquire into and Report on the Best Organization for a College of Medicine for Hongkong', 15 July 1896, Hong Kong Legislative Council Sessional Papers 1896, pp. 479-485, No. 30/96, Hong Kong University Libraries http://lib.hku.hk/Digital Initiatives/Hong Kong Government Reports/Sessional Papers1896/College of Medicine.

⑯ Neil Cantlie and George Seaver, *Sir James Cantlie: A Romance in Medicine* (London: John Murray, 1939), p. 68.

⑰ Minute-book of the Senate, First meeting, 30 August 1887, College of Medicine for Chinese, in the Registrar's Office, University of Hong Kong.

身。[78]如果他向院方建議，多掛一個「華人西醫學院」之類的招牌，為香港西醫學院的畢業生提供深造機會，與本院學生一起上課，不必另外多費資源，相信院方是會同意的。此外，像香港的雅麗氏醫院一樣，查靈十字醫院也是一所慈善醫院，[79]對於康德黎建議之義舉，是會深表讚許的。

康德黎的抱負包含有一個理想。他認為，英國有幸誕生了一系列出色的科學家諸如達爾文等，以致國力強大，應該把他們所取得的科學知識讓中國人分享。所以，英國作為一個和平使者的身份在中國推廣科學教育，是義不容辭的。[80]言下之意，英國用戰爭手段強迫中國簽訂不平等條約等等已把中國人欺負得夠慘了，現在是用和平手段爭取他們友誼來彌補罪過的時候了。康德黎有這種理想，難怪他與孫中山這麼投契。孫中山若贊同和支持這種理想，則實踐起來不一定要在深造畢業後深入中國內地工作，因為滿清政府還在懸紅追捕他。但他大可在倫敦協助康德黎訓練其他來深造的華人和進行相關的工作。孫中山似乎想通了。所以後來他接受倫敦報界採

---

[78] Anon, "Sir James Cantlie, KBE, VD, LLD, MA, CM, FRCS, DPH", ms enclosed in Miss J.M Peggs to Wong, 2 November 1983, in my bound volume of research materials entitled "Sun Yatsen, June 1983-1984". See also Neil Cantlie and George Seaver, *Sir James Cantlie*, chapter 5.

[79] Anon, "Charing Cross Hospital", ms enclosed in Miss J.M Peggs to Wong, 2 November 1983, in my bound volume of research materials entitled "Sun Yatsen, June 1983-1984".

[80] Dr. James Cantlie's speech, *China Mail*, Hong Kong Saturday 23 July 1892, p. 3, cols. 1-5: at col. 3. See also Dr. Cantlie's farewell speech to Hong Kong, as printed in the *Overland China Mail*, 13 February 1896, and reproduced in Neil Cantlie and George Seaver, *Sir James Cantlie*, pp. 92-95

訪時，就說他樂意聽從康德黎的安排，在倫敦深造並在建立華人西醫學院的事情上積極協助他。[81]

康德黎樂不可支，馬上帶孫中山往查靈十字醫院附近、康德黎自己過去當醫科學生時曾經居住過的公寓、葛蘭法學院坊，找居住的地方。並在該坊中的第 8 號屋子裡找到一個帶家具的房間，第二天孫中山就搬進去。[82]這樣，他日後往查靈十字醫院暨附屬醫院上學、實習、輪番值班等，都很方便。不料 10 天以後，即 1896 年 10 月 11 日星期天，他就被幽禁於滿清駐倫敦的公使館了。[83]

倫敦蒙難，讓孫中山的思想又回到革命的道路上！並低調處理他過去曾搖擺過的時刻。而他的忠貞追隨者甚至纂改歷史，以證明他對革命始終不渝。茲以時間先後舉數事為例。

第一、上書李鴻章事。上書李鴻章，是孫中山欲搞改革而不再搞革命的明證。上書失敗，孫中山才又回到革命的途徑上。孫中山最後誓死革命後，若有可能的話，相信他會塗掉這一段歷史的。可惜他把該書刊刻於上海出版的《萬國公報》（*Review of the Times*）月刊。[84]那就怎麼塗也改不掉了。只好在「以後著述及演講中從未提及此書及上書事」，此點就忠貞諸如鄒魯也注意到了。[85]但還是有

---

[81] Anon, "Sun Yat Sen", *Globe*, 26 October 1896, p. 7 col. 2.

[82] Pollard's statement at the Treasury, 5 November 1896, para. 2, FO17/1718, p. 123.

[83] Sun Yatsen's statement at the Treasury, 4 November 1896, para. 8, FO17/1718, pp. 119-120.

[84] 以「上李傅相書」為題在第 69、70（1894 年）兩冊連載。

[85] 見其《中國國民黨史稿》，第 1 篇，第 26 頁，注 5，轉載於《國父年譜》（1985），上冊，第 86 頁。

某些人虛構故事，硬說孫中山上書只是個藉口，深夜冒險晤李鴻章於其北京官邸時卻「勸李革命，李以年老辭。」[86]虛構這個故事之目的不外是要把孫中山當時尋找改革途徑說成是革命的手段而已。[87]殊不可信。

第二、赴英深造事。孫中山在 1919 年撰寫他的《孫文學說》時，在第八章：「有志竟成」中提到廣州起義失敗後他回到檀島，以該地風氣未開，久留亦無所作為，遂決計赴美，以聯絡彼地華僑。「行有日矣」，才偶與過境的康德黎相遇。[88]竊以為此說大有商榷的必要。康德黎在 1896 年 2 月 8 日坐船離開香港，[89]在 3 月已抵檀遇見孫中山。[90]孫中山則遲至 6 月才離檀赴美。鑑於上文分析過的：他高堂、兄長、妻子等等全反對他重蹈險境的可能性，以及旅費無着的情況，很難想像他在 3 月已「行有日矣」。[91]至於檀島方面的忠貞之士後來的追憶，則更是離譜。他們說：孫中山早從

---

[86] 持此說者有上海時事新報館編《中國革命記》和吳敬恆編《中山先生年系別傳》，轉錄於《國父年譜》（1985），上冊，第 68 頁註 4。《國父年譜》（1985）認為這種說法的可能性不大。

[87] 筆者在本書第一章已對此事做過較詳盡的分析，此處不贅。

[88] 孫中山：〈孫文學說，第八章：有志竟成〉，《國父全集》，第 1 冊，第 411 頁。《孫中山全集》，第 6 卷，第 231 頁。

[89] Neil Cantlie and George Seaver, *Sir James Cantlie*, p. 95.

[90] 'On my way home from China in March 1896, I passed through Honolulu and by accident encountered Sun Yat Sen'. See Cantlie to the Underscretary of State for Foreign Affairs, 19 October 1896, paragraph 3, FO17/1718, pp. 8-10.

[91] 孫中山：〈孫文學說，第八章：有志竟成〉，《國父全集》，第 1 冊，第 411 頁。《孫中山全集》，第 6 卷，第 231 頁。

檀島華僑中募得美金六千元，所以赴美繼續募捐革命款項。[92]聽來有如天方夜譚。試想在先一年，孫中山口焦唇乾、鄧松盛盡數變賣了商店農場、孫眉賤賣部份牛牲，才勉強籌得美金六千元。[93]現在輕而易舉又得六千元？可能是孫中山說服乃兄讓其赴英深造並給予旅費後，把事情告訴了檀島忠貞。也有可能他們從孫家得到這個消息，以致後來武昌革命成功而孫中山又當上臨時大總統後，他們就虛構了這個故事，以讚美領袖對革命始終不渝。

其實，在孫中山被倫敦公使館釋放當天第一次接受記者訪問時，導致該臨時記者招待會突然結束的，是一名記者所提的問題：「公使館聲稱你從事革命活動，你能否談談這一問題？」[94]孫中山回答：「啊！說來話長，現在不是談這個問題的時候。」[95]顯然他不想回答這個問題。為什麼？有幾種可能的解釋。也許他太累了，不想多談。可是，若當時他還矢志革命的話，他怎麼會輕易放棄向全世界宣傳其事業的大好機會？當時康德黎醫生也在場，他馬上喊道：「時間到了，先生們！」然後就帶著孫逸仙離開稅氏酒館。[96]從康德黎的反應可以看出，孫中山其實是被這位記者的問題弄得很

---

[92] 見蘇德用：《國父革命運動在檀島》和陸文燦：《孫公中山在檀島事略》，均轉載於《孫中山年譜長編》，上冊，第110頁，注1。該《孫中山年譜長編》諸編者（當時還很年青）也認為此說「似與實情不符」，史識可見。

[93] 馮自由：《中國革命二十六年組織史》，第16頁，轉載於《孫中山年譜》，上冊，第77頁。

[94] *Daily Chronicle*, 24 October 1896, p. 5, col. 5.

[95] *Daily Chronicle*, 24 October 1896, p. 5, col. 5.

[96] Sun Yatsen, *Kidnapped in London*, p. 101.

尷尬。以致恩師趕快為愛徒解圍。可以想像，若當時孫中山已決定深造醫科，自然就不想再談革命的事情了。

師徒隨喬佛斯探長（Chief Inspector Frederick Jarvis）到蘇格蘭場銷案後即連袂回康德黎家晚膳，膳後即接受《每日新聞》的記者採訪。採訪接近尾聲時，記者問：

> 「你是白蓮教份子嗎？」
>
> 孫中山：「不。那完全是另外一回事。我們是一種新的運動，成員都是久居海外、受過教育的華人。」
>
> 記者：「你們的運動是甲午中日戰爭爆發以前就開始了？」
>
> 孫逸仙：「對，戰前不久。」
>
> 記者：「你們的一些成員已經遇難了？」
>
> 孫逸仙：「是的，大約一打。在中國，他們動輒將人斬首。」
>
> 記者祝孫逸仙晚安。[97]

這是孫中山畢生第二次接受記者訪問。若說第一次接受訪問時沒有思想準備，則現在應該是有了充分的思想準備。又若說這時候的孫中山仍矢志革命的話，他會抓緊這千載難逢的機會向全世界宣揚中國革命之必要性，以便爭取同情甚至支持。但他都沒有這樣做。這種現象，多少說明他的心思不在革命。至於這次他回答了記者的提問，是因為該記者問他是否屬白蓮教份子。他不願意被誤認

---

[97] *Daily News*, 24 October 1896, p. 5.

為是中國傳統的黑社會份子，覺得有澄清的必要，所以回答了提問。在這種問題上，無論革命或不革命都要澄清。要當全科醫生更必須澄清。

再過了兩天，孫中山在接受倫敦報界採訪時，直接了當地說他樂意聽從康德黎的安排、在倫敦深造並在建立華人西醫學院的事情上積極協助他。[98]

上述史料，在在說明這時候的孫中山，的確把心思放在深造醫科上。

第三、倫敦蒙難事。有革命黨人堅說曾經聽孫中山親口說過，他之被公使館幽禁是因為他天天跑到公使館宣傳革命，被認出廬山真面目才被扣留起來的。[99]孫中山前後說過的話是這樣的：

孫中山被公使館釋放後，在英國財政部首席律師（Treasury Solicitor）[100]面前手按聖經宣誓後作證說，他是被綁架進入公使館的。[101]而該律師經過深入調查後得出的結論是孫中山所言不虛。[102]但羅家倫教授在 1930 年 7 月 20 日與國民黨元老胡漢民談論此事時，胡漢民卻說，孫中山曾對他說過「是我自己走進去的」。[103]怎麼搞的？孫中山自相矛盾！羅家倫不敢相信自己的耳朵，抓緊機會

---

[98] Anon, "Sun Yat Sen", *Globe*, 26 October 1896, p. 7 col. 2.

[99] 詳見下文。

[100] 過去筆者曾把此詞翻譯作財政部大律師，現在則覺得把它翻譯成財政部首席律師，更為貼切。

[101] Sun Yatsen's statement at the Treasury, 4 November 1896, para. 8, FO17/1718, pp. 119-120.

[102] Cuffe to Home Office, 12 November 1896, FO17/1718, pp. 113-116.

[103] 羅家倫：《孫中山倫敦被難史料考訂》，第 42 頁。

在 1930 年 9 月 2 日又找戴季陶印證。戴季陶也是這麼說。羅家倫動搖了：「從中山先生勇勵無前的性情來推論，或者他當時是自動的進使館去宣傳主張，集合同志，窺探虛實，也未可知。」[104]鄧慕韓則乾脆恭錄孫中山後來之言而存於國民黨中央檔庫。[105]到了 1960 年代，史扶鄰（Harold Z. Schiffrin）到國民黨中央黨史會拜會過羅家倫教授並鑽研過有關史料後，認為孫中山後來之說可靠，而前說是謊話。為何撒謊？——史扶鄰解釋說：為了抹黑清廷。[106]這種解釋羅家倫在 1935 年已提出過但存疑。[107]只是到了史扶鄰手中就變成肯定而已。竊以為這種解釋屬本末倒置。孫中山被幽禁時寫求救信是說曾被綁架的，當時生死未卜，無從知道此案將會「成為國際的問題」[108]並可藉此而抹黑清廷。後來筆者找到更多更新的材料，證明孫中山前說更為可靠。[109]史扶鄰先生被說服了，寫書評時服膺敝說，[110]客觀態度令人景仰。不料法國學者白吉爾（Marie-Claire Bergere），於其 1994 年出版的《孫中山》中，在沒有發現任

---

[104] 羅家倫：《孫中山倫敦被難史料考訂》，第 42 頁。

[105] Harold Schiffrin, *Sun Yat-sen and the Origins of the Chinese Revolution*, p. 113, n. 49.

[106] Harold Schiffrin, *Sun Yat-sen and the Origins of the Chinese Revolution*, pp. 112-113.

[107] 羅家倫：《孫中山倫敦被難史料考訂》，第 43 頁。

[108] 羅家倫：《孫中山倫敦被難史料考訂》，第 43 頁。

[109] 見拙著 *The Origins of an Heroic Image: Sun Yatsen in London, 1896-1897* (Oxford University Press, 1986). 漢語修訂本見《孫逸仙倫敦蒙難真相：從未披露的史實》（臺北：聯經，1998）。

[110] Harold Schiffrin's review, *Journal of Asian and African Studies*, v. 24, nos. 1-2 (1989).

何新史料的情況下，還是一口咬定史扶鄰是對的，黃宇和是錯的！⑪可見孫中山後來的一句話，長期以來引起學術界無休無止的爭論。

孫中山後來的一句話，是他自已杜撰的還是引述何經何典？過去，筆者曾考證出，⑫該語最先出現在香港《德臣西報》1896 年 11 月 26 日版。⑬而該報又是轉錄自日本的《神戶記事報》。⑭進一步考證，則發現該文的作者很可能是被孫中山留在日本的陳少白，且原文不但說孫中山是自動跑進倫敦公使館宣傳，而在此之前也曾自動去過華盛頓敦公使館宣傳。只不過在倫敦不幸被識破了才遭殃。⑮真是天方夜譚！陳少白可知道，孫中山甫抵三藩市，已被滿清的密探盯上了。⑯且暗中搜查過他的行李。⑰並一直緊追不

⑪ Marie-Claire Bergere, *Sun Yat-sen* (Paris, 1994), translated by Janet Lloyd (Stanford: Stanford University Press, 1998), pp. 62-63. 白吉爾又將拙著新發現的東西大量採用，但不註明出處。這種做法讓人莫名其妙。

⑫ 見拙著 *The Origins of an Heroic Image: Sun Yatsen in London, 1896-1897*, pp. 118-120. 漢語修訂本見《孫逸仙倫敦蒙難真相：從未披露的史實》，第 121-127 頁。

⑬ *China Mail*, 26 November 1896, p. 2, cols. 5-7.

⑭ Kobe Chronicle, n.d., see *China Mail*, 26 November 1896, p. 2, cols. 5-7: at col. 5.

⑮ "…. but he got away fo Honolulu and thence to America. The story goes that this indomitable patriot immediately set to work converting the Chinese at the Washington Embassy to the cause of reform, and that afterwards he tried to do the same in London". *China Mail*, 26 November 1896, p. 2, cols. 5-7: at col. 7.

⑯ 總理衙門 1896 年 6 月 27 日接使美公使楊儒密電，載羅家倫：《中山先生倫敦蒙難史料考訂》（南京：京華印書館，1935），第 7 頁。

⑰ 總理衙門〈撮敘金山馮總領事（詠蘅）稟函電報詳細節略〉，載羅家倫：

捨，直到他從紐約坐上赴英輪船才電倫敦公使館！⑱讓其繼續跟蹤。若孫中山真的曾去過華盛頓敦公使館宣傳，早已被抓起來了！為何陳少白謊話連篇？筆者過去曾根據當時所掌握的史料推測陳少白是為了彌補廣州新敗而不顧一切地為孫中山塑造英雄形象。⑲現在經過多年來進一步研究，又鑑定了 1895 年 11 月 2 日在香港《德臣西報》刊登的那篇極盡詆毀孫中山能事的文章，⑳很可能同樣是出自謝纘泰之手，㉑讓筆者懷疑陳少白寫這篇文章的主要動機是回應那篇痛詆孫中山文章。難怪謝纘泰看了《德臣西報》轉載的陳少白寫這篇文章後，馬上又寫信給該報貶孫褒楊（衢雲）。㉒縱觀兩文一信，謝、陳對罵得興起，已經到了口不擇言的地步，甚麼謊都撒了。事後陳少白對於他曾在英文日報與謝纘泰進行罵戰的事情直認不諱：「廣州事敗，（謝纘泰）好為譽楊譭孫之詞，登諸英文日報，言多失實，論者短之。」㉓論者何人？除了陳少白本人還有

《中山先生倫敦蒙難史料考訂》（南京：京華印書館，1935），第 9-10 頁。

⑱ 楊儒致龔照瑗密電，1896 年 9 月 25 日，引述紐約領事施肇曾探報，載羅家倫：《中山先生倫敦蒙難史料考訂》，第 16-17 頁。

⑲ 見拙著 *The Origins of an Heroic Image: Sun Yatsen in London, 1896-1897*, pp. 123-124. 漢語修訂本見《孫逸仙倫敦蒙難真相：從未披露的史實》，第 125-126 頁。

⑳ *China Mail*, 2 November 1895, p. 4, col. 5.

㉑ 見本書第一章第七節。

㉒ *China Mail*, 30 November 1896, p. 3, col. 2.

㉓ 陳少白：〈興中會革命史別錄——楊衢雲之略史〉，轉載於《中國近代史資料叢刊——辛亥革命》（上海：上海人民出版社，1981），第 1 冊，第 77 頁。

誰？

為何陳少白後來在很長的一段時間又對己說守口如瓶？竊以為第一，陳少白於 1896 年孫中山倫敦蒙難不久，在萬里迢迢以外的日本閱報——當時已有電訊，消息傳遞得很快——獲得消息後，即撰文論述其事，在不明就裡的情況下，以想當然耳的方式為孫逸仙創造出一個大無畏的英雄形象，或許是個好主意。但一旦與孫中山書信往來，加上他從其他管道獲悉：孫中山正極力想說服英國當局乃至全世界，他曾被綁架；陳少白自不能再堅持己見。第二，正如英國《太陽報》所說的，中山先生遭綁架而又脫困一事，已經讓他成了「當世大英雄」。⑫若陳少白仍於當時堅持要把綁架說成自投，不但會大損孫中山英雄形象，而且會讓孫中山變成是撒天下之大謊的騙子了。第三，當時的孫中山和陳少白，都努力地爭取英國和其他列強的同情和支持。孫中山本人就是以愛國書生慘遭清廷迫害的姿態出現，藉以博取英國上下人士的同情。若進一步宣揚「大無畏自投使署」的虛構故事，孫中山費盡心機所博取的同情，說不定就會煙消雲散了。

至於孫中山本人，則當時他亟望把辛辛苦苦博取得來的同情轉化成力量，以便盡量發揮其作用。因此在獲釋後，還不惜天天冒著嚴寒往艾德文·柯林斯（Edwin Collins）家裡跑，⑫以便與其合作，

---

[124] *Sun*, 24 October 1896, p. 3, col. 1.

[125] 史雷特私家偵探報告說中山先生不斷往訪亞伯特街（AlbertRoad）12 號，經筆者考證，住在該地址的正是柯林斯（Edwin Collins）。見《凱利倫敦郵政便覽》（*Kell's Post Office London Directory*），1898 年。

撰寫「中國的現在和未來：改革黨籲請英國保持善意的中立」。[126] 1897 年他自英國返回東方以後，又讓這種同情的力量以不同的方式再度發揮作用：他告知國人，透過倫敦蒙難，他已取得西方民主國家廣泛的同情和支持。[127]辛亥革命前後的革命黨人，最怕列強干涉中國的革命事業，並希望孫中山憑著他所博取得到的西方同情和支持，向列強說項。孫中山本人亦到處奔走，呼籲列強給予中國革命事業物質性的支持。在這種情勢下，一味堅持「自投使署」之說，乃智者所不為。

但為何孫中山自己後來又捨己言而採陳說？這是有一個轉變過程的。第一、1919 年五四運動時，整個中國形勢起了根本的變化。當初革命黨人最怕見到的事情——列強插手干預中國內政——已然成為赤裸裸的現實。全國上下不斷地步上街頭抗議。但遲至 1920 年為止，孫中山仍奢望著西方列強能協助中國和平發展，[128]這時他自然還不願意「大無畏」的故事再度曝光。第二、到了 1923-1924 年間，孫中山在廣東的政府經歷過列強兵臨城下（由於關餘事件）、廣州商團事變（孫中山懷疑是英國策動），孫中山對西方列強的幻想，終於破滅。[129]他誠實地堅持原來被綁架之說以期望英國

[126] Sun Yatsen, 'China's Present and Future: The Reform Party's Plea for British Benevolent Neutrality', *Fortnightly Review* (New series), Vol. 61, No. 363 (1 March 1 1897), pp. 424-440.

[127] Harold Z. Schiffrin, *Sun Yat-sen and the Origins of the Chinese Revolution*, p. 350.

[128] 孫中山：〈實業計劃〉，轉載於《國父全集》（1989），第十冊，第 105-310 頁。

[129] 見本書第七章。

對他的革命事業給予援助全成泡影。改口說自己曾跑進倫敦公使館宣傳革命反而可以壯革命派的聲威。故從陳說。

鑑於目前新掌握到的情況，即孫中山後來覺得有必要低調處理甚至纂改他過去曾搖擺於革命與改良以及搖擺於革命和深造之間的紀錄，以便塑造一個堅定不移的革命英雄形象，就難免懷疑晚年的孫中山覺得陳少白之說甚具魅力了。同時，在孫中山去世前一年的 1924 年，也就是孫中山廣東政府最艱苦的一年，謝纘泰用英文撰寫的《中華民國革命秘史》⑬⓪在香港出版了。出版前該書首先在香港的《南華早報》連載刊出，⑬①把孫中山攻擊得體無完膚。孫中山氣不過謝纘泰之餘，覺得陳少白之說更具魅力！此外，謝纘泰連載刊出其書的時間是 1924 年 11 月，當時廣州商團的團長陳廉伯已因事敗避居香港。而 1924 年 11 月 8 日從香港傳到廣州的消息是：陳廉伯和其他前商團首領在香港到處奔走為陳炯明籌款，以便陳炯明從東江打回廣州去。並聲稱：不剷除孫中山政府無以救廣東！⑬②謝纘泰選擇在這時候舞文弄墨，孫中山為了自壯聲威，會覺得陳少白之說最具魅力！

鑒於上述種種因素，像波浪式一次又一次地衝擊孫中山，以致

---

⑬⓪ Tse Tsan Tai, *The Chinese Republic: Secret History of the Revolution* (Hong Kong, 1924).

⑬① 該書首頁曾作如此說明。感謝香港歷史檔案館助理檔案主任許崇德先生為筆者把《南華早報》有關部份複印擲下，經核對可知乃從 1924 年 11 月 10 日到 29 日連載。

⑬② 粵海關向海關總監的報告，1924 年 11 月 8 日，粵海關檔案：各項事件傳聞錄，廣東省檔案館全宗號 94，案卷號 1585，第 167 頁，縮微膠捲第 004025 框。

他把心一橫而私下對胡漢民、戴季陶、鄧慕韓等重提陳少白所發明的「大無畏」故事，這並非完全不可能的事。據我們所知，目前只有上述胡、戴、鄧三位先生曾表示聽過孫中山親口講過這種話，可見孫中山仍不願意這故事廣為流傳。而胡漢民聽後，也遲至 1930 年，即孫中山逝世五年之後，才告訴羅家倫，並加按語說：「當時總理是自己進使館，或被挾持進去的，還是個問題。」[133]可見忠貞諸如胡漢民也是半信半疑，因為該故事太具天方夜譚色彩了。

至於陳少白本人，則似乎一直守口如瓶。他在 1920 年代退出政壇後默默地著書立說。[134] 1924 年，陳少白同樣是氣不過謝纘泰《中華民國革命秘史》、先在《南華早報》連載刊出，繼而出版成冊。於是在撰寫（或修改）其《興中會革命史要》時，又撒謊了另一個彌天大謊以鞏固孫中山的英雄形象。他說，孫中山在唸醫科時，「無論甚麼學科都是滿分。到了二十七歲畢業的時候，其中只有一科是九十幾分，校中教員與考試官就為他開一個會議，覺得這個學生是本校最好的學生，學科大部份是滿分，只有一科稍為欠缺些，似乎是美中不足，會議結果，他們就送給他幾分，使他得到全部滿分的榮譽。」[135]孫中山各種考試分數的紀錄原件複印本，筆者都看過了，絕對沒有滿分這回事。香港西醫學院學術委員會所有的

---

[133] 羅家倫，《中山先生倫敦蒙難史料考訂》，第 42 頁。

[134] Howard Boorman (ed.), *Biographical Dictionary of Republican China*, v. 1, p. 231.

[135] 見陳少白：〈興中會革命史要〉，轉載於《辛亥革命》，第 1 冊，第 26 頁。

會議記錄原件筆者也看過了，也絕對沒有送分這回事。[136]

1925 年 3 月 12 日，孫中山先生逝世。同年 5 月 30 日發生了五卅慘案，[137]反帝情緒空前高漲，極少革命黨人還對英帝抱有任何幻想。相反地，大部份中國人都痛恨英帝在五卅慘案中的暴行，巴不得與英帝拚了。陳少白也就是在這種情況下繼續援筆著述。此時，孫中山已故，英帝又如此可恨，若說陳少白為了盡最後努力鞏固孫中山的英雄形象以壯革命派的聲威，而孤注一擲地將其 1895 年的英文舊作重新以漢語修改，注入其《興中會革命史要》中，事實上也不無可能。陳少白倒聰明，在有生之年拒絕發表其已寫就的書稿。而是將其留待後人代其出版——《興中會革命史要》是在他 1934 年去世[138]的翌年才正式付梓問世。這樣，他就不需回答任何尷尬的問題。

花了這大量筆墨，主要是希望闡明一個問題。孫中山於 1896 年赴英的主要目的是前往深造醫學，雖然孫中山後來積極地低調處理甚至纂改有關紀錄，又雖然絕大部份史料都不提這一點。

而筆者費勁闡明這個問題的主要目的，是希望在這個基礎上探索一種新的思路：竊以為在倫敦蒙難這個案子中，康德黎和英國政

---

[136] 後來馮自由略去送分之事而光說滿分，無意間就把孫中山的讀書本領說得更是神乎其技：「總理在校五年，各科考試，均滿百分之數。」見馮自由：《革命逸史》（1981），第 1 冊，第 9 頁。

[137] 有關著作，英文的見 Richard Rigby, *The May 30th Movement: Events and Themes*, Canberra: Australian University Press, 1980. 中文的見任建樹、張銓：《五卅運動簡史》（上海：上海人民出版社，1985）。

[138] Howard Boorman (ed.), *Biographical Dictionary of Republican China*, v. 1, p. 231.

府不但拯救了孫中山的性命，也拯救了他的革命事業。因為這場千載難逢的經驗讓他回歸到革命的道路上。

三、倫敦蒙難、曾益其所不能

孟子曰：「舜、發於畎畝之中。傳說、舉於版築之間。膠鬲、舉於魚鹽之中。官夷吾、舉於士。孫叔敖、舉於海。百里溪、舉於市。故天將降大任於是人也，必先苦其心志，勞其筋骨，餓其體膚，空乏其身，行弗亂其所為，所以動心忍性，曾益其所不能。」[139]孫中山倫敦蒙難，經驗之痛苦與深刻，不亞於先賢。孫中山童年在鄉間讀過私塾，1896/7 年間在廣州跟區鳳墀學習國學。自然讀過論語、孟子這些經典著作，並心領神會。結合倫敦蒙難的經驗與聖賢教誨，孫中山會得到什麼啟發？本節試圖通過檢驗倫敦蒙難為他所帶來痛苦的所謂「銘心刻骨」的深刻程度，探索他豁出生命搞革命的決心。若倫敦蒙難中他犧牲了，自然再談不上甚麼革命。但康德黎和英國政府拯救他，讓他有機會重新審度形勢，何去何從，終於放棄了進修醫學的意圖而決定「從頭收拾舊山河」、進行革命，並且自此終身不渝。

「一紛擾間，予已入，門已閉，鍵已下。」入甕了！誰遭到這突如其來的噩耗所襲擊而不被嚇呆了？再環視週遭，「屋宇若是寬廣，公服之華人若是之眾多。」逃不了！這時候，騙他入甕的人立

---

[139] 孟子、告子章句下，第十五章，載 James Legge (ed.), *The Chinese Classics* (Oxford: Clarendon Press, 1893), vs. 1 and 2, pp. 446-447.

刻換上猙獰的面目，喝道：「上樓去！」「怎麼回事？」「沒甚麼，上樓去！」[140]孫中山還未清醒過來，已被兩個彪形大漢提起來架上幾層樓。[141]孫中山說他被停放在三樓一個房間、轉瞬之間又再被提到四樓放在另一個房間獨處、不久馬格里爵士（Sir Halliday Macartney）就進房間來了。[142]孫中山這段回憶，充份證明他已被嚇得處於半不醒人事的狀態之中。如何見得？

因為英僕柯耳（George Cole）清楚記得，當孫中山被關在三樓那個房間後，公使龔照瑗才派人到馬格里爵士的住宅召他回到公使館。[143]馬格里回館見過公使後就把柯耳從地下室喚來，吩咐一番，然後命其緊跟着他步上樓梯，到了三樓那暫時幽禁孫中山的、李盛鐘的房門時就進去了。馬格里從那房間出來後，領前拾級登上四樓，孫中山等一行五、六人隨後，走到四樓吳宗濂的房間前就停下來。馬格里回頭對孫中山說：「就是這個房間。」然後兩人就一齊進去了。[144]

把柯耳的證詞與孫中山的證詞相比較，發覺：

第一、孫中山停留在三樓李盛鐘房間的時間，非如他自己所說

---

[140] Sun Yatsen' statement at the Treasury, 4 November 1896, paragraph 8, FO17/1718, pp. 119-120.

[141] *Daily Chronicle*, 24 October 1896, p. 5, col. 5.

[142] Sun Yatsen' statement at the Treasury, 4 November 1896, paragraph 8, FO17/1718, pp. 119-120.

[143] Cole's statement at the Treasury, 2 November 1896, paragraph 5, FO17/1718, pp. 116-119.

[144] Cole's statement at the Treasury, 2 November 1896, paragraph 6, FO17/1718, pp. 116-119.

的轉瞬之間，⑭⑤而是一段很長的時間。試想：公使差人到馬格里住宅召他回館，馬格里再倉猝應命，需要花多長時間？筆者按照 1897 年出版的《倫敦郵政便覽》⑭⑥查出了馬格里當時的住址是哈利坊 3 號⑭⑦後，按現代地圖往找則該街道已消失。⑭⑧找來 1864 年出版的軍用地圖，⑭⑨實地去確定其具體方位後，再親自從公使館往其地來回走一趟，已超過半個小時。加上馬格里回館謁見公使的時間，⑮⓪總共得花上一個小時。這個計算是有佐證的：柯耳說，公使在當天早上 10 時派人往召馬格里，11 時才下命找一個更適合幽禁

---

⑭⑤ Sun Yatsen' statement at the Treasury, 4 November 1896, paragraph 8, FO17/1718, pp. 119-120.

⑭⑥ *Kelly's London Post Office Directory* (London: Kelley & Co., 1897).

⑭⑦ 3 Harley Place.

⑭⑧ With a modern map of London in hand, I went to 'Harley Place' in May 1983. None of the houses there I regarded as becoming to the social status of Sir Halliday. Then I discovered an old street plaque, on which the engravings were still faintly recognisable. They read, 'North Harley Mews'. I am greatly indebted to Mr. R. Hart and Mr. John Phillips of the Greater London Record Office for having spent a whole afternoon with me in our attempts to locate the place, which was eventually pinpointed at the north-west corner of Harley Street and Marylebone Road (Map 143 J.St.M. 1864). The premises have been pulled down and replaced by high-rise buildings. .

⑭⑨ Map 143 J.St.M. 1864, Greater London Council Library.

⑮⓪ 據筆者考證，公使館綁架孫中山，馬格里事前是不知情的。公使命人先動了手，待米已成炊才令馬格里善後。故這次謁見，會有爭論，但馬格里終於屈服了。見拙著《孫中山倫敦蒙難真相：從未披露的史實》（臺北：聯經，1998），第二章。

孫中山的房間，結果就看上了四樓的、吳宗濂的房間。⑮如果這時候的孫中山是神智非常清醒的話，會覺得渡日如年。若是處於半嚇呆（state of shock）狀態，則被人吵醒時可能就覺得只不過是轉瞬之間而已。

第二、孫中山說他是從三樓被提到四樓的。⑮但筆者知道從三樓到四樓很狹隘，是容不了兩名大漢提着孫中山這樣三人並肩拾級的。事緣 1969 年筆者應中華人民共和國駐倫敦代辦處邀請參加國慶酒會時，曾拾級到四樓參觀過孫中山囚室時，發覺從一樓到三樓的樓梯是很寬敞。但從三樓到四樓的樓梯則設在另外一個地方，很狹隘。1983 年 5 月重訪倫敦以求印證，則該棟房子已被列為危樓，不許入內。承中國外交部王培先生和雪梨的劉滄總領事介紹，倫敦大使館領事部主任林林先生暨王鳳長工程師接待，並賜公使館的建築藍圖。王鳳長工程師又介紹了他實地考察該建築物的詳細情況，在在佐證了筆者的記憶。⑮看來孫中山在被嚇得半呆的情況下，被人帶着走出三樓的房間再拾級到四樓後進入另一個房間時，仍處於五里霧中。

第三、孫中山說他被提到四樓放在另一個房間後，馬格里就進

---

⑮ Cole's statement at the Treasury, 2 November 1896, paragraphs 5 and 6, FO17/1718, pp. 116-119.

⑮ Sun Yatsen' statement at the Treasury, 4 November 1896, paragraph 8, FO17/1718, pp. 119-120.

⑮ 可惜當時原公使館建築物由於多年失修已被列為危樓，無法舊地重遊。封閉前王鳳長工程師曾實地考察並作詳細筆記，他的筆記和藍圖均證明筆者記憶無誤。見筆者的筆記，bound in a volume entitled 'Sun Yatsen, May 1983', pp. 38-45.

來了。[154]其實，到了四樓後，是馬格里領孫中山進房的。[155]只有孫中山在三樓房間獨處時，馬格里才單獨進去過。[156]這一切都說明，孫中山當時的確是處於非常迷惘的狀態當中。

孫中山後來作證說，馬格里走進來後，兩人的對話是這樣的：

> 馬格里：「這裡就是中國，你懂嗎？」
>
> 孫中山不作聲。
>
> 於是馬格里把他自己的話重複了兩遍。
>
> 孫中山仍不作聲。[157]

竊以為這三問三不答，是否意味着孫中山還未完全清醒過來？

> 於是馬格里問道：「你的名字叫孫文嗎？」
>
> 孫中山：「我姓孫。」
>
> 馬格里：「我們收到中國駐華盛頓公使發來的電報，說孫文

---

[154] Sun Yatsen' statement at the Treasury, 4 November 1896, paragraph 8, FO17/1718, pp. 119-120.

[155] 'He （Cole） also says agai that Sir Halliday conducted Sun to his room when he was taken.' Cantlie to the Under Secretary of Sate for Foreign Affairs, 19 October 1896, FO17/1718, pp. 8-10. See also Cole's statement at the Treasury, 2 November 1896, paragraph 6, FO17/1718, pp. 116-119.

[156] Cole's statement at the Treasury, 2 November 1896, paragraph 6, FO17/1718, pp. 116-119.

[157] Sun Yatsen's statement at the Treasury, 4 November 1896, paragraph. 8, FO17/1718, pp. 119-120.

已乘坐『雄偉』號汽輪船到英國來。」

孫中山仍不作聲。

馬格里：「船上還有其他華人嗎？」

孫中山：「沒有，我是唯一的華人。」

馬格里：「不久前，你曾上書總理衙門。當局非常重視你的建議。總理衙門正要找你，你就在這裡等待回覆吧。」

孫中山：「我需要等多長時間？」

馬格里：「我們在18小時內應該會接到回覆。」

孫中山不語。馬格里建議孫中山把行李弄到使館來以便使用。

孫中山：「我的行李存放在一位朋友的地方。」

馬格里：「那你寫封信給你的旅館吧。」

孫中山：「我不住旅館。」

馬格里：「那你住在甚麼地方？」

孫中山：「孟生醫生知道我住在甚麼地方。你可以為我送封信給孟生醫生嗎？他會把我的行李捎來。」

馬格里：「行，我們可以為你辦這件事。」

孫中山寫道：「我被幽禁在清使館。」[158]

竊以為上述對話顯示，由於時間的轉移與有人跟其談話，孫中山已慢慢從休克狀態（state of shock）恢復過來，但還未完全清醒，他的

---

[158] Sun Yatsen's statement at the Treasury, 4 November 1896, paragraphs 8-10, FO17/1718, pp. 119-120.

靈魂深處還在反反覆覆浮現這麼一個念頭：「我被幽禁在清使館！」[159]所以自然而然就像衝口而出般寫出這句話。否則，他是不會寫這樣的字條交馬格里的，除非他認為馬格里是白痴。

馬格里：「我不喜歡幽禁這詞。」

孫中山：「那我該怎寫？」

看來孫中山真的還未完全恢復正常。

馬格里：「乾脆就說：把我的行李送來。」

孫中山：「如果他們不知道我在甚麼地方，是不會把行李打發走的。」於是孫中山重新寫道：「我在清使館，請把我的行李送來。」

馬格里：「我必須先請示過公使才能發這封信。」說罷離去。[160]

看來馬格里也未完全清醒過來。為何這樣說？捎行李之目的是為了避免有人追查物主的下落。但捎行李當然有個目的地，不捎到公使館捎到那兒？看來馬格里還未把問題想通就提出來了。據筆者考證，公使之差人綁架並命馬格里善後，對馬格里來說同樣是個晴天

[159] Sun Yatsen's statement at the Treasury, 4 November 1896, paragraph 10, FO17/1718, pp. 119-120.

[160] Sun Yatsen's statement at the Treasury, 4 November 1896, paragraph 10, FO17/1718, pp. 119-120.

霹靂！因為在倫敦街頭綁架孫中山，既嚴重違反英國法律又嚴重濫用了外交特權。若東窗事發，後果不堪設想。可以想像，當時他的情緒是處於極度困擾之中，以致想問題還亂了點分寸。不過此乃題外話，筆者已另書交代。[161]在此不贅。

接着馬格里離開了，時約中午時份。[162]孫中山慢慢冷靜下來後，他會怎樣想？他很自然會回味馬格里剛跟他說過的話。從後來他與曾誘捕他的公使館人員鄧廷鏗的對話中，可知他對法律是有認識的。他說：「按諸國際交犯之例，公等必先將拘予之事聞於英政府。予意英政府必不能任公等隨意處置也。」[163]所謂國際交犯，就是說孫中山明白到自己是政治犯。那麼馬格里不提孫中山廣州起義的事情，卻突出孫中山曾上書總理衙門；並說中國當局非常重視他的建議，總理衙門正要找他。馬格里這種提法應作何解釋？孫中山會看出，馬格里是希望給人一種假象，即公使館之把孫中山留在館中暫住，是為中國政府搜羅人才而不是拘留政治犯。沿這思路想，孫中山會認為，馬格里說在 18 小時內應該會接到總理衙門的回覆，可能意味着 18 小時孫中山若被釋放的話，就不能控訴公使館曾拘禁他。果真如此，則有一線生機。人在絕望的時候，難免會一廂情願地往好處想，孫中山也不例外。

但孫中山也絕不會愚蠢到把一切希望寄託在馬格里一句話。相

---

[161] 見拙著《孫中山倫敦蒙難真相：從未披露的史實》（臺北：聯經，1998），第二章。

[162] Cole's statement at the Treasury, 2 November 1896, paragraph 6, FO17/1718, pp. 116-119.

[163] 孫中山：〈倫敦蒙難記〉，載《孫中山全集》，第1卷，第62頁。

反地，他會全力找尋生機。其時房門已鎖上，[164]未幾門外更「有匠人施斧鑿之聲，則原鍵外更增一鍵也。」[165]一鍵已逃不了，加鍵徒增孫中山精神負擔。孫中山又發覺，「特遣監守二人，一中一西，嚴視門外。」[166]所以，欲衝出門外是無望了。環視房間，有一窗戶，窗寬 86 公吋（86 cm），高 98 公吋。窗戶除了設有能開啟的木框玻璃窗扇外，還有五根豎立的鐵柱子擋駕，是方柱子，每根 3 方吋（3×3 cm）。[167]也逃不了。朝窗外望，見不到街道，可知這個房間在這棟龐大的房子裡那眾多的房間當中是朝裹而非朝外的。所以，如果寫求救字條搓成紙團拋出窗外的話，紙團是到不了街上的。高聲喊救命路人也聽不到。

注視窗外，從近往遠看，第一映入眼簾的是公使館的天井。天井是一塊平臺，平臺的水平線與孫中山房間地板的水平線差不多。平臺中間有一塊平放的玻璃，既防風雨又透光。第二映入眼簾的是鄰居房屋的天井，也是一塊平臺，但水平線比公使館的平臺低了 1.2 公尺（1.2 meters）。兩個平臺之間沒有欄杆，可以自由上下。[168]若用來囚禁孫中山的那個房間的窗戶沒有那五根豎立的鐵柱子的話，孫中山就可以從房間爬出窗戶，再橫跨兩塊平臺而叩隔壁房子

[164] Cole's statement at the Treasury, 2 November 1896, paragraph 6, FO17/1718, pp. 116-119.

[165] 孫中山：〈倫敦蒙難記〉，載《孫中山全集》，第 1 卷，第 58 頁。

[166] 孫中山：〈倫敦蒙難記〉，載《孫中山全集》，第 1 卷，第 58 頁。

[167] 中國駐倫敦大使館王鳳長工程師所繪的圖紙，收入筆者的筆記，bound in a volume entitled 'Sun Yatsen, May 1983', p. 43.

[168] 中國駐倫敦大使館王鳳長工程師所實地考察結果，收入筆者的筆記，bound in a volume entitled 'Sun Yatsen, May 1983', p. 43.

的窗戶的。而鐵柱子之安裝，看來原意是為了防盜。現在正好用作防逃。另一方面，從囚室也看不到隔壁天井以外的窗戶，求救無門。又是死路一條！孫中山心情沉重可知。

過數小時，有監守者入房，謂奉馬格里之命來搜身，拿走了他的鑰匙、鉛筆、小刀等物，以及無關重要的文件數紙。另一衣袋所藏鈔票則不及檢去。損失不大，只是加重了精神負擔。後監守者詢以飲吃，則令取牛奶少許而已。無他，怕其他食物加了毒藥，而毒奶則容易辨認也。精神負擔可知。再過一會，有僕人來為他生火取暖，並置煤於室備用。及夜，和衣而睡，惟徹夜未眠。[169]

翌日，1896 年 10 月 12 日星期一早上 6 時，剛好過了 18 個小時，但馬格里沒有送來任何訊息。孫中山耐心等到早上 7 時 45 分，英僕柯耳進來了！有消息嗎？甚麼消息？孫中山呆了。柯耳此行目的只是為他生火取暖。其實，馬格里並沒有騙他，公使館當時的確已收到總理衙門覆電，曰：『望詳商律師，謀定後動，毋令援英例反噬，英又從而庇之，為害滋大，切望詳慎。魚。』[170]一切都如馬格里所料，18 個小時之內就收到北京的覆電，該電讓龔照瑗徵求律師的意見。在英國執業的任何一位律師都肯定勸龔照瑗放人的，不必問都知道答案。問題就出在馬格里低估了龔大人的無知與固執——龔照瑗抗命不從，反而命馬格里僱專船偷運孫中山回國。於是馬格里施展拖延戰術，希望拖得龔照瑗受不了提心吊膽地過日

[169] 孫中山：〈倫敦蒙難記〉，載《孫中山全集》，第 1 卷，第 58 頁。

[170] 總理衙門致龔照瑗密電，1896 年 10 月 12 日，載羅家倫：《倫敦蒙難》，第 44 頁。

子而死了這條心。[171]馬格里的苦衷，孫中山是無從知道的。結果他要求柯耳為他帶信送給一個朋友，或者把該信投出朝大街的窗口。柯耳唯唯諾諾，卻把該信呈交馬格里。[172]這也是孫中山無從知道的，徒增一種幻想，待幻想破滅時又增加一重失望。當天倫敦下過 0.61 英吋的雨，太陽沒露過臉，溫度最低華氏 38，最高華氏 46 度，濕度 89，從早上 9 時開始即不斷下毛毛冷雨。[173]孫中山朝窗外望，有甚麼感想？當天最低溫度華氏 38 度，距離結冰的溫度只有 6 度。寒冷的天氣也沒法為他心焦如焚降溫。

1896 年 10 月 12 日星期一，孫中山再次要求英僕柯耳為他帶信給一位朋友，並答應事將來重謝。但沒想到柯耳又把信呈交馬格里。[174]又是徒增一種幻想。待幻想破滅時再增一重失望。

1896 年 10 月 13 日星期二，孫中山覺得已過了兩天，公使館應該收到總理衙門覆電了，於是再也呆不住，要求見馬格里。但正如前述，覆電是收到了，但龔照瑗拒不放人。所以馬格里只好回話說：「告訴他，我不要見他。」[175]又一個幻想破滅！孫中山感到特

---

[171] 詳見拙著《孫逸仙倫敦被難記》第二章。

[172] Cole's statement at the Treasury, 2 November 1896, FO17/1718, pp. 116-119, para. 12.

[173] *The Times*, 13 October 1896, p. 9, col. 3.

[174] Cole's statement at the Treasury, 2 November 1896, paragraph 16, FO17/1718, pp. 116-119.

[175] Cole's statement at the Treasury, 2 November 1896, paragraph 16, FO17/1718, pp. 116-119.

別冷，對柯耳說了。[176]馬格里吩咐柯耳為孫中山添一床中國式的棉被。[177]

1896 年 10 月 14 日星期三，孫中山借故要求柯耳把窗戶打開，然後把手伸到防盜鐵罩以外，奮力將一紙團往外扔。紙團跨過公使館的天窗，落在北鄰房子的平臺。可惜被柯耳發現了。柯耳從別的房間爬出窗外，越過天窗，到北鄰房子的平臺，把紙團撿回來。孫中山急瘋了，隔窗哀求說：「看在上帝的份上，還給我吧。」柯耳回答說：「不行的，先生，很抱歉。」後來柯耳再進入孫中山的房間時，孫中山問他該紙團的下落，柯耳就告訴他說，已交了給馬格里。[178]孫中山如墮冰窖：「自此吾一線僅存之希望亦絕。於是使館之防我較前更密，窗上均加螺絲釘，不再能自由啟閉，藐茲一身，真墮落於窮谷中不克自拔矣。惟有一意祈禱，聊以自慰，當時之所以未成狂者，賴有此耳。」[179]短短兩句話，孫中山的心情卻躍然紙上。

1896 年 10 月 15 日星期四，孫中山的心情有如雪上加霜。蓋當天公使館的隨員鄧廷鏗，特別去找他談話。鄧廷鏗告訴孫中山說，所有的求救信都已被截獲。他又恐嚇孫中山說：「我們會塞著

---

[176] Cole's statement at the Treasury, 2 November 1896, FO17/1718, para. 16, pp. 116-119.

[177] Cole's statement at the Treasury, 2 November 1896, FO17/1718, para. 16, pp. 116-119.

[178] Cole's statement at the Treasury, 2 November 1896, FO17/1718, pp. 116-119, para. 16.

[179] 〈倫敦蒙難記〉，載《國父全集》（1989），第 2 冊，第 193-223 頁：第 204 頁。

你的嘴，把你五花大綁，放進一隻麻包袋，然後送上一隻我們預先僱好的輪船。在船上，我們會像在這裏一樣，把你鎖在一個房間裏，派大批警衛嚴密地看守著你，不許你跟任何人說話。如果我們不能把你偷運出公使館，我們就把你就地正法。公使館就是中國領土。在公使館裏，我們愛幹什麼就能幹什麼。」⓲真如晴天霹靂！

鄧廷鏗不是在胡說八道。先一天馬格里獲悉孫中山企圖獨自向外界求救後，馬上發了一封電報給格蘭輪船公司（Glen Line）的麥格里格先生（Mr. McGroger），冒稱公使館必須把一個神經不正常的人運回中國。結果雙方議定七千英鎊的船資。⓲難道馬格里也瘋了？偷運人口出境是嚴重違反法律的。馬格里年屆 63，在中國官場和英國宦海（他的爵士是英國外交部推薦的）混了幾十年，為什麼會幹這種蠢事？竊以為這是與孫中山不再試圖通過公使館的職員帶字條到外邊，而是瞞着公使館的人員偷偷設法與外界聯繫有關。萬一孫中山成功了，馬格里就大禍臨頭。不如先把孫中山偷運出倫敦再說。他自知這樣幹，要冒的風險很大。為了避免事發後家人受到各方騷擾，便鎖上住宅，對鄰居們說他一家要到鄉下渡假六個月。然後租了馬車，把一家大小（馬格里有八個孩子）通通送往米特蘭火車總站（Midland Raildway Station），買票讓他們坐火車連夜回到遙遠的蘇格蘭老家。⓲送走家人後，他自己就在火車總站大樓樓上的米特

⓲ Sun Yatsen's statement, 4 November 1896, para. 13, FO17/1718, p. 119-120.

⓲ 龔照瑗致總理衙門密電，1896 年 10 月 14 日。載羅家倫：《蒙難史料考訂》，第 52-53 頁。

⓲ *Morning Leader*, 23 Oct 1896, p. 5, col. 1.

蘭大旅店租了一個房間暫住。[183]

可以說，除了沒有死亡陰影的威脅以外，馬格里在精神上所受到的煎熬，僅次於孫中山。而筆者之所以不斷地提及馬格里，主要是希望通過他的遭遇而襯托出孫中山當時的苦況。而孫中山當時的苦況，也真是非筆墨所能形容。萬一公使館成功地把他偷運回中國，他的命運會是怎樣？又如果公使決定在館處置他，他的遭遇又會是怎樣？他是親眼看過個中慘狀的。他回憶說：

> 數年前有某病人來向我求醫……我發覺，該病人雙腳所有的關節，不是腫大了就是變了型。有些踝骨已經完全粘結成一塊。膝骨組則已腫大到了，或粘結成了，不能個別辨認的程度……該病人是個船夫。某天清晨，他在河邊走路時，突然遇到一隊兵勇。該隊兵勇，不由分說，便把他拉到新會縣令那裏受審。受審時，他還來不及開口，屁股已挨了 200 大板。跟著縣官命他從實招供。招認什麼呢？他如墜五里霧中。
>
> 縣官喝道：「大膽海賊，還不招供！」
>
> 答曰：「小人乃一介船夫，從未為賊，也從未有過絲毫越軌的行為。」
>
> 「嘿！」縣官說：「不認就讓他跪鐵鏈！」
>
> 船夫雙手被鎖在木枷上。[184]雙膝被迫跪在兩捲尖利的鐵

---

[183] *Daily Telegraph*, 23 Oct 1896, p. 7, col. 6.

鏈上。整個身體和木珈的重量就積壓著雙膝。跪了一夜又半天，再被帶到縣官面前。

縣官問：「受夠了沒有？招認不招認？」

答曰：「小人從未犯法，從何招認？」

縣官說：「他所受的，仍不足以令其招供。給他壓槓杆！」

准此，船夫雙手再次被鎖上珈。雙膝被平放在地上。膝上被壓以一條槓杆。兩個大男人各站在槓杆一頭，你上我下，我上你下地玩蹺蹺。船夫劇痛得馬上失去知覺。也不知道那蹺蹺究竟玩了多長時間。恢復知覺後再被關在牢裏十天。稍事喘息後，又被帶到縣官面前審訊。結果仍不得要領。

縣官再換一種嚴刑逼供。船夫的雙手被吊起來。足踝即遭板球棒一般的硬棍敲打，以致每根踝骨都被打碎。受刑過程中，船夫並不致失去知覺，但奇痛難當。以致雖然他已準備自誣，以便結束這場煎熬，但已痛得口舌不靈。結果，又被關進牢裏十多天。

再被審訊時，縣官似乎比以往多留心審問，多問了些問

---

184 中山先生在英文原著中所說的 wooden framework（木架），其專有名詞應為 cangue，即珈。這種東方特有的刑具，其英文名字 cangue 在一般的牛津字（Concise English-Chinese Dictionary）裏找不到。這個「珈」字，在筆者早期的中文電腦裏，則無論是臺南系統還是武漢系統，也找不到，其罕可知。難怪柯林斯只能泛稱為 wooden framework（木架）。若華人倒譯過來時也作「木架」，就要鬧笑話。

題，而不馬上動刑。但階下囚仍然照實供稱他只不過是一介船夫。並聲稱自己是「老街坊」，人盡皆知其品性良好。

但縣官不單不召來人證，反而下令綁著船夫的大拇指和大腳趾。然後把他吊起來，面朝下。他本來已筋疲力盡。這麼一吊，懸空之間立刻不省人事。如此這般，又避過一次逼供。但次晨，在牢中恢復知覺時，已虛弱不堪。

休審三週。縣官估計船夫已恢復得可以承受最後一次審問。於是船夫再次被帶到公堂——不，應該說是地獄。這次縣官也不多說，只是厲聲警告船夫，促他趕快招供。船夫仍拒絕自誣。結果「地獄的程序」又開始了。四根「柴枝」（我的病人如此稱呼它們的）被綁在船夫的手臂和大腿上，然後就點上火，讓它們燃燒。

我應該補充說，這些所謂「柴枝」，其實是由壓縮的鋸木屑、木炭碎和其他材料做成的錐形物品。點燃後，燒得很慢，卻發出熾熱，燃盡方息。能抵受這種酷刑者，萬中無一。故不供認者鮮有。但很奇怪，他似乎難受得馬上又失去知覺。對那漫長的劇痛一無所覺。再次逃過一場逼供。……

除了上述幾種酷刑以外，還有各式各樣的其他種類。……有一次，我到某縣衙拜訪縣官。他邀我共同觀摩一種「新發明」的訊刑。美其名曰「白鳥再造」。犯人被剝光衣服後。全身被貼上兩吋寬、六吋長的紙條。如此裝扮過後，疑犯看來就像隻白鳥。接著，各紙條被點火燃燒。只要身體不起疱，便可把紙條燃而復貼，貼而復燃。最後，疑犯的全身被擦上濃鹽水。其痛楚之烈，非筆墨所能形容。

目睹這慘狀。我心中的痛楚不亞於受害者。情不自禁之餘。借故暫退，於無人處咽淚水。

稍候，施刑的衙役來告曰：「擦鹽水這個主意真妙！既令疑犯痛楚難當而自招，又可避免由於燒傷而引起敗血病。」[185]

……

誘捕我進入中國公使館的人，曾經對我說過：「你否認曾謀反是沒用的，徒招酷刑。」[186]

孫中山很清楚，由於他自己是欽犯、由於滿清政府要迫他供出同黨的名字、由於滿清政府要殺一儆百，比上述更恐怖的酷刑正在等着他！

1896 年 10 月 16 日星期五，孫中山再次見到柯耳時，悲憤交雜，指着他痛罵說：「你出賣了我！你告訴我把字條扔到街外，但是鄧某告訴我，你其實把字條通通都交了給馬格里！」柯耳大吃一驚，趕快離開孫中山的房間，以防不測。之後即對跟他一道看守孫中山的華僕說：「鄧先生真壞！他竟然把我將所有求救信呈馬格里爵士的事情，全告訴了囚犯。待囚犯積怨深到發狂時，可能就會把我殺了！」可見，按照柯耳的觀察，孫中山已失望到接近發狂的地

---

[185] 中山先生在英語原文中所說的 blood poisoning，在醫學上的專有名詞是 septicaemia，中譯應作敗血病。有把 blood poisoning 翻譯為血中毒者，不確。

[186] *East Asia* (July 1897), v. 1, no. 1, pp. 3-13. 內容由筆者翻譯。

步。這與孫中山的自我寫照⑱相同。但是，孫中山到底非同凡響：因為他很快又安靜下來，再一次要求柯耳帶信。但柯耳還是拒絕了。⑱

1896年10月17日星期六，孫中山因此而瘋了沒有？沒有。

不但沒有，而且冷靜地改變策略，好言對柯耳說，他自己之所以被囚禁，是因為他的行動可以比諸倫敦的社會主義黨派的黨魁。又說，如果英國政府收到這麼一封信，肯定會干涉的。柯耳答應考慮考慮。⑱

似乎也就是今天的深夜，鄧廷鏗再度探訪孫中山，對他威逼利誘，讓他親筆寫一封信。筆者憑甚麼說今天就是孫中山寫信之時？除了全盤考慮其他日子和有關因素以外，柯耳對英國財政部首席律師所作的證詞起了決定性的作用。他說，「關於孫中山在幽禁在公使館期間曾寫過一紙證詞之事，我是聽說過的。記憶所及，那大約是他被幽禁第一個星期的末期，大約是10月17日。」⑲

柯耳對當時的情況記憶得很清楚。他說，「當時鄧先生走來對我說：『裡邊那位先生需要寫點東西，你就到裡邊陪着他，直到他寫完為止。』當時鄧是從裡邊跑出來對我說這些話的。他又說：

---

⑱ 〈倫敦蒙難記〉，載《國父全集》（1989），第2冊，第193-223頁：第204頁。

⑱ Cole's statement at the Treasury, 2 November 1896, paragraph 18, FO17/1718, pp. 116-119.

⑱ Cole's statement at the Treasury, 2 November 1896, para. 19, FO17/1718, pp. 116-119.

⑲ Cole's statement at the Treasury, 2 November 1896, para. 26, FO17/1718, p. 118.

『當他（孫逸仙）寫完以後，你就把筆墨紙張等通通拿走，並把他所寫的東西交給我』。」[191]證詞作到這裡，似乎首席律師就問柯耳，當鄧廷鏗最初去找他時，是否從孫中山的房間中走出來的。柯耳回答說是。柯耳接着說，「當我走進孫中山的房間時，筆墨皆在，是早些時候鄧先生送進去的。於是孫開始書寫。孫開始書寫時，鄧還在房裡。但過不了幾分鐘，鄧就離開了。孫繼續書寫，但沒對我說甚麼。因為房門有一位華人把守，我們說甚麼他都能聽到。當孫寫完以後，就要求見鄧。鄧就來了，把孫寫過的東西拿起來唸，並擅自作了些修改。聽孫鄧兩人的交談，語氣是友善的。」[192]

鄧廷鏗讓孫中山寫些什麼？讓他否認曾與廣州造反的事情有任何關連，讓他聲稱在美國時曾到過清朝駐華盛頓的公使館向公使說明一切，但該公使聽不進去。所以改為向駐英公使求情。[193]

信寫給誰：鄧廷鏗讓他寫給駐英公使龔照瑗。

用什麼語言寫？鄧廷鏗讓他用英語寫。[194]

這就奇怪了。信是給龔照瑗的，但是必須用英語寫。龔照瑗不懂漢語嗎？其實，龔照瑗也看不懂英語，幹嘛要用英語寫信給他？竊以為那封信有兩個可能的對象。第一是公使館的英文參贊、英國人馬格里爵士。據筆者考證，綁架孫中山的事，馬格里是被蒙在鼓

---

[191] Cole's statement at the Treasury, 2 November 1896, FO17/1718, p. 118, para. 26.

[192] Cole's statement at the Treasury, 2 November 1896, FO17/1718, pp. 118-119, para. 26.

[193] Sun Yatsen's statement, 4 November 1896, FO17/1718, p. 119-120, para. 16.

[194] Sun Yatsen's statement, 4 November 1896, FO17/1718, p. 119-120, para. 16.

裏的。待到米已成炊，公使才命他收拾爛攤子。勸服他收拾爛攤子所用的藉口之一，就是冒稱孫中山自動跑到公使館來的，絕對沒有綁架這回事。現在事情越弄越糟糕，所以準備在必要時，出示此信，讓馬格里深信不疑，才能讓他安心地繼續處理這件事情，因此龔照瑗命鄧廷鏗去騙孫中山寫這樣古怪的一封信。[195]第二是英國政府，龔照瑗準備萬一東窗事發，用這封信來證明孫中山是自投使署的。而且，即使僱船把孫中山偷運出境成功，事後仍有走漏的可能。又儘管成功地把他運回中國，清廷大張旗鼓地行刑，龔照瑗依然會被英廷追究的。至於兩種可能性孰高孰低，則竊以為該函屬備用性質，既可施諸馬格里，也可用於英廷。

在鄧廷鏗連騙帶哄之下，孫中山以為這是一線生機，於是就按照鄧廷鏗的意思，如此這般地就寫了這麼一封信。[196]事實證明，龔照瑗與鄧廷鏗都是庸人自擾。因為，龔照瑗後來沒有機會用上這封信。當東窗事發時（而且馬上就要發），英廷嚴令龔照瑗放人；龔照瑗照辦後，英廷不為已甚，沒有追究孫中山是被綁架還是自投的問題。所以那封信是閒置了。

筆者花了這大量筆墨考證這件事，主要是印證孫中山所言不虛。蓋事後他對當時自己心情寫照時說：「此舉實墮入鄧某之奸計，可謂愚極。蓋書中有親至使館籲求昭雪等語，豈非授以口實，謂吾之至使館，乃出於自願，而非由誘劫耶？雖然，人當陷入深淵

---

[195] 見拙著《孫逸仙倫敦蒙難真相：從未披露的事實》（臺北：聯經出版事業公司，1998），第二章。

[196] Sun Yatsen's statement, 4 November 1896, para. 16, FO17/1718, p. 119-120.

之時，苟有豪髮可以憑藉者，即不惜攀援以登，初不遑從容審擇，更何能辨其為奸偽耶？」⑲⑦

在孫中山揮筆直書的同時，公使館的女管家郝太太（Mrs. Howe）在當晚 11 時下班後，換過便服，草草寫了一張字條後，便帶著字條匆匆趕往覃文省街 46 號康德黎的住所。她把字條從門底輕輕地推了進去。然後大力拉的幾下門鈴，跟著就快步離開。⑲⑧時為晚上 11 時 30 分。⑲⑨

康德黎連夜奔走企圖拯救愛徒。可惜英國警察總部蘇格蘭場認爲事屬外交範圍，無法干預。⑳⓪所幸孫中山這時對此等細節都全不知情，否則徒增患得患失。

1896 年 10 月 18 日星期天，孫中山不知道昨天晚上已經有人為他通了風報了信。所以，今天他再一次改變方式，表示如果柯耳願意帶信給康德黎醫生的話，將給柯耳 20 英鎊。柯耳答應為他帶信，但暫時婉謝金錢，說事成以後再算吧。⑳①柯耳告訴孫中山不要坐在書桌旁寫信，因為與柯耳結伴看守孫逸仙的華僕會從鎖匙孔中

---

⑲⑦ 孫中山：〈倫敦蒙難記〉，載《國父全集》（1989），第二冊，第 203 頁；及《孫中山全集》，第 1 卷，第 62 頁。

⑲⑧ Cole's statement at the Treasury, 2 November 1896, para. 20-21, FO17/1718, pp. 116-119.

⑲⑨ Cole's statement at the Treasury, 2 November 1896, para. 20-21, FO17/1718, pp. 116-119.

⑳⓪ Chief Inspector Henry Moore's report, 12.30 a.m., 18 October 1896, FO17/1718, pp. 47-48.

⑳① Cole's statement at the Treasury, 2 November 1896, FO17/1718, pp. 116-119, para. 31.

把他書寫的情況偷看得一清二楚。

這突如其來的消息，讓孫中山歡喜若狂。他激動地說：「太感謝您了。您是我的救命恩人。當我寫就求救信後，我會藉故叩門請您進來。」孫中山寫了些甚麼呢？內容很能反映他當時的心情。而這種心情，對於本章本節之探索其「動心忍性，曾益其所不能」[202]之層面，甚有幫助，故筆者勉力探求。首先在英國外交部的檔案看到全文內容。[203]但只是打字稿，並有附帶說明，謂原件已被合法調走，卻沒有說明調到那裡？筆者不感滿足，不斷探求之餘，終於在羅家倫先生所著、1930 年出版的《中山先生倫敦蒙難史料考訂》的圖片部份，看到原件照片。並從而得悉是王寵惠先在 1929 年於倫敦自康德黎醫生的律師的兒子那裡購買回來的。康德黎醫生本來已把原件交英國外交部作為立案的證物。[204]案結錄副後外交部似乎就把該件發還給康德黎。至於為何後來又落到他律師之手，則下文再行探索。後來筆者從臺灣出版的《國父全集》第十冊中的圖片部份又見到更清晰的原件照片。[205]於是筆者把照片反覆分析，再結合陳寅恪先生所說的「神遊冥想，與立說之古人處於同一境界」，[206]而重建出當時情況如下，敬請賢達指正：

---

[202] 孟子、告子章句下，第十五章，載 James Legge (ed.), *The Chinese Classics* (Oxford: Clarendon Press, 1893), vs. 1 and 2, pp. 446-447.

[203] Sun Yat-sen to Cantlie, n.d. (18 October 1896), FO17/1718, p. 30.

[204] Cantlie to the Under Secretary of Sate for Foreign Affairs, 19 October 1896, FO 17/1718, pp. 8-10.

[205] 《國父全集》（1989）第十冊，圖片部分第 1 頁。

[206] 陳寅恪：〈馮友蘭中國哲學史上冊審查報告〉，《金明館叢稿二編》（上海：古籍出版社，1982），第 247 頁。

首先，孫中山在一張印有自己英文名字（即 Dr. Y. S. Sun）的卡片上，寫上康德黎醫生的住址，曰：「To Dr. James Cantlie, 46 Devonshire St」。這兩行字，是寫在已印刷了的孫中山自己名字的（即 Dr. Y. S. Sun）水平線以上的。

接着他在名片的反面寫道：「上星期天我被綁架進入了公使館，行將被偷運出英國返回中國處以死刑，求您趕快救我！」如此這般，本來全是一片空白的名片反面就密密麻麻地鋪滿了他的字跡。

寫好以後，再在名片的正面的水平線以下補充了這麼一句話：「請您暫時關照一下為我帶信的人。他很貧窮，為了給我通風報信，他會被撤職的。」如此這般，就小小一張名片的正面又密密麻麻地佈滿字體，只在其自己名字的兩旁剩下少許空間。

孫中山意猶未盡，覺得好像求救信缺乏甚麼的——對了！缺乏緊急性。於是他馬上又在第二張名片的背面寫道：「中國公使館已包下一隻輪船以便把我專程遣送回中國，一路上都會把我鎖起來，不得與任何人通消息。嗚呼！我的大限到了！」如此這般，名片的背面又是密密麻麻地寫滿了。而且，孫中山似乎早估計到名片的空間不足，所以把中國公使館（Chinese Legaion）縮寫為 C.L.。

寫好以後，孫中山把這第二張名片翻回正面，在已印刷了他自己的名字（即 Dr. Y. S. Sun）的水平線以上寫下康德黎醫生的住址（即 “To Dr. James Cantlie, 46 Devonshire St”）。

孫中山把兩張名片反覆地看了，覺得還缺乏甚麼——對了！缺乏次序性。於是他在第一張名片的正面的左旁剩下空間寫上粗大的一個 A 字，然後在第二張名片的正面左旁剩下空間寫上粗大的一個 B 字。

還缺乏甚麼？孫中山的心情是複雜的：一方面他恐怕沒把事情說清楚，以致功虧一簣。另一方面又懼怕時間拖長了柯耳會改變主意，同樣是前功盡棄。一咬牙，馬上藉故喚柯耳進房間，說：「請把這帶出去，我一定會好好報答您。」[207]

柯耳在下午 1 時下班後，即親自把孫逸仙的名片帶給康德黎醫生。康德黎醫生看後，即在自己的名片上疾書數語，並邀孟生醫生在上面也簽字，然後交給柯耳。[208]

黃昏時份，柯耳回到清使館恢復看守孫逸仙的工作，一找到適當的機會就偷偷把康德黎醫生的名片塞給了孫中山。[209]孫逸仙把兩張面額 10 英鎊的紙幣塞給了柯耳。柯耳接受了。孫逸仙說以後再多給。[210]

孫中山看康德黎醫生書曰：「勉之！毋自餒！吾政府正為君盡力。不日即可見釋。」[211]孫中山看後驚喜交集！他整晚思潮起伏睡不著：怕他寫在兩張名片上簡短而又複雜的求救信沒把事情說清楚而妨礙了救援工作，更擔心公使館聽了甚麼風聲而當晚就向他下毒

---

[207] Cole's statement at the Treasury, 2 November 1896, FO17/1718, pp. 116-119, para. 21.

[208] Cole's statement at the Treasury, 2 November 1896, para. 21, FO17/1718, pp. 116-119.

[209] Cole's statement at the Treasury, 2 November 1896, FO17/1718, pp. 116-119, para. 21.

[210] Cole's statement at the Treasury, 2 November 1896, FO17/1718, pp. 116-119, para. 31.

[211] 〈倫敦蒙難記〉，載《國父全集》（1989），第 193-223 頁：第 205 頁。

手！

1896 年 10 月 19 日星期一，他實在熬不下去。所以，當柯耳在大清早進來為他生火取暖時，馬上又央求柯耳再次為他帶信。柯耳憂心忡忡地回答說：「我會盡力而為，但請您特別小心，因為我想我已受到監視。」[212]

孫中山馬上疾書第二封求救簡。當天黃昏柯耳下班後，如約把這第二封求救簡帶給了康德黎醫生。[213]該簡要點有三。㈠重複被綁架事，但增添了細節。㈡重複將會被偷運出境事，但增加了「不然的話，將就地正法」的話。㈢在最後一段，他說：「我出生於香港，四、五歲時才回到中國內地。把我當作一名合法的英國子民（legally a British subject），您能不能用這種辦法來救我脫險？」[214]

這最後一段話值得注意者有三。第一，他懂得一條英國法律，即規定如果某人是在英國殖民地（包括香港）出生，就是英國的子民，具英國國籍，受英國保護。這種知識，很可能是他在香港唸書時獲得。第二，孫逸仙當然不是在香港出生的，他自己最清楚不過。但是為了求生，靈活地運用他的知識，而不拘泥於是否符合事實。第三，康德黎醫生，作為孫逸仙多年的老師，根據孫逸仙的入

---

[212] Cole's statement at the Treasury, 2 November 1896, FO17/1718, paragraph 21, pp. 116-119.

[213] Cole's statement at the Treasury, 2 November 1896, FO17/1718, paragraph 21, pp. 116-119.

[214] Sun Yat-sen to Cantlie, n.d. (19 October 1896), FO17/1718, p. 22-23, enclosed in Cantlie to the Under Secretary of Sate for Foreign Affairs, 19 October 1896, FO 17/1718, pp. 19-21.

學紀錄與長期相處，也會知道孫逸仙並非出生於香港。但由於救徒心切，同樣不拘泥於該簡內容是否符合事實，而把該簡轉呈英國外交部。[215]

重建當時孫逸仙寫這求救簡最後一段的心情，可以想像，當英僕柯耳成功地為他帶出第一封求救簡並成功地帶回康德黎的覆簡時，自然歡喜若狂，尤其是該覆簡說「吾政府正為君盡力。」[216]既然英廷干預，孫逸仙認為必能得救。但是，過了整整一個晚上，仍毫無動靜。一個晚上對常人來說倒沒甚麼，但對他來說則可謂渡夜如年。可以想像，他患得患失的心情，隨着時間的消逝而上升，很快達到極點。於是又迫不及待地要求柯耳再為他帶第二封求救簡。並想出一個英廷非干預不可的理由——他自稱是香港出生的英國子民。[217]

柯耳說他把這第二封求救簡交了給康德黎，但沒說康德黎是否再有書面作覆。[218]康德黎也說他收到了這第二封求救簡，但同樣沒說他是否曾書面作覆。[219]其實，康德黎日夜奔走忙着營救愛徒，收

---

[215] Cantlie to Foreign Office, 19 October 1896, F.O. 17/1718, pp. 19-21.

[216] 〈倫敦蒙難記〉，載《國父全集》(1989)，第二冊，第 193-223 頁：第 205 頁。

[217] Sun Yat-sen to Cantlie, n.d. (19 October 1896), FO17/1718, p. 22-23, enclosed in Cantlie to the Under Secretary of Sate for Foreign Affairs, 19 October 1896, FO 17/1718, pp. 19-21.

[218] Cole's statement at the Treasury, 2 November 1896, FO17/1718, paragraph 21, pp.116-119.

[219] Cantlie to Foreign Office, 19 October 1896, F.O. 17/1718, pp. 19-21.

信後即以第一時間函外交部[220]以求速戰速決，書面覆徒只是次要的考慮。但可以肯定，通過柯耳口頭作覆是做到了，否則孫中山無從說出下面的話：「事情進行得怎樣了？毛病出在那兒？我自稱是英國公民，在香港出生，沙侯（英國首相）怎麼說？」[221]這些話，可能孫中山每次見到柯耳時就問他。反覆地被問得多了，以致柯耳誤把這些話當作是孫中山第二道求救簡的內容。[222]

1896 年 10 月 20 日星期二，公使館的華僕注意到有警察監視着他們。柯耳當然也注意到，也聽到華僕因此而議論紛紛。[223]他自然會把這種情況告訴孫中山。孫中山應該稍慰？不！他太了解中國官場習慣了：抓不到活的就拿人頭領功！他仍然日夜被死神煎熬。

1896 年 10 月 21 日星期三，孫中山仍以杳無確信而精神備受煎熬。

1896 年 10 月 22 日星期四，「柯耳攜煤簍入，微示意於予。待其既出，就簍中檢得一紙，則剪自《地球報》者。其載予被逮情形，頗稱詳盡，即觀其標題已足駭人心目，如曰：『可驚可愕之新聞』；曰：『革命家之被誘於倫敦』；曰：『公使館之拘囚』。予急讀一過，知英國報界既出干涉，則予之生命當可無害。當時予欣

---

[220] Cantlie to Foreign Office, 19 October 1896, F.O. 17/1718, pp. 19-21.

[221] Cole's statement at the Treasury, 2 November 1896, FO17/1718, paragraph 21, pp. 116-119.

[222] Cole's statement at the Treasury, 2 November 1896, FO17/1718, paragraph 21, pp. 116-119.

[223] Cole's statement at the Treasury, 2 November 1896, FO17/1718, paragraph 22, pp. 116-119.

慰之情，真不啻臨刑者之忽逢大赦也！」[224]

1896 年 10 月 23 日星期五，下午約四時半左右，喬佛斯探長（Inspector Javis）與外交部一位特使到達公使館。他們被帶進一間私人房間。[225]稍後，馬格里爵士從公使館後座他的辦公室走出來，招呼喬佛斯探長與該特使進入他自己的辦公室。特使拿出一封外交部的公文交馬格里。馬格里看後說：「是，一定照辦。」[226]康德黎醫生也應外交部之邀到達公使館，以便認人。[227]不久，一位在場的記者看到孫中山「跟在僕人的後面走下來，有點發抖。」[228]另一位記者看到他「愉快地走下樓梯，面露笑容，黑眼睛透出無限寬慰。……看來他是個有真正聰明才智的人。當他一見到康德黎，馬上就顯示出他能說一口流利的英語。」[229]第三位記者觀察到孫中山雖飽受監禁之苦，但銳氣卻絲毫不減。[230]第四位記者更注意到孫中山雖然「臉色蒼白，身體狀態似乎很差，但光亮的眼睛卻露出勝利的微笑。」由此這位記者喟然嘆曰：孫中山乃「當世大英雄」。[231]

由於職業的關係，記者的眼光是特別敏銳的。四位記者當中有三位從孫中山的眼睛中隱隱約約地看到，這次非人的磨練似乎已經

---

[224] 孫中山：〈倫敦被難記〉，轉載於《國父全集》（1989），第二冊，第 214 頁；《孫中山全集》，第 1 卷，第 74 頁。

[225] *Echo*, 24 October 1896, p. 3, col. 5.

[226] *Daily Chronicle*, 24 Oct 1896, p. 5, co. 4.

[227] *Globe*, 24 October 1896, p. 4, col. 4.

[228] *Daily Mail*, 24 October 1896, p. 5, col. 4.

[229] *Daily Chronicle*, 24 October 1896, p. 5, col. 4.

[230] *Morning Leader*, 24 October 1896, p. 7, col. 2.

[231] *Sun*, 24 October 1896, p. 3, col. 1.

使他達到了「動心忍性，曾益其所不能」[232]的境界。眼睛是一個人的靈魂之窗，信焉。

四、「宰相為何救我？」

公使館正門人山人海，喬佛斯探長就領著孫逸仙與康德黎及外交部派來的特使從娓密夫街（Weymouth Street）、公使館的旁門離開。甫出公使館，即以第一時間喚來一部四輪馬車，就此絕塵而去，希望儘快返回蘇格蘭場銷差。[233]

逃出生天了！除了欣慰異常之外，愛動腦筋的孫中山不禁要問：「堂堂大英帝國的宰相為何要拯救一個卑不足道的香港華人？」君不見，設在香港公共憩息地方的長椅是不許華人坐下來的嗎？君不見，揮舞着手杖的香港英人可以隨意杖打當地華人？如果你膽敢抗議的話，你會被罰掉近半個月的工資！孫中山在香港中央書院唸書而寄居在喜嘉理牧師的宿舍時，那位天天為他燒飯的廚子之遭遇[234]還歷歷在目！

「宰相為何救我？難道他暗地贊同我的革命事業？」孫中山難免在想。

---

[232] 孟子、告子章句下，第十五章，載 James Legge (ed.), *The Chinese Classics* (Oxford: Clarendon Press, 1893), vs. 1 and 2, pp. 446-447.

[233] *Westminster Gazette*, 24 October 1896, p. 5, col. 1; Kidnapped in London, p. 99.

[234] Carl T. Smith, Chinese Christians, p. 91. 詳見本書第一章第三節。

筆者這種接近天馬行空的神遊冥想，[235]其來有自，而且是經過一番轉折的。初閱《國父年譜》，謂 1895 年 3 月 16 日孫中山在香港「舉行興中會幹部會議，議取廣州軍事策劃」時，「《德臣西報》主筆黎德亦來謁見，願為臂助」。[236]當時筆者直覺的反應是「存疑」。看其注釋，則所據為謝纘泰的《中華民國革命秘史》，心裡更是狐疑。蓋筆者考證過謝纘泰的寫作，覺得他吹噓的本領絲毫不亞於陳少白。[237]故多年求證，希望找到原始史料之如黎德本人的公私文書或日記等，惜皆不可得。但謝纘泰的另一句話給了筆者啟發。他說 1895 年 8 月 29 日興中會在香港再度會議，黎德答允盡力向英國政府及人民爭取其同情與助力。[238]黎德會通過甚麼渠道以達到他的目的？很明顯地，他可以在《德臣西報》發表社論而作這種呼籲。於是筆者就到香港向政府檔案處所存的 1895 年的《德臣西報》求證。果然有所斬獲。

筆者發覺，在謝纘泰所說的 1895 年 3 月 16 日「舉行興中會幹部會議」三天之前，《德臣西報》的社論已呼籲列強不要干涉一場快要來臨的革命。茲翻譯如下。首先，該文指出，中國傳統式的叛亂是枉然的：

> 中國的芸芸眾生，背負千年文明的包袱，有的是可悲的情

---

[235] 陳寅恪：〈馮友蘭中國哲學史上冊審查報告〉，《金明館叢稿二編》（上海：古籍出版社，1982），第 247 頁。

[236] 《國父年譜》（1985），上冊，第 75 頁。

[237] 見本章第二節。

[238] 《國父年譜》（1985），上冊，第 76 頁。

> 性。他們缺乏人類應有的果斷行動與優越的智慧以踏着先烈的屍體去實現他們的理想。他們對現存制度不滿的表達方式，不是同心同德地團結起來推翻那猛於虎的苛政，而是加入秘密會社尋求庇護……而那些秘密會社又是那麼散漫，以致他們數不清的舉義的企圖都以失敗告終。[239]

該社論馬上又鄭重宣稱說，據該社掌握到的情報，一群有組織、有頭腦、有理想、而又：

> 不屬於任何秘密會社的開明人士，為了改革中國政治制度，正準備採取不流血方式（如果那是可能的話）進行政變。他們改革黨（Reform Party）希望成立的政權是對外開放、歡迎西方文明和貿易的，一改目前那種閉關自守的作風。……他們的計劃值得支持，列強理應歡迎這種自發的、要求徹底改變中國政治制度的企圖。內戰、無可避免會擾亂貿易和帶來其他可怕的暫時困難。但是，若列強不付出這種代價，苛政猛於虎的局面將永遠不會改變，而中國廣大的市場也永遠不會獲得開放。[240]

英國以商立國。有甚麼比開放廣大中國市場更能打動英國朝野之心？准此，社論呼籲列強不要敵視這改革黨：

---

[239] Editorial, *China Mail*, 12 March 1895, p. 3, cols. 6-7: col. 6.

[240] Editorial, *China Mail*, 12 March 1895, p. 3, cols. 6-7.

> 我們希望，列強不要用過去對付太平天國的那種態度和手段來對待目前正在醞釀中的政變。太平天國諸王倒行逆施，充分證明當時英人戈登（Charles Gordon）之協助滿清政府鎮壓太平軍是做得對。但是，如果列強默許目前正在醞釀中的文明政變，則該政變肯定會成功！對於該政變的具體行動細節，我們還不太清楚。但有一點我們卻可以肯定地說，他們所草擬的憲法，是以西方模式作為基礎，並藉此作為溝通中國古代文明與當今世界的橋樑。[241]

列強為何要付出內戰所帶來暫時困難的代價？因為內戰所帶來的好處是長遠而巨大的，改革黨已擬就施政大綱：

> 公佈憲法：中央政府和地方政府的一切行為均依照這憲法辦事。徹底整頓司法制度：廢除嚴刑迫供，建立陪審員制度和辯護律師制度。以西方制度訓練文武官員。定期發俸，而薪俸必須高到能杜絕貪污納賄的行為。承認所有現存條約。承擔一切外債並繼續以海關盈餘作為該等債務的抵押。廢除釐金。[242]

一提到廢除釐金，該社論主筆馬上歡呼曰：

---

[241] Editorial, *China Mail*, 12 March 1895, p. 3, cols. 6-7: col. 7.

[242] Editorial, *China Mail*, 12 March 1895, p. 3, cols. 6-7: col. 7.

准此，在華貿易將馬上突飛猛漲，關稅的收入也滾滾而來，讓新政權完全有足夠的能力應付所有開支。因此，只要改革運動能發動起來，則成功可期。成功以後，就像日本和埃及一樣，中國必須聘請外國專家來指導各個政府部門的成立和運作，直到一切都上了軌道為止。接着大修鐵路，開發礦場。這一切都會為英國的企業家和資本家提供大展鴻圖的機會，以致我們長期以來夢寐以求的、可盼而不可達的「開放中國」的宿願，終於將會得到實踐。[243]

《德臣西報》這份英文報刊，是當時香港殖民地的主流大報。雖談不上是政府喉舌，但立場完全站在英國那邊，對殖民政府與英國利益極盡保駕護航之能事，卻是有目共睹的事實。孫中山亟欲得到英國政府默許其革命事業——至低限度不像過去對付太平軍那樣若明若暗地幫助清廷進行鎮壓，而一廂情願地認為該社論代表了英國政府的意圖，則毫不奇怪。

如果說，《德臣西報》只不過是一家之言，那麼在華的其他英語報章對時局的看法又如何？茲將當時《北京與天津時報》發表的一篇社論有關部分翻譯如下：

中國人民對官吏的貪污腐敗都非常清楚。……儘管是這個城市（北京）最高的大官，在本市民眾當中也是臭名昭彰。因為民眾心中都很清楚：正是這批貪官污吏的昏憒無能把他們

---

[243] Editorial, *China Mail*, 12 March 1895, p. 3, cols. 6-7: col. 7.

> 的國家弄到目前這個淒慘的地步。……朝廷四分五裂，軍隊是烏合之眾，飽受迫害的民眾只會發出無奈的哀鳴。中國的現狀真讓人絕望！難道在好幾億的中國人當中，就找不到幾位愛國者挺身出來振臂高呼說：「我們再也受不了！現在是決裂的時候了！」[244]

《上海信使報》一篇社論的有關部分也值得翻譯：

> 中國的廣大民眾是否永遠蹲在無知與黑暗當中而不吭一聲？是否永遠不會出現一位領袖來解放這大批可憐的、被壓迫得死去活來的貧苦大眾。我們相信，不，我們確信，這個陷人民於水深火熱之中的腐敗政府很快就會被打倒！[245]

上述兩篇社論，都在1895年3月15日被香港的《德臣西報》全文轉載了。當時在香港準備開興中會高層會議的孫中山看後，會得到這麼一個信息：即華北、華中、華南的三家英文大報都有一個共同看法，滿清政府已腐敗到無可救藥，必須推翻。其中的《德臣西報》更進一步說：據該報所掌握到的內幕消息，已有一個開明的改革黨正在密鑼緊鼓地準備起義，並因此而呼籲列強默許。[246]准此，

---

[244] Reprinted from the *Peking and Tientsin Times in the Hong Kong China Mail* and 'The Impending Revolution in China', 15 March 1895, p. 4, col. 3.

[245] Anon, 'The 'Impending Revolution in China', *China Mail*, 15 March 1895, p. 4, cols. 3-4: col. 3.

[246] Editorial, *China Mail*, 12 March 1895, p. 3, cols. 6-7: col. 7.

該報在轉載華北、華中兩家報社的社論時，還特別指出：由於該兩家報社對這內幕消息懵然不知而喟然嘆息。

把《德臣西報》1895 年 3 月 15 日的社論、與孫中山 1897 年 3 月 1 日在倫敦《雙週論壇》用英語發表的文章〈中國的現在和未來——改革黨呼籲英國善持中立〉[247]作比較，發覺兩篇文章的精神與論據如出一轍。用詞也雷同：例如用改革黨（Reform Party）這個詞來描述興中會這個組織，但說了說了，慢慢就用革命（revolution）這個詞來描述該會準備採取的行動等。同時並用「改革」與「革命」兩詞，表面上似乎是互相矛盾，但竊以為是經過深思熟慮的一種策略。因為，保守的英國人，一看到革命黨（revolutionary party）這個名詞，可能馬上就會產生反感。但若看到改革黨（Reform Party）這個名詞，會由衷地歡迎。因為他們都一致地認為，當時的中國實在需要改革。所以，從一開始就採用改革黨這個名詞，讓英國人先入為主地認為這是一個採取和平手段來改革中國的政黨，因而對它產生好感。然後慢慢地再說，在迫不得已的情況下，將不惜採取革命手段，以爭取英國人認可。因為當時的英國人對滿清朝廷的腐敗無能也實在忍無可忍。從上述三篇「各自為政」的獨立社論可知這種不滿的普遍性。

有人曾因為遲至 1895 年 3 月 16 日孫中山在香港舉行興中會幹部會議時《德臣西報》主筆黎德才允為臂助；[248]而該報在此三天前

---

[247] Sun Yatsen, 'China's Present and Future: The Reform Party's Plea for British Benevolent Neutrality', *Fortnightly Review* (New series), Vol. 61, No. 363 (1 March 1 1897), pp. 424-440.

[248] 《國父年譜》（1985），上冊，第 75 頁。

已發表社論支持革命，[249]而「感覺困惑」。[250]其實，這種現象好解釋。冰凍三尺，非一日之寒：黎德乃大報主筆，見多識廣，不會僅僅參加過興中會一次會議就允為臂助那麼冒失。肯定是孫中山和其他興中會的高層人士曾經對黎德做過耐心細緻的思想工作。很明顯，在 1895 年 3 月 16 日黎德出席興中會的會議之前，他已被爭取過來而早在三天前就刊登了那篇社論。[251]綜合上面分析，可知 1895 年孫中山在香港跟《德臣西報》的主筆黎德和香港英語輿論界混得較熟並已經爭取了他們的同情和支持。而「混熟」與「爭取」的媒介，正是孫中山的新盟友——輔仁文社，尤其是該社的秘書謝纘泰。關於這一點，筆者將在本書第四章會有進一步的探索，在此不贅。

《德臣西報》1895 年 3 月 12 日的社論刊出以後，各方反應如何？反應得最快的是香港本地的華人：香港街頭馬上謠言滿天飛，說在一兩天內就會爆發革命。於是《德臣西報》就藉 1895 年 3 月 16 日的社論澄清其事，說：「根據我們所掌握到的情報，我們可以肯定地說，雖然該改革黨組織起來已有幾個月，但舉義的時機還未成熟。主要原因是他們當中還沒有一位眾望所歸的領袖。這樣一位領袖的出現，恐怕要等到事發以後，誰表現得最有領導才幹，誰

---

[249] Editorial, *China Mail*, 12 March 1895, p. 3, cols. 6-7.

[250] 霍啟昌：〈幾種有關孫中山先生在香港策進革命的香港史料試析〉，載孫中山研究學會編：《回顧與展望：國內外孫中山研究述評》（北京：中華書局，1986），第 440-455 頁：其中第 452 頁。

[251] Editorial, *China Mail*, 12 March 1895, p. 3, cols. 6-7.

才會令其他人心悅誠服。」[252]這篇社論準確地反映了當時香港興中會的真實情況：例如該會成立才幾個月、孫中山所領導的興中會與楊衢雲所領導的輔仁文社合併後兩人爭當首領的事實等等。在在佐證了上段有關孫中山等與黎德混得很熟的「神遊冥想」。

在華的英人反應又如何？可以想像，在香港的英國人（包括香港政府的官員），會在茶餘飯後口頭跟黎德談論他們的看法，或寫信表達他們的意見。至於華中和華北的報章，也會轉載並發表評論，一如《德臣西報》曾轉載並評論過他們的社論一樣。從《德臣西報》很快地就在 1895 年 3 月 18 日發表第二篇有關社論，可見各方反應之迅速。從該第二篇社論的內容，可窺各方反應的性質。這第二篇社論很長，佔了兩欄半的篇幅（平常的社論只有半欄或一欄不到）。它首先用非常明確有力的語言痛陳中國時弊，並指出甲午之慘敗正是這些時弊的集中表現。中國是沒望了。當局者迷自然看不到這一點，但對於那些曾留過洋的、旁觀者改革黨（Reform Party）成員，就昭然若揭。[253]

那麼改革黨有何靈丹妙藥？「據本社所取得的該黨的救亡草案」：

> 在政制方面，他們不打算成立一個共和國。將來的中央政府將以一位君主（Emperor）為國家元首。……至於這位君主將會從過去那個朝代的後人當中挑選出來，則不是當前急務，

[252] Editorial, *China Mail*, 16 March 1895, p. 3, col. 7.

[253] Editorial, *China Mail*, 18 March 1895, p. 3, col. 6-8: col. 6.

> 留待將來再從長計議。……中央政府各部門則包括內政部、外交部、財政部、陸軍部、海軍部、最高法院、工務部、農業部、貿易部、警察部、和教育部。總的來說，是把西方的施政方法灌進現存的架構，用舊瓶新酒的辦法來適應中國國情。[254]

綜觀整個政治藍圖，皆英國君主立憲的翻版。可以想像，該報第一篇社論提到的所謂改革黨推翻滿清，已引起一些英人讀者的不安；怕該革命黨是以改革為名革命為實。推翻滿清王室不利於英國立憲體制的穩定。法國大革命曾引起英國與歐洲其他王朝聯手對付歐洲革命派，英人心理可見一斑。竊以為黎德被邀請參加 1895 年 3 月 16 日興中會高層會議，目的很可能是共同商議如何回應 1895 年 3 月 12 日社論所引起的反彈，而 1895 年 3 月 18 日的社論，正是該高層會議商量對策的結果。

1895 年 3 月 18 日的社論繼續說：

> 特別值得一提的是該改革黨所提出對司法制度的改革。眾所週知，中國的司法制度真是糟糕透頂，其最大的污點是對證人和嫌疑犯嚴刑迫供……（改革黨認為）判刑必須符合人道與文明的標準；監獄必須徹底改革；法制必須為原告與被告都

---

[254] Editorial, *China Mail*, 18 March 1895, p. 3, col. 6-8: col. 6.

> 提供辯護律師的服務；陪審員制度必須確立。[255]

這段社論嚴厲批評中國嚴刑迫供的惡習，與孫中山後來在 1897 年 7 月 1 日於倫敦的《東亞》雜誌所發表的論文〈中國法制改革〉[256]互相呼應。又一次佐證了本章上一段的神遊冥想，即 1895 年 3 月 16 日興中會高層會議曾商議如何回應 1895 年 3 月 12 日社論所引起的反彈。准此，容筆者進一步推論：孫中山通過這次會議而更深切認識到英國人對中國時局的看法。該社論在結尾時說，若改革黨能：

> 成功地改變現狀，在外國顧問的協助下按照現代的標準重新組織一個新政府……滿清政權將會從地球上消失後，而那可笑的、作為臣服於滿清統治象徵的辮子，也會隨風而逝……只要中國人能向全世界證明他們有誠意建立一個不再是壓迫和愚民的政府，列強將會承認並全力支持這個新政權。

孫中山在 1895 年 3 月 16 日興中會高層會議上先聽到了黎德這番高論，後來又在《德臣西報》1895 年 3 月 18 日的社論中透過白紙黑字地看到了相同的觀點，寧不歡欣鼓舞！其後在 1896 年 10 月 23 日，孫中山目睹英相沙侯所派特使帶了宰相手令，命滿清駐英公使

---

[255] Editorial, *China Mail*, 18 March 1895, p. 3, col. 6-8: col. 7.

[256] Sun Yatsen, 'Judicial Reform in China', *East Asia* (July 1897), v. 1, no. 1, pp. 3-13.

襲照瑗立刻釋放他，孫中山怎能不一廂情願地認為英相之救他一命，是暗示英國政府會默許他繼續革命推翻滿清？孫中山的思想感情，再一次回到革命的路上了！這就是為何筆者說，英國政府既拯救了他的性命，也間接地挽救了他的革命事業。

第四章
造就領袖 1896-1897[1]

[1] 本章內容，昇華了筆者目前正在撰寫的《倫敦與中國革命——三民主義探源》的部份研究成果。該研究項目曾在 1996 年獲蔣經國國際交流基金會補助研究經費 25,000 美元，特此再致謝意。

圖七

圖八

孫中山出生的地方，酷似圖七顯示之泥磚屋： 寬 4 米，高度與鄰居下戶陳添的屋一樣，但稍長。父親孫達成佃來瘦田二畝半耕種，晚上還得給村中打更。孫中山乃兄孫眉要到檀香山當苦力。孫中山童年無錢上學，要等到 10 歲、乃兄孫眉在檀香山稍有收入而匯款回家時才得上農村私塾 。由於出生在貧窮的農村家庭，家境困苦，所以孫中山特別注意民生問題，對農業尤感興趣。到了倫敦，參觀自然博物館（見圖八）時，再回顧家鄉貧困，會有甚麼感想？難怪他自稱其民生主義產生於倫敦矣。

採自張國雄等（編）：《老房子：開平碉樓與民居》（南京：江蘇美術出版社，2002），第 228 圖。

中山故居博物館前館長李伯新先生曾所過耐心細緻的調查工作，見其《孫中山史跡憶訪錄》中山文史第 38 輯（中國人民政治協商會議廣東省中山市委員會文史學習委員會，1996），尤其是第 8、20、27、59、61、66、74、77、78、145、146 頁。

孫中山：〈建國方略——孫文學說第八章「有志竟成」〉，《國父全集》（1989），第 1 冊，第 412 頁第 8-9 行。

上章提到，倫敦蒙難，英國政府不但拯救了孫中山的性命，還挽救了他的革命事業。本章則進一步探索另一個相關問題：英國政府和英國的一些人士為他創造了一個革命事業不容或缺的條件——革命領袖的英雄形象。

> 他們當中還沒有一位眾望所歸的領袖。這樣一位領袖的出現，恐怕要等到事發以後，誰表現得最有領導才幹，誰才會令其他人心悅誠服。❺

這是《德臣西報》主筆黎德參加過興中會高層會議後，1895 年 3 月 16 日在社論中說的話。該高層會議作出了廣州起義的決定。黎德這句話，在本書第三章已引述過了。現在舊話重提，是希望藉此作為引子，承上繼下，探討孫中山倫敦脫險時他是怎生一個領袖？

上面黎德的話，反映出他當時已經察覺到興中會高層中，孫中山和楊衢雲爭當首領的事實。如果連外人也看出來的話，矛盾已相當表面化了。中國的傳統歷史，都是傾向於褒孫貶楊。無他，孫派後來得勢，掌握了政權，有系統地編輯了《革命文獻》等重要史籍，史家稱便。但毛病也就出在這裡，學者可以利用的資料，以孫派人士如陳少白、馮自由、鄒魯、鄧慕韓等所提供的敘述佔大多數，而代表楊派的似乎只有謝纘泰用英語撰寫的《中華民國革命秘史》一枝獨秀。這種情況所造成的結果，當然不利於我們了解歷史

---

❺ Editorial, *China Mail*, 16 March 1895, p. 3, col. 7.

真貌。准此，筆者希望就孫中山從一開始到倫敦蒙難這段時間，全盤探索孫中山的威信。

一、倫敦蒙難前孫中山的威信

孫中山首嚐首領的滋味，勉強可以說是他在香港西醫學院時代那沒有任何正規組織的「四大寇」中突出的一員。四大寇的出現，有待 1890 年 1 月孫中山介紹陳少白到該學院唸書才開始。陳少白實齡比孫中山小三歲，原在廣州英華學堂就讀。一天有事到香港去，承廣州的區鳳墀宣道師函介、香港王煜初牧師引見，認識了孫中山。兩人一見如故，遂由孫中山介紹他進入西醫學院唸書。❻此後更為相得，結拜為兄弟。以陳少白實齡小三歲，故孫中山以弟稱之。❼兩人後來又與孫中山的舊識、香港楊耀記商號的少東楊鶴齡，❽和孫中山的另一舊識、香港華民政務司署書記尤列❾交好。四人常在楊耀記商店內高談討滿造反，該店店伙聞之，遂稱之為四大寇，蓋時人輒稱造反作亂者為寇也。❿四人當中以孫中山最為突出：他是香港中央書院科班出身，當時香港最高學府西醫學院的高

❻ 陳少白：〈興中會革命史要〉（南京，1935），收入柴德賡編：《辛亥革命》第 1 冊，第 21-75 頁：其中第 25 頁。

❼ 馮自由：《革命逸史》（北京：中華書局，1981），第一集，第 3 頁。以後所據，皆此版本。

❽ 馮自由：《革命逸史》（1981），第一集，第 8 頁。

❾ 馮自由：《革命逸史》（1981），第一集，第 26 頁。

❿ 馮自由：《革命逸史》（1981），第一集，第 26 頁。

才生，早年又留過洋。若他儼然以首寇自居，則毫不奇怪。而後來孫中山與楊衢雲爭當合併後的香港興中會首領時，陳少白、尤列與楊鶴齡之堅決支持孫中山，亦可為佐證。

作為四大寇之一，當時孫中山在這方面的聲譽和地位如何？有人寫道：「他在倫敦蒙難前，早就已經是名滿天下的四大寇之一。」⓫名滿天下？國民黨老黨員馮自由在 1939 年⓬僅僅說過是楊耀記商店的店伙如此稱呼他們。怎麼到了 1991 年就被認為四大寇在 1890 年代「已經是名滿天下」？難道楊耀記商店就是天下？這種說法，在以嚴謹著稱的香港《信報》刊刻，⓭讓人吃驚。而《國父年譜》又刻曰：孫中山「與同學楊鶴齡、陳少白、尤列……等接近，而與陳、楊、尤三位朝夕往還……時人咸以『四大寇』呼之。」⓮在這裡，楊、尤又被說成是孫中山在西醫學院的同學。證諸羅香林先生據西醫學院原始文獻成書的《國父之大學時代》，⓯則楊、尤從未在該院列席。查《國父年譜》所據乃《廣東文物》和簡又文所引關景良語。是關景良記憶錯誤還是其他人等為了抬高四大寇的身份而把楊、尤都說成是大學生？儘管都是大學生——而楊、尤也的確常到孫、陳唸書的雅麗氏醫院與他們一起談論時事並

⓫ 孫述憲的書評，香港《信報》，1991 年 9 月 7 日。

⓬ 馮自由的《革命逸史》（1981）初版在 1939 年由商務印書館在長沙發行。

⓭ 孫述憲的書評，香港《信報》，1991 年 9 月 7 日。

⓮ 《國父年譜》（1985），上冊，第 51 頁。

⓯ 羅香林：《國父之大學時代》（重慶：獨立出版社，1946），第 45-46 頁。

曾拍照⑯——則「四位年輕人，在剛成立的香港西醫學院發些牢騷，他們的言行影響所及，恐怕都不超出當時只有十來人的學生團體，怎會因此就名滿天下？讓執教至今兩鬢如霜的筆者閱後，也不禁莞爾。」⑰

1894 年 11 月，孫中山再度赴檀香山，運動華僑支持革命。經過一番努力，覓得支持者二十餘人，終於在 1894 年 11 月 24 日舉行會議，由孫中山主持，成立一個名為興中會的革命團體。議定會章後，即按章推舉職員。選出劉祥、何寬為正副主席，黃華恢為司庫，程蔚南、許直臣為正副文案等等。⑱孫中山自己則不居任何職位，理由很簡單：他要回國搞革命，居任何職位都等於白費。偏偏有學者說孫中山當選了該會會長。⑲看來該學者是把主持興中會成立大會的主席孫中山誤作該會成立後選出來的會長。

從檀香山回到香港，孫中山着手組織興中會香港總部。檀香山興中會無形中就變成分部了。既然分部都有會章，並按章推舉出各職員。那麼總部肯定也應有會章並按此選舉各職員。偏偏《國父年譜》對此就語焉不詳。只云：「先生自檀香山歸抵香港後，即召集舊友陸皓東、鄭士良、陳少白、楊鶴齡、區鳳墀等創設興中會總部。」並勸輔仁文社「併入興中會，楊衢雲欣然應諾。陸續締盟者

---

⑯ 《國父年譜》（1985），上冊，第 52 頁。

⑰ 見拙著《孫中山倫敦蒙難真相：從未披露的史實》（臺北：聯經，1998），第 238 頁。

⑱ 馮自由：《革命逸史》（1981），第四集，第 3 頁。

⑲ Mary Chan Man-yue, 'Chinese Revolutionaries in Hong Kong, 1895-1911' (M.A. thesis, University of Hong Kong, 1963), p. 49.

還有謝纘泰、黃詠商……朱貴全、丘四等數十人。」[20]此段內容引人入勝，所謂「陸續締盟者」，其實全是輔仁文社的會員。[21]語氣更值得商榷，因爲它暗示孫中山乃當然會長，楊衢雲等只不過加盟而已。但光是這段引文已讓人覺得雙方人數對比懸殊。孫派只是在四大寇的基礎上加上陸皓東、鄭士良。至於區鳳墀，則筆者在本書第二章已考證出他當時不在香港而在廣州河南地區當宣道師。只是由於後來廣州起義失敗以後才逃往香港定居並長期在那兒居住，以致馮自由誤認他一直住在香港而已。故筆者反覆核算，孫派只得六個人左右，而輔仁文社方面就有數十人。[22]單從人數上看，與其說是輔仁文社被納入興中會，倒不如說是興中會被納入輔仁文社，更為準確。只是雙方都同意合併後的組織仍以興中會命名，以致給人的假象是輔仁文社被納入了興中會。

從社會地位來說，輔仁文社的會員在香港都是很有社會基礎的人。社長楊衢雲，香港出生，「幼時偏重英國文」[23]，成長後任教

---

[20] 《國父年譜》（1985），上冊，第 73 頁。

[21] Tse Tsan Tai, *The Chinese Republic: The Secret History of the Revolution* (Hong Kong, 1924), pp. 7-8.

[22] 吳倫霓霞認為，輔仁文社社眾之參加興中會者，惟楊衢雲、謝纘泰、周昭岳三人。見吳倫霓霞：〈孫中山早期革命運動與香港〉，《孫中山研究論叢》第三集（廣州：中山大學，1985），第 67-78 頁：其中第 73 頁。但吳倫霓霞沒提供出處，不知所據為何？鑑於她曾參閱過 Mary Chan Man-yue, 'Chinese Revolutionaries in Hong Kong, 1895-1911' (M.A. thesis, University of Hong Kong, 1963)，故筆者追閱該碩士論文，則所說雷同，但同樣沒註明出處。皆以訛傳訛？

[23] 陳少白：〈興中會革命史別錄——楊衢雲之略史〉，轉載於《中國近代史資料叢刊——辛亥革命》（上海：上海人民出版社，1981），第 1 冊，第 76 頁。

於香港一家著名中學名叫聖若瑟書院（St Joseph's College）。㉔後入香港具國際規模的沙宣洋行（David Sassoon and Sons Company）任書記。生活優裕，惟痛時艱，恆集友論國是與救亡之策，㉕1892年3月13日組織輔仁文社，眾推為社長。並推謝纘泰為秘書。謝纘泰，澳洲雪梨出生。七歲受洗入基督教。在卦拉夫敦中學（Grafton High School）唸書到十五歲回香港，在香港中央書院完成學業後，加入香港政府的工務局當書記。㉖本書第二章所提到的那位賣掉了祖產香港蘇杭街洋樓一所，得資八千，支持廣州乙未起義㉗的黃詠商者，也是輔仁文社的會員。㉘其他社友，有名字可考者十人，其中七人是中央書院畢業生，兩名是聖保羅書院（St Paul's College）畢業生。最後一名是聖若瑟書院畢業生。㉙可見皆為香港年輕一代受過現代西方教育的本地精英。他們畢業後或在政府機關任事，或當

㉔ Hsueh Chun-tu, 'Sun Yat-sen, Yang Chu-yun, and the Early Revolutionary Movement in China', *Journal of Asian Studies*, v. 19, no. 3 (May 1960), pp. 307-318: p. 307, quoting 佚名：《楊衢雲略史》（香港，1927）。

㉕ Mary Chan Man-yue, 'Chinese Revolutionaries in Hong Kong, 1895-1911' (M.A. thesis, University of Hong Kong, 1963), p.

㉖ For a biography of Tse Tsan-tai, see Chesney Duncan, *Tse Tsan-tai: His Political and Journalist Career* (London, 1917).

㉗ 馮自由：《革命逸史》（北京：中華書局，1981），初集，第6頁。

㉘ Tse Tsan Tai, *The Chinese Republic: The Secret History of the Revolution* (Hong Kong, 1924), pp. 7-8。同見鄒魯：《中國國民黨史稿》（上海，商務印書館 1947），第14頁。

㉙ 吳倫霓霞：〈孫中山早期革命運動與香港〉，《孫中山研究論叢》第三集（廣州：中山大學，1985），第67-78頁：其中第72-73頁。所據乃香港皇仁書院校刊《黃龍報》，但未列期號與頁數，故有待查核。

洋行買辦，或留校教書。㉚更難得的是：他們沒有被英國殖民地教育所奴化，反而是非常關心國家前途。輔仁文社的座右銘是 *Ducit Amor Patriae*（「盡心愛國」）。㉛用拉丁文作座右銘，教養與西化的程度可見一斑。輔仁文社是香港第一個愛國團體，經常聚會討論國是。這些活動是不能見容於香港殖民政府與滿清政權的。為了避免英、滿雙方密探的干預，故取名文社，採其舞文弄墨、政治上無傷大雅之意。又雖有社址，但聚會則分在各社友的辦公室不定期舉行，同樣是為了避人耳目。㉜

由於他們的聚會屬秘密性質，似乎沒有保存會議記錄，也似乎未曾有系統地登記會員名單。故我們對他們所知甚少。後來又冒出個朱貴全和丘四。㉝據香港警探掌握到的材料，「朱賀（音譯，指朱貴全），多年以來是香港某船的合夥人」。㉞他與楊衢雲認識，可能是通過業務關係，因為楊衢雲是「招商局總書記，及新沙宣洋行

㉚ 吳倫霓霞：〈孫中山早期革命運動與香港〉，《孫中山研究論叢》第三集（廣州：中山大學，1985），第 67-78 頁：其中第 72-73 頁。所據乃香港皇仁書院校刊《黃龍報》，但未列期號與頁數，故有待查核。

㉛ Tse Tsan Tai, *The Chinese Republic: Secret History of the Revolution*, p. 8.

㉜ Mary Chan Man-yue, 'Chinese Revolutionaries in Hong Kong, 1895-1911', M.A. thesis, University of Hong Kong, 1963, pp. 36-37.

㉝ 馮自由：〈香港興中會總部與起義計劃〉，載馮自由：《革命逸史》（1981），第 4 集，第 8 頁。

㉞ 'Chu Ho was for some years a ship's partner in Hongkong'. Memorandum by the Acting Assistant Colonial Secretary F. J. Badeley on the Canton Uprising of October 1895, enclosed in Robinson to Chamberlain, 11 March 1896, CO129/271, pp. 437-447: here, p. 445, paragraph 15(2).

副總經理」。㉟香港警方的材料又說，朱貴全「曾經當過虎門砲臺程將軍（音譯）麾下一名把總之流的軍官」，㊱又是香港的會黨中人。㊲而楊衢雲「為人仁厚和藹，任俠好義，尤富於國家思想。嘗習拳勇，見國人之受外人欺凌者，輒抱不平。」㊳這些素質，都是曾當過軍人而同時又是會黨中人的朱貴全所仰慕的。難怪朱貴全也參加了輔仁文社。

但筆者發覺，當時在香港有另一批有識之士，卻可以對中國時局暢所欲言。他們就是英國人圈子的輿論界。類似下面一篇《德臣西報》社論的看法，經常在香港的英文報章出現。該社論一開始就痛陳時弊：

> 對於中國那種無窮無盡的痛苦、無休無止的社會動亂、滿清的專制與行政的紊亂、廣大民眾那慘不忍睹的貧窮與那官僚之貪污腐敗，中國傳統的讀書人都視若無睹而不去改變這不合理的制度。究其原因，是因為這個制度符合傳統讀書人的

㉟ 馮自由：〈楊衢雲事略〉，載馮自由：《革命逸史》（1981），初集，第4頁。

㊱ 'Chu Ho was for some years a ship's partner in Hongkong'. Memorandum by the Acting Assistant Colonial Secretary F. J. Badeley on the Canton Uprising of October 1895, enclosed in Robinson to Chamberlain, 11 March 1896, CO129/271, pp. 437-447: here, p. 445, paragraph 15(2).

㊲ Memorandum by the Acting Assistant Colonial Secretary F. J. Badeley on the Canton Uprising of October 1895, enclosed in Robinson to Chamberlain, 11 March 1896, CO129/271, pp. 437-447: at pp. 441-443.

㊳ 馮自由：〈楊衢雲事略〉，載馮自由：《革命逸史》（1981），初集，第4頁。

利益。㊴

這段社論，讓筆者聯想到輔仁文社。該社社眾都是在香港受教育，英語甚佳。成長後又在香港政府或洋行任職，天天與洋人打交道，看的又是英語報章——楊衢雲「幼時偏重英國文」㊵而謝纘泰更好為文「登諸英文日報」。㊶——上述那段社論，不正是輔仁學社社眾想說但又不敢公開說的話？他們對於香港英文報章的有關觀點，會不會感到越來越親切？該社論繼續說，時代不同了，中國正出現一線曙光：

> 有一批新型的知識份子出現了。由於他們長期與外國人生活在一起，所以見識與眾不同。更由於他們不是現存制度的既得利益者，所以他們不會像傳統知識份子那樣埋沒良心地只顧自己士途而不管貧苦大眾的死活。中國之亟需改革，是任何稍具頭腦而又能獨立思考的人都能看得出來的。問題是，中國要等到現在，才出現一批敢於提出改革的人。㊷

㊴ Editorial, *China Mail*, 14 October 1895, p. 3 col. 6.

㊵ 陳少白：〈興中會革命史別錄——楊衢雲之略史〉，轉載於《中國近代史資料叢刊——辛亥革命》（上海：上海人民出版社，1981），第 1 冊，第 76 頁。

㊶ 陳少白：〈興中會革命史別錄——楊衢雲之略史〉，轉載於《中國近代史資料叢刊——辛亥革命》（上海：上海人民出版社，1981），第 1 冊，第 77 頁。

㊷ Editorial, *China Mail*, 14 October 1895, p. 3 col. 6.

這段社論，讓筆者再次聯想到輔仁文社的社眾。該社論的主筆從何得悉香港已出現了一批矢志改革中國的新型知識份子？竊以為個別社眾，天天與洋人打交道，建立了良好私交，就毫不奇怪。茶餘飯後，與洋朋友談及香港英文報章的觀點，也屬意料中事。甚至有個別社眾諸如在澳洲出生的謝纘泰，寫信給主筆表示贊同社論的觀點，也最為自然不過。慢慢地雙方建立了深厚友誼，更有經典可尋：《德臣西報》（*China Mail*）的主筆黎德（Thomas H. Reid）後來回到英國以後，還寫信給謝纘泰說：「……當在華和在遠東地區的其他報章皆視閣下之改革運動如蛇蝎之時，鄙人帶頭在《德臣西報》公開表示支持，至今仍以為榮為幸。」[43]《士蔑西報》（*Hong Kong Telegraph*）的主筆鄧勤（Chesney Duncan），後來更為謝纘泰豎碑立傳：他在 1917 年於倫敦出版了一本題為《謝纘泰的政治與記者生涯》。[44]

筆者初閱《國父年譜》曰：「（1895 年 3 月 16 日），舉行興中會幹部會議，議決攻取廣州……《德臣西報》主筆黎德亦來謁見，願為臂助。」[45]當時就大為不解。《德臣西報》主筆英人黎德在 1895 年英屬殖民地香港的地位何等尊貴！孫中山與他沒有交情，而以孫中山於 1895 年在香港的聲譽和地位來說，絕對請不到黎德出席會議，更何來謁見！現在筆者明白了：很可能是黎德鑑於他與

---

[43] Thomas Reid to Tse Tsan-tai, 9 October 1912, quoted in Tse Tsan-tai, *The Chinese Republic – Secret History of the Revolution* (Hong Kong, 1924), p. 33.

[44] Chesney Duncan, *Tse Tsan-tai: His Political and Journalist Career* (London, 1917).

[45] 《國父年譜》（1985），上冊，第 75 頁。

謝纘泰的交情，才應謝之邀出席了會議，並願為臂助。《國父年譜》的編者為了提高孫中山的身價，用詞方面誇大了一些。

准此，本節前半部所提出的問題就迎刃而解：1895 年 2 月 21 日，在香港成立的興中會總部，似乎不是《國父年譜》所說的興中會（其實就是四大寇加鄭士良和陸皓東等寥寥數人）「將輔仁文社併入」。[46]而是身為地頭蛇的輔仁文社把四大寇等吞了，儘管合併後會名還仍稱興中會。看來合併後雙方爭當主導，相持不下之餘，選舉會長（按興中會章程稱會長為總辦）的事情就一推再延。[47]直到 1895 年 10 月 10 日，「眾以發難在即，始投票選舉會長」。[48]這個會長（總辦），不光是區區一個興中會的會長，而是起事若成功後合眾政府的當然大總統。[49]「楊衢雲堅欲得總統，嘗親對總理言，謂非此不足以號召中外」。[50]竊以為楊衢雲此言，道出了當時實際情況：地頭蛇他有一窩，具影響力的外國朋友他也有不少，甚至香港兩大英文報章的主筆都是他的支持者。相形之下，孫中山雖然曾在

---

[46] 《國父年譜》（1985），上冊，第 73 頁。

[47] 有云 1895 年 2 月 21 日「召開興中會成立會，推黃詠商為臨時主席」。見《孫中山年譜長編》，上冊，第 73 頁。所據乃馮自由：《革命逸史》（1981），第四集，第 8-9 頁及初集第 6 頁。查《革命逸史》（1981）則沒提此事，讓人費解。但無論如何，竊以為所謂臨時主席，似乎應該是主持該成立會的主席，而不是合併後的、新的興中會的會長。

[48] 馮自由：〈香港興中會總部與起義計劃〉，載馮自由《革命逸史》（1981），第四集，第 9 頁。

[49] 馮自由：〈香港興中會總部與起義計劃〉，載馮自由《革命逸史》（1981），第四集，第 9 頁。

[50] 馮自由：〈鄭士良事略〉，載馮自由《革命逸史》（1981），初集，第 24 頁。

香港讀過書，但在香港沒有任何社會基礎。陳少白則連西醫學院的課程也沒唸完就退學。鄭士良在內地做事，陸皓東任職於上海等等。至於外援，孫中山的恩師康德黎還被蒙在鼓裡！所以，無論從甚麼角度看，孫派都是勢孤力單。

但楊衢雲之言近乎盛氣凌人，難怪鄭士良聽了孫中山複述楊衢雲的話以後，就嚷著要把他宰了。[51]鄭士良這種表達不滿的方式，充分表現出會黨人士的本色，也反映了當時存在於某些革命黨人中的一個嚴重問題：他們要推翻滿清，但他們本身的意識型態，則仍是非常陳舊的。試想，按現代民主程序，所有公民都有權公開競選，那有某候選人的支持者竟要手刃競選對手那樣駭人聽聞！鄭士良這種思想，與後來袁世凱之派人暗殺那位有意競逐國務總理的宋教仁之獨裁思想又有甚麼分別？

孫中山嚴誡鄭士良別妄動，證明孫中山當時已接受了現代的民主思想。孫中山由於聽了楊衢雲的話而甚至退出競選，則與他後來在辛亥革命成功後把臨時大總統的位置辭掉，並推薦袁世凱給國民大會選舉為總統的行動是一致的。竊以為孫中山這前後兩次的做法，既反映了他無私的崇高品德：他搞革命不是為了個人名位而是為了拯救中國。也反映了他有認識現實的聰明和接受現實的勇氣：實力不如人，蠻幹就既誤事而又誤人誤己。

陳少白對這次興中會競選會長的記述反映出類似鄭士良的陳舊閉塞思想。他說，選舉結果，孫中山得勝。但後來楊衢雲對孫中山

---

[51] 馮自由：〈鄭士良事略〉，載馮自由《革命逸史》（1981），初集，第24頁。

說，讓他暫時先當這個總統，以利指揮，待革命成功後再把位置還給孫中山。孫中山聽後很傷心，對陳少白和鄭士良說，還未行動已爭權奪利。鄭士良聽後大怒，吵着要把楊衢雲宰了。[52]竊以為陳少白這段記述同樣是虛構故事。孫中山沒當上會長，陳少白就勉強說成是先當後讓。而在虛構故事的過程中，又把自己的封建思想暴露無遺：在民主法治社會，當選人如果不願意幹下去，只能辭職，讓選民另選賢能而絕對不能把位置私相授受。陳少白可能把興中會的章程也沒好好閱讀，或一知半解，或打心裡不願意接受。

無論怎樣，筆者在本節最關心的問題是：孫中山曾正式當過甚麼組織的領袖？答案是沒有。他既不是檀香山興中會的會長，也不是興中會香港總會的會長。倒是在廣州起義的分工中他負責在廣州指揮具體行動。後果怎樣？未舉先敗。《德臣西報》在 1895 年 11 月 2 日刊登了一篇說是該報駐廣州記者發來的報導，極其尖銳地批評了孫中山，說：

> 見過他的人，對他愛國的誠意都表示懷疑。所有認識他的人，對於這個考慮得如此周詳卻土崩瓦解得如此荒唐的密謀，都絲毫不會感到奇怪。在他的香港同志們到達廣州之前的 20 個小時，他已經逃之夭夭，這算是甚麼首領？但由於他的頭顱已經不保，這對於他的追隨者和朋友來說，是個大

---

[52] 陳少白：《興中會革命史要》（南京，1935），收入柴德賡等編，《辛亥革命》（上海，1957，1981），第 1 冊，第 30-31 頁。

解脫，因為他再沒法去纏他們了。[53]

這篇報導有兩個問題值得注意：第一、該記者怎會知道密謀曾被考慮得非常周詳？第二、該記者怎會知道孫中山在「決死隊」抵達廣州之前20小時已離開？下面分別探索這兩個問題。

第一、該記者怎會知道密謀曾被考慮得非常周詳？看來興中會高層早把密謀告訴了《德臣西報》的總編輯黎德。蓋1895年10月27日陸皓東等在廣州被捕的消息傳到香港後，黎德就在10月28日寫了一篇社論，在29日刊登：

> 超過六個月以前，我們已經暗示在華南將會發生一場起義。經過一番調查，我們得悉起義細節，但當時不便公諸於世。打這以後，起義的準備工作一直在密鑼緊鼓地進行，計劃考慮得非常周詳。由於事屬機密，雖然我們知道了也覺得有必要守口如瓶。現在密謀敗露了，我們鑑於有些報導錯誤百出而誤導公眾，因此我們有責任撰文澄清。[54]

澄清些甚麼呢？廣州起義者不是專門搶掠外國人的土匪。相反地，他們是一批接受了現代文明而矢志拯民於水火的愛國主義者。他們的：

---

[53] From our Own Correspondent, 'The Situation at Canton', *China Mail*, 2 November 1895, p. 4, col. 5.

[54] Editorial, *China Mail*, 29 October 1895, p. 3 cols. 6-7: col. 6.

> 第一步、是爭取外國援助。他們認識到，過去太平天國招攬了不少外國鋌而走險之輩，徒增麻煩。三年前長江哥老會舉義時招攬到的外國人的質素稍微好一點。至於目前參與廣州起義的外國人的質素，我們決定暫時保持緘默。
>
> 第二步、一旦挑選了他們認為值得信任的外國朋友，就放手讓他們幹。為甚麼？因為他們覺得沒法信賴自己人。這次廣州起義，未舉先敗，正是由於他們當中的一位表面似乎絕對可靠的重要成員，把他所知道的一切，向政府和盤托出。[55]

這位和盤托出的人，正是起草討滿檄文的朱淇。但告密的人卻是朱淇的兄長朱湘冒朱淇之名為之以求自保。朱淇在嚴刑之下供出了密謀細節，導致陸皓東等在 10 月 27 日被捕和 28 日朱貴全等在保安號抵達廣州時被逮住。[56]可以想像，黎德通過穗府審訊公佈而得悉秘密由朱淇而洩，但無法知道始作俑者乃朱湘。至於黎德說革命黨人互不信任，可能是他個人觀察的結果。若他觀察是準確的，則當時孫、楊兩派的明爭暗鬥，可能比我們所知道的嚴重得多。革命事業，荊棘滿途，信焉。黎德繼續說，起義者的：

> 第三步、是嚴明革命隊伍的紀律。無論在世界任何地方，當大批長期遭受貧窮痛苦折磨的人群起造反時，他們要攻擊的第一個目標就是富人。在他們的眼中，在中國的外國人通通

[55] Editorial, *China Mail*, 29 October 1895, p. 3 cols. 6-7: col. 6.

[56] 見本書第一章第九節。

都是富得不得了……以致謠言滿天飛，紛紛謂廣州起義的矛頭是指向外國租界！我們可以斷言，革命派絕對沒有這種想法。相反地，他們起義計劃中的一個重要部署，就是派兵團團把租界保護起來。[57]

那麼，起義計劃的整個部署又如何？黎德說，既然現在廣州當局肯定已從供詞中得悉密謀細節，若《德臣西報》把該報早已知道的「整個作戰計劃公諸於世，也不會對這個愛國運動造成任何傷害。」所以他繼續說：

在中國，用突襲的方式奪取一個城市，易如反掌。駐軍一般手中都沒有武器。市民若遇到什麼騷亂都馬上跑回家裡關門大吉而不會協助政府平亂。武器與人馬都隨時可以偷運進城藏起來。訊號一發，萬軍齊動，那手無寸鐵的駐軍是不堪一擊的。奪取廣州城後，馬上成立一個臨時政府，沒收那些貪官污吏平常搜括得來的大量民脂民膏，用來購買軍火和聘請外國專家訓練一支現代化的軍隊。廣州臨時政府一站穩腳步，即號召其他城市起來造反。滿清寡不敵眾，肯定要垮臺。[58]

從這篇社論看，黎德對於廣州起義的計劃知道的的確不少。那麼，

---

[57] Editorial, *China Mail*, 29 October 1895, p. 3 cols. 6-7.

[58] Editorial, *China Mail*, 29 October 1895, p. 3 col. 7.

要回答上面《德臣西報》記者從廣州發出的報導所引起的第一個問題，即該記者怎會知道密謀曾被考慮得非常周詳？則有兩個可能性：要麼是黎德把他自己早已掌握到的內幕消息告訴了該記者；要麼是黎德並沒告訴他，而是收到他的報導後自己加進這句話。至於兩個可能性之中那個較高，則視乎我們對該報導所引發的第二個問題的探索結果。該問題是：

第二、該記者怎會知道孫中山在「決死隊」抵達廣州之前 20 小時已離開？答案是有兩個可能性：要麼是該記者偵知；要麼是黎德自己得知而把這消息加進去。1895 年 10 月 27 日孫中山之離開廣州，並非是坐一般客輪而是秘密僱了一隻小汽船悄悄離開。如果說，把碼頭擠得密密麻麻的官府密探也偵不出的秘密，卻被洋記者偵破了，讓人難以置信。另一方面，孫中山所僱的專用小汽船到達香山的唐家灣後，他改採別的交通工具轉澳門然後再轉香港，29 日到達香港。[59]可以想像，他甫抵香港很可能就找楊衢雲、謝纘泰等熟商。楊、謝從而知道孫中山離穗時間。他們也可以從而估計到、28 日清晨 6 時抵穗的「決死隊」員與領隊朱貴全等，由於「沒人接貨」已經遭殃！孫、楊兩派互相埋怨之餘，謝纘泰就把這事情告訴他的好朋友黎德。黎德生氣之餘，藉廣州發來的報導加鹽添醋地把孫中山痛罵一頓，也不是絕對不可能的事。

但是，按照筆者幾十年來對英國人辦事方式的認識，則以為黎德以總編輯的身份而擅自把自己的意思強加在記者的頭上，是不可

---

[59] 《孫中山年譜長編》，上冊，第 94-95 頁。《國父年譜》（1985），上冊，第 80-81 頁。

思議的。因此，竊以為還有另一個可能性：即黎德鑑於該項消息來自他的好友謝纘泰，就讓謝纘泰寫了那篇報導，並假該報駐廣州記者（不具名）之名義發表。筆者作如是想，是基於兩個因素：第一、謝纘泰完全有資格寫出一個「考慮周詳的密謀」，和孫中山「在他的香港同志們到達廣州之前的 20 個小時已經逃之夭夭」的話。⑩第二、若把該篇報導的語氣、用詞、態度等等，與謝纘泰用英文撰寫的《中華民國革命秘史》⑪比較，則如出一轍。所以，竊以為可以初步鑑定該篇報導的作者是謝纘泰。

無論那一個可能性最高甚至屬實，後果都一樣：該報導把孫中山的領導才幹貶得無以復加，信者必然認為孫中山已因此而聲譽掃地。《德臣西報》的一位新聞工作者在花絮欄中寫道：「最近在廣州發生的所謂革命其實是一場鬧劇。對此，一些有頭腦的歐洲人應該反省：該場所謂革命的目標並不是要改革廣東省的政制。」⑫對於已被打翻在地上的孫中山，這花絮無異是落井下石。正是在這種萬夫所指的情況下，1895 年 10 月陳少白在日本從報章上看到孫中山被倫敦公使館幽禁後又脫險的消息後，就大言不慚地虛構了孫中山天天跑到公使館宣傳革命⑬的天方夜譚，並對孫中山讚揚備至：

---

⑩ From our Own Correspondent, 'The Situation at Canton', *China Mail*, 2 November 1895, p. 4, col. 5.

⑪ Tse Tsan Tai, *The Chinese Republic: Secret History of the Revolution* (Hong Kong,: South China Morning Post, 1924).

⑫ *China Mail*, 2 November 1895, p. 4, col. 3.

⑬ 陳少白：《興中會革命史要》（南京，1935），收入柴德賡等編，《辛亥革命》（上海，1957，1981），冊 1，第 35 頁。

> 他是個傑出的人，對於中國廣大民眾悲慘的境況有深刻的認識……當今對中國有深切了解而又具大無畏革命精神者，捨孫醫生別無他人。僅此勇氣就足以使其整個民族復興。……他中等身材，削瘦而結實，談鋒敏銳，具有中國人少見的坦率性格，談吐誠懇，機敏果斷，一經接觸就使人確信，他在各方面都是他自己民族中出類拔萃的人。雖然他有沉靜的外表，但如果命運對他公正的話，他遲早都會對中國產生深遠的影響。[64]

這樣的評價，與上述《德臣西報》在 1895 年 11 月 2 日所刊登的、被筆者懷疑是謝纘泰操刀的報導，[65]是針鋒相對的。同時，筆者覺得陳少白這些空洞的話，讀來近乎歇斯底里。加上陳少白在同一篇文章中又說，廣州失敗後，「這位百折不撓的愛國者，馬上又向駐華盛頓的清使館人員宣傳革命，後來在倫敦他也做過同樣的工作」，[66]因而被公使館幽禁起來。陳少白虛構了這個故事，更讓人覺得孫中山當時的聲譽的確已到了谷底，以致陳少白感到有必要冒天下之大不韙而撒此彌天大謊。

---

[64] *China Mail*, 26 November 1896, p.2 col. 5, transcribing the Kobe Chronicle. 關於筆者對這篇報導所作過的鑑定工作，見拙著《孫逸仙倫敦蒙難真相》（臺北：聯經，1998），第 122-123 頁。

[65] From our Own Correspondent, ‘The Situation at Canton’, *China Mail*, 2 November 1895, p. 4, col. 5.

[66] *China Mail*, 26 November 1896, p.2 col. 5, transcribing the Kobe Chronicle. 關於筆者對這篇報導所作過的鑑定工作，見拙著《孫逸仙倫敦蒙難真相》（臺北：聯經，1998），第 122-123 頁。

谷底以下還可以掉得更深嗎？可以。因為上述一切只是在英語世界進行。在華語世界，滿清當局更不會放過他：

> 現有匪首，名曰孫文。結有匪黨，曰楊衢雲。
> 起意謀叛，擾亂省城。分遣黨羽，㉗到處誘人。
> 借言招勇，煽惑愚氓。每人每月，十塊洋銀。
> 鄉愚貪利，應募紛紛。數日之前，聽得風聲。
> 嚴密查訪，派撥防營。果獲匪犯，朱邱陸程。
> 經眾指證，供出反情。紅帶為記，口號分明。
> 槍械旗幟，搜出為憑。謀反叛逆，律有明刑。
> 甘心從賊，厥罪維均。嚴拿重辦，決不從輕。
> 城廂內外，兵勇如林。搜捕亂黨，決不饒人。
> 惟彼鄉愚，想充勇丁。不知禍害，貪利忘身。
> 一時迷惑，概予施恩。丟棄紅帶，及早逃奔。㊳
> 回歸鄉里，安分偷生。免遭擒獲，身首兩分。
> 特此告示，剴切簡明。去逆效順，其各凜遵。
>
> 毋違特示。九月十三日示。㊴

這篇告示是廣東省兩首縣、縣衙都設在廣州城內的南海和番禺正堂

㉗ 原文為「黨與」，筆者在此更正為「黨羽」。

㊳ 原文為「急早逃奔」，筆者在此更正為「及早逃奔」。

㊴ 《香港華字日報》，1895年11月1日，第2版，第2棟。

聯銜發出，《香港華字日報》轉載了。⑳可以想像，在中國和海外的華文報章，都會同樣地轉載。而兩首縣用打油詩的方式出此告示，主要目的是讓它廣為傳頌。而傳頌之廣，連身在華中的秦力山也聽說了。他回憶說：「四年前，吾人意中之孫文，不過廣州灣之一海賊也」。㉑廣州起義失敗的消息傳到日本，日本的報章用「廣東の暴徒」斗大的標題來形容孫中山及其同仁。㉒傳到英國，倫敦的一位中國通認為孫逸仙等人，是「天生的強盜，殺人越貨乃家常便飯。」㉓

至於香港和廣州的基督教圈子對孫中山的評價又如何？英國駐廣州領事在寫給上司的報告中說：「他（孫中山）自稱是一位基督教徒，但與他有來往的傳教士對他信教的誠意是有懷疑的。」㉔言下之意，是孫中山只不過是利用基督教來達到其不可告人之目的。這些傳教士是誰？

在廣州與孫中山有來往的傳教士，大致有兩群。一群是倫敦傳

---

⑳ 鄒魯在其〈乙未廣州之役〉一文中，也把這篇告示收進去：見柴德庚等編《中國近代史叢刊——辛亥革命》，一套 8 冊（上海：人民出版社，1981），第 1 冊，第 323 頁。由此可知鄒魯是做過基礎研究才撰寫其文的。

㉑ 秦力山為《孫逸仙》序，轉載於柴德賡等編《中國近代史資料叢刊——辛亥革命》（上海：上海人民出版社，1981），第 1 冊，第 91 頁。

㉒ 安井三吉：〈支那革命黨首領孫逸仙考〉，《近代》，57 期（1981 年 12 月），第 49-78 頁：其中第 63 頁。

㉓ *China Mail*, 23 October 1896, p. 5 col. 2, reprinting an article from a London newspaper.

㉔ Brenan to O'Conor, 12 November 1895, enclosed in FO to CO, 31 December 1895, CO129/269, pp. 441-446: at p. 445.

道會廣州分站的傳教士。當起義時，身在廣州分站的該會傳教士是一名女的，她在報導該事件時沒有點名評論孫中山，只是說：「這次起義，在未來一段時候恐怕會替我們的傳教工作帶來困難。我們的一些教友是起義首領們的朋友。」⑮倫敦傳道會香港地區委員會秘書托馬斯·皮堯士牧師（Rev. Thomas W. Pearce）——則向倫敦總部的外事秘書報告說：「您可能已通過其他渠道得悉去週有人在廣州企圖起義而失敗了。該舉只不過是廣大群眾對他們自己的政府所存在的普遍不滿意以致動亂的一點點苗頭。」⑯從這劈頭第一句話，就可以看出他是同情起義者的。但同樣沒有提到孫中山。倫敦傳道會在廣州的華人宣導師之如區鳳墀和在香港的華人主牧之如王煜初，更是孫中山的支持者。⑰所以，如說上述極盡詆毀能事的批評是出自倫敦傳道會華洋人士的口的話，似乎可能性不大。

在廣州與孫中山有來往的另外一群傳教士，是創辦了廣州博濟醫院的美國綱紀慎會的傳教士。孫中山曾在 1886/7 年間於該醫院唸過約一年的醫科。而孫中山之能到該醫院學習，正是由於在香港傳教的美國綱紀慎會的傳教士喜嘉理牧師介紹他給該院院長、美國傳教士嘉約翰醫生（Dr. John G. Kerr）。而介紹人喜嘉理牧師，更是

---

⑮ Mrs. Mary M. Wells (Canton) to Rev. R. Wardlaw Thompson (London, LMS Foreign Secretary), 2 November 1895, CWM, South China, Incoming correspondence 1803-1936, Box 13 (1895-97), Folder 1 (1895).

⑯ Rev. Thomas Pearce to Rev. Warlaw Thompson, 7 November 1895, p. 4, CWM, South China, Incoming correspondence 1803-1936, Box 13 (1895-97), Folder 1 (1895).

⑰ 見本書第一章。

1883 年 12 月在香港為孫中山洗禮入教的人。當時孫中山在香港舉目無親，又不名一文，入教後就搬到喜嘉理牧師的宿舍寄居。[78]後來孫中山離開了廣州博濟醫院而轉到設在雅麗氏醫院內的香港西醫學院學習，廣州博濟醫院嘉約翰院長會有甚麼感想？雅麗氏醫院剛剛成立，經費靠舉行買物會籌款所得，嘉約翰院長即在《傳教士醫生在中國集刊》（*China Medical Missionary Journal*）撰文猛烈抨擊這種做法，[79]是出於偶然還是出於醋意？孫中山進入香港西醫學院學習以後，再不像他中央書院唸書時代那樣住在喜嘉理牧師的宿舍，而是寄宿在西醫學院賴以教學的倫敦傳道會主辦的雅麗氏醫院，並與該會的華人教眾和華人主牧王煜初「打得火熱」。就連主日崇拜也到王煜初牧師的道濟會堂而不回到綱紀慎會。要知喜嘉理牧師的教堂兼宿舍與雅麗氏醫院和道濟會堂只有一箭之遙。喜嘉理牧師會有什麼感想？孫中山在西醫學院唸書時，與香港綱紀慎會的另一位教友陳粹芬談戀愛了。此事在香港時沒有曝光，但後來孫中山到廣州行醫為名革命為實，陳粹芬積極參與之餘並從暗地轉為公開地與孫中山以夫妻名義出現，以資掩護。[80]廣州博濟醫院嘉約翰院長看在眼裡，會有甚麼感想？他把此事告訴香港的喜嘉理牧師後，喜嘉理牧師又會有何感想？雖知陳粹芬同樣是被喜嘉理牧師親手洗禮入教

---

[78] 見本書第一章。

[79] See Dr. John C. Thomson (HK) to Rev. R. Wardlaw Thompson (London, LMS Foreign Secretary), 6 & 9 April 1889, paragraph 1, CWM, South China, Incoming correspondence 1803-1936, Box 11 (1887-92), Folder 3 (1889).

[80] 見莊政：《孫中山的大學生涯》，第 179-180 頁。

的，[81]而喜嘉理牧師又曾在孫中山帶領下於 1884 年到過翠亨村見過孫中山的髮妻盧慕貞。[82]不錯，喜嘉理牧師後來也寫過一些讚美孫中山虔誠篤信基督的文章，[83]內容也可能是真實可靠的，但撰寫時間已是 1912 年孫中山當上臨時大總統以後的事情了。同時，筆者多次在香港實地考察和採訪時，也聽了這麼一個口碑：在香港為孫中山洗禮入教的美國綱紀慎會香港教堂，把孫中山的名字從洗禮名單上塗鴉一遍，以示驅逐出教之意。當筆者在 2002 年 12 月下旬向該教堂當今主牧陳志堅牧師反複查詢時，陳牧師只給了筆者一本《中華基督教會公理堂慶祝辛亥革命七十週年特刊》（香港：1981），內容包括複載了完美無缺的孫中山受洗名單，也複載喜嘉理牧師讚美孫中山虔誠篤信基督文章的漢譯本。陳志堅牧師婉拒出示孫中山領洗名單原件，給人的印象是「此地無銀三百兩」。若孫中山果真曾被該會驅逐出教，則他當時在綱紀慎會圈子的聲譽，的確掉到比谷底更低。[84]

但是，倫敦蒙難改變了這一切：孫中山的聲譽藉此由谷底以下

---

[81] 見莊政：《孫中山的大學生涯》，第 179-180 頁。

[82] 《國父年譜》（1985），第 1 冊，第 82 頁。

[83] 英語原文和日期均見 Carl Smith 牧師書中作引。See Carl Smith, *A Sense of History: Studies in the Social and Urban History of Hong Kong* (Hong Kong: Hong Kong Educational Publishing Co., 1995) and Carl Smith, *Chinese Christians: Elites, Middlemen, and the Church in Hong Kong* (Oxford University Press, 1985).

[84] 後來辛亥革命成功了，該會又出版了《中華基督教會公理堂慶祝辛亥革命七十週年特刊》（香港：1981），並複載了完美無缺的孫中山受洗名單。是成王敗寇使然還是名單真的未被塗鴉？這問題讓筆者更渴望看到原件。

攀登了珠目朗瑪峰頂之上！

二、名揚四海、聲震全球

披露他被清使館綁架和拘禁的第一篇報導，稱他為「知名華人」和「香港頗為知名的醫生」。[85]這篇報導還提供有關上年廣州密謀的一些細節，並謂其最終目標乃「推翻滿清（韃虜）的皇朝」，其理由是：中國「在滿清統治下國難日深，除非攘除清廷，否則難期國家自救。」[86]

在這之前，康德黎醫生已經在一份提交中央新聞社的聲明中，為愛徒說話：「我在香港與孫逸仙非常諳熟。他從 1887 年起即在當地的西醫學院學醫，並取得醫生資格。他是個出色的學生。畢業後，他開始在距離香港約 30 英里的葡萄牙殖民地澳門行醫。由於他在澳門執業有成，經友人介紹前往廣州行醫。其後我與他有一個月之久未曾謀面。等到在香港重逢時他說他已經與滿清政府發生磨擦」。[87]這一聲明在大多數倫敦報紙上，激起了有利的反響。這些報紙中「最大眾化的」[88]、每日發行量高達 241000 份的《每日電

---

[85] *Globe*, 23 October 1896, p. 5, col. 2, reprinting a report in the Special Edition of the previous day.

[86] *Globe*, 23 October 1896, p. 5, col. 2, reprinting a report in the Special Edition of the previous day.

[87] *Evening Standard*, 23 October 1896, p. 5 col. 2.

[88] *Sell's Dictionary of the World's Press* (London, 1897), p. 351.

訊報》[89]，對孫中山最表讚揚。它評論道：「孫逸仙到達廣州後，短期內——照康德黎醫生的說法是一個月——他就開始造反；那些出色的、受過教育的東方人，從文明之區回到蠻荒的國家後，全都那樣做。」[90]

如此這般，英國報章為孫中山所樹立的形象，遠遠高大過他本人之期望。除了對他在接受西方教育方面取得的成績，和對他試圖運用這種教育成果來改變中國所表現出來的勇氣，給予高度的評價之外，各報還把他描繪成一個富有魅力、值得介紹的正人君子。

記者們在他獲釋後第一次見到他，全都對他產生良好的印象。一位記者寫道：「他……一副文弱的相貌。然而他有一張格外令人喜歡的臉孔，他的雙眼異常明亮。」[91]另一位記者評論道：「孫逸仙大概是黃種人中容貌最溫文的，有着不難想像的那種孩童般的天真和溫順……他在獲釋後接受大家對他的祝賀時，他那雙黑眼睛閃爍著愉快的光芒。」[92]而另一位記者則對這樣文弱的人竟會捲入暴力之中，表示懷疑：「孫逸仙穿著優雅的、精心裁製的大衣和西服，戴著一頂顯然是西方式樣的黑色軟呢帽子，他的這身打扮，讓

---

[89] *Sell's Dictionary of the World's Press* (London, 1897), p. 351.

[90] *Daily Telegraph*, 24 October 1896, p. 6 col. 6. 孫中山於 1893 年春從澳門到廣州行醫，而他的密謀是在 1895 年 10 月洩漏的。在這期間他定期赴香港，所以康德黎醫生有一個月沒見到他。但報紙可能誤解了康德黎醫生的話，以為他說是孫逸仙在廣州開始行醫一個月之後，就開始策劃反對滿清政府的密謀。

[91] *Morning Leader*, 24 October 1896, p. 7, col. 2.

[92] *Westminster Gazette*, 24 October 1896, p. 5, col. 1.

他看起來並不像清使館所描繪的那種東方暴徒的樣子。」[93]

當天稍後，孫中山兩次會見記者，同樣地給他們留下了良好的印象。第一次是在稅氏酒館，第二次是在康德黎家。

在稅氏酒館時，一位記者寫道：「孫逸仙說話很慢，但英語說得非常漂亮。」[94]從孫中山寫於 1908 至 1910 年的一些英文信件中，[95]不難發現其文法存在着不少錯誤。故竊以為 1896 年的孫中山不會說出「非常漂亮的英語」；[96]並因此而認為記者的這番說法，應當這樣理解：當時實際上能夠講英語的華人少之又少，聚居在倫敦的華人大都是海員，也許會說幾句洋涇濱英語。不過，英國公眾不會去分辨記者的評論是否合符實際，他們也許馬上就接受了他英語確實說得很漂亮的英雄形象。

然而比語言熟練這一問題更重要的是，英國新聞界似乎覺得孫逸仙能與他們充份溝通；他們反覆強調他「英國式」的外表。下面是其中一位記者在康德黎家採訪孫中山時的報導，記者劈頭第一句就是：「門打開了，走進一位體格瘦小的年輕中國人，他面露愉快的微笑，穿著一套英國人穿的衣服。」[97]在當時多數英國人把一切英國事物視為文明，而把大部份中國事物視為野蠻的情況下，[98]孫

---

[93] *Daily Telegraph*, 24 October 1896, p. 5, col. 4.

[94] *Daily Mail*, 24 October 1896, p. 5, col. 4.

[95] 這些信件有些可在史丹佛胡佛研究所的布思文件中找到（見 Boothe Papers）。另一些在倫敦的大英圖書館（見 BL ADD 39168/138-141）。

[96] *Daily Mail*, 24 October 1896, p. 5, col. 4.

[97] *Daily News*, 24 October 1896, p. 5, col. 3.

[98] See, for example, *Daily Telegraph*, 24 October 1896, p. 6, col. 6.

中山的英國式裝扮，似乎對他十分有利。

看來文字還不足以對這位英國化的東方紳士，給予全面的公正評價，最少有四家報紙刊出他穿著英國服裝的肖像。[99]肖像似乎還嫌不夠，至少有兩首關於他的歌謠出現在報紙上。[100]這兩首歌謠之一的題目叫做「盎格魯華人」。[101]英國報界對孫中山高度關注的程度，讓不少國家元首也會感到羨慕。

英國報界之所以對孫中山如此深感興趣，也許可以歸之於幾個因素。其一，英國人顯然為自己居然對地球的另一端產生「文明的」影響而感到自豪，就算只是體現在孤零零的一個東方人身上也毫不在意。其二，孫中山聲稱自己出生在香港，因而是一個英國公民，[102]而引起英國人們那種「我是一個羅馬公民」[103]的情感投射。孫中山在被囚期間曾受過拷問，[104]或者至少曾被戴上鐐銬的傳聞，[105]更加深了這種感情。其三，正如一家報紙所指出，「在英國的土地上」進行綁架，「簡直荒唐悖理，我們實在難以相信會有這種事情發生了」。[106]更糟的是，這檔事竟然就在光天化日之下發生

[99] *Daily Graphic*, 24 October 1896, p. 13; *Graphic*, 31 October 1896; *Black and White*, 31 October 1896, p. 550; *Illustrated London News*, 31 October 1896, p. 556.

[100] *Daily Chronicle*, 24 October 1896, p. 5, col. 6; *Sun*, 24 October 1896, p. 3, col. 2.

[101] *Daily Chronicle*, 24 October 1896, p. 5, col. 6.

[102] Sun Yatsen to James Cantlie, 19 October 1896, FO17/1718, pp. 22-23.

[103] *Sun*, 23 October 1896, p. 2, col. 2.

[104] *Daily Graphic*, 24 October 1896, p. 13, col. 3.

[105] *Overland Mail*, 30 October 1896, p. 45, col. 2.

[106] *Evening News*, 23 October 1896, p. 2, col. 4.

在大英帝國的首都、倫敦市的市中心：

> 喂，不騙你，真是厚臉皮；
> 倫敦大街上，
> 有人走來走去，鬼鬼祟祟。⑩⑦

上述種種，可以視作英國民族主義的表現，而孫中山則正從中間接獲益。

這些輿論，當然也體現了當時英國媒體由衷地對孫中山人身安全的關心。「也許孫逸仙不是英國公民」，一家報紙寫道：「然而……他是人類的一份子。在英國，任何一個人，即使是一個中國人，也有某些不可剝奪的權利」。⑩⑧另一家報紙更對這些權利詳細地闡述：「……除符合引渡法者以外，每個踏上英國土地的外國人，只要在留英期間履行訪客對英王應盡的效忠，就被賦予英國臣民所享有的不受逮捕和監禁的自由。」⑩⑨上面所引打油詩首段的下半節是：

> 究竟這個傢伙是
> 黃臉的中國流氓，
> 還是頭戴皇冠的大人物。(53)

---

⑩⑦ *Sun*, 24 October 1896, p. 3, col. 2.

⑩⑧ *Sun*, 23 October 1896, p. 2 col. 3.

⑩⑨ *Standard*, 24 October 1896, newspaper cutting, FO17/1718, p. 84.

沙士勃雷侯爵要求公使館釋放孫中山，這一要求很快就獲得回應。有關報導同樣地反映出英國民族主義的側面，而孫中山又同樣地間接受惠。率先披露綁架消息的《地球報》，在其社論中評論道：「沙士勃雷侯爵迅雷不及掩耳般解救了孫逸仙，將獲得整個大英帝國最熱烈的讚揚……與首相之迅速行動同樣值得稱許的，是負責遞交有關照會的人員所表現出來的、不把滿清公使館放在眼內的高姿態。遞送照會的任務由一名外交部官員執行，而僅僅由一名警探隨同前往已足矣。這道照會所表達出來的、必須凜遵的風範，可由彼方迅速遵照執行而得知。」[110]的確，幾乎所有倫敦的報紙，都把沙士勃雷的照會說成是「最後通牒式的」。而絕大多數的報章對他的行動之果斷表示慶賀。[111]而前面已部份引述過的打油詩，其作者——霍普金斯——所採用的標題，正是極盡嘲笑能事之「霍普金斯為不信上帝的中國人挺身而戰」。該打油詩的其餘部份是這樣的：

恥辱啊，真是恥辱，
這種偷偷摸摸的勾當，

---

[110] *Globe*, 24 October 1896, p. 4, cols. 2-3.

[111] See, for example, *Black & White*, 31 October 1896, p.550, col.2; *Daily Chronicle*, 24 October 1896, p.4 col.6; *Daily News*, 24 October 1896, p.5 col.3; *Daily Mail*, 24 October 1896, p.4 col.4; *Daily Telegraph*, 24 October 1896, p.6 col.6; *Echo*, 24 October 1896, p.2 col.2; *Morning Advertiser*, 24 October 1896, p.4 cols. 4-5; *Morning Leader*, 24 October 1896, p.6 col.3; *Morning Post*, 24 October 1896, p.4 cols. 5-6; *Pall Mall Gazette*, 24 October 1896, p.2 col.2; *Speaker*, 31 October 1896, p.452, col.1; *Times*, 24 October 1896, p.9 cols.2-3.

該死的清大人最好別亂開腔，
他以為自己非常聰明，
但當沙侯眉頭一皺，
清大人就不得不與他的獵物分手。

我的希望是，
孫逸仙在他的案子了結之前，
會因為別人的胡攪蠻纏而獲得應有的補償。
如果他要試試討回公道，
不管他能不能得勝，
他都會有霍普金斯和全體英國人民
堅決地當他的後盾。

——霍普金斯⑫

今天，人們也許並不認同這種維多利亞晚期的沙文主義心態，但是孫中山卻被深深地打動了。一家報章寫道：「他（孫逸仙）用了差不多兩個星期的時間，歎服清使館逮捕行動之迅捷快速：因為，由於英國人偏愛法律程序而不免遲遲不能逮捕應該逮捕的人。但是我們毫不懷疑，清吏的迅速行動，所贏得的只是他非出自真心的佩服，而英國人的果斷，正是目前他日夜讚美的主題。」⑬

某些英國報紙的批評，甚至極具挑戰性。最有影響力的報紙

⑫ *Sun*, 24 October 1896, p.3 col.2.

⑬ *Evening News*, 24 October 1896, p.2 col.2.

《泰晤士報》，形容清公使的行動為「荒唐」，[114]並譴責清公使「自認為擁有一種任何文明國家都不會認同的權利。」[115]至於要求清廷把公使召回，[116]或者至少公開道歉[117]和賠償[118]的呼聲，更是甚囂塵上。《地球報》也這樣評論說：「沒有一個文明大國會提出在別國逮捕政治犯的要求，更不必說設法偷偷地進行了。」[119]另一家報章評論道：「客寓倫敦的清朝官吏，行為尚且如此，北京宦海不問可知」[120]這些對滿清政府的系統性的攻擊，同樣是孫中山夢寐以求而不可得者，而且當然比他過去所發起過的任何攻擊都有效得多。而就目前本節所探討的孫中山英雄形象的樹立而言，這些倫敦報章對滿清政權所發起的攻擊，至少有助於引起人們對「靦腆的孫逸仙」[121]的同情。因為這類攻擊所造成的假象是：清使館之所以拘禁孫中山，是因為他已經被英國的文明所教化，並且反過來試圖「文明地教化」他自己的政府。

某些類似的攻擊有時候更顯得相當偏激，因為其攻擊的對象擴展到全體中國人身上來。最少有三家報紙[122]引用了布雷特·哈特

---

[114] *Times*, 24 October 1896, p.9 col.2.

[115] *Times*, 24 October 1896, p.9 col.2.

[116] *Daily Chronicle*, 24 October 1896, p.4 col.6.

[117] *Pall Mall Gazette*, 24 October 1896, p.2 col.2.

[118] *Daily Chronicle*, 24 October 1896, p.4 col.6.

[119] *Globe*, 24 October 1896, p. 4 cols. 2-3.

[120] *Evening News*, 24 October 1896, p.2 cols. 2-3.

[121] *Sun*, 24 October 1896, p.1 col.4.

[122] *Daily Mail*, 24 October 1896, p.6 col.6; *Evening News*, 23 October 1896, p.2 col.4; *Sun*, 23 October 1896, p.2 col.7.

（Bret Harte, 1836-1902）所寫的一首詩第一節的一部分，該部份的內容是這樣的：

> 我欲道內情，——
> 言簡而意明，
> 手段皆隱秘，
> 詭計盡徒勞，
> 中國異教徒，
> 此道最精通，——
> 因何出此言，
> 我會說分明。[123]

《太陽報》更寫道：「毫無疑問地，自從布雷特·哈特唱出他那《東方牌友之歌》以來，人們常常議論天朝帝國那些野蠻人慣用的手段和詭計。孫逸仙的遭遇……正是這些詭計的一個鮮明例子。」[124] 這種評論以今天的標準來看，自然是種族歧視無疑。孫逸仙是否認同這種觀點，則很難說。至低限度他在自己的著作裡，經常悲嘆自己民族的落後，而他畢生着意清除的，正是中國制度和民眾的這種落後性。而正如該詩和相關的報紙評論裡所表達的，英國人對這種落後性的強烈憎惡，也確實大大地喚起英國人對孫中山的使命更廣

---

[123] This poem was written by Bret Harte (1836-1902). The full text is to be found in Richard Gray (ed.), *American Verse of the Nineteenth Century* (Dent: London, and Rowman & Littlefield, Totowa, N.J., 1973).

[124] *Sun*, 23 October 1896, p.2 col.7.

泛的同情，甚且有助於其英雄形象的樹立——他就是因為試圖履行自己的使命，因而遭到迫害的。

最後，甚至孫中山被釋放後隨康德黎伉儷上基督教教堂，藉星期天守禮拜之便謝恩，[125]也被報章報導了。[126]基督教是西方文明的基礎。而十九世紀又適逢是英國傳教熱的時代。有大量的英國人，不辭勞苦地到亞、非、拉美等地傳教。報章上那怕是這樣短短的一端：「孫逸仙是個基督徒，參加了昨天（1896 年 10 月 25 日星期天）上午，在聖馬丁教堂舉行的禮拜儀式」，[127]就會引起廣大英國人的共鳴，讓他成為寵兒。

總之，由於清使館幽禁孫中山的醜聞鬧得沸沸揚揚，以致平常即便是不讀報紙的人，也會看一看報。醜聞「在沈悶的季節裡，為成千上萬的讀者提供了娛樂。」[128]就這樣，沸騰的輿論、英國人國家民族的尊嚴、捍衛人道主義的精神和傳教的熱情，似乎全都因為英國報界給予孫中山的巨大關注而通通被鼓動起來，不知不覺地為他樹立起一個前所未有的英雄形象。

這個英雄形象，透過路透社的電訊，立刻傳向世界各地。美國的《紐約時報》[129]；澳大利亞的《時代報》[130]、《布里斯班信使

---

[125] 康德黎夫人在 1896 年 10 月 25 日星期日的日記上如此記載：「漢密什和我帶孫逸仙上聖馬丁教堂。他是個基督徒，所以這是我們三人的一次謝恩儀式。」

[126] *Globe*, 26 October 1896, p.7 col.2.

[127] *Globe*, 26 October 1896, p.7 col.2.

[128] *Evening News*, 24 October 1896, p. 2 col.2.

[129] *New York Times* (New York), 23 October 1896, p.5 col.1; 24 October 1896, p.5 cols.1-2.

報》⑬、《雪梨先驅晨報》；⑫香港的《德臣西報》⑬、《每日快報》⑭；上海的《萬國公報》⑮、《時務報》⑯；新加坡的《海峽時報》⑰與《叻報》⑱；日本的《神戶又新日報》⑲、《大阪朝日新聞》⑳、《國家學會雜誌》㉑；以及其他許多報刊都登載了這條驚人的消息。還有倫敦那些專門銷往海外市場的報紙，如《倫敦與

---

130 *Age* (Melbourne), 24 October 1896, p.7 col.5; 26 October 1896, p.5 col.4.

131 *Brisbane Courier* (Brisbane), 24 October 1896, p.5 col.3; 26 October 1896, p.6 col.2.

132 *Sydney Morning Herald* (Sydney), 24 October 1896, p.9 col.4;26 October 1896, p.5 col.3; 28 October 1896, p.6 col.7.

133 *China Mail* (Hong Kong), 26 October 1896, p.3 col.5. and p.2 cols.6-7; 31 October 1896, p.3 col.2. I am grateful to Mr. Kung Chi Keung (Gong Zhiqiang) for sending me negatives of these columns initially; and to Mr. A.I. Diamond of the Public Record Office in Hong Kong, and Mr. Malcolm Quinn and Mr. Sze King Keung (Shi Jingqiang) of the University of Hong Kong, for helping me acquire a microfilm copy of the *China Mail* for the months October - Dec 1896, when I passed through Hong Kong in May 1984.

134 *Hong Kong Daily Press*, 26 November 1896, as mentioned in Lam Man-sum, 'Hong Kong and China's Reform and Revolutionary Movements: An analytical study of the reports of four Hong Kong English newspapers, 1895-1912' (M. Phil. Thesis, University of Hong Kong, 1984), p. 156.

135 上海《萬國公報》，1896 年 11 月，第 8 輯，第 94 號，第 31 頁上。

136 上海《時務報》，1896 年 11 月 5 日，第 10 期，第 20 頁下。

137 *Straits Times* (Singapore), 24 October 1896.

138 《叻報》，1896 年 10 月 27 日。

139 《神戶又新日報》，1896 年 11 月 1 日。

140 《大阪朝日新聞》，1896 年 11 月 1 日。

141 《國家學會雜誌》，1897 年 2 月 15 日，第 2 卷，第 120 期，第 182-193 頁；1897 年 4 月 14 日，第 2 卷，第 122 期，第 373-387 頁。

中國快報》⑭和《海外郵報》，⑭雖然送到讀者手中稍遲一些，但所登報導卻比路透社的電訊詳細得多。當然還有許多大機構和個人都會從倫敦直接訂閱《泰晤士報》。⑭這些報紙送到海外之後，不僅在當地社團中傳閱，而且被當地報紙大量轉載⑭或翻譯。⑭一家日本報紙還綜合所有相關消息，寫了一篇長篇特稿。這篇特稿又被譯成漢語，分上、下兩部分在上海發表。⑭章太炎在上海閱後，說：「（吾）心甚壯之。」⑭章太炎後來有一段時間在東京以《民報》編輯的身分成為孫逸仙的左右手。⑭

至於在本章第一節提到過的、說廣州起義失敗後「吾人意中之

---

⑭ 《倫敦與中國快報》（*London and China Express*，周刊），1896年10月23日，第896頁第2欄到第897頁第2欄；又1896年10月30日，第916頁第1欄到第919頁第1欄。

⑭ *Overland Mail*, 23 October 1896, p.19 col.1; 30 October 1896, p.44 col.2 - p.46 col.2.

⑭ *Times*, 23 October 1896, p.3 col.6; 24 October 1896, p.6 cols.1-3 and p.9 cols.1-3; 26 October 1896, p.8 col.4; 30 October 1896, p.6 col.6.

⑭ See, for example, the *China Mail* (Hong Kong), 26 November 1896, p.5 cols.4-6; 27 November 1896, p.5 col.3; 1 Dec 1896, p.5 col.5; 2 Dec 1896, p.3 cols.5-6; 24 Dec 1896, p.3 col.2.

⑭ 例如見上海《時務報》，1896年12月15日，第14卷，第13a-14b頁；1896年12月25日，第15卷，第12a-13b頁；1897年1月13日，第17卷，第15a-16a頁；又1897年3月3日，第19卷，第14a-15a頁。

⑭ 《時務報》（上海），1897年3月23日，第21卷，第22b-24b頁；1897年5月22日，第27卷，第23b-25a頁。日本報紙指的是《國家學會雜誌》，沒有日期，詳見注⑫。

⑭ 湯志鈞編，《章太炎年譜長編》（北京，1979），上冊，第39頁。

⑭ 湯志鈞編，《章太炎年譜長編》（北京，1979），上冊，第223頁。

孫文，不過廣州灣之一海賊也」[150]的秦力山，讀過漢語節譯的《倫敦蒙難記》草稿後，為之作序曰：

> 孫君乃於吾國腐敗尚未暴露之甲午乙未之前，不惜其頭顱性命，而虎嘯於東南重立之都會廣州府，在當時莫不以為狂，而今思之，舉國熙熙皞皞，醉生夢死，彼獨以一人圖祖國之光復，擔人種之競爭，且欲發現人權公理於東洋專制世界，得非天誘其衷、天錫之勇者乎？[151]

用筆名黃中黃來節譯《倫敦蒙難記》的章士釗也在自序中說：

> 孫逸仙者，近今談革命者之初祖，實行革命者之北辰，此有耳目者所同認。[152]

湖北志士張難先也回憶當時的情況說：「熱烈之志士時時有一中山先生印象，盤旋牢結於腦海，幾欲破浪走海外以從之，不能得，則如醉如痴，甚至發狂，此實當日普遍之情形。」[153]當然，秦力山、

---

[150] 秦力山為《孫逸仙》序，轉載於柴德賡等編《中國近代史資料叢刊——辛亥革命》（上海：上海人民出版社，1981），第 1 冊，第 21 頁。

[151] 秦力山為《孫逸仙》序，轉載於柴德賡等編《中國近代史資料叢刊——辛亥革命》（上海：上海人民出版社，1981），第 1 冊，第 91 頁。

[152] 黃中黃為《孫逸仙》自序，轉載於柴德賡等編《中國近代史資料叢刊——辛亥革命》（上海：上海人民出版社，1981），第 1 冊，第 90 頁。

[153] 張難先：《湖北革命知之錄》（上海：商務，1946），第 103 頁。

章士釗、張難先等說上述這些話的時候，已是 1900 年庚子之役以後的事情，當時中國知識界已起了很大的變化，有大批知識青年到海外尤其是日本留學，一到了國外，見識就不一樣。回到國內，比較之下，憤懣之情激增。再於國內廣大知識青年談感受，就難免出現張難先所描述的那種對孫中山如醉如痴的情緒。因為孫中山革命的號召，已得到廣大知識青年的普遍共鳴。

1896 年 10 月下旬，當時還身在倫敦的孫中山，似乎隱隱約約已感覺到，他的世界已起了翻天覆地的變化，因此心思又離開了深造醫科[154]而回到革命的道路上，以致一位英國記者敏銳地觀察到：「在回答進一步的問題時，孫逸仙承認他是清使館要緝拿的人，但他不肯說明他到英國的使命，也不肯說明他既然已經重獲自由，今後又打算怎麼辦。」[155]只有那熱情耿直的恩師康德黎，沒有察覺這微妙的變化，還興緻勃勃地、一股勁地說愛徒仍然決心深造醫科，並協助他在倫敦成立一所專門訓練華人的西醫學院。[156]

看來，孫中山還得花點時間做他恩師的思想工作。這樣的時間是充裕的：因為，自從 1896 年 10 月 23 日孫中山被清使館釋放後，到 1896 年 10 月 31 日，他都住在康家。[157]恩師是非常豪爽開放的人，待孫中山一表明心跡，恩師就明白，不用多費唇舌。但似乎恩師指出了非常值得注意的一點，就是當革命領袖必須首先充實自己。

---

[154] 見本書第三章。

[155] *Evening Standard*, 24 October 1896, p.2 col.3.

[156] *Globe*, 26 October 1896, p. 7 col. 2.

[157] See Mrs. Cantlie's diary, 31 October 1896 and 2 November 1896.

三、充實自己

充實自己，從哪兒開始？最現成的莫過於恩師的書房。以致康德黎後來回憶說，孫中山長時間在他的書房閱讀，後來又轉到大英博物館：「他總是孜孜不倦地閱讀，閱讀有關政治、外交、法律、陸海軍等方面的書籍，礦山及採礦、農業、畜牧、工程、政治經濟學等也廣為涉獵。他鍥而不捨地仔細研究各門學問，知識面之廣，世所罕有。」[158]後來孫中山所撰寫的《實業計劃》，其基礎知識，相信是在這個時候打下的。

恩師從何得悉孫中山看過甚麼書？筆者在孫中山旅英期間，從他到大英博物館看書那一天開始，為他作了一個約略的時間統計表。發覺很多日子裡，他在大英圖書館看了一段時間的書以後，當天馬上就到恩師家裡一段時候——多數在午餐、午茶或晚餐的時間。竊以為這種現象顯示，孫中山在大英博物館看書遇到疑難，就趁恩師進膳或喝茶的休息時間去向他請教。恩師是讀過大學理科的基本課程以後才專攻醫科的；不像孫中山那樣，中學畢業後就專攻醫科，所以知識面比孫中山廣得多。至於人生閱歷，則更是豐富。由他來指導孫中山自修，綽綽有餘。

---

[158] Cantlie, James and C. Sheridan Jones, *Sun Yat-sen and the Awakening of China* (London, 1912), p. 202.

表一　孫中山每天在大英博物館看書與事後同日往訪康家時間約計

日期	星期	到、退	小時	分	康家	小時	分
961205	六	1140-1300	1	20	1340-1740	4	
961207	一	1030-1430	4		1410-1530	1	20
961208	二	1030-1430	4		1540-1640	1	
961209	三	1155-不詳	3		1500-1800	3	
961210	四	按平均估計	3		1500-1800	3	
961211	五	按平均估計	3				
961215	二	不詳-1415	3		1530-1800	2	30
961217	四	不詳-1240	2		1320-1500	1	40
961222	二	1145-1545	4				
961227	日	按平均估計	3		1200-1430	2	30
961228	一	按平均估計	3		1500-1800	3	
961229	二	按平均估計	3		1500-1800	3	
961230	三	按平均估計	3		1500-1800	3	
961231	四	按平均估計	3		1500-1800	3	
970101	五	按平均估計	3				
970106	三	1110-1430	3	20	1510-1730	2	20
970111	一	1340-1530	1	50			
970114	四	1200-1500	3		1540-2040	5	
970116	六	1100-1500	4		1540-2040	5	
970119	二	1140-1530	3	50	1610-2030	4	20
970120	三	1200-1500	3		1340-1730	1	50
970121	四	1200-1500	3		1610-1700		50
970126	二	偵探不詳	1		1600-1700	1	

970130	六	1300-1800	5				
970206	六	1050-1500	4	10			
970208	一	1130-1600	4	30	1640-2030	3	50
970209	二	1300-1800	5				
970212	五	1130-1800	6	30			
970212	六	1300-1810	5	10			
970217	三	按平均估計	4				
970218	四	按平均估計	4				
970219	五	按平均估計	4				
970220	六	按平均估計	4				
970221	日	按平均估計	4				
970222	一	按平均估計	4				
970223	二	不詳-1840	4				
970304	四	1100-1800	7				
970306	六	按平均估計	4				
970307	日	按平均估計	4				
970308	一	按平均估計	4				
970309	二	按平均估計	4		筆者估計	2	
970312	五	按平均估計	4		筆者估計	2	
970313	六	按平均估計	4		筆者估計	2	
970314	日	按平均估計	4		筆者估計	2	
970315	一	按平均估計	4				
970318	四	1150-1515	3	25	1555-2000	4	5
970319	五	1205-1930	7	25			
970320	六	1215-1525	3	10	1700-1830	1	30
970322	一	1545-2000	4	15	1315-1515	2	
970323	二	1200-1830	6	30			

970324	三	1045-1615	5	30	1700-2000	3	
970326	五	1410-1930	5	20			
970327	六	不詳-1645	5		1730-1830	1	
970330	二	1200-1840	6	40			
970402	五	1420-1830	4	10			
970403	六	1130-1730	6				
970405	一	探報與康記衝突			1230-1430	2	
970406	二	1200-1635	4	35	1715-1800		
970407	三	1135-1810	6	35			
970409	五	1145-1400	2	15			
		探報與康記衝突			1730-2030		
970410	六	1330-1930	6				
970414	三	1330-1900	5	30			
970423-970609		這段時間、缺偵探報告					
970610	四	1140-1800	6	20			
970616	三	按平均估計	5				
970617	四	1500-1900	4				
970618	五	按平均估計	4				
970619	六	按平均估計	4				
970620	日	按平均估計	4				
970621	一	按平均估計	4				
970622	二	按平均估計	4				
970623	三	按平均估計	4				
970624	四	按平均估計	4				
970628					同赴晚宴	3	

總計			282	560		74	345
約即			292			80	

本表資料來源，包括史雷特私家偵探社（Slater's Detective Association）派以跟蹤孫逸仙的偵探每天所寫的報告，康德黎夫人（Mabel Cantlie，梅布爾·康德黎）日記，當時旅英的日本植物學家南方熊楠日記，英國外交部檔案和倫敦各大報章之如《泰晤士報》等。副以其他史料。本表第一欄的年、月、日皆簡化成純數字。譬如 960930，其中首兩個數目字代表年份（96 代表 1896 年），中間兩個數目字代表月份（09 代表 9 月），末尾兩個數目字代表日期（30 代表 30 日）。

孫中山為了充實自己而作過的努力，部份成果就反映在當時他在倫敦所作過的談話、演講和著作裡。茲將筆者到目前為止所發掘到的有關談話、演講和著作羅列如下（日期也如表一那樣簡化成純數字）：

表二　孫中山自 1896 年 12 月 5 日到大英博物館看書以來所作過的談話、演講和著作

961231　與英國財政部首席律師的談話
970121　《倫敦被難記》（英文原著）出版
970122　與《倫敦被難記》俄國譯者的談話
970131　在牛津大學所作的演講
970218　與李提摩太的談話
970301　〈中國的現在和未來〉一文發表
970311　在倫敦聖馬丁市政廳的演講
970315　覆伏爾霍夫斯基函
970319　與南方熊楠的談話

970622　所譯《紅十字會救傷法》出版

970630　告別英倫書

970701　〈中國法制改革〉一文發表

關於這些談話、演講和著作的內容，筆者另書分析。[159]目前筆者希望着重提出的是，這些活動：

第一、提高了孫中山用英語來表達自己的能力。對於塑造一位具國際形象、能用英語與英美領導人溝通的革命領袖，此點甚為重要。後來在日本的中國留學生各個革命黨派為了團結一致而組織同盟會時，沒有一個其他黨派的領袖有孫中山的英語素養。而當時的世界還是大英帝國獨霸全球的時代，足以左右中國的革命事業。

第二、提高了他在國際上的知名度。例如《倫敦被難記》，英文原著出版時，風行英語世界。後來又被翻譯成俄文、日文和漢語。漢譯本出版後，經過革命黨人大力推廣，亦街知巷聞。他在倫敦聖馬丁市政廳的演講，被《紐約時報》的記者扼要報導了，並加按語說：「孫逸仙醫生，這位不久前曾被中國駐倫敦公使差人從街上扯進公使館幽禁起來以便俟機遣送回國殺頭的人，似乎暫時打消了回國的念頭。因為他目前還在英國並進行公開演說。」[160]他所翻譯的《紅十字會救傷法》，篇幅不少：漢譯本轉載在《孫中山全集》就有 71 頁半。另一方面，該書早已有「法、德、義、日四國

[159] 筆者目前正在撰寫的《孫中山三民主義倫敦探源》第四章中，對這些談話、演講和著作的內容作了分析，在此不贅。

[160] *The New York Times*, 23 March 1897, p. 6, quoted in Audrey Wells, *The Political Thought of Sun Yat-sen*, p. 18.

文字。更蒙各國君后大為嘉獎，鼓勵施行。」[161]孫中山因此而邁進國際行列。不但如此，該書作者「柯君道君主仁民愛物之量充溢兩間，因屬代譯是書為華文，以呈君主，為祝六十登極慶典之獻。旋以奏聞，深蒙君主大加獎許。」[162]《紅十字會救傷法》跟維多利亞女王能拉上甚麼關係？該王「云華人作挑（桃）源於英藩者以億兆計，則是書之譯，其有裨於寄英宇下之華民，良非淺鮮。柯君更擬印若干部發往南洋、香港各督，俾分派好善華人，以廣英君壽世壽民之意。」[163]孫中山花那麼大的勁翻譯《紅十字會救傷法》，除了醫者仁心以外，看來他的政治目標是其主要動機。書成後他更破大財把兩冊改精裝分呈英女王和英首相。[164]同時，躋身該書的法、德、義、日的譯者之群，以便該等「國君后」也知道有孫逸仙其人，亦無傷大雅。關於孫中山這種國際聲譽和地位，對於他後來被推為同盟會總理一事，甚具關鍵性，並且在某種程度上避免了重蹈 1895 年興中會與輔仁文社合併後出現的、為了爭領導地位而衍生的派系鬥爭。

第三、為孫中山提供了鍛鍊領袖才幹的機會，尤其是公開演說和談話的技巧。關於這一點，則不待他到大英博物館看書，而英國社會已多次為他提供了鍛鍊的機會（見表三）。

---

[161] 《孫中山全集》，第 1 卷第 108 頁。

[162] 《孫中山全集》，第 1 卷第 108 頁。

[163] 同上。

[164] 光是釘裝費每本就花了五英鎊！見南方雄楠日記，1897 年 6 月 28 日，載《南方熊楠全集》，別卷 2，第 92 頁。

表三　孫中山在 1896 年 12 月 5 日到大英博物館看書以前所作過的談話、演講和著作

961023	在稅氏酒肆回答諸記者的提問
961023	在蘇格蘭場倫敦警察總部的證詞
961023	在康德黎家回答《每日新聞》記者的提問
961024	致倫敦各報主筆的感謝信
961104	在英國財政部所作的證詞
961114	覆翟理斯函
961114	在倫敦野人俱樂部所作的演講

其中覆翟理斯函，則翟理斯這位劍橋大學教授據此而為孫中山在英語世界豎碑立傳了：他在該函的基礎上把孫中山的事蹟作為獨立的一條寫進他所編輯的《中國人名大字典》裡。[165]列在他前面的是孫策（三國時代人物孫權之兄[166]）。列在他後面的是《孫子兵法》的作者孫武。好不威風！雖云這種安排是按英文字 a，b，c 排列，但誰管？

至於他在倫敦野人俱樂部所作的演講，筆者的注意力首先是被康德黎夫人的日記引起。她在 1896 年 11 月 14 日寫道：「今天黃昏時份，漢密什（康德黎夫人對其丈夫的暱稱）與孫逸仙聯袂到野人俱

---

[165] See Herbert Giles (ed.), *Chinese Biographical Dictionary* (London, 1898), pp. 696-697.

[166] 見臧勵龢等編：《中國人名大字典》第八版（上海：商務印書館，1940），第 764 頁。

樂部（Savages Club）作客。」[167]原來該俱樂部同仁邀請孫中山與康德黎醫生作晚餐演講，談談「清使館歷險記」。孫中山又再一次有機會磨練他公開演說的才能。筆者終於在 1896 年 12 月 24 日的香港《德臣西報》（*China Mail*）找到有關報導。[168]報導說，孫逸仙用時斷時續的、不太流利的英語，講述了他從公使館脫身的經過。康德黎醫生對孫醫生的講話作了補充，講到蘇格蘭場不相信他的話時，哄堂大笑。恩師輕鬆風趣的言談，正是孫中山學習的榜樣。同樣重要的是，該俱樂部是倫敦上流社會人士社交的地方，非會員或貴賓不能入內。對來自殖民地香港的孫中山，是大開眼界。見多識廣，對領袖來說，是不容或缺的條件。

「無心插柳柳成蔭」。英國當局和英國廣大社會人士無意把孫中山造就成中國的革命領袖，但卻為他提供了鍛鍊的機會。同時又為他提供了優良的自修環境諸如大英博物館，和一位耐心的私人導師諸如康德黎醫生。

四、三民主義之所由完成

與上述一切同樣重要的，甚至是更重要的，是革命理論。每一個革命領袖，都必須有一套適合自己國情的革命理論。孫中山的革命理論，就是他的三民主義。而他的三民主義，他自言是：

---

[167] Mrs. Cantlie’s diary, 14 November 1896.

[168] *China Mail* (Hong Kong), 24 December 1896.

> 倫敦脫險後，則暫留歐洲，以實行考察其政治風俗，並結交其朝野賢豪，兩年之中所見所聞，殊多心得，始知徒致國家富強，民權發達，如歐洲列強者，猶未能登斯民於極樂之鄉也。是以歐洲志士猶有社會革命之運動也。予欲為一勞永逸之計，乃採取民生主義，以與民族、民權問題同時解決，此三民主義之所由完成也。[169]

孫中山這段自述，值得注意者有三：

第一、他的三民主義是在這次旅英期間完成的。這一點對於本章要探索的目標甚為重要，因為它再一次證明了英國為孫中山提供了造就領袖的條件。當然，三民主義的具體內容，有待 1906 年 12 月 2 日他在東京《民報》創刊週年慶祝大會演說時才初露頭角。[170]後來更在 1924 年 1 月由他再度以公開演講的方式詳細地公諸於世。[171]而從 1896 年末到 1924 年初，中間經歷了 27 個寒暑，孫中山會在這漫長的歲月豐富了三民主義的內容。但至低限度，他在首次旅英期間理出一個頭緒，定出一個模型，以後只是用不斷閱讀、思考和實踐所得的經驗來充實這個架構的內容。沒有架構，就無從

---

[169] 孫中山：〈建國方略：孫文學說第八章：有志竟成〉，《國父全集》（1989），第 1 冊第 412 頁，第 7-9 行。又見《孫中山全集》，第 6 卷，第 232 頁。

[170] 孫中山：〈三民主義與中國民族之前途——在東京《民報》創刊週年慶祝大會的演說，1906 年 12 月 2 日〉，載《國父全集》（1989），第 3 冊，第 8-16 頁。又見《孫中山全集》，第 1 卷，第 323-331 頁。

[171] 他的第一講，是 1924 年 1 月 27 日進行的。見孫中山：〈民族主義第一講，1924 年 1 月 27 日〉，《國父全集》（1989），第 1 冊第 3 頁，第 3 行。

充實。

第二、在過去，當馬克思的理論風靡某些學術圈子的時候，該等圈子的學人就着重論述孫中山的三民主義乃歸功於他長時間在大英博物館努力讀書的結果。無他，馬克思的理論是他長期在大英博物館讀書和思考所得，故學者藉此映射三民主義的造詣，可媲美馬克思主義也。竊以為這種映射脫離了現實，因為孫中山自己說他的三民主義並不全是從書本上得來的，而主要是歸功於「所見所聞」。[172]

第三、在甚麼地方的「所見所聞」？孫中山說「歐洲」。[173]為了考證這一點，筆者把孫中山從美國坐船到達英國當天起，到他坐船離開英國經加拿大赴日本為止，為他每天的活動作了一個起居注。[174]准此，發覺他除了到過溫沙堡（Windsor Castle）、牛津（Oxford）、朴次茅斯（Portsmouth）等地作一兩天的參觀訪問以外，其餘的時間都在英國的首都倫敦。這一點對於本章要探索的目標甚具關鍵性，因為它又一次證明了英國（而不是歐洲）曾為孫中山提供了造就領袖的條件。至於為何孫中山把英國說成是歐洲，則竊以為他可能是出於革命領袖為了彰顯其見多識廣以作為號召的動機，而

[172] 孫中山：〈建國方略：孫文學說第八章：有志竟成〉，《國父全集》（1989），第 1 冊，第 412 頁，第 7 行。

[173] 孫中山：〈建國方略：孫文學說第八章：有志竟成〉，《國父全集》（1989），第 1 冊，第 412 頁，第 7 行。

[174] 據筆者目前正在撰寫的《孫中山三民主義倫敦探源》第二章「日誌」。為了在該書出版前集思廣益，筆者已將該日誌交臺北的《近代中國》季刊第 152 期開始連載。

不是出於書呆子咬文嚼字的考慮。而且，在中國人的概念中，英國是整個歐洲的一部份，把留英說成是留歐，勉強也說得過去。孫中山沒有撒謊，雖然嚴格來說他是誇大了一點。其後果是間接掩蓋了英國造就他這位革命領袖曾起過的作用。

第四、在時間上，「所見所聞」維持了多久？孫中山說「兩年」。[175]據筆者統計，是整整九個月，但首尾跨越了兩個年頭。按中國人的傳統習慣，跨越了兩個年頭也勉強可以說成是兩年。但長期受過英式教育的孫中山，卻採取中式的說法來誇大了其實際留英的時間，箇中奧妙，可解釋為孫中山這句話是對中國人說的，而誇大的目的是增加他作為領袖的威信：這未始不是他曾與楊衢雲爭當首領的後遺症？

第五、他似乎在說，在訪英之前，他的民族主義和民權主義已有了些頭緒，在英國的生活經驗讓他增加了民生主義的思想而已。

至於孫中山在英國具體地見了甚麼、聞了甚麼？以致他完成了三民主義，則筆者為他每天活動所做的起居注裡，[176]已作了詳細交代，在此不贅。至於其「所見所聞」對於其三民主義形成所發生過的影響，則理應略述如下。

先談民族主義。學術界從現存史料所得到的、比較一致的看法，是孫中山訪英前的民族主義思想主流是反滿。其主要動向是推

---

[175] 孫中山：〈建國方略：孫文學說第八章：有志竟成〉，《國父全集》（1989），第1冊，第412頁，第7行。

[176] 據筆者目前正在撰寫的《孫中山三民主義倫敦探源》第二章「日誌」。為了在該書出版前集思廣益，筆者已將該日誌交臺北的《近代中國》季刊第152期開始連載。

翻滿清。造成這種思想的主要原因是，他認為滿清政府對內則政治腐敗，對外又喪權辱國。就在孫中山於香港中央書院唸書時的 1884 年，滿清的軍隊又在中法戰爭被打敗了。正因為香港的報章享有新聞自由，能衝破滿清政府對消息的封鎖，以致孫中山能從香港的中、英報章裡得知實情，故痛心疾首。此外正如筆者在本書第一章說過的，1884 年 8 至 10 月，在中法戰爭中，攻打臺灣受創的法國軍艦開到香港，華工拒絕為其修理。法國商船開到香港，艇工拒絕為其卸貨，這些行動都是香港華人自發的、愛國主義思想的表露。後來香港政府對該等工人罰款，導致全港苦力大罷工。罷工工人與警察磨擦之餘又導致警察開槍，造成不少傷亡。[177]香港的《循環日報》評論說：「中法自開仗之後，華人心存敵愾，無論商賈役夫，亦義切同仇……此可見我華人一心為國，眾志成城，各具折衝禦侮之才，大有滅此朝吃之勢。」[178]孫中山耳聞目染，能不熱血沸騰？翌年清朝戰敗，屈辱求和，對孫中山更是一個很大的衝擊。事後他回憶說：「予自乙酉中法戰敗之年，始決傾清廷，創建民國之

---

[177] Tsai Jung-fang, *Hong Kong in Chinese History: Community and Social Unrest in the British Colony, 1842-1913* (New York: Columbia University Press, 1993), pp. 142-146.

[178] 香港《循環日報》，1884 年 10 月 9 日。所謂「滅此朝吃」者，源自「滅此而朝食」：《左傳·成公二年》載：晉軍在早晨前來進攻齊國、「齊侯曰：『余姑翦滅此而朝食。』不介馬而馳之。」又，朝食：吃早飯。消滅掉這些敵人再吃早飯。形容急於取勝的心情和高昂的鬥志。《漢語成語詞典》（成都：四川辭書出版社，2000 年 10 月再版）。

志。」[179]十年人事幾番新，十年之後的 1894 年，孫中山的愛國主義情緒又曾一度有過振興滿清的想法而上書李鴻章。遭拒的同時又遇中日甲午戰爭爆發，清軍節節敗退，孫中山的愛國主義情緒從新回到推翻滿清的道路上。以致他在檀香山成立興中會時，入會的誓詞是「驅除韃虜，恢復中國」。[180]而廣州起義，更是一小撮人不惜灑鮮血斷頭顱以把這誓詞付諸實踐。所以說，孫中山訪英前的民族主義思想是比較狹隘和局部的排滿和反滿，集中在推翻滿清的統治政權，而沒有把中國放在世界各國之林和宏觀地考慮問題。

在倫敦，他親身經歷了另外一種民族主義——近代歐洲民族主義。這種民族主義是全國性的總動員，既不像中國傳統式的、大部份時間侷限於先知先覺的士大夫的忠君愛國思想（孫中山的上書李鴻章正是這種傳統思想的表現），也不是廣州起義式的、由幾位受過西方教育和基督教洗禮的血性男女（陳粹芬雖未深受西方教育卻是熱血教徒）聯合少數傳統會黨人士（之如朱貴全和丘四）去撼大樹。無論是上書李鴻章還是發動廣州起義，孫中山的思想仍跳不出中國古諺「國家興亡，匹夫有責」的範疇。而發明此諺的人，本身就是士大夫，凡夫俗子哪裡能說出這種文謅謅的話？

但在倫敦，孫中山親身體驗之一，是一個極其動人但又鮮為人知的場面，那就是英國上下為慶祝維多利亞女王登基六十週年的盛大慶典。慶典分兩大部份。第一是 1897 年 6 月 22 日在倫敦市中

---

[179] 孫中山：〈孫文學說，第八章：有志竟成〉，《國父全集》（1989），第1冊，第 409 頁。《孫中山全集》，第 6 卷，第 229 頁。

[180] 馮自由：《華僑革命開國史》（臺北：商務印書館，1953），第 26 頁。

心、孫中山居住的地方，舉行了盛大遊行。所經路線，在數週以來就不斷地在報章上刊出，圖文並茂。遊行當天，共有 46,943 名士兵參加（包括在遊行隊伍中的和站立在街道兩旁維持秩序的）。[181]這種場面，對孫中山來說，還不至於完全陌生，因為在 1891 年，香港殖民政府為了慶祝開埠五十週年而舉行閱兵典禮時，孫中山作為西醫學院的學生就極為可能曾經見過甚而接受過檢閱。[182]只是在人數和規模等方面是小巫見大巫而已。但是觀眾方面就不一樣了。香港的閱兵典禮在跑馬地進行，而當時居住在香港的英國人為數不多，故英人觀眾亦相應地少。而少數在場的華人觀眾也不會流露出英國人那種愛國熱情。但 1897 年在倫敦的觀眾，則凡是能插針的地方都站了人：從前一晚開始，就不斷有人群絡繹不絕地從倫敦以外的地區徒步走進市區，一邊走一邊歡暢地高談闊論，讓「本市人沒覺好睡」。[183]從半夜開始，當倫敦大橋停止了交通往來的時候起，該橋馬上就聚滿了人群。天還沒亮，特拉法加廣場（Trafalgar Square）已無立錐之地。[184]這種景象，有全國總動員之概，使 1891 年香港跑馬地的情況顯得相形見絀！

上午九時過後不久，大遊行開始。[185]開路的是英國皇家近衛隊騎兵團和這個團隊的軍樂隊。然後是一隊接一隊的軍團和軍樂隊，「數目多得讓眼睛都被光輝燦爛的軍裝耀得眼花撩亂」。而當女王

---

[181] *The Times*, 23 June 1897, p. 9, col. 2.

[182] 見本書第一章。

[183] *The Times*, 23 June 1897, p. 9, col. 2.

[184] *The Times*, 23 June 1897, p. 9, col. 2.

[185] *The Times*, 23 June 1897, p. 9, col. 4.

陛下從白金漢宮出發的信號發出後，各軍樂團齊奏國歌如雷鳴。群眾齊聲歡呼有如排山倒海，一浪比一浪高。「禮炮在海德公園轟鳴，聖保羅大教堂的串鐘響個不停，到處都是此起彼伏的歡呼聲，千萬人同時揮動白帕如雲海」。[186]擠在人群當中的孫中山，親身感受了一種前所未有的感情：近代歐洲民族主義那種巨大的凝聚力。相形之下，難怪孫中山說「中國人是一片散沙」──這句話是他在其「民族主義第一講」中、開宗明義的一句話。[187]

同時，大遊行有三個特點會特別引發他思考的。

第一，有一隊來自香港殖民地的華人警察參加了操閱。不像過幾天後他在海軍檢閱中看到的那艘「富士」軍艦那樣是代表了主權獨立的日本來賀禮。相反地，這隊警察是作爲大英帝國一部份的英屬殖民地香港而來的，與來自其他英屬殖民地之如英屬圭亞那，新加坡海峽殖民地等的警察肩並肩地操過。而爲這批警察開路的卻又是倫敦蘇格蘭軍團的軍樂隊。中華民族的尊嚴何在？當然，在1891年1月22日在香港舉行的、慶祝香港建埠五十週年閱兵典禮時，[188]他很可能曾經在恩師康德黎醫生帶領下，與西醫學院的其他學生操過檢閱臺，接受香港總督德輔爵士（Sir William Des Vouex）和巴駕少將（Major-General Digby Barker）的檢閱。[189]但那是他當學生的

[186] *The Times*, 23 June 1897, p. 9, cols. 2-3.

[187] 孫中山：〈民族主義第一講〉，《國父全集》（1989），第1冊，第3頁，第15行。

[188] Anon, 'Naval and Military Review', *China Mail*, 23 January 1891, p. 4 cols. 2-3.

[189] Anon, "College of Medicine for Chinese", *China Mail*, Monday 25 July 1892, p. 3, cols. 1-6: at col. 1.

時代，小年輕非常活躍，學校有活動，自然踴躍參加。畢生第一次穿上軍裝，好帥啊！操兵一、二、三，好玩啊！但到了 1897 年 6 月 22 日的孫中山，而立之年，閱歷已豐。尤其是經過了廣州起義的洗禮、被滿清駐倫敦公使館的幽禁，兩次都是與死神擦肩而過。所為何事？國家獨立，民族自尊也！現在又親身感受到盎格魯·撒遜民族（Anglo-Saxon）強大的凝聚力，讓他深切感到中華民族仍未醒覺和那種無助的悲痛。加上親眼看到香港華人警察：不是代表中國而是作為英屬子民在異國遊行。先知先覺的孫中山，酸甜苦辣一齊湧上心頭。

第二，滿清駐英公使館羅豐祿也參加了遊行，與羅馬教宗的代表同坐一輛馬車，手裏搖著紙扇，與別的國家代表顯得那麼格格不入。羅豐祿那副酸相，讓孫中山回憶起 1891 年 1 月 22 日在香港舉行的、慶祝香港建埠五十週年閱兵典禮上，參加觀禮的中國北洋艦隊提督丁汝昌。丁汝昌自始至終在檢閱臺上站在香港總督和巴駕少將旁邊觀禮。⑲⓪當孫中山把這位穿上寬袍大袖滿清官服的丁提督與穿着貼身軍裝的巴駕少將比較，有何感想？進步與落後形成強烈的對比，相差實在太遠了！此外，羅馬教宗只不過是個精神領袖，有的只是裝模作樣的衛士和儀仗隊，英國當局把他的代表安排與中國

---

[190] Anon, 'Naval and Military Review', *China Mail*, 23 January 1891, p. 4 cols. 2-3: at col. 3. All the articles about the jubilee celebrations previous printed in the *China Mail* were later collected in *Fifty Years of Progress: The Jubilee of Hong Kong as a British Crown Colony, being an historical sketch, to which is added an account of the celebrations of 21st to 24th January 1891*. (Hong Kong: *Daily Press*, 1891).

代表同坐一輛馬車，真夠諷刺。

第三，當女皇起程的信號發出後所出現的那種地動山搖的歡呼，當所有軍樂團同時高奏國歌時所出現的洶湧澎湃，比較之下，當時的中國還沒有一首國歌哩！而且，在當時的中國，不要說皇帝出巡，就是芝麻綠豆那麼大的小小縣官出門時，老百姓聽到鳴鑼開道的聲音最好是快快肅靜迴避。來不及走避的唯有跪在路旁叩頭以免無妄之災。這種國情，比起英女王座駕走到那裡，那裡就歡呼雷動的情景，真有天淵之別。這兩種情況代表了甚麼？

皇家大遊行以外，還有1897年6月27日舉行的海軍檢閱。孫中山又一度置身於巨大的人海之中，目睹165艘軍艦參加檢閱。除了英國戰艦，還有「代表世界各個海上強國」的十四艘外國軍艦。他們來自奧匈帝國、丹麥、法國、德國、義大利、日本、荷蘭、挪威、葡萄牙、俄國、西班牙、瑞典和美國。在當天，「我們的特派記者看到，場面實在太大而無法一覽無遺。艦隊佈列的主佇列長度超過五海里，而寬度……幾乎一英里。五平方英里的海面上佈滿了、在安全許可的範圍內儘量靠攏停泊的軍艦。數量之多，除了受過良好訓練的眼睛之外，都會覺得一望無際」。[191]五列軍艦如果排成一行，會綿延約三十英里，佇列就像慶祝節日時在海德公園舉行閱兵式的最優秀的近衛軍團隊那樣對稱排列，儀容威武。[192]無數的旗幟更增加了熱烈氣氛。[193]

---

[191] *The Times*, 26 June 1897, p.11, col.3.

[192] *The Times*, 28 June 1897, p.11, col.2.

[193] *The Times*, 28 June 1897, p.15, col.1.

下午二時，「維多利亞和阿爾伯特」號遊艇飄揚著皇家旗幟，載著威爾士王子，離開朴次茅斯港（Portsmouth）駛往斯皮特裏德（Spithead）海灣，他代表女王檢閱艦隊。當王子的遊艇駛過時，在指定區域內的軍艦便鳴炮致敬。同時，當他經過每一艘軍艦時，艦上的官兵便三呼萬歲，艦上的軍樂團高奏國歌。檢閱完畢，皇家遊艇下錨時，「揚名」號（H.M.S. Renown）兵艦就發出信號，馬上全場官兵同時三呼萬歲。[194]孫中山先生又一次目睹這種國家統一、民族團結所表現出來的強大凝聚力。

更值得一提的是，這次海軍檢閱表現出歐洲各國之間是互相平等對待的。各國兵艦無疑是爲維多利亞女王賀禮而來，但絕對不是萬國來朝的貢使節。他們是與英國平起平坐的使節。但中國到了晚清，則不要說萬國來朝，中國已淪爲像孫中山所說的次殖民地。孫中山是夠感慨的了。他不是要恢復萬國來朝，只求列強「平等待我」而不得。更令他感歎的是日本。十九世紀中葉日本同樣曾受列強欺負，但五十年來的日本發奮圖強，提倡民族主義，上下齊心把日本躋身列強之中，而能應邀派出兵艦賀禮，與歐洲列強平起平坐。難怪孫中山在有關民族主義演講的六次演講中，第一講劈頭第一句話就是：「甚麼是三民主義了呢？用最簡單的定義說，三民主義就是救國主義。」[195]

1897 年，孫中山在倫敦所體驗到的英國民族主義情緒，與

---

[194] *The Times*, 25 June 1897, p.13, cols.5-6.

[195] 孫中山：〈民族主義第一講〉，《國父全集》（1989），第 1 冊，第 3 頁，第 5 行。

1884 年他在香港所體驗到的華工拒絕為曾經因為攻打臺灣而受創的法國軍艦進行修理和拒絕為法國商船卸貨所表現出來的情緒，又有甚麼分別？

第一，1884 年，孫中山沒有躋身在華工群中來感受那種群眾性的熱力，他只是從報章上得悉華工所採取的行動，因報章的評論而感到熱血沸騰。但 1897 年他躋身在情緒激動的人山人海當中，感受是完全不一樣的。

第二，1884 年在香港抵制法國兵艦和商船的華工人數，比起 1897 年參加和觀看慶祝英女王登基六十週年大典的人數，是微不足道。儘管孫中山曾置身香港的華工當中，感受也不會一樣，更何況他沒有。

第三，如果 1897 的盛典拍有電影紀錄片的話，把這些紀錄片與 1930 年代德國希特勒軍隊大型操閱的電影紀錄片和 1960 年代中國文化大革命時期紅衛兵多次在天安門廣場接受毛澤東檢閱的鏡頭相比較，就可以想像出 1897 年英國群眾所表現出來的澎湃情緒。心理學家分析過希特勒和文革的鏡頭後指出，擠身在這樣巨大的群體當中的人會感到自己是一股龐大力量的一份子，同時會感覺到這股力量威力無窮，可以幹出驚天動地的壯舉。統治者駕馭了這種力量也會認為可以利用來取得不可思議的成果。果然，毛澤東利用這種群眾性的力量成功地摧毀了整個黨政機構，希特勒用以塗炭了數以百萬計的生靈。英國的領導階層利用類似的力量打天下，創立了日不落的大英帝國。學術界有種共識，這種無形的巨大力量，正是現代民族主義的具體表現。水能載舟，亦能覆舟，1897 年孫中山在倫敦看到民族主義「載舟」的功能，故提倡用民族主義救中國。

第四，關於 1884 年香港華工抵制法船的事，香港的《循環日報》評論說：「中法自開仗之後，華人心存敵愾，無論商賈役夫，亦義切同仇……此可見我華人一心為國，眾志成城，各具折衝禦侮之才，大有滅此朝吃之勢。」[196]這固然是一種民族主義的表現。翌年清朝戰敗，屈辱求和，對孫中山是一個很大的衝擊。事後他回憶說：「予自乙酉中法戰敗之年，始決傾清廷，創建民國之志。」[197]就是說，他認為香港華工所表現出來的民族主義情緒是效忠了一個錯誤的對象：異族政權只會照顧該族的私利而沒有把整個中國的利益放在心上。慈禧太后那句「寧贈友邦勿與家奴」的話，正好說明這種一族之私的心態。所以，1884/1885 年孫中山的民族主義的思想感情，侷限於在中國本土內推翻異族政權。1897 年 6 月，孫中山受過英國民族主義巨大力量的洗禮後，視野放寬了，把中國放在世界各國之林當中來考慮問題。在世界列強進行弱肉強食的殘酷現實面前，中華民族為了避免亡國滅種，只能創造一個足以凝聚全國人民民族主義情緒而向其效忠的政府。滿清政權由於積弱和喪失民心，已沒法承擔這歷史使命而必須被推翻。可以說，親歷了英國民族主義巨大威力以後，孫中山推翻滿清的決心更加堅固，心情也更加焦急，難怪他在 1897 年 7 月 1 日就匆匆離英東返了。可以說，孫中山從倫敦經驗所得到的民族主義意識，既擴大了他的視野，同時又與他原來已有的民族主義意識中的反滿情緒沒有衝突，反而是

---

[196] 香港《循環日報》，1884 年 10 月 9 日。

[197] 孫中山：〈孫文學說，第八章：有志竟成〉，《國父全集》，第 1 冊，第 409 頁。《孫中山全集》，第 6 卷，第 229 頁。

加強了。

次談民權主義。孫中山旅居倫敦期間，最早參觀的地方之一是英國的最高法院。該法院就在他下榻的赫胥旅館（Haxell's Hotel）附近。公使館僱來跟蹤孫中山的私家偵探說，1896 年 10 月 1 日，「孫逸仙於 16：30 時出門後，即漫步沿河濱（路）、艦隊街（Fleet Street）走到勒門（Ludgate）迴旋處（Circus），然後折回。邊走邊觀看櫥窗燈色。18：30 時回到旅館後，就沒有再見到他了」[198]。這樣的一條史料，讀來平平無奇。但若按照這路線走走，就會發覺孫中山先後觀摩過倫敦大學著名的英王學院（King's College, London。他往東走時，首先出現在他右邊），英國皇家最高法院（Royal Palace of Justice，在他左邊），然後進入報館雲集的艦隊街。看來孫中山看得很細，很可能還進過那所建築雄偉的最高法院，以致花上兩個小時，才來回走完這麼短短的一段路程。他最早參觀的另一個地方是國會的上下議院，[199]也可能聽過議會辯論，並由此而懂得這是立法機關。國會附近的雄偉建築物，正是英國財政部、外交部、內政部等等政府部門辦公的地方，是他去參觀國會時必經之路。所以，在兩個星期之內，他先後都把司法、立法和行政這三權分立概念在英國的具體表現都參觀過了。他有甚麼心得？

他被公使館幽禁期間，英國外交部，讓蘇格蘭場的弗里德里

[198] Slater's report, 1 October 1896, 載羅家倫：《中山先生倫敦蒙難史料考訂》（南京：京華印書館，1935），第 113 頁。以後簡稱《蒙難史料考訂》。

[199] Slater to Macartney, 12 October 1896, 載羅家倫：《蒙難史料考訂》，第 115 頁。

克·喬佛斯探長（Chief Inspector Frederick Jarvis）帶領康德黎和孟生兩位醫生先到律師事務所宣誓作證詞，准此再到中央刑事法庭（Central Criminal Court）申請保護人權令（Habeas Corpus）。懂法律的外交部高官明知內政管不了外交：保護人權令不能施諸外交使節，還是循法律程序辦了這趟手續，然後據兩位醫生的證詞勒令公使館放人。在在說明了行政機關必須服從於法律程序。[200]孫中山被釋放後住在恩師康德黎家一個星期，[201]肯定從恩師口裡聽過這段情節，孫中山有甚麼感想？

後來孫中山搬回他旅居的格雷法學院坊 8 號（8, Gray's Inn Place），旁邊就是格雷法學院。後來孫中山就頻繁地往訪該法學院裡的南院 5 號（即第 5 道樓梯）。

表四　孫中山往南院 5 號的時間統計

日期	星期	到、退	小時	分
961123	一	930		10
961219	六	1030		10
961222	二	上午		10
961223	三	945		幾分鐘
970102	六	不詳		不詳

[200] 見拙著《孫中山倫敦蒙難真相：從未披露的史實》（臺北：聯經，1998），第一章。

[201] 據筆者目前正在撰寫的《孫中山三民主義倫敦探源》第二章「日誌」。為了在該書出版前集思廣益，筆者已將該日誌交臺北的《近代中國》季刊第 152 期開始連載。

970104	一	1030		不詳
970107	四	不詳		不詳
970109	六	1130		不詳
970111	一	1100		不詳
970112	二	1030		不詳
970118	一	1030		不詳
970129	五	950		10
970201	一	1015		幾分鐘
970423-970609 缺偵探報告				
970617	四	不詳		不詳
確知次數：				14
每次平均停留時間（分鐘）				10
約計總共停留時間（分鐘）				140

據筆者考證，住在該樓梯其中一個單位查理斯·休·霍尼曼（Charles Hugh Horniman），[202]最有可能是被訪者。關於霍尼曼，承該院圖書館長特雷莎·湯姆夫人（Mrs. Teresa Thom）協助，翻查了無數材料，[203]結果發覺格雷法學院保存了他的入學申請表。日期是1895年1月16日，霍尼曼報稱是新聞記者，22歲。既然霍尼曼是

[202] D.W. Lee to Wong, 23 November 1983, and enclosure.

[203] 包括 *The Law List, 1897*; *Gray's Inn Book of Orders, March 1894 to April 1899*; *Admissions Register of Middle Temple*; *Admissions Register of Lincoln's Inn*; a list of manuscript documents in the custody of the Library of the Honourable Society of Gray's Inn from *circa* mid-sixteenth century to *circa* 1900, by R.A. Rontledge, 1975 (typescript); Joseph Foster, *Alumni Oxoniensis (Ser. 2) 1715-1886*; and *Dictionary of National Biography*, Index 1901-21.

個學生，就能夠比較靈活的支配自己的時間，每次花十來分鐘會見孫中山，無傷大雅。其次，霍尼曼當過記者，對孫逸仙這樣的風雲人物會感興趣。

孫中山探望一位學習法律的學生幹甚麼？很可能是要增加自己對法律和英國憲法的認識。這與他 1896 年 11 月 13 日[204]參觀林肯法學院和內廟法學院的行動是一致的。另外，從每次造訪南院 5 號時間之短暫——一般是十來分鐘——這種規律來看，似乎孫中山之找霍尼曼，要麼是借書還書，要麼是讀書時遇到問題就連忙向他請教。在兩者兼而有之的情況下，竊以為請教的次數可能較多。因為在上海孫逸仙故居的藏書當中，[205]就有英國著名記者沃爾特·白哲格特(Walter Bagehot)所著的《英國憲法》(*The English Constitution*)。[206]該書在英國非常著名，早在孫中山訪英之前已出版。如果孫中山要瞭解英國的憲法，這是最明顯不過的讀物。但對一位初入門而出生背景又全異的人之如孫中山來說，要讀通這部經典著作，困難是不少的，因此提問也會特別多。

從參觀到長時間學習，孫中山夠用功了。他的結論是甚麼？經過思考，他在 1906 年已認為「無文憲法，是英國的最好」。但

---

[204] Slater to Chinese Minister, 21 November 1896, 載羅家倫：《蒙難史料考訂》，第 123 頁。

[205] 見姜義華：〈民權思想淵源——上海孫中山故居部份藏書疏記〉，載姜義華著：《大道之行——孫中山思想發微》（廣州：廣東人民出版社，1996），第 144 頁。

[206] Walter Bagehot, *The English Constitution* (London: Thomas Nelson & Sons, 1872).

是，英國的憲法「是不能學的」。因為其「所謂三權分立，行政權、立法權、裁判權各不相統」。[207]

「各不相統」有甚麼不好？他們互相制衡不正是防止攬權獨裁、貪污腐敗的好方法嗎？孫中山不這麼想。他認為這些問題可以成立一個負責糾察的權力機關來解決。三權加糾察權再加考選權就成了他五權憲法的基礎。[208]而五權都同時統轄於一個「萬能政府」。[209]他又認為：「在人權發達的國家，多數的政府都是弄到無能的；民權不發達的國家，政府多是有能的。」[210]他還舉了一個例子：「近幾十年來歐洲最有能的政府，就是德國俾士麥當權的政府。在那個時候的德國政府的確是萬能政府。那個政府本來是不主張民權的，本來是要反對民權的，但是他們的政府還是成了萬能政府。其他各國主張民權的政府，沒有那一國可以叫做萬能政府。」[211]

---

[207] 孫中山：〈三民主義與中國民族之前途——在東京《民報》創刊週年慶祝大會的演說，1906年12月2日〉，載《國父全集》（1989），第3冊，第8-16頁：其中第13頁，第4-5行。又見《孫中山全集》，第1卷，第323-331頁：其中第329頁。

[208] 孫中山：〈三民主義與中國民族之前途——在東京《民報》創刊週年慶祝大會的演說，1906年12月2日〉，載《國父全集》（1989），第3冊，第8-16頁：其中第13-14頁。又見《孫中山全集》，第1卷，第323-331頁：其中第330-331頁。

[209] 孫中山：〈民權主義第六講〉，《國父全集》（1989），第1冊，第113-128頁：其中第126頁第3行。又見《孫中山全集》，第9卷，第334-355頁：其中第347頁。。

[210] 孫中山：〈民權主義第五講〉，《國父全集》（1989），第1冊，第99-113頁：其中第104頁第9行。又見《孫中山全集》，第9卷，第314-333頁：其中第321頁。

[211] 孫中山：〈民權主義第五講〉，《國父全集》（1989），第1冊，第99-

說穿了，孫中山屬意的萬能政府，其實就是集行政、立法、司法、監察、考選五權於一身的政府。大別於英國的行政、立法、司法等三權分立互相制衡的機制。為何孫中山屬意這樣的政府？歸根結底是因為他認爲這樣的模式更有利於把「一片散沙」的中華民族團結和調動起來。他說：「我們是因爲自由太多，沒有團體，沒有抵抗力，成一片散沙。因爲是一片散沙，所以受外國帝國主義的侵略，受列強經濟商戰的壓迫，我們現在不能抵抗。要將來能夠抵抗外國的壓迫，就要打破各人的自由，結成很堅固的團體，像把士敏土參加到散沙裏頭，結成一塊堅固石頭一樣。」[212]

孫中山之仰慕並希望效法俾士麥那萬能政府，可能是由於他於香港唸書時已看過有關德國歷史的書籍。但那到底還是書本上的知識，而擺在他眼前的，卻是活生生的、更有說服力的實例：香港政府的穩定、廉潔和高效率。關於這一點，從他在 1923 年 2 月 20 日於香港大學用英語所作的演說[213]可見一斑：

---

113 頁：其中第 104 頁第 9-10 行。又見《孫中山全集》，第 9 卷，第 314-333 頁：其中第 321 頁。

[212] 孫中山：〈民權主義第二講〉，載《國父全集》（1989）第一冊，第 67-76 頁：其中第 74 頁第 11-13 行。《孫中山全集》第 9 卷，第 271-283 頁：其中第 281 頁。

[213] *Hong Kong Daily Press*, Wednesday 21 February 1923. 這是一篇報導，文字非全部都是演講詞原文，語氣也非第一身。上海《國民日報》1923 年 3 月 7 日把該報導換成第一身的語氣刊登後，《孫中山全集》第 7 卷第 115-117 頁轉載如儀。該報的《國民週刊》第一卷第一號把該報導重載，《國父全集》（1989）第三冊第 323-325 頁亦據此轉載如儀。但為了避免重新翻譯，筆者下面的引文，就姑且採用這現成的譯稿。見下注。

我之思想發源地即為香港。至於如何得之，則三十年前在香港讀書，暇時輒閒步市街，見秩序整齊，建築宏美，工作進步不斷，腦海中留有甚深之印象。我每年回故里香山二次，兩地相較，情形迥異。香港整齊而安穩，香山反是。我在里中時竟須自作警察以自衛，時時留意防身之器完好否？恒默念香山、香港相距僅五十英里，何以如此不同？外人能在七、八十年間在荒島上成此偉績，中國以四千年之文化，乃無一地如香港，其故安在？[214]

筆者特別重視這段引文最後的一句話，蓋有鑑於孫中山「一片散沙」之說也。同時筆者希望鄭重指出，1883 年－1892 年間孫中山在香港求學時期的香港政制，絕對不是像英國本土般三權分立的。香港總督幾乎是集三權於一身。他的權力，來源自兩份文件。第一份文件是《英王制誥》（*Letters Patent*）[215]，1843 年 4 月 5 日維多利亞女王親自簽署，並蓋上聯合王國（United Kingdom）的國徽（Great Seal）。[216]第二份文件是《皇家訓令》（*Royal Instructions*），[217] 1843 年 4 月 6 日維多利亞女王親自簽署，並蓋上女王的私章

---

[214] 孫中山：〈革命思想之產生——1923 年 2 月 19 日在香港大學演講〉，載《國父全集》（1989）第三冊第 323-325 頁：其中第 323 頁第 17-20 行。《孫中山全集》第 7 卷第 115-117 頁：其中第 115 頁。

[215] Patent（制誥）者，公開也，即非機密的意思。

[216] Stephen Davies with Elfed Roberts, *Political Dictionary for Hong Kong* (Hong Kong: MacMillan, 1990), p. 270, col. 1.

[217] Royal Instructions, 6 April 1843, CO381/35, pp. 17-52.

（personal seal）。[218]兩份文件都採取這種形式，目的是在彰顯英王正在使用君主特權（royal prerogative）的意思。[219]為何採取這種形式？據筆者了解，這與英國長期以來在海外奪取殖民地的悠久歷史有關。當英國最初在海外奪取殖民地時，都是以英王的名義奪取。這種形式就一直被保留下來。

而兩份文件的內容也蠻有意思。《英王制誥》建立了香港總督這個職位並對他的權力範圍作了原則性的規定。其中最重要者有四。第一、立法權：經諮詢立法局後，總督有制訂香港法律和法例的全權。第二、行政權：總督有權召開行政局會議，而該局的任務是向總督提供諮詢，以便決定行政政策。第三、總督掌有任命最高法院和地區法院法官的全權；而且在必要時，經過規定程序後，有權停職和罷免該等法官。第四、軍權：總督是香港駐軍的總司令。[220]就在這些大前提下，第二道文件、《皇家訓令》填補了各種有關細節。例如，規定立法局和行政局的議員皆由總督任命等。可以說，香港總督享有「絕對權力」（absolute power）。[221]兩份文件共同組成了管治香港的「憲法」。

而這「憲法」的理論基礎是：英國以武力奪走了別國的土地和

---

[218] Stephen Davies with Elfed Roberts, *Political Dictionary for Hong Kong* (Hong Kong: MacMillan, 1990), p. 270, col. 1.

[219] Stephen Davies with Elfed Roberts, *Political Dictionary for Hong Kong* (Hong Kong: MacMillan, 1990), p. 270, col. 1.

[220] Norman Miners, *The Government and Politics of Hong Kong*, 5th edition (Hong Kong: Oxford University Press, 1991), p. 56.

[221] Stephen Davies with Elfed Roberts, *Political Dictionary for Hong Kong* (Hong Kong: MacMillan, 1990), p. 270, col. 1.

人民以成立一個殖民地，受害國家的政府和人民以致該殖民地內之原住民肯定非常敵視這殖民地政府，所以該殖民政府的領導人必須擁有絕對的權力來調動一切人力物力以應變，藉此保證殖民地的安全。[222]

香港這種獨裁政制，正是孫中山所嚮往並提倡的「萬能政府」。其理論基礎，也與孫中山對中華民族「一片散沙」不能自保而瀕臨亡國滅種的看法有異曲同工之妙。當孫中山在香港西醫學院唸三年級的時候，他的恩師之一、何啟被香港總督任命為立法局議員。[223]此事對香港的華人社會來說固然是一件大事，對西醫學院來說更是無限光榮，在該院華人學生團體當中所起的轟動及挑起他們對香港政治制度的極大興趣可知。而何啟更是向孫中山等同學們解釋香港政制的上佳人選，因為他除了有醫生執照以外，同時又是英國倫敦林肯法學院的畢業生，是在香港執業的大律師。孫中山那「萬能政府」的構思，相信很大程度是來自他對香港管治架構的認識和管治效率的仰慕。關於這一點，他在上述香港大學演講詞中就表露無遺。[224]

在 1896/1897 年間，孫中山在英國遇到的是三權分立的政治制

---

[222] Stephen Davies with Elfed Roberts, *Political Dictionary for Hong Kong* (Hong Kong: MacMillan, 1990), p. 270, col. 1.

[223] G.H. Choa, *The Life and Times of Sir Kai Ho Kai* (Hong Kong: Chinese University Pres, 1981), pp. 16-17.

[224] 孫中山：〈革命思想之產生——1923 年 2 月 19 日在香港大學演講〉，載《國父全集》（1989）第三冊，第 323-325 頁：其中第 323 頁第 17-20 行。《孫中山全集》第 7 卷，第 115-117 頁：其中第 115 頁。

度。並由此通過學習而了解到三權分立的理論基礎是讓三權互相制衡以避免獨裁政治。這樣的一個制度和理論，與他先前在香港學習到的管治模式和理論是極端矛盾的。他該作何選擇？他決定英國的憲法「是不能學的」。因為其「行政權、立法權、裁判權各不相統」，[225]因而解決不了中國「一片散沙」的問題。他還是屬意香港那個「萬能政府」。但作為一個民族領袖，他不能標榜英國在中國土地上成立的殖民政府，故只好顧左右而言德國俾士麥的「萬能政府」。其實，他從沒有在俾士麥的「萬能政府」之下生活過，但對香港的「萬能政府」的運作卻有超過十年親身的深切體會而說出了肺腑之言。

既然孫中山不贊成西方式的民權，[226]那麼他的「民權主義」在說甚麼？他提出了「政權」與「治權」分家的概念。「政權」屬於人民，這就是「民權」。[227]這「民權」包括選舉、罷免、創制和複決政府等四權。[228]「治權」則包括立法、司法、行政、考試和監察

---

[225] 孫中山：〈三民主義與中國民族之前途——在東京《民報》創刊週年慶祝大會的演說，1906 年 12 月 2 日〉，載《國父全集》（1989），第 3 冊，第 8-16 頁：其中第 13 頁，第 4-5 行。又見《孫中山全集》，第 1 卷，第 323-331 頁：其中第 329 頁。

[226] 孫中山：〈民權主義第五講〉，《國父全集》（1989），第 1 冊，第 99-113 頁：其中第 104 頁第 9-10 行。又見《孫中山全集》，第 9 卷，第 314-333 頁：其中第 321 頁。

[227] 孫中山：〈民權主義第六講〉，《國父全集》（1989），第 1 冊，第 113-128 頁：其中第 123 頁第 1-2 行。又見《孫中山全集》，第 9 卷，第 334-355 頁：其中第 347 頁。

[228] 孫中山：〈民權主義第六講〉，《國父全集》（1989），第 1 冊，第 113-128 頁：其中第 126 頁之圖案。又見《孫中山全集》，第 9 卷，第 334-355 頁：其中第 352 頁之圖案。

等五權；[229]把這五權「完全交到政府的機關之內，要政府有很大的力量，治理全國事務。」[230]換句話說，這是「權」與「能」分家的概念。他闡明道：

> 我們現在分開權與能，說人民是工程師，政府是機器。在一方面要政府的機器是萬能，無論甚麼事都可以做。又在他一方面，要人民的工程師也有大力量，可以管理萬能的機器。[231]

人民憑甚麼去駕馭這「甚麼事都可以做」的「萬能政府」以避免其獨攬大權而流於專制？孫中山認為人民可以依靠選舉、罷免、創制和複決政府之權來進行。[232]

竊以為這種想法太天真了。一個集五權於一身而又控制了軍權的萬能政府，人民就可以如此輕而易舉地把它罷免？而這種天真的

---

[229] 孫中山：〈民權主義第六講〉，《國父全集》（1989），第 1 冊，第 113-128 頁：其中第 126 頁之圖案。又見《孫中山全集》，第 9 卷，第 334-355 頁：其中第 352 頁之圖案。

[230] 孫中山：〈民權主義第六講〉，《國父全集》（1989），第 1 冊，第 113-128 頁：其中第 123 頁第 2-3 行。又見《孫中山全集》，第 9 卷，第 334-355 頁：其中第 347 頁。

[231] 孫中山：〈民權主義第六講〉，《國父全集》（1989），第 1 冊，第 113-128 頁：其中第 126 頁，第 4-5 行。又見《孫中山全集》，第 9 卷，第 334-355 頁：其中第 351-352 頁。

[232] 孫中山：〈民權主義第六講〉，《國父全集》（1989），第 1 冊，第 113-128 頁：其中第 126 頁之圖案。又見《孫中山全集》，第 9 卷，第 334-355 頁：其中第 352 頁之圖案。

想法，似乎又是在孫中山天真年紀的時候先入為主而變得根深蒂固。他在西醫學院唸書的時代，通過恩師何啟會認識到，香港那個萬能總督，雖然名義上是由英王委任，實質上是英國政府中的殖民地部裡的有關文官挑選的。他的一切行動，都必須向殖民地部大臣直接負責。如果政績不佳，殖民地部大臣有權隨時罷免他。就連那著名的《英王制誥》和《皇家訓令》，都是殖民地部裡的有關文官起草的，英王只不過是蓋個「橡皮圖章」而已。㉝年輕的孫中山靈機一觸，似乎認為把殖民地大臣換作人民，把委任換作選舉，把萬能總督換作萬能政府，那不就萬事皆吉？

孫中山有這種不成熟的想法，看來是受了兩個因素影響。第一、孫中山有生之年的中國，都亟需一個強有力的政府來收拾那檔爛攤子。在成立「萬能政府」壓倒一切的大前提下，追求這個「萬能政府」成了當前急務。至於用甚麼方法來制衡這萬能政府，就成了次要的問題。救亡要緊！如此這般，他沒把問題想通，是很自然的事。第二、孫中山在香港唸書的時節，或在課堂上學習中國語文或自修國學，按當時習慣，他看的都是儒家的經典著作。當然，他十三歲出國以前在翠亨村唸私塾時讀三字經之類的書籍，也全是儒家範疇。儒家主張人治：「選賢與能，講信修睦」。㉞只要找到聖賢來為政府掌舵，則萬事皆吉。以致他在「民權主義」的演講中，

㉝ 這個結論，是筆者 36 年來不斷鑽研英國殖民地部、外交部等檔案以及英國政制、香港歷史所得。

㉞ 孔子《論語·大同篇》。

不斷地提及堯、舜、禹、湯、文、武。㉟又按儒家的思維方法把人類分成聖、賢、才、智、平、庸、愚、劣等級別。㊱以致他把他那理想中的「萬能政府」建築在聖賢掌舵的空中樓閣，忽略了法治的重要性。

應該指出。施諸香港的《英王制誥》和《皇家訓令》在 1917 年有過一些修改，但「行政主導」的精神不變，㊲種下了 1992 年香港最後一任總督彭定康（Chris Patten）民主化香港的過程中、中英爭拗的禍根。㊳ 1992 年尚且如此，1924 年孫中山演講三民主義的時候，香港總督仍然是那麼獨裁的程度可知。

三談民生主義。這是三民主義當中，唯一的一種是孫中山自稱到達倫敦以後才發明的。但竊以為源頭還得從香港說起。在香港求學期間，孫中山的恩師康德黎有華人和日本人的僕人。日傭甚至陪他一家返英，以便沿途照顧孩子。㊴准此，孫中山一定以為，在英

㉟ 孫中山：〈民權主義第五講〉，《國父全集》（1989），第 1 冊，第 99-113 頁：其中第 104、105、107 頁。又見《孫中山全集》，第 9 卷，第 314-333 頁：其中第 322、325 頁。

㊱ 孫中山：〈民權主義第三講〉，《國父全集》（1989），第 1 冊，第 76-88 頁：其中第 79 頁。又見《孫中山全集》，第 9 卷，第 283-299 頁：其中第 287 頁。

㊲ Stephen Davies with Elfed Roberts, *Political Dictionary for Hong Kong* (Hong Kong: MacMillan, 1990), p. 270, col. 1.

㊳ 見拙文'The Future of Hong Kong', in J. E. Hunter (ed.), *Hong Kong and the People's Republic of China* (London: London School of Economics, 1996), pp. 1-36.

㊴ Neil Cantlie and George Seaver, *Sir James Cantlie: A Romance in Medicine* (London: John Murray, 1939), p. 100.

國老家的人肯定大家都有外國傭人。可沒想到他抵倫敦後第一天的活動：1896 年 10 月 1 日清早往康家探訪時，開門的卻是地地道道的英國白人。[240]當天黃昏，孫逸仙參觀了倫敦大學著名的英王書院。[241]教育與民生息息相關。[242]當時的神州大地，還沒有一所現代化的高等學府！而他在香港唸書的西醫學院，更是小巫見大巫。

若嫌參觀大學的例子，還不夠直接了當地顯示出它與民生的關係，則第二天，孫逸仙在他旅居的霍爾本區（Holborn）活動。該區既有輝煌的格雷法學院，也有查里斯・狄更斯（Charles Dickens）所描述的貧民窟。[243]孫逸仙見了沒有？第三天，他跑到老遠的水晶宮（Crystal Palace），花了一整天參觀由英國皇家園藝協會（Royal Horticultural Society）所舉辦的、全國水果展覽。第四天（1896 年 10 月 4 日星期天），同樣通過實地考察，筆者發覺，孫逸仙與康德黎一家步出教堂時，目睹英國罷工工人示威的盛大、動人場面。[244]這全都與民生有關（後者當然與民權也有密切關係）。

在短短的四天之內，有關民生主義的例子，就通過實地考察，排山倒海而來。

---

[240] Mrs. Cantlie's diary, 14, 16, 17, 19 and 25 July 1896.

[241] 見本章本節上文有關民權主義部份。

[242] 見孫中山，〈民生主義的教育方針〉和〈民生主義教育的幾個部門〉，載《國父全集》（1989），第一冊，第 204-214 頁。

[243] 見筆者目前正在撰寫的《孫中山三民主義倫敦探源》第三章「圖錄」中的 5 月部份。

[244] 據筆者目前正在撰寫的《孫中山三民主義倫敦探源》第二章「日誌」。為了在該書出版前集思廣益，筆者已將該日誌交臺北的《近代中國》季刊第 152 期開始連載。

後來孫中山被囚公使館，日夜輪番看守他的也是兩位地地道道的英國人：看門的佐治·柯耳（George Cole）和跑腿的亨利·慕連納（Henry Muller）。孫中山日夜與他們相處，最後更說服了柯耳爲他傳遞訊息給康德黎。在這些求救紙條之一的後面，孫中山寫道：「請照顧這位信差，他很窮，而且很可能因爲替我傳遞訊息而遭解雇」。[245]柯耳作證詞時自稱住在小阿賓尼街 36 號（36 Little Albany Road）。筆者按址往訪，則舊房已被拆掉；代之而起的是高狹的公共屋，狹街狹巷之間仍有一兩所廢工廠的煙窗。說明這個地區過去是個貧民窟。

就在英國皇室居處、倫敦市中心的白金漢宮（Buckingham Palace）旁邊：

> 如果你在清晨六時左右快步在青園（Green Park）北邊，自列茲（Ritz）往立憲山（Constitution Hill）的方向走，你會遇到很多人。他們從黑暗中冒出來，駝著背，聳肩達耳，帽蓋眼睛，半死不活的像幽魂。[246]

他們就是那批無家可歸的倫敦人。實在餓不過來時，會在垃圾堆中

---

[245] Sun Yatsen to Cantlie, n.d., enclosed in Cantlie's affidavit of 22 October 1896, FO17/1718, p. 30.

[246] Edwin Pugh, 'Outcasts of the Great City', in St John Adcock (ed.), *Wonderful London: The world's greatest city described by its best writers and picture by its finest photographers*. 3 volumes (London, Fleetway House, n.d.), pp. 1089-1096.

找廢食。看慣了香港殖民地英國人那種奢侈生活的孫中山，尤其是回想到那位用手杖把華人像趕狗般趕離公共長椅的英霸。[247]做夢也沒想過在英國老家的英國人會貧窮到那麼悲哀。

總之，孫中山在倫敦日常生活中所見到的貧富懸殊，觸動了他的靈魂深處，於是構思了民生主義，其精髓是平均地權，徵收增了值的土地稅以幫助國家發展，間接幫助窮人。

五、小結

從塑造了孫中山的英雄形象到促成了他的革命理論，英國都直接或間接地造就了孫中山這位中國未來的領袖。

---

[247] 見本書第一章第三節。

第五章
求助情切 1897-1911

圖九

圖十

1911 年 10 月 10 日，武昌起義爆發，滿清官員倉惶出走（見圖九，廣東省檔案館提供）。當時孫中山正在美國科羅拉多州（Colorado）的丹佛市（Denver）。他當然希望盡快回國，而最快捷、最方便的路線，應該是橫渡太平洋。但是，他卻捨近就遠而取道倫敦。 為什麼？「吾之外交關鍵，可以舉足輕重為我成敗存亡所繫者，厥為英國；倘英國右我，則日本不能為患矣。予於是乃起程赴紐約，覓船渡英。」 圖十所示乃孫中山當時力圖爭取的對象——英國外交部。

Harold Z. Schiffrin, *Sun Yat-sen: Reluctant Revolutionary* (Boston: Little Brown, 1980), p. 155.

孫中山："建國方略：孫文學說第八章'有志竟成'，《國父全集》（1989），第一冊，第 421 頁，第 3-4 行。

緒　論

孫中山旅英前後共九個月，大致完成了他對三民主義的構思。這是他革命征途中的一個里程碑。此後，他認為再滯留在英國已經沒多大意思，於是就在 1897 年 7 月 1 日離開英國東歸。他橫渡大西洋，取道加拿大再越太平洋去日本。1905 年更在日本把他自己的興中會與留日的其他革命團體合併而成立了同盟會。孫中山被舉為總理，黃興副之，❸聲勢大盛。接着用日本及南洋為基地，多次在華南發動起義，屢起屢敗、屢敗屢起地搞革命。經過多次失敗以後，他在 1910 年 3 月 28 日再次抵達檀香山。❹該地華僑鍾工宇於其英文回憶錄《在檀島生活 79 年》中把日期說成是 1911 年初（Early in 1911），❺則老先生可能把日期記錯了，因為孫中山在 1911 年並未踏足檀島。❻但他回憶錄的內容卻值得注意。他說：「孫醫生又一次失意地回到檀香山。沒想到那竟是他最後一次訪檀

❸ 詳見張玉法：《清季的革命團體》（臺北：中央研究院近代史研究所，1975）。又見黃福慶：《清末留日學生》（臺北：中央研究院近代史研究所，1975）。

❹ 見秦孝儀編：《國父年譜》一套 2 冊（臺北：中國國民黨中央黨史委員會，1985），上冊，第 341 頁。以後提到的《國父年譜》（1985），皆指此版本。

❺ Chung Kun Ai, *My Seventy Nine Years in Hawaii, 1879-1958* (Hong Kong: Cosmorama Pictorial Publisher, 1960), p. 110.

❻ 見《國父年譜》（1985），上冊有關 1911 年的記載，即第 361-444 頁。

了。」❼時值廣州新軍在 1910 年 2 月 12 日的起義又失敗了，「是為先生領導第九次革命起義之失敗。」❽怎能不失意？

鍾工宇繼續說：

> 失意的原因，是由於革命裹足不前。而革命裹足不前，是因為太多人不斷地出賣了他：不是把他的行蹤偷偷地通知了滿清當局（以換取懸紅），就是把他（辛辛苦苦籌得的）革命經費夾帶私逃。

這段話，讓人回想了孫中山所領導的第一次革命——1895 年廣州起義——的失敗，是由於朱淇之兄朱湘告密，香港會黨朱貴全之兄弟誇下海口答應出「敢死隊三千」而其實是招苦力代替的騙局，和

---

❼ Chung Kun Ai, *My Seventy Nine Years in Hawaii, 1879-1958*, pp. 110-111: at p. 110. 此兩頁屬該書第三章，原文對孫中山的稱呼自始至終是「孫醫生」（Dr. Sun）。王雲五等把該章有關部份抽譯而冠以「我怎樣認識國父孫先生」時，就擅自增加了「國父」一詞，而在內容亦通通把「孫醫生」改為「國父」。已見失真。但鑑於其刊載在 1967 年 2 月 1 日於臺灣出版的《傳記文學》，還可以理解當時這種做法的時代背景。但 1981 年湖南人民出版社出版的《辛亥革命史料選輯》上冊把該譯文轉載時，既冠以「我的老友孫逸仙先生」之題目，內容又全部沿用「國父」稱呼，就顯得互相矛盾了。如果該書編者注明出處，還好理解，也不至誤導年輕學者認為孫中山的老友也稱他為「國父」了。在此筆者按英語原文重新翻譯，即發覺在原文孫中山說他自信再正規深造三年醫科即可取得合法行醫的資格那句話，又被過去的譯者翻為「他相信用四個月的工夫努力研究，必能對醫學有所造詣，而能再度合格去行醫。」把三年譯為四個月，是無心之失？

❽ 《國父年譜》（1985），上冊，第 333 頁。

廣州會黨乾脆就說路途阻滯沒法前來之謊言等等。❾

鍾工宇又繼續說：

> 他心灰意冷之餘，正準備補讀醫科以便重操舊業。由於醫學是科學的，絲毫馬虎不得；而且發展神速，所以他相信他至低限度要再化三年時間正規深造，才能取得合法的全科醫生執照。

這段話，又讓人回想了 1895 年廣州新敗，孫中山回檀重逢高堂、兄長、妻子、兒子的情景。當時實齡 29 歲的孫中山，已經很大程度上放棄革命的念頭而準備到英國深造醫科以謀生。❿

鍾工宇緊接着說：

> 我鑑於他已經花了這麼多年的時間搞革命，所以我最不願意見到他半途而廢。於是我用「努力、努力、再努力」的古諺來鼓勵他。我又說，只要世界上還存在着像我這種信任他的人，他就應該堅持下去。⓫

總結鍾工宇的話，竊以為除了把事發的年份記錯以外，內容像其他口述歷史一樣，是非常珍貴的，因為它佐證了某些歷史現象。

---

❾ 見本書第二章第八節。

❿ 見本書第三章第一、二節。

⓫ Chung Kun Ai, *My Seventy Nine Years in Hawaii, 1879-1958*, pp. 110-111.

即孫中山在他漫長的革命征途上，思想是有過反覆的。就以目前本書發掘到的材料看：小年輕意氣風發搞革命。搞不出甚麼名堂而錢已花光了，就上書李鴻章求改革。上書失敗再搞革命。廣州事敗就決定深造醫科。倫敦蒙難改變了他的處境以後，又回到革命的路途上。革命失敗、失敗、再失敗以後，到了 1910 年 4 月又在檀島的孫中山，已是實齡 44 歲。上有病重的高堂在香港「須即匯款接濟」，⓬下有兒子孫科在檀島聖路易斯學院（St Louis College）求學。⓭他本人亡命海外的生涯何時了？而當時急需解決的籌餉、軍事、黨內分裂等問題又不斷地困擾着他，讓一時心情不好，感觸之餘，情不自禁地瞬息間對老同學私下流露了動搖的思想，絲毫不足為怪。這是真實的孫中山人性的自然表現，只有被人神化了的、虛假的孫中山，才會被說成是永遠絕對的無動於衷。當然，在公開場合，孫中山是表現得堅強和樂觀的。當他接受檀香山《晚間公報》的記者採訪時，就說：「只要現在的滿洲政府繼續存在，中國就沒有希望……現在，正醞釀一場革命以推翻滿洲政府。」⓮後來接受檀香山《廣告者》的記者採訪時又說：「徹底改變龐大的中華帝國政體的時機已近成熟。」⓯時機是否真的已近成熟，相信孫中山自

⓬ 《國父年譜》（1985），上冊，第 332 頁。

⓭ 《國父年譜》（1985），上冊，第 332 頁。

⓮ *Evening Bulletin*, Hawaii, 8 April 1910. 漢語譯文見楊天石譯：〈孫中山 1910 年在檀香山的幾次談話〉，載《民國檔案》，1986 年第 1 期。轉載於《孫中山年譜長編》，上冊，第 496 頁。

⓯ *Advertiser*, Hawaii, 21 April 1910. 漢語譯文見楊天石譯：〈孫中山 1910 年在檀香山的幾次談話〉，載《民國檔案》，1986 年第 1 期。轉載於《孫中山年譜長編》，上冊，第 499 頁。

己心裡也沒個譜，看來只不過又是他自勵勵人的話。

在 1911 年 10 月 10 日，辛亥革命終於在武昌爆發了。當時孫中山正在美國科羅拉多州（Colorado）的丹佛市（Denver）。他當然希望盡快回國，而最快捷、最方便的路線，應該是橫渡太平洋。但是，他卻捨近就遠而取道倫敦。⑯為什麼？他認為革命初起，成敗決定於英國政府的動向。他必須取道倫敦，爭取英國政府的支持，革命才有一線生機。他寫道：「吾之外交關鍵，可以舉足輕重為我成敗存亡所繫者，厥為英國；倘英國右我，則日本不能為患矣。予於是乃起程赴紐約，覓船渡英。」⑰

孫中山拐了一個大彎取道英倫回國，取得了甚麼成績？事後他寫道：

> 予…向英政府要求三事：一、止絕清廷一切借款；二、制止日本援助清廷；三、取消各處英屬政府之放逐令，以便予取道回國。三事皆得英政府允許。⑱

事實是否如此？這是本章重點探索的問題。

---

⑯ Harold Z. Schiffrin, *Sun Yat-sen: Reluctant Revolutionary* (Boston: Little Brown, 1980), p. 155.

⑰ 孫中山：〈建國方略：孫文學說第八章「有志竟成」〉，《國父全集》（1989），第一冊，第 421 頁，第 3-4 行。

⑱ 孫中山：〈建國方略：孫文學說，第八章：有志竟成〉，《國父全集》，第 1 冊，第 421 頁。《孫中山全集》，第 6 卷，第 245-246 頁。

一、英國外交部對武昌起義的認識

渡英前，孫中山打電報給他的美國朋友荷馬李（Homer Lea）。⑲當時荷馬李在德國，孫中山電催他到倫敦相會。⑳孫中山比荷馬李先到，1911 年 11 月 11 日即到達倫敦，住進倫敦河濱（Strand）的薩福伊旅館（Hotel Savoy），隨行的有黨人朱卓文。㉑

在英國等待着孫中山的，又是怎番景象？

先是 1911 年 10 月 10 日下午 1 時，英國外交部接到駐華公使朱爾典（Sir John N. Jordan）當天下午 4 時 10 分自北京發來的加急密電，曰：「革命黨人在漢口俄國租界及武昌被捕。三、四名革命黨人已於今晨被正法。餘仍受審。」㉒徵諸中方史料，謂 10 月 9 日，「孫武與鄧玉麟在漢口俄租界寶善里 14 號機關配製炸彈，11

---

⑲ Sun Yatsen to Homer Lee, Telegram, 31 October 1911, Joshua B. Powers Papers, Hoover Institution on War, Revolution and Peace, Stanford University. 按英文原件藏史丹福大學胡佛研究所。英文原件影印本存國史館。譯文見呂芳上：〈荷馬李檔案簡述〉，載李雲漢編：《研究孫中山先生的史料與史學》，轉載於《國父全集》（1989），第四冊，第 168 頁，第 1-4 行。《孫中山全集》亦予轉載，但把荷馬李之譯名改為咸馬里，見該集第 1 卷第 544 頁。

⑳ Eugene Anschel, *Homer Lea, Sun Yat-sen and the Chinese Revolution* (New York: Praeger, 1984), p. 155.

㉑ 陳三井：〈中山先生歸國與當選臨時大總統〉，載教育部主編《中華民國建國史：第一編，革命開國（二）》（臺北：國立編譯館，1985），第 888 頁。

㉒ Jordan to Grey, Tel. 217 R (cipher), 10 October 1911, Despatched 4.10 p.m., Received 1 p.m., Reg. No. 39846, FO 371/1093, pp. 214-16: at p. 216.

號則為劉公寓所。劉公之弟劉同至 14 號，吸紙煙，引起爆炸，燒傷孫武。……爆炸事發，洋務公所會同俄領事率捕警，捕去劉公夫人及劉同等」。㉓又曰：10 月 10 日，「三烈士就義，各機關先後被破，名冊被搜去。」㉔由此可見，英國駐華大使的情報相當準確。

英國外交部收到該電報後馬上解密，送該部中央註冊處登記後，轉送該部中國司。該司文書馬上為電文作撮要，並冠以標題曰：「四川動亂」。㉕該文書錯把漢口作四川，可能是受到連日來四川保路運動所引起的騷動所誤導。但當文件呈到助理外交次長 Sir Francis Campbell（Assistant Under Secretary of State）時，次長即在四川這個地名上打了個大問號，並批示曰：「被捕者可能是來自四川的動亂份子，但電文並沒作如是說明，而漢口距離四川可遠呢！」㉖可見英國外交部的高層對中國是有相當認識的，而且甚具慧眼。因為該助理外交次長並不鑑於只有三、四人被捕殺就輕忽其事，反而把電文呈外交次長 Sir Arthur Nicolson（Permanent Under

---

㉓ 《辛亥革命》，第 5 冊，第 101-102 頁。

㉔ 《辛亥革命》，第 5 冊，第 87 頁。

㉕ FO summary on Jordan to Grey, Tel. 271 R (cipher), 10 October 1911, Despatched 4.10 p.m., Received 1 p.m., Reg. No. 39846, FO 371/1093, pp. 214-16: at p. 214.

㉖ FAC's minute on Jordan to Grey, Tel. 217 R (cipher), 10 October 1911, Despatched 4.10 p.m., Received 1 p.m., Reg. No. 39846, FO 371/1093, pp. 214-16: at p. 214. I have identified FAC to be Sir Francis Campbell, Assistant Under Secretary of State for Foreign Affairs.

Secretary of State）。㉗外交次長閱後又呈外相愛德華·格雷爵士（Sir Edward Grey, Secretary of State for Foreign Affairs）。㉘一般文件，能呈到助理外交次長，已不簡單。這份文件，卻被一直上呈到外相。可見英國高層對中國所發生的，那怕表面上是微不足道的小騷亂，都是極度關注的。所掌握到的情況，亦甚準確。

1911 年 10 月 11 日下午 4 時，英國外交部接到駐華公使朱爾典當天下午 5 時自北京發來的加急密電，曰：「駐漢口領事報告說，武昌全反了，衙門被焚燒。湖廣總督（瑞澂）逃到軍艦上，而該軍艦又儘量靠攏英國皇家砲艇的船尾（以求掩護）。該總督通知我總領事說，已無法保護英國租界，並要求皇家海軍阻止（武昌）叛軍渡過長江到漢口。」㉙英國外交部文書為該密電作撮要時，冠以標題曰：「武昌革命」（Revolution in Wuchang）。㉚這次準確多了，可能挨過訓。中國司司長 W.G. Max Muller 批示曰：「我不相

㉗ A.N.'s initials on Jordan to Grey, Tel. 217 R (cipher), 10 October 1911, Despatched 4.10 p.m., Rece.ived 1 p.m., Reg. No. 39846, FO 371/1093, pp. 214-16: at p. 214. I have identified A.N. to be Sir Arthur Nicolson, Bart., Permanent Under Secretary of State for Foreign Affairs.

㉘ E.G.'s initials on Jordan to Grey, Tel. 271 R (cipher), 10 October 1911, Despatched 4.10 p.m., Received 1 p.m., Reg. No. 39846, FO 371/1093, pp. 214-16: at p. 214. I have identified E.G. to be Sir Edward Grey, Secretary of State for Foreign Affairs.

㉙ Jordan to Grey, Tel. 278 R (cipher), 11 October 1911, Despatched 5 p.m., Received 4 p.m., Reg. No. 39996, FO 371/1093, pp. 217-19: at p. 219.

㉚ FO minutes: Subject: Revolution in Wuchang, on Jordan to Grey, Tel. 278 R (cipher), 11 October 1911, Despatched 5 p.m., Received 4 p.m., Reg. No. 39996, FO 371/1093, pp. 217-19: at p. 217.

信這次在武昌爆發的動亂與最近在四川發生的騷動有任何直接關係。我認為它只不過是目前在中國普遍存在的革命意識的又一次表露……」㉛事實證明，他的分析是準確的。而他的上司、助理外交次長批示說：「軍隊造反，大事不妙。」㉜可謂一針見血。過去孫中山利用會黨起義，屢起屢敗，主要原因之一是紀律散漫。軍隊是有組織有紀律的群體。若部隊受到革命思想影響而造反，則革命成功的機會就大多了。事態嚴重，助理次長呈次長，㉝次長呈外相，兩人閱後都簽了名表示看過。㉞

當天深夜 11 時 20 分，駐華公使朱爾典向外交部發出第二道密電，其中警句是：「武昌戰事仍然繼續。據說革命目的完全屬反政府。叛軍首領廣貼告示嚴禁侵犯外國人或外國租界。」㉟電文先呈外相的私人秘書，以便聽取他的意見。他批示曰：「昨天中國駐英

㉛ Max Muller's minute on Jordan to Grey, Tel. 218 R (cipher), 11 October 1911, Despatched 5 p.m., Received 4 p.m., Reg. No. 39996, FO 371/1093, pp. 217-19: at p. 217.

㉜ Campbell's minute on Jordan to Grey, Tel. 218 R (cipher), 11 October 1911, Despatched 5 p.m., Received 4 p.m., Reg. No. 39996, FO 371/1093, pp. 217-19: at p. 217.

㉝ Nicolson's initials on Jordan to Grey, Tel. 218 R (cipher), 11 October 1911, Despatched 5 p.m., Received 4 p.m., Reg. No. 39996, FO 371/1093, pp. 217-19: at p. 217.

㉞ Grey's initials on Jordan to Grey, Tel. 218 R (cipher), 11 October 1911, Despatched 5 p.m., Received 4 p.m., Reg. No. 39996, FO 371/1093, pp. 217-19: at p. 217.

㉟ Jordan to Grey, Tel. 219 P (cipher), 11 October 1911, Despatched 5 p.m., Received 4 p.m., Reg. No. 40014, FO 371/1093, pp. 220-22: at p. 222.

公使對我說：運動的目標是反對外資，是成都保路暴動的延續，並非反政府的。」㊱助理次長看後批示曰：「我們不排除這個可能性，但這種可能性不高，因為公使身在倫敦，消息不見得要比在場的人靈通，我們只能等待更權威的情報。」㊲可見其獨立判斷的能力極強，不會輕易受任何一方的說項所左右。電文與諸批示同樣呈次長㊳與外相愛德華·格雷爵士㊴審閱。

對於駐華公使在 10 月 12 日下午 1 時 40 分從北京發來的密電，助理外交次長批示說：「漢口的警察逃之夭夭，兆頭極壞，這次舉事，非同小可。」㊵以致外交部的文書為駐華公使在同日深夜 11 時所發出的第二道密電作撮要時，所下的標題就由「武昌革

㊱ D.A.'s minute on Jordan to Grey, Tel. 219 P (cipher), 11 October 1911, Despatched 5 p.m., Received 4 p.m., Reg. No. 40014, FO 371/1093, pp. 220-22: at p. 220. I have not been able to identify who D.A. was, except that he was the Private Secretary.

㊲ Campbell's minute on Jordan to Grey, Tel. 219 P (cipher), 11 October 1911, Despatched 5 p.m., Received 4 p.m., Reg. No. 40014, FO 371/1093, pp. 220-22: at p. 220.

㊳ Nicolon's initials on Jordan to Grey, Tel. 219 P (cipher), 11 October 1911, Despatched 5 p.m., Received 4 p.m., Reg. No. 40014, FO 371/1093, pp. 220-22: at p. 220.

㊴ Grey's initials on Jordan to Grey, Tel. 219 P (cipher), 11 October 1911, Despatched 5 p.m., Received 4 p.m., Reg. No. 40014, FO 371/1093, pp. 220-22: at p. 220. I have not been able to identify who D.A. was, except that he was the Private Secretary.

㊵ Campbell's minute on Jordan to Grey, Tel. 220 R (cipher), 12 October 1911, Despatched 1.40 p.m., Received 11 a.m., Reg. No. 40072, FO 371/1093, pp. 223-25: at p. 223.

命」改為「中國革命」（Revolution in China），❹❶藉此表示外交部已意識到該革命運動不是地區性而是全國性的問題。同時，外交部又決定把解密後的電文，不再用打字機打成單行本，而改用特定的乳黃色的薄紙印刷然後分發給各有關單位。❹❷目的明顯地是讓所有有關人員都能及時知道中國事態的發展，以便集思廣益。

10 月 13 日，外交部接到海軍部咨文，❹❸移咨英國皇家海軍駐華艦隊司令有關武昌起義的情報。❹❹內容佐證了外交部從其他途徑所取得的情報。❹❺

上述史料說明了幾個問題：第一、英國外交部所掌握到的有關武昌起義的情報是多方面的，及時的，準確的。第二、英國外交部的高層有高度的判斷能力，獨立思考的才幹，不會偏聽。在這種情況下，對於孫中山的出現以及孫中山的說項，他們會採取甚麼態度？

---

❹❶ FO minute, Subject: "Revolution in China", on Jordan to Grey, Tel. 221 P (cipher), 12 October 1911, Despatched 11 p.m., Received 8.15 p.m., Reg. No. 40157, FO 371/1093, pp. 226-27: at p. 226.

❹❷ Jordan to Grey, Tel. 221 P (cipher), 12 October 1911, Despatched 11 p.m., Received 8.15 p.m., Reg. No. 40157, FO 371/1093, pp. 226-27: at p. 227.

❹❸ Admiralty to FO, 13 October 1911, Reg. No. 40270, FO371/1093, pp. 231-33: at p. 232.

❹❹ Admiral Winsloe to Admiralty, Tel. 109, 12 October 1911, enclosed in Admiralty to FO, 13 October 1911, Reg. No. 40270, FO371/1093, pp. 231-33: at p. 233.

❹❺ Campbell's minute on Admiralty to FO, 13 October 1911, Reg. No. 40270, FO371/1093, pp. 231-33: at p.231.

二、分析英國外交部的態度

不待 1911 年 11 月 11 日孫中山之親身到達倫敦，他的影子已經比他先到。原來在 10 月 13 日，就有一位巴卡（J. Ellis Barker）先生，從倫敦的憲法俱樂部（Constitutional Club）寫了一封信給英國首相阿斯區夫（Henry Herbert Asquith）。文曰：

閣下：

中國的革命

幾個月前，我與孫逸仙醫生和他的朋友們有過多次詳盡細緻的談話，他們給我留下的深刻印象，可以總括為下列數點：

1.正義在革命黨人那邊；
2.他們的運動，是有廣大民眾支持的民主運動，值得我們同情；
3.革命成功的機會極高；
4.歐洲列強絕對不宜干預中國革命，因為廣大中國人民將永遠不會饒恕一個支持他們立志推翻的腐敗政府。

我希望我國駐華各軍事單位的指揮官不要對革命黨人採取任何敵對行動，否則本國在華利益將會遭到深遠與永恆的傷害。

若閣下需要任何情報，我都樂意提供。

您忠實的僕人，

巴卡

1911 年 10 月 13 日於憲法俱樂部。

再者：由於時間緊迫，用打字機打了這封信。不恭之處，海涵為禱。㊻

這位巴卡是何許人？回顧 1897 年 1 月 18 日，孫中山旅居倫敦時，受僱於滿清駐英國公使來跟蹤孫中山的私家偵探報告，內容說孫中山在當天上午 11 時 30 分，即從康德黎醫生家裡出來，僱了一部馬車，直趨憲法俱樂部，在那裡停留到黃昏 5 時 30 分才離開。孫中山在憲法俱樂部裡見了甚麼人？幹了些甚麼事？偵探就無可奉告了。當筆者在 24 年前，第一次閱讀了這份偵探報告時，就心癢難搔。因為第一，在倫敦，像憲法俱樂部這樣的組織，正是朝野賢豪聚集的地方。當時英國的政要，如果家住在倫敦市區以外的，都參加這樣的俱樂部，以便國家議院開會時，有暫時寄居的地方。筆者也實地考察過這個憲法俱樂部，其建築之高，規模之大，是筆者訪問過的所有俱樂部當中的佼佼者。㊼第二，憲法俱樂部就在特拉法

㊻ J. Ellis Barker to H.H. Asquith, 13 Octobr 1991, enclosed in F.W. Keith-Ross to H. Montgomery, 13 October 1911, Reg. No. 40311, FO371/1093, pp. 234-236: at p. 234. I have not been able to identify what the initials WAS stand for.

㊼ 筆者有幸，在 1960 年代後期和 1970 年代初期，承英國國家檔案館助理館長（Principal Assistant Keeper），白馬俱樂部（White Horse Club）的會員，泰明士先生（Mr. Kenneth Timings）多次邀請到該俱樂部午膳和參觀。1970 年代中期，承馬來亞殖民政府前華民政務司司長，英聯邦俱樂部的會員，白拉夫先生（Mr. Wilfred Blythe），多次邀請到該俱樂部午膳和參觀。1980 年代則承康德黎醫生的孫女，熱文詩閣俱樂部（Lansdowne Club）的會員，史貂沃女士（Mrs. Jean Cantlie Stewart），到該俱樂部午膳及參觀。2000 Professor Christopher A. Bayly Reform Club）的會員，多

加廣場（Trafalgar Square）的東南角附近，從康德黎的住宅走路去，完全沒問題。孫中山卻決定破費坐出租馬車前往，可能是要讓該俱樂部的門衛知道，他不是閒雜人等，讓門衛不要當攔路虎。第三，孫逸仙是在午餐前到達，下午茶（英國上流社會有著名的喝下午茶——afternoon tea——的習慣）以後好一陣子才離開，招呼他吃午餐繼而喝下午茶的主人，肯定是該俱樂部的會員。他是誰？現在看來，很可能就是這位巴卡（J. Ellis Barker）先生。

至於這位巴卡先生到底是何方神聖？經考證，㊽則似乎是㊾巴

次邀請到該俱樂部晚膳和參觀。像憲法俱樂部一樣，政改俱樂部的古今會員包括英國歷代政要，位置也在特拉法加廣場（Trafalgar Square）附近（東南角）。隨著大英帝國的擴張，這種特權階級的產物也傳到世界各地。新加坡的熱埔斯俱樂部（Raffles Club）——承新加坡工業法庭主席陳文章大法官邀請；香港的賽馬會（Hong Kong Jockey Club）——承舊同窗劉漢泉先生邀請；澳大利亞悉尼市的塔塔素斯俱樂部（Tattersall's Club）——承盎魯博士（Dr. Jim Angel）邀請；均讓筆者大開眼界。

㊽ He is not listed in Britain's *Dictionary of National Biography or Who's Who*. However, a certain Sir John Barker is listed in *Who's Who of British Members of Parliament: A Biographical Dictionary of the House of Commons, based on annual volumes of 'Dod's Parliamentary Companion' and other sources*, Four vs, edited by Michael Stenton and Stephen Lees (Hassocks, Sussex: Harvester Press, 1976), v. 2, p. 21. It is plausible that this Sir John Barker is the same person as J. Ellis Barker, as that initial J. may stand for John and some people do change their preferred Christain name when knighted, witness similar changes in the British *Foreign Office List*.

㊾ 筆者用上「似乎是」等字眼，是因為不敢絕對肯定。希望在本書定稿時，能找到多一點頭緒。不然的話，就留待下回分解。再不然的話，就留待後人去進一步考證。學海無涯，人類的知識是一點一滴地積累起來的，也不忙在一時。

卡爵士（1840-1914）。他白手興家，創立了巴卡公司。富而從政，在 1906-1910 年間曾當選為下議院議員，1908 年被冊封為從男爵（Baronet）。可見是一位有份量的人物。㊿從他在（1911 年 10 月 13 日）寫給首相的信之內容來看，可知他是一位同情中國爭取民主獨立的有心人，由於知道孫中山因為曾於 1895 年試圖推翻滿清專制政權而於 1896 年 10 月被滿清駐倫敦公使館人員綁架的事情，因而約孫中山在 1897 年 1 月 18 日到憲法俱樂部詳談，是極有可能的事。他們認識以後，似乎長期保持聯繫，以致他在 1911 年 10 月 13 日寫給首相的信中，劈頭第一句就是：「幾個月前，我與孫逸仙醫生和他的朋友們有過多次詳盡細緻的談話」。[51]而他為了儘快把自己的意見上達首相而不惜破例使用打字機的信後語，則對孫中山和他的革命事業關切之情，躍然紙上。

那麼，外交部對巴卡爵士這封來信的反應是什麼？「函謝」了事。[52]

究竟外交部對革命黨人採取甚麼態度？該部在同日對另一份文件的批示就表露無遺。該文件是 10 月 13 日深夜 11 時 35 分，駐華公使從北京發給外交部的密電。密電有兩個部份：

㊿ *Who's Who of British Members of Parliament*, v. 2, p. 21.

[51] J. Ellis Barker to H.H. Asquith, 13 October 1991, enclosed in F.W. Keith-Ross to H. Montgomery, 13 October 1911, Reg. No. 40311, FO371/1093, pp. 234-236: at p. 234. I have not been able to identify what the initials WAS stand for.

[52] J. Ellis Barker to H.H. Asquith, 13 October 1991, enclosed in F.W. Keith-Ross to H. Montgomery, 13 October 1911, Reg. No. 40311, FO371/1093, pp. 234-236: at p. 236.

第一部份是英國駐漢口總領事發給英國駐華公使的密電。其中牽涉到中英外交關係的段落如下：「革命軍首領發來照會說：他們已經成立了新政府。新政府將會遵守所有現存的條約和所有有關外債和賠款的協定。但從今以後滿清政府與外國所簽訂的所有條約則當別論。所有外國人，除了那些幫助滿清政權的，都會受到保護。新政府要求我把他們這道照會上呈我國政府。請指示我該如何回覆。目前我是間接地與革命軍首領互通信息以便確保和平穩定。」[53]

第二部份是英國駐華公使回覆英國駐漢口總領事的電文，曰：「正將來電轉外交部候命。在接到外交部指示之前，你必須避免與革命軍首領有任何來往，甚至不能對他說你已收到他的照會。但如果為了保護英國人的性命財產而絕對免不了與他通聲氣的話，則當別論。」[54]

英國外交部接到駐華公使的密電以後，中國司司長建議批准公使對總領事的指示。[55]上呈助理外交次長時，他批示曰：「公使對總領事所發出的指示是目前我們唯一能說的話。」[56]文件再上呈到

---

[53] British Consul-General at Hankow to British Minister at Peking, Tel. 66, 13 October 1911, quoted in Jordan to Grey, Tel. 222 P, 13 October 1911, Reg. No. 40313, FO371/1093, pp. 237-41: at p. 241.

[54] British Minister at Peking to British Consul-General at Hankow Telegram, 13 October 1911, quoted in Jordan to Grey, Tel. 222 P, 13 October 1911, Reg. No. 40313, FO371/1093, pp. 237-41: at p. 241.

[55] WAS's minute on Jordan to Grey, Tel. 222 P, 13 October 1911, Reg. No. 40313, FO371/1093, pp. 237-41: at p. 237..

[56] Campbell's minute on Jordan to Grey, Tel. 222 P, 13 October 1911, Reg. No. 40313, FO371/1093, pp. 237-41: at p. 237..

外相時，他首先是簽名表示知道了，隨後馬上又塗掉簽名而親自動手草擬了下列覆電：「222 號來電收悉。我批准你向總領事發出過的指示。我們必須盡一切力量保護受到威脅的英國人的性命和財產。而我們所做的一切，都必須局限於這個目標。若其他外國人的性命財產受到威脅而得不到應有的保護時，我們在能力範圍內也給予援手。」57

誰會威脅到英國人暨外國人的性命財產？外相的假想敵自然是革命軍。所以，在倫敦等待着孫中山的，可不是他夢寐以求的東西。

三、孫中山在倫敦的活動

孫中山在 1911 年 11 月 11 日，即武昌起義後的一個月，到達倫敦。抵步後，即住進河濱區的薩福伊旅館（Hotel Savoy）。筆者曾親到該旅館考察，它是倫敦最高貴的旅館之一，在泰晤士河（River Thames）的北岸，故朝南的房間俯瞰大江，風景之美，無與倫比。當然，其房租、餐價、服務費等也是無與倫比。它還有一個特別的地方：外國元首訪問英國時一般都被安排住在這裡。孫中山挑選了這所旅館，目的至為明顯：用這所旅館的信箋寫信給朝野賢豪，甚至在回郵地址上寫上薩福伊旅館，身價就不同凡響。他的美國朋友荷馬李（Homer Lea）從德國到達倫敦後，孫中山也把他接到同一旅

57 Grey's minute on Jordan to Grey, Tel. 222 P, 13 October 1911, Reg. No. 40313, FO371/1093, pp. 237-41: at p. 237..

館居住，費用當然全部由孫中山支付。[58]

接着孫中山想辦法接觸英國外交部的要人。該部檔案，對孫中山這次到倫敦所作過的努力，存有甚麼原始史料？

遲不發，早不發，偏偏在孫中山抵達倫敦當天，在英國倫敦以北的哪列市（Norwich）內的一個名叫哪列獨立工黨（Norwich Independent Labour Party）開會通過一項議案，並馬上把議案上呈外相。竊以為這項議案很可能是孫中山預先動員他的英國朋友的結果，以便配合他自己的行動。議案說：「對於中國人民爭取民主憲法的鬥爭，本會深表讚許、祝願他們圓滿成功、並信賴英國政府不會採取任何行動來阻止他們成立一個符合現代理想的政府。」[59]外交部禮貌地回覆說：「來函收到，得悉一切。」[60]

通過荷馬李的關係，[61]當時英國著名的機關槍製造廠維克斯遜斯、馬克沁（Vickers Sons & Maxim）的負責人之一，特瓦·鐸遜爵士（Sir Trevor Dawson）在 11 月 13 日把孫中山與荷馬李本人共同簽署的一份文件，親呈外交部[62]以便該部轉呈英國外相愛德華·格雷爵

---

[58] Eugene Anschel, *Homer Lea, Sun Yat-sen and the Chinese Revolution* (New York: Praeger, 1984), p. 155.

[59] Holmes to Grey, 11 November 1911, Reg. No. 45240, FO371/1095, pp. 78-79: at p. 79.

[60] FO procedure: How disposed of: Acknowledged: Holmes to Grey, 11 November 1911, Reg. No. 45240, FO371/1095, pp. 78-79: at p. 78.

[61] Anschel, *Homer Lea*, p. 160.

[62] "Statement handed by Sir Trevor Dawson to Mr. McKenna", enclosed in Grey to Jordan, Desp. 364, 14 November 1911, Reg. No. 45661, FO371/1095, pp. 165-173: at p. 169.

士（Sir Edward Grey）。鐸遜爵士本人又於翌日晚上[63]拜訪了該外相。[64]目的是遊說英國政府支持孫中山。

現在分析一下上述孫中山與荷馬李共同簽署的那份文件。首先，讓我們為該文件作撮要如下：

第一部份：文件劈頭第一句就說：「孫中山所領導的政黨希望與英國和美國成立一個盎格魯·撒遜聯盟（Anglo-Saxon Alliance）。」[65]

第二部份說：通過美國的諾克斯議員（Senator Knox）和魯特議員（Senator Root），孫中山與荷馬李已經跟美國政府建立了有非常密切的關係。又補充說：本身是美國人的荷馬李將軍已受聘為革命黨人的總參謀長，只向孫中山一個人負責。

第三部份：列舉為何英、美要跟孫中山結盟的理由：⑴目前中國受過正規訓練的軍隊有 21 個師，孫中山已控制了其中的 12 個師，滿清政府只控制其中的 3 個師，剩下的 6 個師中立。孫中山必勝無疑⑵在中國受過最佳教育的三四萬學生都誓死效忠孫中山，可以說孫中山手下人才濟濟⑶好幾個勢力龐大的秘密會社也誓死效忠孫中山。他們的會眾加起來約有 35,000,000 人。所有這些人都為了支持孫中山當總統而奮鬥。

第四部份是第一部份所提到過的盎格魯·撒遜聯盟的內容，包

---

[63] Dawson to Grey, official, 15 November 1911, grouped with Grey to Jordan, Tel. 170, 17 November 1911, Reg. No. 45816, FO371/1095, pp. 183-188: at p. 188, paragraph 1.

[64] Grey to Jordan, Desp. 364, 14 November 1911, Reg. No. 45661, FO371/1095, pp. 165-173: at p. 166.

[65] Edward Grey to Sir John Jordan, 14 November 1911, FO371/1095.

括⑴孫中山接受英國政府委派一位政治顧問以指導他管治新中國。孫中山之能作出這種承諾是因為他必然會當上中國的大總統。⑵孫中山給予英、美最優惠待遇，優越之處，賽過所有其他國家。⑶中國海軍由英國將領指揮，而該等英國將領由孫中山統轄。⑷中國若跟日本談判任何條約，將遵照英國政府的意思行事。

現在讓我們分析一下文件各部份的內容：

第一部份：短短的一句話，可以看到柯林斯長長的影子。有位美國學者認為，這句話毫無疑問有荷馬李的一份。[66]所持理由是當時荷馬李正在撰寫一本有關大英帝國與英美盎格魯·撒遜民族的命運的書。[67]若這位學者看到本書第四章中有關孫中山與柯林斯來往等情，可能要補充說：「這句話毫無疑問也有孫中山的一份。」在撰寫該章時，筆者還無法衡量出柯林斯那種英國以色列信仰對孫中山所起過的具體影響。現在具體的事例出來了。猶記孫中山是受過基督教義洗禮的，對於以色列民族是上帝特別挑選、特殊眷顧的民族的說法，會有一定認識。由居住在英國的盎格魯·撒遜民族所建立起來的日不落帝國，也是有目共睹。柯林斯說，英國的盎格魯·撒遜民族本來就是那散失了的以色列民族中的一支，十幾個世紀以來一波又一波地慢慢移民到英倫三島定居，終於創立了聖經中所預言的最偉大的帝國。孫中山能無動於衷？至低限度他在當時很難找出懷疑的根據。原來定居在英倫的盎格魯·撒遜民族又繼續西移到北美而建立了美國。英、美盎格魯·撒遜民族大聯盟，勢力舉世無

---

[66] 見 Anschel, *Homer Lea*, p. 161。見同上，p. 156。

[67] 見 Anschel, *Homer Lea*, p. 156。

雙。1897 年孫中山與英人柯林斯來往頻繁，後來又跟那位具同樣信仰的美人荷馬李混在一起。現在他與荷馬李聯名向英國外相提出中國與英美作盎格魯·撒遜民族大聯盟，就毫不奇怪。也有其現實根據：1902 年日本與英國結英、日聯盟，1905 年就把歐洲大國的沙俄打敗；如果現在中國與英美結盟，革命政權將會立於不敗之地。孫中山想得真美。但英美願意與他結盟嗎？話題就轉到文件的第二部份。

第二部份：也是短短的一句話，表面上份量也夠重的。因為，諾克斯議員者，美國國務卿費蘭德·諾克斯（Secretary of State Philander Knox）[68]也。魯特議員者，美國前任國務卿伊理胡·魯特（Senator Elihu Root）[69]也。說通過美國的諾克斯議員（Senator Knox）和魯特議員（Senator Root），孫中山與荷馬李已經跟美國政府建立了有非常密切的關係。目的似乎是藉此希望英國覺得已有先例可援，就此加盟。但也有點要脅的味道：若聯英不成就單獨聯美，讓美國佔盡便宜。這樣短短的一句話，卻把孫中山的弱點暴露無遺。英美兩國政府，關係至為密切，有甚麼重大事情，一定密諮對方。如果美國政府真曾與孫結盟，結盟之前肯定咨詢英方。這是任何看過英美外交檔案的人都很清楚的。問題也就出在這裡：孫中山沒看過英美外交檔案，也不了解英美外交運作的情況，以致傻呼呼地撒了個大謊。實際的情況是，孫中山還在美國的時候，[70]就曾持着荷

---

[68] Anschel, *Homer Lea*, p. 150.

[69] Anschel, *Homer Lea*, p. 96.

[70] Anschel, *Homer Lea*, p. 150.

馬李的介紹信要求見諾克斯議員，但該議員對他不理不睬，孫中山早已碰了一鼻子灰。[71]孫中山並不氣餒，到了英國以後，似乎先把這個謊話向英國軍火製造廠維克斯遜斯、馬克沁（Vickers Sons & Maxim）的負責人之一，特瓦·鐸遜爵士（Sir Trevor Dawson）撒了一通。鐸遜爵士同樣沒看過英美外交檔案也不了解英美外交運作的具體情況，所以當他在 11 月 14 日拜會外相格雷爵士（Sir Edward Grey）時，也傻呼呼地向外相口頭複述了孫中山的話。並補充說：孫中山非常願意外相閣下向華盛頓方面查詢以便證實孫中山與諾克斯及魯特兩位議員之間的確實已建立了密切的關係。[72]

結果怎麼樣？

英國外相禮貌地、同時堅定地對鐸遜爵士說：「我們不可能插手（中國）革命，我也不相信諾克斯議員已經這樣做。」[73]

至於第二部份那句補充的話，即本身是美國人的「荷馬李將軍已受聘為革命黨人的總參謀長，只向孫中山一個人負責」，更是敗筆。荷馬李這個駝子，根本就不是甚麼將軍，也從未帶過兵打過仗，只是寫過一些有關戰略的書，[74]全屬紙上談兵。在務實的英國政治家眼裡，此人不值一哂。

文件的第三部份所說，孫中山已控制了全國軍隊 21 個師中的

---

[71] Anschel, *Homer Lea*, p. 150.

[72] Grey to Jordan, Desp. 364, 14 November 1911, Reg. No. 45661, FO371/1095, pp. 167-173: at p. 166, paragraph 1.

[73] Grey to Jordan, Desp. 364, 14 November 1911, Reg. No. 45661, FO371/1095, pp. 167-173: at p. 166, paragraph 2.

[74] See Anschel, *Homer Lea*.

12 個；滿清政府只控制 3 個，其餘 6 個中立，更是把英國外交部諸公看成是三歲孩童。英國外交部在中國各重要口岸都設有領事館，消息靈通。加上駐華海軍的情報網，甚至普通商人、旅客，都隨時隨地向外交部報告他們認為有價值的情報。英國外交部的檔案比比皆是。武昌起義以來，革命軍老是與清軍作拉鋸戰，總打不開局面。對於這種情況，英國外交部都比較瞭解。至於那受過最佳教育的三、四萬學生，是否都誓死效忠孫中山？英國外交部高層讀來同樣會得出一個信口雌黃的感覺。至於那 35,000,000 會黨人士，在孫中山眼裡可能很了不起。但在英國當局眼裡都是烏合之眾：成事不足敗事有餘。總的來說，文件第三部份所說各點，在英國高層眼裏，兒戲得很！難怪英國外相在他接見鐸遜爵士時的談話紀錄中，根本不屑提到這第三部份。

至於第四部份，在英國外相眼裡，則全是空頭支票。因為孫中山還未掌權，更沒有有效地控制全中國。憑一紙上書就押注，智者不為。孫中山正是要求外相憑他一紙上書就押注，外相心裡會怎麼想？別把我當是傻瓜！孫中山似乎早已考慮到這一點，所以在上書的同時，又附上四封電報，皆無日期，而四封皆發到孫中山在倫敦下榻的薩福伊旅館（Hotel Savoy）。其一來自廣州總商會曰：「粵已建臨時政府，掌握一切。盼君即歸，以成立全國聯合政府。」[75]其二發自廣東都督胡漢民：「粵已獨立，並建臨時政府。盼君早歸，

[75] Kwangtung General Chamber of Commerce to Sun Yatsen, telegram, n.d.; attached to joint statement by Sun Yatsen and Homa Lea, 13 November 1911; enclosed in Grey to Jordan, Desp. 364, 14 November 1911, Reg. No. 45661, FO371/1095, pp. 167-173: at p. 170.

與他省共組國民政府。君在外，有全權與歐洲政府交涉。」[76]其三發自三藩市國民局：「在漢口代替黎元洪的黃興電報蘇、杭、滬大捷，不日攻寧，望即匯款，以濟軍需。」[77]其四發自香港《中國日報》：「滬總陳其美囑轉告：武昌舉義，湘贛響應，我軍已陷滬、蘇、杭。榕、穗易手。現調江浙攻寧，不日圖京。14 省已獨立，待君回國團結各方；建臨時政府，安內攘外。已委伍廷芳主外事，深受外國歡迎，惟不得其承認。滬乃中樞，擬在滬建臨時政府，已通電各義省派員赴滬協商，乞即回國主持大局，之前請委代表，以慰四億生靈而奠國基。」[78]諸電報所反映的成果，在革命黨人眼裡當然很了不起。在英國外相眼裡，則還沒有一個像樣的政府，優惠云云，從何說起？

總的來說，孫中山萬里迢迢地專程跑到倫敦，一擲千金地住在河濱區的薩福伊旅館（Hotel Savoy），絞盡腦汁地設計了那紙上書，換來的是甚麼？外相對鐸遜爵士說：「我不希望他認為我抽空見你是專門為了談他的事情。但我不反對你對他說：你曾經見過我，並

[76] Hu Han-min to Sun Yatsen, telegram, n.d.; attached to joint statement by Sun Yatsen and Homa Lea, 13 November 1911; enclosed in Grey to Jordan, Desp. 364, 14 November 1911, Reg. No. 45661, FO371/1095, pp. 167-173: at p. 171.

[77] Kwok-man Bureau (San Francisco) to Sun Yatsen, telegram, n.d.; attached to joint statement by Sun Yatsen and Homa Lea, 13 November 1911; enclosed in Grey to Jordan, Desp. 364, 14 November 1911, Reg. No. 45661, FO371/1095, pp. 167-173: at p. 172.

[78] Chung Koh Po (Hong Kong) to Sun Yatsen, telegram, n.d.; attached to joint statement by Sun Yatsen and Homa Lea, 13 November 1911; enclosed in Grey to Jordan, Desp. 364, 14 November 1911, Reg. No. 45661, FO371/1095, pp. 167-173: at p. 173.

把我的看法轉告他。」[79]這種結局，從中國革命事業的角度看，令人唏噓。

四、銀行借款與其他要求

孫中山另有第二紙上書，是鐸遜爵士與外相見面時才出示的。[80]在這紙上書裡，孫中山說：「如果英國政府首肯的話，孫中山可以得到一百萬英鎊的貸款。」[81]外相看後似乎交還了給鐸遜爵士，所以沒有被英國外交部的檔案保存下來。但它的存在，某一個程度上有孫中山自己的話作佐證：

> 到英國時，由美人同志咸馬里[82]代約四國銀行團主任會談，磋商停止清廷借款之事。先清廷與四國銀行團結約，訂有川漢鐵路借款一萬萬元，又幣制借款一萬萬元。此兩宗借款，一則已發行債票，收款存備待付者；一則已簽約而未發行債票者。予之意則欲銀行於已備之款停止交付，於未備之款停

---

[79] Grey to Jordan, Desp. 364, 14 November 1911, Reg. No. 45661, FO371/1095, pp. 167-173: at p. 166, paragraph 5.

[80] Grey to Jordan, Desp. 364, 14 November 1911, Reg. No. 45661, FO371/1095, pp. 167-173: at p. 166, paragraph 1. See next note.

[81] "Sir Trevor Dawson also showed me a statement by Sun Yat Sen, saying that he would be a ble to obtain a loan of £1,000,000 if the British Governemnt agreed to it."」 Grey to Jordan, Desp. 364, 14 November 1911, Reg. No. 45661, FO371/1095, pp. 167-173: at p. 166, paragraph 1.

[82] 按即荷馬李（Homa Lea）的另一音譯。

止發行債票。乃銀行主幹答以對於中國借款的進止，悉由外務大臣⑧③主持，此事本主幹當惟外務大臣之命是聽，不能自由作主云云。予於是乃委託維加炮廠總理⑧④為予代表，往與外務大臣磋商，向英政府要求三事：一、止絕清廷一切借款；二、制止日本援助清廷；三、取消各處英屬政府之放逐令，以便予取道回國。三事皆得英政府允許。予乃再與銀行團主任開商革命政府借款之事。該主幹曰：「我政府既允君之請而停止吾人借款清廷，則此後銀行團借款與中國，只有與新政府交涉耳。然必君回中國成立正式政府之後乃能開議也。本團今擬派某行長與君同行歸國，如正式政府成立之日，就近與之磋商可也。」時以予在英國個人所能盡之義務已盡於此矣，乃取道法國而東歸。⑧⑤

孫中山這段追憶，既間接佐證了英國外相對孫中山曾要求英國政府首肯其向四國財團借款之言，又引發出一大堆新問題：

第一、孫中山在這段追憶中，絕口不提他與荷馬李共同簽署的第一道上書。無他，該上書一敗塗地，不提也罷。

第二、孫中山在這段追憶中，說英國政府應其要求而「止絕清廷一切借款」。不確。當鏗遜爵士向外相出示孫中山要求英國政府首肯四國財團向其貸款時，外相回答說：「我不能勸諭財團借款與

⑧③ 按即外相。

⑧④ 按即鏗遜爵士。

⑧⑤ 孫中山：〈建國方略：孫文學說，第八章：有志竟成〉，《國父全集》，第1冊，第421頁。《孫中山全集》，第6卷，第245-246頁。

中國的革命領袖，特別是因為該等財團在不久之前徵求我意見、問我關於他們借款與滿清政府是否明智時，我曾回答說：目前不宜借款與中國政府。」(86)外相之言，有其他檔案佐證。而英、法、美、德四國銀行團，在分別徵求過各自政府的意見以後，早於 11 月 8 日已經在巴黎開過會，並一致通過停付已備之川漢鐵路借款和幣制借款。(87)會後，其中的英資銀行又公函報告了英國外交部。(88)在在確證了外相所言不虛。現在孫中山把這個功勞據為己有，以壯聲威。問題是：四國銀行團在巴黎開會之日，正是孫中山坐船自美赴英之時。(89)在汪洋大海當中，從何得悉四國銀行團中止借款予清廷之事？無他，11 月 14 日格雷外相接見鐸遜爵士時，告訴了鐸遜爵士。(90)鐸遜爵士又得到外相的許可把談話內容轉告了孫中山。(91)

第三、孫中山在這段追憶中，說英國政府應其要求而「制止日本援助清廷」。則筆者窮四份之一個世紀之工以搜索有關證據，至

(86) Grey to Jordan, Desp. 364, 14 November 1911, Reg. No. 45661, FO371/1095, pp. 167-173: at p. 166, paragraph 1.

(87) Minutes of the meeting of the French, British, German and American groups at the office of the Banque de l'Indo-Chine, Paris, 8 November 1911, FO371/1095, pp. 33-35.

(88) Addis (Paris) to Max-Muller (FO), 11 November 1911, Reg. No. 44746, FO371/1095. p. 7.

(89) 孫中山的船在 11 月 2 日離開紐約，11 月 11 日抵達倫敦。見《孫中山年譜長篇》，上冊，第 570 和 574 頁。

(90) Grey to Jordan, Desp. 364, 14 November 1911, Reg. No. 45661, FO371/1095, pp. 167-173: at p. 166, paragraph 2.

(91) Grey to Jordan, Desp. 364, 14 November 1911, Reg. No. 45661, FO371/1095, pp. 167-173: at p. 166, paragraph 5.

今兩手空空如也。看來又是孫中山在虛張聲勢！

第四、孫中山在這段追憶中，說英國政府應其要求而「取消各處英屬政府之放逐令，以便予取道回國。」則外相接見鐸遜爵士的談話紀錄，絲毫沒提及此事。筆者不服氣之餘，繼續窮追，終於發現了鐸遜爵士在 1911 年 11 月 15 日給格雷外相寫的兩封信。第一封是私人信，回郵地址是鐸遜爵士的私人住宅。該信第一段說：

> 按照您的好意，我為孫中山寫了一封申請信，代他向您求情，讓他取得訪問香港的權利。[92]

原來取消放逐令的主意，來自格雷外相而非孫中山。那麼外相的動機是甚麼？

> 如果他（孫中山）很快就成為中國聯省政府的大總統的話，又對英國政府懷恨在心，對英國在華利益是很不利的。[93]

這句話耐人尋味。聯省政府大總統？是孫中山那幾封電報[94]起了作

---

[92] Dawson to Grey, private, 15 November 1911, grouped with Grey to Jordan, Tel. 170, 17 November 1911, Reg. No. 45816, FO371/1095, pp. 183-188: at p. 186, paragraph 1.

[93] Dawson to Grey, private, 15 November 1911, grouped with Grey to Jordan, Tel. 170, 17 November 1911, Reg. No. 45816, FO371/1095, pp. 183-188: at p. 186, paragraph 2.

[94] 見本章第四節。

用？有可能。但英國高層不會輕信一面之詞，他們有自己的情報網。就在鏍遜爵士拜會格雷外相的前一天，即 11 月 13 日，助理次長即收到駐華公使的一封親筆信，劈頭第一段就說：

> 我恐怕中國最近的事態讓您頭疼了，而我們也看不出有何轉機。強烈的反滿情緒，像蜂巢般密密麻麻地遍佈全國。而滿清政府已經失去了南方的半壁江山。漢口、武昌、漢陽、宜昌和長沙都已落入革命黨人手裡。他們初次與清軍接仗，更有小勝。如果滿清政府還得人心的話，不難收拾殘局。可惜所有的人似乎都同情革命黨人，滿清政府威信掃地……[95]

在這種情況下，英國外相實在不宜令孫中山太難堪。在拒絕了他所有要求以後，再主動給他一點無關疼癢的甜頭，以防萬一，何樂而不為？故授意鏍遜爵士代孫中山求情。但如此這般，當然必須先徵求得孫中山的同意才行。所以，當鏍遜爵士在 11 月 14 日晚上拜會過格雷外相以後，再見到孫中山時，除了傳達外相對孫中山兩道上書的反應以外，又自告奮勇地表示要為孫中山申請取消香港政府曾對他所發出的放逐令。看來孫中山是同意了，並道出自己的思想感情。以致鏍遜爵士在該私人信末中說：

> 據我瞭解，如果不動聲色地撤銷放逐令，他就會很感滿意，

[95] Jordan to Campbell, private, 23 October 1911; received on 13 November 1911, Reg. No. 45070, FO371/1095, pp. 42-47.

我想這完全是他個人感情的問題。[96]

鐸遜爵士的第二封信是公函，信箋是英國軍火製造廠維克斯遜斯·馬克沁（Vickers Sons & Maxim）公司的公箋，曰：

昨晚承閣下抽空接見，至以為感。現遵囑公函為孫逸仙醫生申請撤銷 1896 年香港總督對其發出之放逐令。

孫逸仙醫生面告，他不打算在香港長期定居。但若能作短暫停留，則甚為方便。由於他亟望與英國政府衷誠合作，以便妥善處理有關中國的事情，他覺得如果連訪問香港也遭到拒絕的話，甚感難堪。[97]

准此，格雷外相親筆草擬了一封加急密電給駐華公使。該電在 11 月 17 日發出，曰：

孫逸仙申請撤銷香港對他的放逐令。您反對他訪問香港否？情況已變，若如今還禁他訪港，徒惹他反感，甚至失策。若決定撤銷放逐令，則不宜大張旗鼓，只要在他訪港時不予留難就是了。請詢諸盧格（按即香港總督 Sir Frederick Lugard），

---

[96] Dawson to Grey, private, 15 November 1911, grouped with Grey to Jordan, Tel. 170, 17 November 1911, Reg. No. 45816, FO371/1095, pp. 183-188: at p. 186, paragraph 3.

[97] Dawson to Grey, official, 15 November 1911, grouped with Grey to Jordan, Tel. 170, 17 November 1911, Reg. No. 45816, FO371/1095, pp. 183-188: at p. 188.

若無反對意見，我就通知孫逸仙，因為他在一兩天內就起程回國了。[98]

孫中山等到 11 月 20 日還沒消息。但由於他已整裝待往巴黎，並準備在 11 月 24 日從法國的馬賽坐船東歸，於是再求鐸遜爵士催辦。鐸遜爵士又以公函致外相曰：

11 月 15 日曾呈一函，恭請閣下命令香港當局撤銷其對孫逸仙醫生的放逐令。今天他又請求我向閣下轉達：他將於本月 24 日從馬賽坐半島與東方輪船公司的《馬瓦》號歸國，因而亟欲知道他是否已獲准訪問香港。

同時，如果閣下命令檳榔、新加坡、馬六甲等埠當局讓其登陸，他將感激不盡。他知道該埠等並沒有對他下過任何放逐令，但他恐怕一些當地官員還是要給他麻煩，造成不必要的尷尬場面。[99]

就在鐸遜爵士寫信的 11 月 20 日，英國駐華公使從北京覆電了。[100]

---

[98] Grey to Jordan, Tel. 170 R, 17 November 1911, grouped with Dawson to Grey, 15 November 1911, Reg. No. 45816, FO371/1095, pp. 183-188: at p. 184.

[99] Dawson to Grey, official, 20 November 1911, Reg. No. 46465, FO371/1095, pp. 320-21: at p. 321.

[100] Jordan to Grey, Tel. 289, 20 November 1911, FO Reg. No. 46374, FO371/1095, pp.301-306: at p. 302.

該電文與鐸遜爵士的信同日在 11 月 21 抵達外交部。[101]電文曰：

> 我認為，而香港總督也同意我的看法，儘管在目前已改觀的情況下，雖然我們不好阻止孫某路過香港，但應該警告他不能在香港停留。如果他要搞革命，就讓他回中國去搞吧。
>
> （機密）我相信革命黨人並不熱衷於他回國：他們認為他是個懦夫。[102]

英國外交部高層非常重視這道覆電，首先由助理外交次長 Sir Walter Lengley 負責把孫中山被放逐的整個歷史弄清楚：

> 孫逸仙在 1896 年被香港政府放逐五年。五年期滿後他訪問了香港。於是香港政府在 1902 年頒佈了新的放逐令，該令在 1907 年 6 月期滿時似乎再延續五年。
>
> 1908 年初，中國駐英公使要求把當時居住在新加坡的孫逸仙驅逐出境，並要求禁止他重新踏入英國在中國海域內的和馬來亞境內的任何屬地一步。殖民地部不願意在毫無根據的

---

[101] For the date of arrival of Dawson's letter, see FO minutes on Dawson to Grey, 20 November 1911, Reg. No. 46465, FO 371/1095, pp. 320-21: at p. 320. For the date of arrival of Jordan's telegram, see FO minutes on Jordan to Grey, Tel. 289, 20 November 1911, FO Reg. No. 46374, FO371/1095, pp.301-306: at p. 301.

[102] Jordan to Grey, Tel. 289, 20 November 1911, FO Reg. No. 46374, FO371/1095, pp.301-306: at p. 302.

> 情況下採取這一行動，但警告孫逸仙說，若一旦發現他在新加坡進行顛覆中國政府的行動，他就會被驅逐出境。
>
> 他似乎在 1909 年離開新加坡，同時又向殖民地部申請訪問香港，但殖民地部拒絕撤銷（香港政府曾對他發出過的）放逐令。[103]

准此，該助理外交次長緊接着作批示曰：

> 把有關信件咨會殖民地部，並告訴他們說：格雷爵士傾向於容許孫逸仙訪問香港，條件是他不能定居在該殖民地，因為我們不能容許該地被利用作為在中國作政治或軍事活動的基地。[104]

文件再上呈。外交次長把助理次長批文中的「訪問」兩字塗掉而代之以「路過」兩字，並把最後一句話改為：「或利用該地顛覆中國政府。」[105]文件再上呈。外相把外交次長最後那句話塗掉，並批示

---

[103] W.L.'s minute on Jordan to Grey, Tel. 289, 20 November 1911, FO Reg. No. 46374, FO371/1095, pp.301-306: at p. 301. I have identified W.L. as Sir Walter Lengley, Assistant Under Secretary of State since 1907 (*Foreign Office List 1918*, p. 621-623).

[104] W.L.'s minute on Jordan to Grey, Tel. 289, 20 November 1911, FO Reg. No. 46374, FO371/1095, pp.301-306: at p. 301. I have identified W.L. as Sir Walter Lengley, Assistant Under Secretary of State since 1907 (*Foreign Office List 1918*, p. 621-623).

[105] A.N.'s minute on Jordan to Grey, Tel. 289, 20 November 1911, FO Reg. No.

曰：「刪掉它。咨文就以『殖民地』三字作結束。不管他利用不利用香港作為基地，我們就是不要他當居民。」[106]

看來駐華公使那封措詞強硬的覆電，尤其是覆電中標明「機密」的第二段（即：我相信革命黨人並不熱衷於他回國：他們認為他是個懦夫。），[107]動搖了外相對孫中山可能成為聯省大總統的信念。至於革命黨人之中具體是那些人曾倡言孫中山是個「懦夫」，[108]則無從考核。革命黨人，良莠不齊，而那些曾經與孫中山合作過然後又不歡而散的人諸如光復會眾，惡毒攻擊孫中山者，更是大有人在。甚至那位曾為孫中山獨當一面的章太炎，後來更登廣告聲言孫中山沒資格當總統（見下文）。現在，來自革命黨人的、那種不利於孫中山的言論，終於傳到英國駐華公使那裡而又被他複述予英國外交部，遺害非淺：英國外相馬上就從主動的友善變成敵意甚濃了。

總的來說，孫中山在追憶中說他在倫敦取得的三項成績，超過兩項半是虛構的。為何他這樣做？下文自有分解。

英國外交部檔案的優點，是如實地反映了英國當局對孫中山的

46374, FO371/1095, pp.301-306: at p. 301. I have identified A.N. as Sir Arthur Nicolson, Bart., Permanent Under Secretary of State since 1910 (*Foreign Office List, 1918*, p. 287).

[106] E.G.'s minute on Jordan to Grey, Tel. 289, 20 November 1911, FO Reg. No. 46374, FO371/1095, pp.301-306: at p. 301. I have identified E.G. as Sir Edward Grey, Secretary of State for Foreign Affairs.

[107] Jordan to Grey, Tel. 289, 20 November 1911, FO Reg. No. 46374, FO371/1095, pp.301-306: at p. 302.

[108] Jordan to Grey, Tel. 289, 20 November 1911, FO Reg. No. 46374, FO371/1095, pp.301-306: at p. 302.

態度，和給予他的極有限度的方便。缺點是對孫中山當時在倫敦活動的具體情況隻字不提。這個空白，由一些罕有的漢語材料填補了。

五、分析中方文獻對孫中山在倫敦奔走的記載

這些罕有的漢語材料，包括革命黨人李曉生在生前所寫的一篇未刊追憶。按李曉生即李鑾鋆（1888-1970），新加坡華僑，1906 年加入中國同盟會，是新加坡分會的創始會員。1911 年 11 月 11 日孫中山抵達倫敦時，李曉生正在倫敦大學學習化學。兩人見面後，李曉生即自動停課，每天到孫中山下榻的旅館協助他工作。孫中山離開倫敦時，李曉生又應孫中山邀請隨其東歸。1912 年 1 月 1 日，孫中山在南京就任臨時大總統，就委任李曉生為秘書。[109]

李曉生這篇手稿，被收進最近某漢語期刊囑筆者審查的一份文稿中，以「補錄二」的形式出現。筆者鑑於該等「補錄」是珍貴史料，應予刊刻，以便廣為學者利用。後聞該期刊持不同看法。筆者甚感惋惜之餘，至今還不知該文作者是誰。但文稿仍存筆者處，在此引用上了，特向該不具名的作者鳴謝。引用時就在拙著的註解中採如下形式：李曉生遺稿，收入佚名（著）：〈辛亥年間同盟會員在倫敦活動補錄〉未刊一文。

---

[109] 見李紓曾：〈李曉生未完成自傳稿先睹：辛亥年前的革命生涯〉，載《南大語言文化學報》，第 3 卷第 1 期（1998），第 131-153 頁。

其他珍貴的中文文獻，包括孫中山到達倫敦當天寫給當時同樣是正在英國留學的吳敬恆（稚暉）的便條[110]、吳稚暉的〈留英日記〉[111]，孫中山自己的追憶[112]、以及孫中山在 1911 年 11 月 16 日從倫敦發給上海《民立報》轉國民政府的電報[113]等。綜合這些文獻，來重建當時的歷史，會得到怎樣一幅圖案？

首先，孫中山「行裝甫卸，即造訪在英倫留學之吳敬恆」。[114]這一點，從孫中山留給吳稚暉的便條可知：

> 稚暉先生大鑑：
>
> 弟今午從美抵英，行動主極秘密。今晚八點到訪，聞先生與張君[115]外出，不遇為悵。明晚此時（八點）再來訪，請留寓一候為幸。[116]

---

[110] 孫中山：〈致吳稚暉函〉，載《孫中山全集》，第 1 卷，第 546 頁。又見《國父全集》（1989），第 4 冊，第 168 頁。

[111] 項定榮：《國父七訪美檀考述》（臺北：時報文化出版事業有限公司，1982），轉載於《孫中山年譜長編》，上冊，第 574 頁。

[112] 孫中山：〈建國方略：孫文學說，第八章：有志竟成〉，《國父全集》，第 1 冊，第 421 頁。《孫中山全集》，第 6 卷，第 245-246 頁。

[113] 孫中山：〈致民國軍政府電〉，載《孫中山全集》，第 1 卷，第 546-547 頁。又見《國父全集》（1989），第 4 冊，第 168-169 頁。

[114] 陳三井：〈中山先生歸國與當選臨時大總統〉，載教育部主編《中華民國建國史：第一編，革命開國（二）》（臺北：國立編譯館，1985），第 888 頁。

[115] 指張繼。

[116] 孫中山：〈致吳稚暉函〉，載《孫中山全集》，第 1 卷，第 546 頁。又見《國父全集》（1989），第 4 冊，第 168 頁。

為甚麼孫中山急於找吳稚暉？蓋欲請其幫忙處理文案也。武昌起義以後，「國內有許多電報拍致中山先生，均由駐英劉玉麟公使轉交，劉公使均照轉。」(117)這句話所據乃抗戰時吳稚暉在重慶上清寺寓所面談所述，而吳稚暉又的確曾幫助孫中山處理過很多電報，應為信史。(118)但既然電報均由駐英劉玉麟公使轉交，為何上節引用過的孫中山委託鏗遜爵士轉英國外相諸電報，均書明收件地址為薩福伊旅館（Hotel Savoy）？答案可能有兩個：第一、這些電報都是孫中山在 11 月 11 日住進薩福伊旅館而與革命同志恢復聯絡後，革命同志才按照薩福伊旅館的電報地址發給他的，但看內容不似。而且時間上也有問題，因為 11 月 13 日鏗遜爵士就把該等電文呈英國外交部了。以 1911 年的技術條件來說，商業有線電報洲際往還，可不是今天想像的那麼快捷了當。因而讓筆者想到第二個可能性：第二、孫中山把來電用打字機重新打出，把收件地址改為薩福伊旅館，藉此告訴外相，孫中山是住在該世界級的旅館。

另一方面，1911 年 11 月 11 日甫抵倫敦的孫中山，要求吳稚暉馬上曠課去幫忙處理文案，實屬不情之請。固然，孫中山與吳稚暉過往的交情本來就非淺。在 1909 年，吳稚暉更曾全力幫助過孫中山反擊光復會陶成章等人的攻擊(119)。但今非昔比，現在吳稚暉萬里迢迢地到了英國唸書，一寸光陰一寸金，孫中山自覺不宜託大，

---

(117) 李書華：〈辛亥革命前後的李石曾先生〉，載《傳記文學》（臺北，1983），第 24 卷第 2 期，第 42-46 頁。

(118) 李書華：〈辛亥革命前後的李石曾先生〉，載《傳記文學》（臺北，1983），第 24 卷第 2 期，第 42-46 頁。

(119) 見《孫中山全集》，第 1 卷，第 419-422 頁，第 428-429 頁等。

故在便條上又補了一句壯氣的話：

> 近日中國之事，真是泱泱大國民之風。從此列強必當刮目相看，凡我同胞，自當喜而不寐也。今後之策，只有各省同德同心，協力於建設，則吾黨所持民權、民生之目的，指日可達矣。(120)

孫中山用詞也真夠技巧，既說「泱泱大國民」，又說「同德同心」。無他，萬一吳稚暉目前的思想感情已經與過去不一樣的話，孫中山希望藉此打動吳稚暉的心，祈求他暫時犧牲個人利益來幫忙而已。第二晚見到吳稚暉時，還不敢大意，故先與其「縱談以往籌款接濟革命經過，研究將來建設國家大計」。然後才商請「每日至旅社，為其處理文件」。吳稚暉欣然答應。結果孫中山留英十天之中與國內的來往函電，均由吳稚暉「與李曉生為之傳遞」，「英文文書則請薛仙舟協助」。(121)儘管有了這中、英分工，但各人仍然需要工作「常至深夜始克回家休息」。(122)而孫中山與國內及各地函電中「如屬重要者，則先商諸國父，然後擬稿。」(123)

---

(120) 孫中山：〈致吳稚暉函〉，載《孫中山全集》，第1卷，第546頁。又見《國父全集》（1989），第4冊，第168頁。

(121) 項定榮：《國父七訪美檀考述》（臺北：臺北時報文化出版事業有限公司，1982），轉載於《孫中山年譜長編》，上冊，第574頁。

(122) 李曉生所遺稿，收入佚名著：〈辛亥年間同盟會員在倫敦活動補錄〉未刊一文。

(123) 李曉生所遺稿，收入佚名著：〈辛亥年間同盟會員在倫敦活動補錄〉未刊一文。

經費方面，則據李曉生說：

> 當時國父由美抵英所帶旅費無多。即每日排發電報多件所需報費亦時感拮据。故先生（吳稚暉）曾屢偕李曉生、謝儀仲、石瑛等赴倫敦東郊唐人城召集華僑演說，向聽眾籌款，以應當時之急。[124]

讀了這段遺稿，再考慮到孫中山在經濟這麼困難的情況下還選擇住在薩福伊旅館以壯聲威，可謂用心良苦。

李曉生遺稿中有一段值得注意：

> 當時國內一般官僚和士大夫階級尚有欲保存滿清皇帝，實行君主立憲，並推舉袁世凱組織責任內閣者。先生（吳稚暉）以為這種空氣應當即日廓清，以利革命之進行。遂替國父撰文通電國內表示讓賢之意。文內有「若舉袁氏為清室總理，曷若舉袁氏為民國總統」之語。初時國父尚未明先生意旨，嗣經先生解釋，亦表同意。後聞國內之士大夫階級得見此電大加欽服。以為我國數千年前之揖讓古風復見於今日。再不敢毀革命黨為亂黨。吳此電發生效力之大，實無可估計。[125]

---

[124] 李曉生所遺稿，收入佚名著：〈辛亥年間同盟會員在倫敦活動補錄〉未刊一文。

[125] 李曉生所遺稿，收入佚名著：〈辛亥年間同盟會員在倫敦活動補錄〉未刊一文。

把李曉生這段記載，結合史學界對這方面的研究成果和英國外交部檔案所提供的材料進行分析，會很有意思。關於孫中山決定「讓袁」的問題，在日期方面，梁敬錞教授說是 1911 年 12 月 21 日孫中山抵達香港之時。(126)筆者過去曾經指出：不錯，孫中山的確是在當天力勸胡漢民等親信「讓袁」，(127)但同時又指出，「讓袁」的決定，早在 1911 年 11 月 16 日、孫中山從倫敦發出的電報已反映出來。(128)由此可知李曉生提到的這封電報的日期，應為 1911 年 11 月 16 日。至於該電報的具體內容，則收件者上海《民立報》公之於世的文字是這樣的：

> 《民立報》轉國民政府鑑：文已循途東歸，自美徂歐，皆晤其要人，中立之約甚固。維（惟）彼人半未深悉內情。各省次第獨立，略致疑怪。今聞已有上海議會之組織，欣慰。總統自當推定黎君。聞黎有請推袁之說，合宜亦善。總之，隨宜推定，但求早固國基。滿清時代權勢利祿之爭，吾人必久厭薄（薄）。此後社會當以工商實業為競點，為新中國開一新局面。至於政權，皆以服務視之為要領。文臨行叩發。(129)

---

(126) 梁敬錞：〈一九一一年的中國革命〉，載張玉法（主編）：《中國現代史論集：第三輯、辛亥革命》（臺北：聯經，1980），第 25 頁。

(127) 見拙著 *The Origins of an Heroic Image: Sun Yatsen in London, 1896-1897* (Oxford University Press, 1986), p. 251.

(128) 見拙著 *The Origins of an Heroic Image: Sun Yatsen in London, 1896-1897* (Oxford University Press, 1986), p. 250.

(129) 《民立報》，1911 年 11 月 17 日，轉載於《孫中山全集》第 1 卷，第 546-547 頁。

這封電文佐證了李曉生對電報內容中關於讓袁的追憶。但讓袁的基本原因，是否就是如李曉生所說的：為了廓清官僚和士大夫存滿之想？竊以為孫中山為了革命而奔走了大半生，不會因為吳稚暉一句話就那麼隨便地把鮮血換來的革命成果拱手讓給他不信任的、東山復起的清朝前重臣袁世凱。孫中山一定有迫不得已的苦衷，這苦衷是甚麼？

六、讓袁問題探索

竊以為這苦衷的來源，正是英國外相對鐸遜爵士的談話內容部份。而該等內容承外相許可，由鐸遜爵士轉告了孫中山。內容的有關部份如下：

> 我希望中國會從目前的動亂中產生一個獨立自主、讓中國富強的政府。這樣的一個政府，不但會得到我們的承認，而且會得到我們的友誼和支持。我們希望見到一個對外開放貿易的、強大的中國政府。由誰來組織這個政府，我們毫不在乎，但在革命黨人的對立面，有一位似乎相當適合的人選。他就是袁世凱。我們都敬重他，因為我們相信，在清廷罷黜他以前，他所領導過的政府，是使中國進步了。[130]

---

[130] Grey to Jordan, Desp. 364, 14 November 1911, Reg. No. 45661, FO371/1095, pp. 167-173: at p. 166, paragraph 3.

武昌首義，南方各省響應，並先後宣佈獨立。孫中山為革命奔走了大半生，從未取得過如此大好形勢。他在這個意氣風發的時候，相信發夢也不會想過要把自己與同志們用血汗甚至生命換來的政權，雙手讓給袁世凱。但現在，他認為「可以舉足輕重為我成敗存亡所繫者」[131]之英國，卻表示支持袁世凱來對付他。無如晴天霹靂！而且，當 1896 年 10 月他被滿清駐倫敦公使館人員綁架後，英國上下不是猛烈抨擊滿清政權的殘酷嗎？開明的英國政府現在怎能支持那曾經助紂為虐的袁世凱來對付他！他可能一片迷惘。問題是：他未執過政，未嚐過政治現實的殘酷。

因此，在重建李曉生在遺稿中提到的、吳稚暉為孫中山草擬讓袁電文的情況時，[132]可以想像：首先是孫中山失魂落魄地回到旅館，把事情告訴了吳稚暉。吳稚暉也是束手無策。繼而是吳稚暉想到順水推舟而讓袁的主意：吳稚暉不像孫中山般曾經投身革命幾十年；因此吳稚暉可以很輕鬆地就想到讓袁。至於孫中山本人，則甚至在吳稚暉提出讓袁的主意時，「國父尚未明先生意旨」。但孫中山到底不是為了個人利益來搞革命，故「經先生解釋，亦表同意」。[133]並再次花一大筆費用拍電報給上海《民立報》轉國民政府

---

[131] 孫中山：〈建國方略：孫文學說第八章「有志竟成」〉，《國父全集》（1989），第一冊，第 421 頁，第 3-4 行。

[132] 李曉生所遺稿，收入佚名著：〈辛亥年間同盟會員在倫敦活動補錄〉未刊一文。

[133] 李曉生所遺稿，收入佚名著：〈辛亥年間同盟會員在倫敦活動補錄〉未刊一文。

表達讓袁之意，「但求早固國基。」[134]

至於吳稚暉提出那讓袁主意的動機，則很可能包括了維護孫中山威信的一片苦心。蓋辛亥革命爆發，同志們都在流血犧牲，孫中山不但未馬上回國參加革命，還遠遠地拐了一個大彎去英國，聲言是去爭取英國政府的同情和支持。結果英國政府不但不屑一顧，而且表示要支持袁世凱。若以此外聞，對孫中山的威信是個很大的打擊。故筆者推測，吳稚暉有鑑於此而想出了「讓袁」的主意，甚至據此而擬好了一封電報出示孫中山，以致孫中山初感錯愕。但經吳稚暉解釋後，遂表同意。[135]至於李曉生後來又補充說「後聞國內之士大夫階級得見此電大加欽服。以為我國數千年前之揖讓古風復見於今日。再不敢毀革命黨為亂黨。吳此電發生效力之大，實無可估計。」[136]則讓人懷疑，李曉生這樣寫，是在吳稚暉的基礎上推波助瀾，為孫中山搖旗吶喊。

英國外相提出支持袁世凱，很大程度上是受了駐華公使對中國局勢分析的影響。公使認為，唯一能收拾殘局的人是袁世凱。革命初起，公使就曾派了軍事參贊隨政府軍南下武漢，發覺政府軍絲毫

---

[134] 《民立報》，1911 年 11 月 17 日，轉載於《孫中山全集》第 1 卷，第 546-547 頁。

[135] 李曉生所遺手稿，收入〈辛亥年間同盟會員在倫敦活動補錄〉一文作為「補錄二」。該文由香港某雜誌寄來讓筆者審稿。筆者以該文含珍貴史料，應予保存，建議刊登。後聞該雜誌仍不予刊登。故筆者至今還不知該文作者是誰。但文稿仍存筆者處，在此引用上了，特向該不具名的作者鳴謝。

[136] 李曉生所遺手稿，收入〈辛亥年間同盟會員在倫敦活動補錄〉一文作為「補錄二」。見上註。

沒有為清廷賣命的意思；如果他們用上他們該有的戰鬥力的十份之一，收拾革命軍將會不費吹灰之力。如果袁世凱復出，形勢會馬上改觀。駐華公使又認為滿清王朝已經無望了，因為滿清權貴自己也已深感日薄西山，所有上諭都充滿垂死掙扎的味道，慶親王忙着把自己的財產換成金條以便隨時逃亡時容易帶走，攝政王的兩個兄弟都把家眷送到深山的行邸裡，北京的其他權貴都成群結隊地擠火車往天津。[137]

孫中山在 1911 年 11 月 16 日致上海《民立報》轉國民政府的電報中說：「聞黎有請推袁之說。」[138]這句話發人深省。孫中山是從那裡聽來的消息？

格雷外相是在 11 月 14 日晚上接見鐸遜爵士的。[139]當日黃昏 7 時 15 分，外交部接到駐華公使當天發來的絕密電報。該密電實在太重要了；為了讓讀者得觀全豹，故筆者全文翻譯如下：

> 今天，我接見了袁世凱的兒子。他代表他父親來見我。他說乃父不知何去何從。雖然他願意效忠清廷，但清廷已幾乎是無可救藥了。一方面，全國上下都強烈要求清帝退位。

---

[137] Jordan to Campbell, private, 23 October 1911; received on 13 November 1911, Reg. No. 45070, FO371/1095, pp. 42-47.

[138] 《民立報》，1911 年 11 月 17 日，轉載於《孫中山全集》第 1 卷，第 546-547 頁。

[139] Dawson to Grey, official, 15 November 1911, grouped with Grey to Jordan, Tel. 170, 17 November 1911, Reg. No. 45816, FO371/1095, pp. 183-188: at p. 188, paragraph 1.

黎元洪和其他武昌首義的革命黨人都催促他當共和國的大總統，並答應全力支持他，又說滬、穗和其他革命中心都會支持他。普遍的意見是：讓清帝退位，並在熱河或蒙古妥當地安置清室。另一方面，若恢復效忠清廷嘛，則唐紹儀和其他老同僚都拒絕與他合作。

他問我有何忠告。

我說，外國人普遍認為最佳解決辦法是清廷統而不治，同時把早已承諾了的憲法付諸實踐。我認為共和政體不適合中國國情，強行試驗，未卜吉凶。

他說，革命黨人提出要他父親來統治他們；他們又說要他父親當皇帝，因為共和體制只是一個過渡時期。

我要求他容許我把他告訴我的話，採機密形式轉告美國駐華公使，他同意了。

在他來訪以前，我早已與袁世凱本人約好了明天下午見面。[140]

這封絕密電文，格雷外相在當天晚上接見鐸遜爵士之前，是否已看過，很難判斷。但由於它的絕密性與緊急性，而它又牽涉到外相快要與其會見的人所談的事情，故筆者傾向於他先看電文後會鐸遜的可能性。電文有黎元洪催袁世凱當大總統之語，把它與孫中山

[140] Jordan to Grey, Tel. 278 Very Confidential, 14 November 1991, Reg. No. 45368, FO371/1095, pp. 94-98: at p. 97.

「聞黎有請推袁之說」[141]相比較，讓筆者進一步傾向於孫聞自英國外交部的想法。不錯，格雷外相曾存有他自己與鏗遜爵士的談話紀錄，而該紀錄沒提及此事。但該紀錄是採取咨會駐華公使的形式出現，[142]所咨者皆最精簡的要點，外相毫無必要說他已經把袁世凱的兒子提到過的讓袁的消息告訴了鏗遜爵士並讓他轉告孫中山。

按袁世凱的兒子即袁克定。他所說的黎元洪和其他武昌首義的革命黨人都催促他當共和國的大總統云云，有何根據？[143]徵諸《黃興年譜長編》，可知黃興的確寫過這樣的一封信。[144]黃興已於1911 年 10 月 28 日抵達武昌，與黎元洪會商軍事。黃興被推為總司令。[145]在革命黨中，黃興是第二把手，地位遠遠凌駕於黎元洪之上。黎元洪甚至不是同盟會的會員。只是由於炸彈意外地爆炸了，被同盟會會員滲透了的湖北新軍戰士迫得提前起義。但首義戰士當中，地位最高的也不高過排長。以事起倉猝，群龍無首，起義軍才強推他們自己的首長黎元洪當指揮。[146]當時湖北新軍共有一師兩

[141] 《民立報》，1911 年 11 月 17 日，轉載於《孫中山全集》第 1 卷，第546-547 頁。

[142] Grey to Jordan, Desp. 364, 14 November 1911, Reg. No. 45661, FO371/1095, pp. 165-173: at p. 166.

[143] 2004 年 2 月 17 日，筆者與廣州市中山大學邱捷教授切磋學問時，筆者提出這個問題，邱捷教授就提供了黃興覆袁世凱函，特致謝忱。見下注。

[144] 黃興覆袁世凱函，1911 年 11 月 9 日，載毛注青編著：《黃興年譜長編》（北京：中華書局，1991），第 221 頁。

[145] 毛注青編著：《黃興年譜長編》（北京：中華書局，1991），第 208 頁，記 1911 年 10 月 28 日事。

[146] 「陳磊先舉槍指黎罵曰：『生成滿清奴隸，不受抬舉。』（李）翊東繼之，余則兩手攔住兩人之槍，囑其不可魯莽，後黎乃詢眾議鈐印」。見吳

協，黎元洪是其中混成協的首長（等於現代編制的旅長），有指揮經驗。在這以後的一段時候，革命軍所頒發的告示和發給外國使節的照會，都由黎元洪簽署。所以他在外國人中的知名度比黃興要高。因此，袁克定拜會英國公使時，不提黃興而只提「黎元洪和其他武昌首義的革命黨人」，就是這個道理。

事情是這樣的：「武昌起義後，清廷驚慌失措，被迫起用袁世凱，先任為湖廣總督，繼授欽差大臣，節制各軍，復任為內閣總理大臣，至是清廷軍政大權悉落袁手。袁乃玩弄兩面手法，一面南下督師，親臨前線；同時於攻陷漢口後，派蔡廷幹、劉承恩攜函來見黎元洪、黃興，探詢停戰議和意見。」[147]黃興乃於 1911 年 11 月 9 日，以中華民國軍政府戰時總司令的身份，函覆袁世凱曰：

> ……興思人才原有高下之分，起義斷無先後之別。明公之才能，高出興等萬萬，以拿破崙、華盛頓之資格，出而建拿破崙、華盛頓之事功，直搗黃龍，滅此虜而朝食，非但湘、鄂人民戴明公爲拿破崙、華盛頓，即南北各省當亦無有不拱手聽命者。蒼生霖雨，群仰明公，千載一時，祈毋坐失！[148]

醒漢：〈武昌起義三日記〉，載《中國近代史資料叢刊——辛亥革命》（上海：上海人民出版社，1981），第 5 冊，第 78-84 頁：其中第 82 頁。

[147] 毛注青編著：《黃興年譜長編》，第 220-221 頁，記 1911 年 11 月 9 日事。

[148] 黃興覆袁世凱函，1911 年 11 月 9 日，載毛注青編著：《黃興年譜長編》（北京：中華書局，1991），第 221 頁。

收到黃興這封覆函以後，看來袁世凱馬上就電約英國駐華公使朱爾典在 11 月 15 日見面。[149]竊以為這正是袁世凱第三面手法的開展：即爭取英國政府的支持。定好約會以後，袁世凱就急急起程回京。他所坐的火車，在 11 月 13 日黃昏 5 時 25 分抵達北京。[150]第二天，就趕快派他的兒子前往拜會英國公使。這次拜會，沒有預約，甚不合外交禮節，但袁世凱也管不了這麼多。可見袁世凱對英國在華舉足輕重的地位，與孫中山所見相同。而且，為了取信於駐華公使，袁世凱極有可能把黃興的覆函交袁克定讓其出示英公使。沿這思路探索，則筆者懷疑，深謀遠慮的袁世凱，其「派蔡廷幹、劉承恩攜函來見黎元洪、黃興，探詢停戰議和意見」[151]之最終目的，是要套取黃興這樣的答覆以向英國自重。這種手法，與其借重武昌起義來向清廷索取軍政大權的做法，如出一轍。那麼，黃興果真對袁世凱存有幻想？不見得。黃興在覆袁世凱的同一天，又密諭民軍將士曰：「現袁已派心腹多名，分道馳往各省發布傳單，演說諭眾，離間我同胞之心，渙散我已成之勢。設心之詭，用計之毒，誠堪痛恨。」[152]可見黃興對袁世凱不無認識。關鍵就在這裡：在同

---

[149] Jordan to Grey, Tel. 278 Very Confidential, 14 November 1991, Reg. No. 45368, FO371/1095, pp. 94-98: at p. 97, last paragraph.

[150] 見天津《大公報》，1911 年 11 月 15 日第 3 版。此條承廣東省社會科學院孫中山研究所的劉路生副研究員提供，特致謝意。

[151] 毛注青編著：《黃興年譜長編》，第 220-221 頁，記 1911 年 11 月 9 日事。

[152] 黃興密諭民軍將士，1911 年 11 月 9 日，見毛注青編著《黃興年譜長編》，第 221-222 頁及第 222 頁的腳註 1。

一天，黃興既贊袁世凱有「拿破崙、華盛頓之資格」，[153]又罵他心設毒計坑害革命派，「誠堪痛恨」。[154]原因何在？

黃興是有迫不得已的苦衷：當時革命軍的力量非常薄弱，若真的與袁世凱較量，肯定不敵。漢口一役，已是明証。現在袁世凱主動派人來議和，在對其真正動機不完全清楚的情況下，以效忠作餌，勸袁世凱反清，不失為明智之舉。另一方面，蔡廷幹、劉承恩與黃興見面時，不曉得用了甚麼甜言蜜語，或許下甚麼承諾，讓黃興寫出了上面那封大長敵人志氣、大滅自己威風的覆函，甚至把袁世凱比作拿破崙。須知拿破崙掌握了大權之後，就稱王稱帝了。難怪袁克定振振有詞地對英國公使說，革命黨人「要他父親當皇帝，因為共和體制只是一個過渡時期。」[155]

袁世凱剛剛復出就已經預先為自己將來稱帝舖路。真可謂深謀遠慮。

英國外交部細心研究朱爾典發來的這份關於他與袁克定會談的絕密電報。W.G. Max-Muller 說：「內容與孫中山的上書南轅北轍，奇怪極了！」[156]助理外交次長 Sir Francis Campbell 說：「正

---

[153] 黃興覆袁世凱函，1911 年 11 月 9 日，載毛注青編著：《黃興年譜長編》（北京：中華書局，1991），第 221 頁。

[154] 黃興密諭民軍將士，1911 年 11 月 9 日，見毛注青編著：《黃興年譜長編》，第 221-222 頁及第 222 頁的腳註 1。

[155] Jordan to Grey, Tel. 278 Very Confidential, 14 November 1991, Reg. No. 45368, FO371/1095, pp. 94-98: at p. 97.

[156] W.G. Max-Muller's minute on Jordan to Grey, Tel. 278 Very Confidential, 14 November 1991, Reg. No. 45368, FO371/1095, pp. 94-98: at p. 94.

是！」[157]外交次長閱後，簽上他名字的縮寫。[158]外相格雷爵士閱後，第一個反應也是簽上他名字的縮寫。[159]但很快就想通了，並馬上親筆草擬了一封密電，指示駐華公使曰：

> 關於您（快將）與袁世凱舉行的會談，您可便宜行事。他過去的表現，讓我們對他產生了好感和敬意。我們希望見到的是，革命帶來一個強有力的、能夠不分彼此地對待外國的政府；一個能夠維持安定並推動中國貿易的政府。對於這樣的一個有效率的政府，我們會給予外交上的支持。
>
> 我注意到，您（把您與袁克定會談的內容）咨會了美國駐華公使，但沒有咨會日本駐華公使。我們不宜給日本人厚此薄彼之感。當然，我完全同意您與美國駐華公使隨時保持聯繫的做法。[160]

外相的指示，可圈可點。第一是他的果斷：他也不費神去猜測孫中山與袁世凱誰屬可信；而是按照袁世凱過去的表現毅然指示公

---

[157] Campbell's minute on Jordan to Grey, Tel. 278 Very Confidential, 14 November 1991, Reg. No. 45368, FO371/1095, pp. 94-98: at p. 94.

[158] Nicolson's minute on Jordan to Grey, Tel. 278 Very Confidential, 14 November 1991, Reg. No. 45368, FO371/1095, pp. 94-98: at p. 94.

[159] Grey's minute on Jordan to Grey, Tel. 278 Very Confidential, 14 November 1991, Reg. No. 45368, FO371/1095, pp. 94-98: at p. 94.

[160] Grey to Jordan, Draft Tel. 168, Confidential, 15 November 1911, subsequently despatched @ 6.30 p.m., Reg. No. 45368, FO371/1095, pp. 94-98: at p. 94 (draft) and p. 98 (copy of despatched telegram).

使擁袁以維護英國在華利益。第二是堅決維持英美兩國政府之間的密切關係，讓人覺得，孫中山先前在上書中誇誇其談地說他已經與美國政府建立了聯盟，不信可向華府查詢等話。難怪英國外相覺得反感了。

後來孫中山東歸至香港水域時，對前來見面的親信、廣東都督胡漢民表達了他對當時國內外形勢的分析和他對「讓袁」的看法：

> 革命軍驟起，有不可嚮邇之勢。列強倉猝，無以為計，故祇得守其向來局外中立之慣例，不事干涉。若然我方形勢頓挫，則此事正未可深恃。戈登、白齊文之於太平天國，此等手段正多，胡不可慮？謂袁世凱不可信，誠然；但我因而利用之，使推翻二百六十餘年貴族專制之滿洲，則賢於用兵十萬。縱其欲繼滿洲以為惡，而其基礎已遠不如，覆之自易。故今日可成一完滿之段落。[161]

這番話證明孫中山對英國和袁世凱的真正意圖，同樣是不瞭解。英國是藉中立之名而擁袁。袁世凱是利用停火之議來達到其稱帝的最終目的。另一方面，當時胡漢民是希望勸孫中山到廣州去，以鞏固南方的革命基地。孫中山卻認為必須北上，為甚麼？去競選總統！

---

[161] 胡漢民：《胡漢民自傳》，轉載於《孫中山年譜長編》，上冊，第 593 頁。

七、競選總統

英國政府已經擺明支持袁世凱，為何孫中山還要北上競選總統？無他，不當上總統，就更難與袁世凱討價還價也。故孫中山對胡漢民說：

> 我若不至滬、寧，則此一切對內對外大計主持，決非他人所能任，子宜從我即行。[162]

從這句話看，孫中山對自己之能夠否當選臨時大總統，似乎充滿信心。

但當時持相反看法的，大有人在。就以孫中山自己過去的革命同志章太炎為例。章太炎倡言若舉總統，「以功則黃興，以才則宋教仁，以德則汪精衛。」[163]章氏又於《民國報》發表宣言，認為孫中山乃「元老之才，不應屈之以任職事。」[164]那麼誰可當大任？章氏謂「品藻時賢：謂總理莫宜於宋教仁，郵傳莫宜於湯壽潛，學部莫宜於蔡元培；其張謇任財政，伍廷芳任外交，則皆眾所公推，不

---

[162] 胡漢民：《胡漢民自傳》，轉載於《孫中山年譜長編》，上冊，第 593 頁。

[163] 胡漢民：《胡漢民自傳》，收入《中華民國開國五十年文獻：開國規模》（臺北：正中書局，1967 年），第 46 頁。

[164] 章太炎：〈宣言之四〉，《民國報》（1911 年 12 月 1 日），收入湯志鈞編，《章太炎政論集》（北京：中華書局，1977 年），第 2 卷，第 527 頁。。

待論也。」[165]無形中把孫逸仙說得一無是處，甚麼也夠不上。但結果國會仍然選上孫逸仙作為臨時大總統，總理一切。為甚麼？

過去筆者探索這個問題時曾指出，章太炎忽略了關鍵的一點，就是中山先生在中國人心目中的英雄形象。而這個英雄形象，是不能光用軍功、才能、賢德來衡量的。現在筆者進而探索了武昌起義後孫中山在倫敦活動的情況，則可以在這個問題上作補充。補充之一：是英國高層同樣是忽略了孫中山英雄想像這關鍵的一點。他們只看到袁世凱表面上的強大，而沒看到活在中國廣大革命黨人心中那個孫中山的高大形象，以及由此而發揮的巨大力量。補充之二：是孫中山在所有革命黨人當中，只有他一個人提供了一套自成系統的革命理論：三民主義，這正是本書第四張着力的地方。

筆者還希望作第三個補充，就是孫中山在 1911 年 12 月競選臨時大總統這個關鍵時刻，很可能在回國後私下口頭對革命黨人說：

> 予……向英政府要求三事：一、止絕清廷一切借款；二、制止日本援助清廷；三、取消各處英屬政府之放逐令，以便予取道回國。三事皆得英政府允許。[166]

果真如此，則革命黨人肯定刮目相看。當時的革命黨人當中，誰有

---

[165] 章太炎：〈宣言之九〉，《民國報》（1911 年 12 月 1 日），收入湯志鈞編：《章太炎政論集》（北京：中華書局，1977 年），第 2 卷，第 529 頁。

[166] 孫中山：〈建國方略：孫文學說，第八章：有志竟成〉，《國父全集》，第 1 冊，第 421 頁。《孫中山全集》，第 6 卷，第 245-246 頁。

這個本事？若他又私下口頭對革命黨人說，在倫敦時四國銀行團的主幹曾經對他說過：

> 銀行團借款與中國，只有與新政府交涉耳。然必君回中國成立正式政府之後乃能開議也。(167)

這無形在說，如果由孫中山來成立正式政府，借款便有商量。當時軍需正急，各省代表能不投孫一票？總統之席，非孫莫屬矣。但孫中山這番話，只能私下說，並且必須找個可信的藉口要求聽者嚴守秘密。若公開了，英國駐華公使必然出來否認，那就甚麼都完了。正因爲如此，所以儘管他已取得英國政府許可，讓他「路過」香港，但當他的船到達香港時，他還是不上岸。因爲對「路過」這個詞彙的解釋可以有兩種：第一可以說經過香港的土地，那就可以上岸。第二可以說經過香港的水域，那就不能上岸。如果香港政府選擇後者的解釋而孫中山選擇前者，則他上岸後必招麻煩。而他自己所說取消各處英屬政府之放逐令云云，不攻自破。因爲，嚴格來說，香港政府沒又正式地取消對他的放逐令。只是不了了之，隻眼開隻眼閉地讓他「路過」香港。所以孫中山決定不上岸，而在船上接見胡漢民等。孫中山心裡有數，儘量不要冒不必要的風險。(168)

基於上述種種原因，孫中山果然被各省代表選為國民政府臨時

---

(167) 孫中山：〈建國方略：孫文學說，第八章：有志竟成〉，《國父全集》，第 1 冊，第 421 頁。《孫中山全集》，第 6 卷，第 245-246 頁。

(168) 這個風險是存在的，見下文「小結」一節。

大總統，並在 1912 年 1 月 1 日在南京就職。讓朱爾典和英國政府都大跌眼鏡。但英國政府在衡量過孫、袁的力量對比後，還是決定繼續擁袁而拒絕承認南京的臨時政府。惟孫中山已取得了與袁討價還價的本錢。他公開表示可以把臨時大總統的職位讓給袁世凱，但同時開出兩個條件：第一、袁世凱必須公開表示支持共和政體而迫清帝退位；第二、袁世凱必須離開北京而到南京就職，不言而喻之目的是要把袁世凱調離他的北京老巢而到南京接受革命軍的鉗制。袁世凱接受了兩項條件並實踐了第一項。卻指使其屬下的部份軍隊在北京暴動，並以此作為不能離開北京的藉口拒絕南下。孫中山也全沒辦法，只好由他。

因此在競選總統和「讓袁」的問題上，孫中山既利用自己的機智而當上總統，又實踐了「讓袁」的策略而藉袁世凱來結束了滿清專制和幾千年的帝制。但卻未想到換來的竟然是袁世凱專制。袁世凱首先是大舉外債以鞏固自己的力量；接着派人於 1913 年 3 月 20 日暗殺了宋教仁。[169]孫中山等革命黨人忍無可忍，發動了所謂二次革命，又遭到袁世凱的鎮壓。孫中山急電恩師康德黎醫生，懇請他想辦法勸止英國銀行給予袁世凱任何貸款。[170]當時英國朝野上下都支持袁世凱，康德黎還是勇敢地逆流而上，寫了不少文章投稿於倫敦各大報章，可惜都被各報封殺了。[171]康德黎夫人義憤填膺，親自

---

[169] 郭廷以：《中華民國史事日誌》（臺北：中央研究院近代史研究所，1979），第一冊，第 86 頁。

[170] Sun Yatsen to Cantlie [cable], 2 May 1913, reprinted in Cantlie & Seaver, *Sir James Cantlie*, pp.111-112.

[171] *Ibid.*, p.113.

往見渣打銀行（Chartered Bank of India），受到的卻是敵意甚濃的接待。她在日記中寫道：「我感到深深受辱」。[172]不得已，她寫信給倫敦各大報章，呼籲全世界的基督徒為孫中山祈禱。結果，似乎是那家曾在 1896 年率先報導孫中山倫敦蒙難的《地球報》把她的信刊登了。換來的卻是「一個名叫塞尼克斯（Senex）的人，給《地球報》寫了一封長信，算是對我的信的答覆。他在信中用盡一切粗言穢語來咒罵孫醫生和他的黨派，又說中國目前所急需的不是祈禱而是金錢。我寫信反駁了他，我覺得我必須為孫做點甚麼。」[173]

當時能為孫中山做些具體事情的人不多，他再次逃離故國，重新踏上漫長的革命征途。

八、捨身救國

為何孫中山所領導的革命派土崩瓦解得如此迅速？原因之一自然是其與袁世凱的力量對比太過懸殊。其二是以英國為首的列強支持袁世凱而不支持孫中山。其三是革命派本身存在着致命的弱點，就是個別革命黨人參加革命的動機問題。他們要推翻滿清、建立民國，這個目標無疑是一致的。但是否純粹就是這個目標還是摻雜了其他個人的利害關係？關於這個問題，在 1911 年 12 月 25-26 日間，孫中山與上海《大陸報》主筆的一席話已露端倪：

---

[172] *Idem.*
[173] *Idem.*

主筆：君帶有巨款來滬供革命軍乎？

孫大笑：何故此問？

主筆：世人皆謂革命軍之成敗，須軍餉之充足與否，故問此。

孫：革命不在金錢，而全在熱心。[174]

這番對話帶出了一個新問題——革命為何？——或捨身救國的問題。

孫中山搞革命，他本人誠然是「全在熱心」。目前史學界掌握到的確鑿史料，在在說明了這一點。但其他的人則不全是作如是想。在過去，會黨中人利用他的革命熱情來騙他的錢，以致 1895 年廣州起義和後來舉事屢屢失敗，已如前述。現在武昌新軍帶頭起義以後，革命黨人似乎主要還是利用金錢來調動起義軍的積極性。例如，1911 年 10 月 18 日英語的《漢口每日新聞》報導說，革命派的報章刊登啟示曰：

任何一組軍人奪得一艘清軍兵艦，每名軍人可獲五百元的獎金。任何人生擒清軍一名指揮官，可獲獎金一千元。在戰場犧牲者，家屬可獲撫恤金一千元。[175]

---

[174] 孫中山與上海《大陸報》主筆的談話，1911 年 12 月 25-26 日間，載《孫中山全集》，第 1 卷，第 572-573 頁：其中第 573 頁。

[175] Anon, "The Revolution: Latest Reports", *Hankow Daily News*, 19 October 1911, p. 1, col. 4, deposited in the National Archives, Kew, London.

該報同日另文又報導說：「由於砲兵戰士為了爭取共和體制而不惜犧牲，故每名士兵獲得一佰塊錢的獎勵。」[176]兩天以後，英語的《華中郵報》又翻譯了《大漢報》的報導說：「叛軍將軍（指黎元洪）答應給每名士兵都發予雙餉，以便他們多匯款回家。」[177]同時為了擴充兵源，革命派不惜高價招募：識字的，月薪 30 元；文盲的，月薪 20 元。[178]

那麼起義軍軍官他們自己又如何？一篇題為「共和軍官一擲千金」的外文報導說：

> 共和軍的軍官把漢口全城的望遠鏡都買光了。他們跑進一所商店——而這所商店只賣高價鏡——該店存有每副定價 90 元的望遠鏡一打、每副定價 60 元的望遠鏡兩副。負責購買的軍官也不問價錢多少，就用上好的墨西哥白銀全部買下。[179]

由於戰爭需要，購買上好的望遠鏡有絕對必要。該外文報章用「一擲千金」為題作報導，帶有揮霍的味道，甚不妥當。該報在四天前

---

[176] Anon, "Death or Glory Boys!", *Hankow Daily News*, 19 October 1911, p. 1, deposited in the National Archives, Kew, London.

[177] A report transited from the Chinese language newspaper *Ta Han Pao* and printed in the *Central China Post*, 20 October 1911, p. 3, deposited in the National Archives, Kew, London.

[178] Anon, "Republican generosity", *North China Herald*, 21 October 1911, deposited in the British Library, Newspaper Division, Colindale, London.

[179] Anon, "Money no Object to Republicans", *Central China Post*, 27 October 1911, deposited in the National Archives, Kew, London.

不是有一篇報導題曰：「共和軍的砲火欠缺良好的望遠鏡」[180]嗎？但是，如果把全城所有的望遠鏡都買個清光的目的是讓大小軍官都帶個望遠鏡顯顯威風的話，就大有商榷的必要。

至於革命黨人本身一些要員的表現又如何？張振武是武昌首義立了大功的人，故武昌軍政府成立以後，就被推為軍務部副部長，親攜庫銀幾萬兩往上海採購軍械彈葯。「在滬採購軍火時，揮霍浪費」。[181]至於在孫中山身邊的一些親信的表現又如何？1912 年 9 月 28 至 10 月 1 日，孫中山以私人的身份訪問德國在山東的租借地青島、膠州等地方。[182]當時孫中山已經在同年 4 月 1 日辭去臨時大總統的職位而袁世凱還未露出凶相並給予孫中山一定程度的優待。此行讓德國人有機會細心地密切注視孫中山與其一些親密戰友的言行舉止。德國膠州租借地總督的觀察報告，給後人留下了非常珍貴的史料。他對孫中山的情操給予高度評價，說：「接觸到他的人都留下了非常良好的印象，尤其是他的含蓄、謙虛、理想精神」。[183]

---

[180] Anon, "Republican Battery Needs Better Field Glasses", *Central China Post*, 23 October 1911, 3 in EXT1/307, p. 534, Large reports extracted from Admiralty Files, deposited in the National Archives, Kew, London.

[181] 周武彝：〈陸軍第三中學參加武昌起義經過〉《辛亥革命回憶錄》（北京：文史資料出版社，1981），一套 8 冊，第 7 冊，第 10-18 頁：其中第 16 頁。

[182] 《孫中山年譜長編》，上冊，第 734 頁。

[183] 德國膠州租借地總督 Meyer-Waldeck 致海軍部部長 Tirpitz 函，1912 年 10 月 1 日，德國軍事檔案館 Rm3/6723，載墨柯：〈德國人眼中的孫中山〉，《辛亥革命史叢刊》第 11 輯，第 206-239：其中第 213 頁。至於這位作者墨柯先生的原名，承該刊副主編之一、嚴昌洪教授覆示，乃 Peter Merker 教授，任教於德國埃兒福（Erft）大學。

但對孫中山隨行的人，評價就有天淵之別：「這批人瘋狂地侵吞共和國的公款。為了『能給共和國效勞』，他們大量地買進葡萄酒、香煙、雪茄、襯衫、領帶、皮鞋；這樣，孫醫生[184]的陪同除了1000 美金旅館的費用外，還有 1000 美金附加費。」[185]

上述漢語和外語所記載的事例，發人深省：

第一、用物質回報而不用愛國主義教育作為動員革命的力量，以致普通戰士不懂得捨身救國。所以問題很快就出現了。一名外國戰地記者報導說：1911 年 10 月 27 日，漢口一支革命軍失利撤退，一些士兵就棄械改裝逃亡。[186]同日，另一支漢口的革命軍，摩拳擦掌，自稱為敢死隊，雄糾糾氣昂昂地操向一支人數比他們眾多的清軍。快要接仗時，革命軍諸戰士「似乎認為另擇吉日廝殺，效果可能更佳，於是發足狂奔」，他們的指揮官隨後猛追喝止無效。[187]翌日，黃興抵武昌，被推為革命軍總司令，即日渡江到漢口前線督師。[188]同樣是一籌莫展。以致漢口在 3 天後，即 11 月 1 日，就被袁世凱的軍隊攻陷了。黃興退守武昌，總結戰敗因素，指

---

[184] 原譯文作孫博士，不確，特改為孫醫生。

[185] 德國膠州租借地總督 Meyer-Waldeck 致海軍部部長 Tirpitz 函，1912 年 10 月 1 日，德國軍事檔案館 Rm3/6723，載墨柯：〈德國人眼中的孫中山〉，《辛亥革命史叢刊》第 11 輯，第 206-239：其中第 216 頁。

[186] Anon, "Today's Fighting", *Central China Post*, 28 October 1911, p. 3, col. 2, deposited in the National Archives, Kew, London.

[187] Anon, "Death or Glory Boys!", *Central China Post*, 28 October 1911, p. 4, col. Cols. 2-3, deposited in the National Archives, Kew, London.

[188] 毛注青：《黃興年譜》（長沙：湖南人民出版社，1980），第 132 頁。

出其中一條是「各隊新兵太多。」[189]如此筆者又轉而分析當時革命黨人用高薪招募士兵參加革命戰爭的策略。英國駐華海軍司令注意到，革命派對應徵者「沒有給予絲毫軍事訓練或灌輸任何正確思想就讓他們入伍了。」[190]日本的外交官員甚至說，應召入伍的人大多數是匪徒。[191]

第二、德國總督所注意到的、孫中山身邊親信那種假公濟私的做法，以及周武彝目睹曾與他共事過的、在武昌首義立過大功的張振武的種種行徑，在在佐證了本章開始時孫中山對鍾工宇所說的話：即不少革命黨人私字當頭，不惜犧牲革命利益。[192]

孫中山可敬之處，是他一輩子捨生革命而又從不作假公濟私的事情。

九、小結

孫中山通過他在香港讀書以降，尤其是倫敦蒙難以來對英國國

---

[189] 李書城：〈辛亥革命前後黃克強先生的革命活動〉，載《辛亥革命回憶錄》（北京：文史資料出版社，1981），第 1 冊，第 180-216：其中第 187 頁。

[190] Winsloe to Admiralty, 18 December 1911, File No. 21850, in FO371/1311, p. 44.

[191] Papers communicated by the Japanee Charge d'Affaires in London, Mr. Yamaza, to the British Foreign Office, 2 December 1911, Reg. No. 48177, FO371/1096, pp.232-246: at p. 239.

[192] Chung Kun Ai, *My Seventy Nine Years in Hawaii, 1879-1958* (Hong Kong: Cosmorama Pictorial Publisher, 1960), p. 110-111.

力的認識，於是乎在得悉武昌起義後毅然決定取道倫敦回國，以便爭取英國政府對革命黨的支持。另一方面，袁世凱由於過去的政治實踐，同樣地認識到英國政府在華舉足輕重的角色，故在時機成熟時不惜套取黃興那封信以向英國自重。兩人所見相同。只有那些井底之蛙，才會指責孫中山倫敦之行乃懦夫[193]所爲。

孫中山抵達倫敦後，通過特瓦·鏵遜爵士而與英國外交部高層聯繫上了，不失為一項重要成績。無奈英國外相明確表示支持袁世凱來對付革命派，對孫中山來說有如晴天霹靂。但由於孫中山搞革命不是為了個人榮辱而是真真正正地爲了救民於水火。所以，當吳稚暉向他倡「讓袁」以換取清帝退位時，他馬上從善如流，並按步就班地把此議付諸實踐。

步驟之一，是爭取當選臨時大總統，以便增加與袁世凱討價還價的本錢。於是他機智地把他從特瓦·鏵遜爵士那裏聽來的消息，加上他豐富的想像力，「神遊冥想」後在回到中國時似乎擺出了三個空城計，私下自稱已爭取到英國政府三項承諾：「一、止絕清廷一切借款；二、制止日本援助清廷；三、取消各處英屬政府之放逐令，以便予取道回國。」[194]更可能私下對革命黨人說過，如果由他來成立正式政府，四國銀行借款便有商量。[195]果真如此，可謂膽識

[193] Jordan to Grey, Tel. 289, 20 November 1911, FO Reg. No. 46374, FO371/1095, pp.301-306: at p. 302.

[194] 孫中山：〈建國方略：孫文學說，第八章：有志竟成〉，《國父全集》，第1冊，第421頁。《孫中山全集》，第6卷，第245-246頁。

[195] 孫中山：〈建國方略：孫文學說，第八章：有志竟成〉，《國父全集》，第1冊，第421頁。《孫中山全集》，第6卷，第245-246頁。

驚人。若有人因此指責他不老實，那麼把黃興到達武昌後的遭遇作比較，就很有意思。因為到了那個時候，黎元洪已在革命軍中鞏固了自己的地位，「一切實權操在立憲派與舊軍官之手，文學社和一切革命黨人當然對之不滿。所以黃興到漢，文學社特表歡迎。他們想趁此時機，借黃興的威望，把黃興的地位置於黎元洪之上」。因此在 1911 年 11 月 3 日：

> 楊王鵬在都督府建議公舉黃興為革命軍總司令，話還未說完，湯化龍馬上反對……立憲派和黎元洪的舊軍官極力反對楊王鵬的建議，彼此相持不下。共進會的孫武一派人都倒向立憲派，說是顧全大局。最奇怪的是同盟會的高級人物居正，也做了立憲派的俘虜。

最後如何了結？

> 立憲派仿照古法炮製一個「登壇拜將」的把戲。登壇拜將，形式上似乎是重用黃興，實際上是打擊黃興，排斥黃興，使黃興屈居於黎元洪之下，幹不下去。[196]

為何「登壇拜將」便使黃興屈居於黎元洪之下？因為是由黎元洪拜

[196] 毛注青：《黃興年譜》（長沙：湖南人民出版社，1980），第 136 頁，引章裕昆：〈武昌首義與黃興的關係〉。

黃興為將，並「親將印信、委任狀、令箭等授與黃興親收。」[197]屬從之分，再也明顯不過。區區一個革命軍總司令，由同盟會第二把手來擔當，已經遇到如斯阻力。要競選總統，孫中山這個「光棍司令」又會遇到怎麼樣的困難？

孫中山終於當選臨時大總統了，並於 1912 年 1 月 1 日在南京宣誓就職。這一切都可以歸功於他的機智與大膽。在機智與大膽的同時還加上小心謹慎和不冒無謂的風險。他在 1911 年 12 月在所坐的船到達香港時決定不上岸就是個好例子。當時雖然他早已預先接到特瓦·鐸遜爵士（Sir Trevor Dawson）的電報說英國政府容許他「路過」香港[198]，但他仍然決定不上岸。事後證明他做對了。因為，在 1912 年 4 月 24 日，當孫中山正式辭退臨時大總統的職位後、南下取道香港赴穗時，就出了問題。而這種問題是預先沒法估計的。當時香港居民準備大事歡迎。但香港政府馬上嚴禁懸掛旗幟橫額之類的歡迎條輻及燃放爆竹，連刊登歡迎啟事也不准。孫中山的輪船駛進海港後更不許其本人上岸。[199]孫中山赤手空拳，有何可懼？香港政府倒不是怕孫中山個人，而是恐他堂而皇之地到來會挑起廣大香港居民的民族主義情緒，以致難於管治這塊殖民地。香港

---

[197] 周武彝：〈陸軍第三中學參加武昌起義經過〉，《辛亥革命回憶錄》（北京：文史資料出版社，1981），一套 8 冊，第 7 冊，第 10-18 頁：其中第 18 頁。

[198] See Harold Z.Schiffrin, *Sun Yat-sen: Reluctant Revolutionary* (Boston: Little, Brown and Co., 1980), p. 158.

[199] 《孫中山年譜長編》，上冊，第 693 頁，引《民立報》，1912 年 4 月 25 日。

政府這個矛頭雖然不是直指孫中山，但從孫中山本人的角度看來，香港政府也未免欺人太甚。又從香港殖民政府的角度看，也有其難言之隱。孫中山在香港接受過近乎十年的教育，又曾利用過該地進行推翻滿清政府的活動並因而被香港政府放逐多年，當然理解香港政府的苦衷。所以在 1911 年 12 月他到達香港時，就決定不上岸了。不拘小節以免亂大謀，信焉！

至於那位在武昌首義時迫上梁山的黎元洪，則在 1 月 3 日，各省代表又選舉了他為臨時副總統，仍兼鄂軍都督。革命派對他可謂不薄。

又至於那位繼孫中山當國民政府臨時大總統的袁世凱，翌年就翻臉不認人。在他的重兵面前，孫中山只能再度逃亡海外。孫中山的可貴之處，是遭受到如此重大打擊之後，還不屈不撓地繼續革命。相反地，黃興說從此不幹了，而章太炎則後來終於去了印度當和尚！只有那位本來不是革命派的黎元洪，才與袁世凱虛與委蛇。

綜觀孫中山英國之行，並沒有達到其預期之目的。但他卻機智地充份運用其在英國探得的各種信息，來增加他回國後成功地競選臨時大總統的機會。至於為何特瓦·鐸遜爵士三番四次地為他奔走說項？以及孫中山從那裡籌得鉅款居住在薩福伊旅館？則筆者把兩個問題加在一起「神遊冥想」，再結合筆者當澳中工商總會副主席多年的所見所聞，得出一個假設。按一般大公司欲做大生意的金科玉律，是適當地預作小量的投資。若孫中山對這位軍火製造廠的負責人之一說，他很快就要當上中國新政府的大總統，此後一切軍需都可以向該廠購買，條件是該廠主負責他住在薩福伊旅館的宿費和出面為他向英國政府說項，相信鐸遜爵士是非常樂意作這樣的投資的。

一句話：孫中山只有很少的本錢卻企圖做很大的生意。這個策略，首先用在特瓦·鐸遜爵士身上，得心應手。再用在英國外交部，則差不多全軍盡墨。回國後再而用作競選臨時大總統的手段，赫！竟然又險勝了！非大智大勇不敢為。

又綜觀英國人對孫中山與辛亥革命的看法，則最近發生的一件事例很能說明問題。2004 年 2 月 6 日星期五晚上 9 時到 10 時，BBC 電視台播出一套歷史電視紀錄片，題為「蘇格蘭的帝國」第六集。全套歷史電視紀錄片的主題是描述過去蘇格蘭人如何為大英帝國打天下。第六集重點講中國，其次講日本。在華的蘇格蘭人當中，最著名的首推威廉·渣甸（William Jardine）和他的合夥人占姆士·馬地臣（James Matheson）。他們所成立的怡和洋行（Jardine Matheson & Co），在十九世紀走私鴉片最成功，所獲暴利及該暴利所帶動的連鎖效應，對於大英帝國的建立和維持其歷久不衰，曾起過舉足輕重的作用。該電視紀錄片的製作組經英國學術界推薦而看過有關著作後，對拙著《鴆夢》[200]情有獨鍾，並選擇採訪筆者。時為 2003 年 6 月底。當時筆者整裝待發，正要飛往廣州繼續鑽研粵海關檔案中有關中山先生的資料。對於沒法臨時改飛英國接受訪問表示歉意，並建議他們的攝影隊去廣州採訪筆者，這樣更可拍攝一些著名遺跡。後以無法及時取得訪華記者簽證罷議。最後雙方各退一步，決定在 7 月下旬他們飛香港，筆者也從廣州飛香港與他們會面。筆者覺得他們不遠萬里而來，誠意感人，於是大膽建議他們考

[200] J.Y. Wong, *Deadly Dreams: Opium, Imperialism, and the Arrow War (1856-60) in China* (Cambridge University Press, 1998).

慮把另一位著名的蘇格蘭人、康德黎醫生爵士包括在節目裡邊。因為康德黎是孫中山的恩師，又是救命恩人。而孫中山又是中國的偉人，他推翻滿清並成為中華民國的第一任總統，影響深遠。所以康德黎在中英關係史上，佔有很重要的地位。他們表示會鄭重考慮筆者的建議，於是筆者又大膽地把拙著《倫敦蒙難》[201]和有關康德黎的著作[202]給他們預讀。

2003 年 7 月 23 日，筆者在香港接受採訪超過五個小時。按照訪者的提問，筆者按事發時間的先後暢談了對兩次鴉片戰爭、孫中山和康德黎、溥儀和他的老師莊士敦、香港回歸等問題的研究心得。播放時間到了，節目以香港回歸開始，筆者第一個發言。繼續是兩次鴉片戰爭，筆者發言的次數不少。而且，儘管是節目主持人的敘述，內容也多採自拙著《鴆夢》。[203]唯獨到了應該談辛亥革命的時候，則隻字沒提孫中山和康德黎，也隻字不提辛亥革命。只是用一句話輕輕帶過：「由於軍閥的反叛，滿清政權就垮台了。」[204]接着又用很長的時間，描述莊士敦與他的學生溥儀的關係。

中國學術界普遍認為，孫中山領導辛亥革命推翻了滿清政權與

---

[201] J.Y. Wong, *The Origins of An Heroic Image: Sun Yatsen in London, 1896-1897* (Oxford University Press, 1986).

[202] Neil Cantlie and George, Seaver, *Sir James Cantlie: A Roman in Medicine* (London: John Murray, 1939).

[203] J.Y. Wong, *Deadly Dreams: Opium, Imperialism, and the Arrow War (1856-60) in China* (Cambridge University Press, 1998).

[204] "The Manchus dynasty collapsed because of the rebellious warlords", BBC documentary *Scotland's Empire*, Episode 6, screened on Friday 6 February 2004.

千年帝制。該節目卻絕口不提孫中山與辛亥革命，中國學者看了肯定反感，筆者初看也感到錯愕。該節目主持是否存有偏見？筆者思量再三，覺得未必如此。理由可能有二：

第一、BBC 在國際上的地位極隆的原因之一，是取態度公正。該電視台上下工作人員也以此傲人，愛惜這個聲譽有時甚於自己的性命。在孫中山與辛亥革命這個問題上，中英兩國也沒有利害衝突。該電台完全沒有必要故意貶低孫中山與辛亥革命。

第二、儘管在中英兩國有利害衝突的重大問題諸如兩次鴉片戰爭，該電台還是捨近就遠，派隊萬里迢迢地飛香港採訪筆者，就是明証之一。其實，在英國的帝國史領域裡，高手如雲，為何他們不找自己人？而且在英國，兩次鴉片戰爭是敏感的問題。為何專門找「敵國」的後裔來採訪？加上拙著《鴆夢》批評英帝國主義比比皆是，而該電視台的歷史紀錄片又暢銷西歐、北美、英聯邦各國等的電視台。家醜不往外揚，有關的英文著作多為英國辯護，並認為中國該打。為何該電視台偏要找筆者提供種種難堪的細節向全世界張揚？如此種種，都讓筆者覺得該電視台是實事求是的，取態也是公正的。

那麼，為甚麼在孫中山與辛亥革命這個問題上，該節目又採取這麼一個態度？竊以為原因可能有三點：

第一、滿清垮台最直接的原因，的確是由於當時最大的軍閥袁世凱強迫清帝退位所造成的。所以該節目的台詞「由於軍閥的反叛，滿清政權就垮台了」這句話，基本上沒有錯。

第二、當然，如果沒有辛亥革命，清廷就不會再起用袁世凱。如果孫中山沒能機智地爭取了當選臨時大總統，革命派也就損失了這個與袁世凱討價還價、勸其迫清帝退位的本錢。該節目主持人及其智囊團沒看到這兩個促成清帝退位的間接因素，是美中不足。但是，造成這瑕疵的原因又是甚麼？話題就轉到第三點：

第三、武昌首義後，孫中山拿着這麼小小的本錢到英國首都，大言不慚地說要跟英國政府作大買賣。這種買空賣空的手法，在務實的、以工商起家的英國人眼裡，真個不是話兒。

第六章
再予援手 1911-1922

圖十一

圖十二

1917-1925 年間，孫中山三次在廣東成立政府，並擔任陸海軍大元帥（見圖十一，廣東省檔案館提供）。不料陳炯明叛變，孫中山愴惶逃上「楚豫」號兵艦再轉「永豐」號兵艦避難。圖十二為孫中山避難「永豐」號一週年時所攝（廣東省檔案館提供）。

上一章提到英國政府屬意袁世凱，孫中山順水推舟把臨時大總統的位置讓給袁世凱而換取了清帝退位，竟不世之功。袁世凱當然不滿足於當國民政府的臨時大總統而受國會掣肘。他處心積慮地要做皇帝。他的第一步，就是在 1913 年 3 月 20 日派人把障礙之一的國民黨要員、該黨理事代理理事長宋教人暗殺身亡。❶該案三日後在上海法國租界被破獲。❷孫中山聞訊馬上自日本返上海籌備討袁，❸進行所謂第二次革命。孫中山此舉違反了英國要穩定中國以便其繼續做生意發大財的主意，故反而促成了英、德、法、俄、日等五國銀行團給予袁世凱總額 25,000,000 鎊的貸款。以鹽務收入為擔保，利息五釐。八四折，約為 21,000,000 鎊。扣除墊款 6,000,000 萬鎊，各省借款 2,800,000 鎊，償付各國在辛亥革命時遭受的損失 800,000 鎊，實得 8,200,000 鎊。❹袁世凱願意付出這麼沉重的代價，無他，皇帝夢已發到不惜任何代價的地步了。

孫中山急忙電請恩師康德黎將其呼籲各國政府阻止五國銀行團貸款予袁世凱以免他用貸款來作軍費而促成戰爭的宣言，「提出於英國政府、國會、歐洲各國政府，並將之公諸告報端，以便廣為傳播。」❺恩師想盡辦法到處奔走呼籲，但沒人理會等情，上章已有

---

❶ 郭廷以編著：《中華民國史事日誌》，一套四冊（臺北：中央研究院近代史研究所，1979），第 1 冊，第 86 頁，1913 年 3 月 20 日條。

❷ 同上，第 1 冊，第 86 頁，1913 年 3 月 23 日條。

❸ 同上，第 1 冊，第 86-7 頁，1913 年 3 月 25 日條。

❹ 同上，第 1 冊，第 90 頁，1913 年 4 月 26 日條。

❺ Sun Yatsen to James Cantlie, Shanghai 2 May 1913, reproduced in Neil Cantlie and George Seaver, *Sir James Cantlie: A Roman in Medicine* (London: John Murray, 1939), pp. 111-2. 該宣言的譯文見《國父全集》（1989），第 2

交代。這裡要補充的，是恩師又撰文曰：中國最聰明的年輕人都到了外國留學，他們都是孫中山的熱誠支持者。當這批優秀的年輕人學成歸國後，一定會掌握軍政大權，到了那個時候，曾經反對過孫中山的列強政府就後悔莫及。諸報拒絕刊登，有些敬重康德黎為人的編輯就對他解釋說：貸款給袁世凱是為了中國好，對中國的和平安定有好處。❻筆者等待寫到這裡，才補充這一點，是因為本章準備重點發揮一種觀點：即孫中山先知先覺地掌握了中國新興力量的觀點。

廣東是孫中山革命的策源地，其都督又是孫中山的親密戰友胡漢民。於是袁世凱先發制人，於 1913 年 6 月 14 日免掉胡漢民的都督職位，同時命陳炯明繼之。❼時陳炯明為廣東護軍使，本身是同盟會員，並曾追隨孫中山約兩年。他接到袁世凱的命令後，自稱接也難不接也難。不接嘛，則黃興已先後發了三道急電給他催他接受，最後一道說「再不接任都督，獨立討袁，黨人將不能相諒！」❽接嘛，則陳炯明自知「這是將我來過渡，至多兩三個月，便調我入

冊，第 43 頁。該集題解把地址翻譯成哈利街 119 號，不確，原文為 140 號。又擅自為康德黎加上稱號為爵士，也不確。康德黎在 1917 年 12 月 27 日才收到英國首相函告，他已經被提名在元旦被冊封為爵士。見上述 *Sir James Cantlie* pp. 193-4.

❻ Neil Cantlie and George Seaver, *Sir James Cantlie: A Roman in Medicine* (London: John Murray, 1939), p. 113.

❼ 郭廷以編著：《中華民國史事日誌》，一套四冊（臺北：中央研究院近代史研究所，1979），第 1 冊，第 97 頁，1913 年 6 月 14 日條。

❽ 黃興致陳炯明電報，無標明日期，載陳定炎、高宗魯：《一宗現代史實大翻案：陳炯明與孫中山、蔣介石的恩怨真相》（香港：Berlind Investment Ltd, 1997），第 124 頁，引鍾德貽的回憶。

京了。」❾這段由陳炯明兒子撰寫的記載，活靈活現地描述了陳炯明的輕重緩急：他把個人利益放在國家利益之上，預警了本章後來要處理的、1922 年 6 月 14 日晚陳炯明砲轟孫中山的總統府這件歷史大案。

陳炯明猶豫了 20 天，終於在 1913 年 7 月 4 接受任命正式就職。繼續抗命嘛，若袁世凱把他那廣東護軍使的職位也免掉，則變成四大皆空。若接了而為了免調入京，就儘快宣佈廣東獨立，則還可以搏取割據一方的機會。上任後馬上採取措施以鞏固他在廣東的地位，「包括電請北京政府財政部直接借撥 10,000,000 元到粵維持紙幣；通令各縣縣長擴充警察，以保地方治安」等。❿袁世凱亦應其所求，命梁士詒從香港匯豐銀行現匯撥 3,000,000 元到粵。⓫但袁世凱也不是傻瓜，一方面命梁士詒匯款給他⓬，二方面又警告他不要妄動，⓭三方面更把他的高級將領收買了。⓮陳炯明不知其高

---

❾ 陳炯明語，載陳定炎、高宗魯：《一宗現代史實大翻案：陳炯明與孫中山、蔣介石的恩怨真相》（香港：Berlind Investment Ltd, 1997），第 124 頁，引鍾德貽的回憶。

❿ 陳炯明語，載陳定炎、高宗魯：《一宗現代史實大翻案：陳炯明與孫中山、蔣介石的恩怨真相》（香港：Berlind Investment Ltd, 1997），第 126 頁，引香港《華字日報》，1913 年 7 月 10 日。

⓫ 陳炯明語，載陳定炎、高宗魯：《一宗現代史實大翻案：陳炯明與孫中山、蔣介石的恩怨真相》（香港：Berlind Investment Ltd, 1997），第 126 頁，引香港《華字日報》，1913 年 7 月 14 日。

⓬ 該筆款項似乎最後仍沒撥給陳炯明，當時袁世凱只不過是假意匯款而已。

⓭ 袁世凱致陳炯明電，1913 年 7 月 13 日，載陳炯明語，載陳定炎、高宗魯：《一宗現代史實大翻案：陳炯明與孫中山、蔣介石的恩怨真相》（香港：Berlind Investment Ltd, 1997），第 136-7 頁，引朱子勉的回憶。

級將領已被收買，於 1913 年 7 月 18 日宣佈廣東獨立。⓯袁世凱即命駐在廣西梧州的龍濟光部，以副廣東護軍使的名義，率兵沿西江東下進攻廣州，而早已被收買的陳炯明的部下紛紛響應，陳炯明倉皇出走。⓰

其他南方反袁而宣佈獨立的政權都被袁世凱逐一瓦解。孫中山所策動的、號稱二次革命的運動，全盤失敗。他本人則再度亡命海外。袁世凱以為時機成熟，就宣佈其稱帝的計劃。但他錯誤地判斷了孫中山等革命黨人多年以來奔走呼籲的成果：中國再不能走回頭路了！誰再能接受帝王專制復辟！袁世凱的一意孤行當然是自取滅亡。可惜的是，袁世凱在 1916 年稱帝敗滅後，中國就進入了四分五裂的軍閥時代。佔據北京的軍閥，踐踏約法；把國會變成「豬仔國會」，並將其隨意擺弄。1917 年 6 月 13 日，張勛更帶辮子兵進入北京強迫總統黎元洪宣布解散國會。黎屈從。⓱各省的軍閥則為了爭地盤而混戰。列強又分別在中國找尋自己的代理人以保護甚至擴大其在華利益。中國走進了另一個黑暗世界。

⓮ 陳定炎、高宗魯：《一宗現代史實大翻案：陳炯明與孫中山、蔣介石的恩怨真相》（香港：Berlind Investment Ltd, 1997），第 126 頁，引香港《華字日報》，1913 年 7 月 14 日。

⓯ 陳定炎、高宗魯：《一宗現代史實大翻案：陳炯明與孫中山、蔣介石的恩怨真相》（香港：Berlind Investment Ltd, 1997），第 131 頁。

⓰ 陳定炎、高宗魯：《一宗現代史實大翻案：陳炯明與孫中山、蔣介石的恩怨真相》（香港：Berlind Investment Ltd, 1997），第 134-5 頁。

⓱ 郭廷以編著：《中華民國史事日誌》，一套四冊（臺北：中央研究院近代史研究所，1979），第 1 冊，第 306 頁，1917 年 6 月 8 日條；第 307 頁，1917 年 6 月 13 日條。

孫中山力求國家統一，並為了達到這目標而三次在廣州成立政府來試圖進行北伐。時間分別是 1917 年 8 月到 1918 年 5 月，1920 年底到 1922 年 6 月，和 1923 年 2 月直到 1925 年 3 月他逝世為止。可謂鞠躬盡瘁，死而後已。分析孫中山在這段時間（1917-1925）與英國的關係，可以從兩個角度入手。一個角度是按照他三次在廣州成立政府的時間先後，來順序進行。另一個角度是按照他這三個政府前後性質的變化來劃分——即他於 1924 年 1 月 20 日中國國民黨第一次全國代表大會在廣州舉行時採取聯俄容共的政策之前和之後。筆者決定兩者兼收並蓄：

本書第六章分析他第一和第二次在廣州成立政府時與英國的關係。中國史學界一般把這段日子稱為護法運動，⓲具體日期大約是 1917 年 7 月 3 日、孫中山在上海召集海陸軍長官與國民黨要人，商討維護約法討伐叛逆的問題開始，⓳到 1924 年 1 月 4 日，孫中山在廣州大本營所召開的政務特別大會上，與會者經過討論後同意收束護法旗幟時止。⓴這個時期孫中山與英國的關係時好時壞，但有一點是基本的，孫中山非常希望得到英國的援助。而英國當局也出於人道主義等考慮而在陳炯明叛變後，於 1922 年 8 月 9 日派兵艦把他安全護送離開廣州去香港。

第七章、第八章和第九章的佈局，則集中分析他第三次在廣州成立政權時與英國的關係。大致來說，第七章分析孫中山從 1923

⓲ 有關專著，見莫世祥：《護法運動史》（臺北：稻禾出版社，1991）。

⓳ 莫世祥：《護法運動史》，第 331 頁。

⓴ 莫世祥：《護法運動史》，第 307 頁。收束護法旗幟的理由是：北京的豬仔「國會非法，尚何護法可言？」

年2月19-21日路過香港前往廣州第三次建立政府、到同年12月孫中山為了海關餘款（簡稱關餘）而與英國劍拔弩張的歷史。關餘的爭執導致列強軍艦雲集廣州河面，讓孫中山丟盡面子。加上其他嚴重困難，孫中山頻臨絕境。後來商團首領陳廉伯偷運軍火進穗以便武裝叛變的陰謀，就是在這個時候孕育的。㉑第八章和第九章集中鑽研，在這水深火熱的處境當中，孫中山與英國關係鬧得最僵的1924年秋所發生的廣東扣械潮和與此有密切關係的商團事變。

筆者作這種安排，主要是為了寫作方便。實際情況當然比這種人為的分野複雜得多。

一、孫中山第一次在廣州成立政府

孫中山倡議維護約法，本身就表現了他的法治觀念。而這種法治觀念，與他長期受到英國文化的薰陶是分不開的。為了維護約法，他開始到處找討逆基地。過去在1913年奉袁世凱令從廣西復入廣州的龍濟光，苛政治粵三年後已被陳炳焜代替。陳炯明與陳炳焜「聯宗誼，得居其公署，充高等顧問。」㉒可能通過陳炯明的關係，更可能是陳炳焜本人不太瞭解孫中山的具體意圖，甚或希望藉孫中山聲望以自重，故表示歡迎。㉓孫中山在1917年7月17日乘

㉑ 詳見本書第七章。

㉒ 《孫中山年譜長編》，上冊，第1035頁，1917年7月6日條，引自李睡仙等編《陳炯明叛國史》（福州：新福建報社，1922）。

㉓ 《孫中山年譜長編》，上冊，第1036頁，1917年7月11日條，引《申報》，1917年7月21日所載陳炳焜1917年7月11日電。

「海琛」號到達黃埔，陳炳焜還親到黃埔歡迎。㉔

但矛盾很快就出現了。1917 年 7 月 19 日孫中山出席廣東省議會歡迎會，並在會上提出了國會在廣州開會以決大計的主張。㉕在座的陳炳焜馬上表示「國會地點宜慎討論，免有敵人入侵廣東之慮。鄙人擔負保護全省治安之責，不得不言。」㉖同日黃昏，孫中山赴陳炳焜宴，陳炳焜對他說：「南方仍未強大，且財政非常困難，不易在南方組織政府。」孫中山當然聽不進去。以致事後陳炳焜對人說：「孫中山當然能說會道，但我重任在身，要維持治安」。㉗

如果只是區區一個孫中山，陳炳焜對他大可不予理會。但 1917 年 7 月 22 日海軍總長程璧光又發表海軍護法宣言，㉘並於 8 月 5 日率海軍艦隊抵粵。㉙ 8 月 9 日，又已經有 40 餘名國會議員響應孫中山號召而到了廣州準備開非常國會會議。㉚ 8 月 19 日更

㉔ 廣東省檔案館藏，粵海關檔案全宗號 94 目錄號 1 案卷號 1580 秘書科類《各項事件傳聞錄》，1917 年 7 月 18 日條。

㉕ 《孫中山年譜長編》，上冊，第 1038 頁，1917 年 7 月 19 日條，引上海《民國日報》，1917 年 7 月 25 日所載。

㉖ 《孫中山年譜長編》，上冊，第 1041 頁，1917 年 7 月 19 日條，引上海《民國日報》，1917 年 7 月 25 日所載。

㉗ 廣東省檔案館藏，粵海關檔案全宗號 94 目錄號 1 案卷號 1580 秘書科類《各項事件傳聞錄》，1917 年 7 月 19 日條。

㉘ 《孫中山年譜長編》，上冊，第 1042 頁，1917 年 7 月 22 日條，引《總理護法實錄》暨《申報》1917 年 7 月 23 日。

㉙ 《孫中山年譜長編》，上冊，第 1047 頁，1917 年 7 月 19 日條，引《時報》1917 年 8 月 11 日。

㉚ 廣東省檔案館藏，粵海關檔案全宗號 94 目錄號 1 案卷號 1580 秘書科類《各項事件傳聞錄》，1917 年 8 月 10 日條。

增至百餘人。[31]而早在 8 月 11 日，雲南督軍唐繼堯又通電護法。[32]同日更致電兩廣巡閱使、桂系軍閥陸榮廷和廣東督軍陳炳焜等，表示「與兩粵一致行動。」[33]陳炳焜更是勢成騎虎。

1917 年 8 月 25 日，國會非常會議在廣州舉行開幕禮，廣東省長朱慶瀾與孫中山和程璧光等列席祝賀，而身為廣東督軍的陳炳焜卻僅派代表參加。[34]矛盾已表面化。陳炳焜本來已「忌恨朱慶瀾以兵力助炯明及其歡迎國會與海軍來粵」，[35]更由於朱慶瀾以省長身份親自列席國會非常會議在廣州舉行的開幕禮，無疑與陳炳焜公開唱對臺戲。於是陳炳焜在翌日就強迫朱慶瀾辭去省長的職位。朱慶瀾於 8 月 27 離開廣東。[36]孫中山失去了一位盟友。

1917 年 8 月 31 日，國會非常會議通過《軍政府組織大綱》，凡十三條。規定⑴中華民國，為了戡定叛亂，恢復臨時約法，而特別組織中華民國軍政府；⑵軍政府設大元帥一人，元帥二人，主持一切；該大元帥、元帥等由國會非常會議分次選舉；⑶臨時約法之效力未完全恢復以前，中華民國行政權由大元帥行之；⑷大元帥對外代表中華民國；⑸軍政府下設外交、內政、財政、陸軍、海軍、

---

[31] 《孫中山年譜長編》，上冊，第 1042 頁，引上海《國民日報》1917 年 8 月 26 日。

[32] 《革命文獻》，第 7 輯第 85 頁。

[33] 《革命文獻》，第 7 輯第 85 頁。

[34] 《孫中山年譜長編》，上冊，第 1052 頁，引上海《民國日報》，1917 年 9 月 3 日所載。

[35] 蔣永敬：《胡漢民先生年譜》（臺北：中國國民黨中央黨史委員會，1978），第 212 頁。

[36] 《孫中山年譜長編》，上冊，第 1052 頁，其中 1917 年 8 月 27 日條。

交通等六部；(6)軍政府設都督若干員，以各省督軍贊助軍政府者任之。[37]

1917 年 9 月 1 日，國會非常會議按照剛通過的上述《軍政府組織大綱》第(2)條進行選舉大元帥一人和元帥二人。出席議員 91 人，孫中山以 84 票當選大元帥，雲南督軍唐繼堯以 83 票、兩廣巡閱使陸榮廷以 76 票當選為元帥。孫中山手中並無一兵一卒，卻以最高票數當選為大元帥。反觀桂系軍閥陸榮廷，雖然當時操縱了廣東政局，[38]卻以低票數屈當元帥。這種現象，亦可目為本書第四、五章所提出的，孫中山英雄形象的效應。而當時國會議員多為國民黨的黨員，也是重要因素之一。

同日下午舉行了大元帥授印儀式。議長吳景濂、副議長王正廷及國會議員數十人，持《國會非常會議致大元帥書》，乘舞鳳軍艦至黃埔公園，舉行大元帥授印禮。《國會非常會議致大元帥書》稱：「民國不造，倪、張倡逆，國會解散，大法掃地，……而大總統亦被廢斥，國統圮絕，民無所依，景濂等以爲救焚拯溺，不可格以恒軌，用是依准法國前例，開非常會議于廣州，僉謂大盜移國，非武力不能鎔治，西南各省與海軍第一艦隊兵力雄厚，士心效順，而部曲散殊，未有統帥，不足以收齊一之效。……九月一日投票選舉，前臨時大總統孫先生文，手造民國，內外具瞻，允當斯任，即日賫致證書，登壇授受，……所願我大元帥總輯師幹，殲除群醜，

---

[37] 《孫中山年譜長編》，上冊，第 1053 頁，引《國會非常會議紀要》（廣州：1917-1918），其中〈決議案〉第 2-4 頁，〈會議錄〉第 9-17 頁。

[38] 蔣永敬：《胡漢民先生年譜》（臺北：中國國民黨中央黨史委員會，1978），第 211 頁。

使民國危而復安，約法廢而復續。」㊴

如此這般，孫中山再不是孤家寡人，而是有法理根據的國家元首。英國與其他列強對他的態度會怎樣？在這個問題上，英國國家檔案館所藏的外交部檔案，通通指向一個焦點：他有效地控制了多少土地和人口？從這觀點看孫中山與英國的關係，就不難理解英國的態度。而且，廣東督軍陳炳焜也盡是給他添麻煩：因為，就在孫中山登壇接受大元帥證書的第二天，即 1917 年 9 月 2 日，陳炳焜即發出通電曰：「此次國會，自行于廣州召集，議定軍政府大綱，選舉大元帥。此種行動，不問其是否適法，此乃因中央政府未能召集國會，不能宣達全國民意。余就此所發生之問題不負其一切責任。」㊵

更麻煩的事情還在後頭。9 月 10 日孫中山在國會非常會議第六次會議上正式就任中華民國軍政府海陸軍大元帥。㊶翌日，唐繼堯卻致電孫中山辭元帥辭職。怎麼搞的？唐繼堯不是曾通電護法嗎？其實他的如意算盤是：「中山舉動，本嫌唐突，惟既已發表，

㊴ 廣東《軍政府公報》，第 1 號，廣州：1917 年 9 月 17 日，收入《南方政府公報》線裝書共 123 輯（石家莊：河北人民出版社，1987 年 12 月影印出版），第一輯《軍政府公報》，第一冊，第 4 頁，廣東省檔案館藏，編號政類 1359-1436：其中第 1359。

㊵ 陳炳焜通電，1917 年 9 月 2 日，載《雲南檔案史料》（昆明：雲南檔案館，1983 年 9 月內部發行），第 2 期，第 24 頁。感謝廣東省檔案館張平安副館長代筆者向雲南省檔案館電索該件。

㊶ 《孫中山年譜長編》，上冊，第 1053-4 頁，引《軍政府公報》，第 1 號，廣州：1917 年 9 月 17 日，收入《南方政府公報》第一輯（石家莊：河北人民出版社，1987 年 12 月影印出版）。

有彼在，對內對外亦有一助力，將來取消，亦有一番交換，故此間僅辭元帥職，未言其他。」㊷難怪事後章太炎作總結說：唐繼堯等最初表示支持護法，只不過是「以西南自成部落作方鎮割據之勢……廣西不過欲得湖南，雲南不過欲得四川，藉護法之虛名，以收蠶食鷹攫。」㊸

此事又一次顯示孫中山可敬之處。他之護法是真心誠意的。唐繼堯之流的通電護法，全是為了一己之私。可惜的是，無論孫中山如何無私，也難博英國喝采。

1917 年 9 月 15 日，孫中山的大元帥府從黃埔搬到廣州市河南地區的士敏土廠辦公。㊹他最頭痛的問題就是經費。㊺早在 9 月 8 日，廣東督軍陳炳焜已經拒絕了程璧光海軍經費撥款要求。㊻程璧光只好靠孫中山了。孫中山的第一個想法就是募集外債。他咨國會非常會議說：「以有利條件起募外債，以濟軍用，現擬與外國資本

㊷ 《孫中山年譜長編》，上冊，第 1058 頁，引〈唐繼堯在徐之琛密電中的批示〉，雲南檔案館藏未刊資料。

㊸ 《章太炎年譜長編》，上冊，第 580 頁。

㊹ 廣東省檔案館藏，粵海關檔案全宗號 94 目錄號 1 案卷號 1580 秘書科類《各項事件傳聞錄》，1917 年 9 月 15 日條。

㊺ 對於孫逸仙在穗三度建立政權時所遇到的經濟困難，林能士教授作過專門研究，見其〈第一次護法運動的經費問題，1917-1918〉，《近代中國》，第 105 期（1995 年 2 月），第 132-159 頁；〈試論孫中山聯俄的經濟背景〉，《國立政治大學歷史學報》，第 11 期（1994 年 1 月），第 89-107 頁；〈經費與革命——以護法運動為中心的一些探討〉，《國立政治大學歷史學報》，第 12 期（1995 年 5 月），第 111-135 頁。

㊻ 廣東省檔案館藏，粵海關檔案全宗號 94 目錄號 1 案卷號 1580 秘書科類《各項事件傳聞錄》，1917 年 9 月 8 日條。

家締結合同，募集外資二萬萬元，軍政府願以將來頒行之全國土地增價稅為擔保。」但由於外交問題未解決，此咨案無法討論。[47]竊以為孫中山的想法只不過是新瓶舊酒。辛亥革命以前，他曾通過美國人 Charles Boothe 向美國的資本家[48]以及通過英國人 G.E. Musgrove 向英國的資本家募集外債，[49]都絲毫沒有成果。現在故技重施，儘管國會非常會議通過了，同樣不會奏效。

外債不行舉內債。孫中山等打算募集五千萬元公債，年息 8%，擬於 8 年內歸還。往那裡募款？孫中山革命的搖籃香港罷。那裡有不少富人，其中不乏愛國之士。可惜香港政府不同意，把募款者驅逐出境。[50]英國對孫中山的態度，最明顯不過了。

舉內債也不行，再採老辦法：向華僑要求捐款。於是派華僑參議員謝良牧、馮自由赴南洋、美洲各埠勸捐。[51]孫中山並親筆分函鄧澤如、南洋掛羅勝埠商會，曰：「義師待發，需餉孔殷，粵省財賦匱乏，難以應付，望慨捐鉅資，以裕軍實。」[52]歷史似乎在重

---

[47] 《國會非常會議紀要》，〈公文〉，第 4 頁。

[48] See Boothe Papers, Hoover Institution on War, Revolution and Peace, Stanford University.

[49] See BL Add. MS 39168/138-141, Sun Yatsen's letters to G.E. Musgrove, 1908-10, British Library, London.

[50] 廣東省檔案館藏，粵海關檔案全宗號 94 目錄號 1 案卷號 1580 秘書科類《各項事件傳聞錄》，1917 年 9 月 21 日條。

[51] 《孫中山年譜長編》，上冊，第 1070 頁，引上海《國民日報》，1917 年 10 月 9 日。

[52] 《孫中山年譜長編》，上冊，第 1070 頁，引鄧澤如輯錄：《孫中山先生廿年手劄》，一套 4 冊（廣州：述志公司，1927；臺北：文海出版社，1966 重印）。

演。列強真的怕孫中山像辛亥革命以前那樣到處奔走籌款革命：這對他們在中國的利益和在亞洲殖民地的穩定都沒有好處。於是「廣州之各國總領事在沙面連日集議，謂南方政府組設，實害中國統一，自難派兵赴歐，間接影響於協約國。而廣東政府於此時尚不表明態度，取消自主，其爲包藏禍心，已可概見。我協約國領事應提出絕交，以促反省；若再執迷不悟，則惟有調集駐港之兵艦來粵，由領事團指揮，與之決裂。各國領事經已簽押一致進行云。」㊼

孕育了孫中山革命思想的英國殖民地香港，馬上要成為列強消滅他軍政府的跳板！孫中山有鑑於此，亟欲與列強駐廣州各領事溝通，但桂系交涉員卻不為承轉。㊽

外交不行，集中對內，孫中山以大元帥名義招募民軍。他派出30 多名專員到各處招兵，帶槍來投者每月軍餉 15 元，沒槍來投者每月軍餉 10 元。到了 11 月 12 日，總共已經花了 5,000 元。㊾廣東督軍陳炳焜聞訊後大為不快，電求兩廣巡閱使陸榮廷出面禁止，「否則廣州政府一定派兵消滅他們。」㊿陸榮廷馬上要求軍政府停止招兵，已招者予以遣散。孫中山無奈，只好屈從。(57)

---

(53) 《孫中山年譜長編》，上冊，第 1072 頁，引重慶《國民公報》，1917 年 10 月 20 日。該報導既然提到「調集駐港之兵艦來粵」，廣州領事團理應徵求過英國當局的意見。那麼英國方面的檔案怎麼說的？這就有待筆者將來再到英國查閱後再作補充。

(54) 《孫中山年譜長編》，上冊，第 1076 頁，1917 年 11 月 8 日條。

(55) 廣東省檔案館藏，粵海關檔案全宗號 94 目錄號 1 案卷號 1580 秘書科類《各項事件傳聞錄》，1917 年 11 月 12 日條。

(56) 廣東省檔案館藏，粵海關檔案全宗號 94 目錄號 1 案卷號 1580 秘書科類《各項事件傳聞錄》，1917 年 11 月 20 日條。

(57) 軍政府公報第 27 號，1917 年 11 月 23 日。

1917 年 11 月 20 日，粵督陳炳焜去職離省，[58]陸榮廷電令莫榮新代理督軍。[59]不久莫榮新即凶相畢露，於 1917 年底擅自捕殺軍政府衛戍部隊 50 餘名士兵。[60]孫中山的處境越來越困難。

最後，桂系動員國會議員改組軍政府，提出「以多頭式之總裁制易單一式之大元帥制，使總理不安於職而去。」[61]結果國會非常會議在 1918 年 4 月 10 日開會時，參加表決者 67 人，贊成改組軍政府者 51 人。[62]翌日，孫中山約全體國會議員到軍政談話，曰：「以法律而論，約法規定為元首制，今乃欲行多頭制。又軍政府組織大綱明明規定：本大綱於約法效力完全恢復、國會完全行使職權時廢止。無修改之明文，今日何以自解？」[63]又說：「至於對人問題，無論陸榮廷、唐繼堯來做大元帥，我均可讓他來做。他派我做別項事件，雖在前敵極危險的地方，我均可去幹，若使我犧牲法律，則所謂護法者，（實）萬難承認。」[64]4 月 13 日，孫中山又重申他的立場說：「今日辦法只有以人就法，不可以法就人。以人就

---

[58] 至於如何去職，見本章第二節開端。

[59] 《孫中山年譜長編》，上冊，第 1081 頁，引上海《民國日報》1917 年 12 月 2 日。

[60] 《孫中山年譜長編》，上冊，第 1088 頁，引葉夏聲：《國父民初革命紀略》（廣州：孫總理侍衛同志社，1948），第 121-122 頁。

[61] 《孫中山年譜長編》，上冊，第 1114 頁，引邵元沖：〈總理護法實錄〉，《建國月刊》（1929 年），第 1 卷第 3 期。

[62] 《國會非常會議》，〈會議錄〉，1918 年 4 月 10 日。

[63] 《孫中山年譜長編》，上冊，第 1114 頁，引邵元沖：〈總理護法實錄〉，《建國月刊》（1929 年），第 1 卷第 3 期。

[64] 《孫中山年譜長編》，上冊，第 1114 頁，引上海《民國日報》，1918 年 4 月 26 日。

法，則予個人去位可也；以法就人，則改組萬不可也。」[65]

孫中山據法力爭。但法律必須有武力作為後盾，孫中山所缺乏的正是武力後盾，變成了沒有牙齒的老虎。其結局是可以預料的：5 月 4 日，國會非常會議開會，議決軍政府組織大綱修正案，以過半票數通過。孫中山馬上辭去大元帥的職位，並發出通電曰「顧吾國之大患，莫大于武人之爭雄，南與北如一丘之貉。雖號稱護法之省，亦莫肯俯首於法律及民意之下。」[66]

孫中山之倡護法運動，以及後來遇到挫折時都一直據法力爭，看來受英國法治的精神影響甚深。遺憾的是，非常重視法治的英國政府，為了保護其在華利益，不但不支持孫中山的護法運動，反而處處與他為難。這種雙重標準，讓孫中山對英國越來越感到失望。至於西南諸軍閥，心目中根本就沒有約法這回事，只不過是藉護法為名鷹攫為實，妄顧國家民族前途；甚至極力阻擾他為了爭取護法而採取的種種措施，最後迫他下臺。孫中山遭內外煎熬之餘，於 1918 年春夏間、即在他快要被強迫辭掉軍政府大元帥的時候，通過加拿大華僑輾轉致電列寧和蘇維埃政府，祝賀十月革命並表示共同鬥爭的願望。[67]這一舉動，在道理上可以理解，在策略上就甚為值得商榷。

---

[65] 《孫中山年譜長編》，上冊，第 1115 頁，引上海《民國日報》，1918 年 4 月 28 日。

[66] 《軍政府公報》，第 78 號，1918 年 5 月 4 日。

[67] 《孫中山年譜長編》，上冊，第 1116 頁，引〔蘇〕葉爾馬舍夫（I.I. Ermasheff）：《孫逸仙》（莫斯科，青年近衛軍出版社，1964），第 211 頁。

道理上可以理解者，是因為列寧打著反對西方帝國主義、打倒國內封建專制的旗幟，而孫中山當時正是被帝國主義和封建軍閥壓迫得喘不過氣來，因而感到與列寧有共同語言。列寧又聲稱要無私地幫助被壓迫的民族抵抗帝國主義，孫中山信以為真，就以為看到一線曙光。在他竭盡心力護法而走到窮途末路的時刻，就像一個快要沒頂的人，即使抓住一根稻草也不放。

策略上值得商榷者，是此舉無可避免地把孫中山自己放在執資本主義牛耳的英國的敵對位置。若英國把他當作敵人來對付，他的日子將更不好過。同時此舉也會挑起國會議員的強烈反感：因為他自稱「代表南方國會致工農政府。」[68]國會似乎並沒有授權他這樣做。孫中山是僭稱了。他一邊責國會議員違法，自己又知法犯法，反映出他當時可能真的被氣昏了。

二、孫中山第二次在廣州成立政府

當 1917 年 10 月 27 日、孫中山還在廣東軍政府任大元帥時，北洋軍閥為了懾制桂系，頒令罷免陳炳焜廣東督軍之職，桂系首領陸榮廷欲以桂系之廣惠鎮守使莫榮新代理粵督，前廣東都督胡漢民等與之討價還價，陸榮廷答應將省署親軍20營劃交陳炯明接管。[69]後來桂系又有反覆，待莫榮新上任後，自度資望淺薄，願與國民黨結盟以自重，終於履行了陸榮廷最初的承諾，予陳炯明兵 20 營，

---

[68] 《孫中山年譜長編》，上冊，第 1116 頁注 1。

[69] 《孫中山年譜長編》，上冊，第 1076 頁，第 1917 年 10 月 27 日條。

令其攻閩，並得稱援閩粵軍總司令。1917 年 12 月 3 日，陳炯明就職。[70]這小小的開端，就為孫中山第二次在廣州成立政府埋下了伏筆。

一方面是桂系治粵橫徵暴斂，到了 1920 年已是天怒人怨。另一方面則陳炯明部有所壯大，此消彼長。1920 年 8 月 12 日陳炯明在漳州公園誓師回粵討桂，一路勢如破竹。[71]軍行既急，「兵站趕追不及，汕頭籌款，緩難濟急，以致中央軍到紫金後，絕糧兩日，下鄉乞米，向士兵借款買菜，停頓不能出發攻敵，幾誤大事，炯明老隆接堵，五內焦焚，務請速籌速匯」。[72]孫中山得電後，即匯 35,600 元。[73]攻擊桂系得以繼續順利進行。1920 年 9 月 9 日，廣東的三水、東莞、寶安、新豐、開平等地民軍起事。[74] 9 月 27 日廣東省警察廳廳長魏邦平、廣惠鎮守使李福林會師省河，在廣州省城對岸的河南宣佈獨立，握水陸要塞，莫榮新「外援已絕，內庫亦空，東手待亡」。[75] 10 月 27 日，莫榮新炸燬廣州兵工廠後逃離廣

---

[70] 《孫中山年譜長編》，上冊，第 1083 頁，引中國社會科學院近代史研究所中華民國史研究室編：《中華民國史資料叢稿——大事記》（北京：中華書局，1975），第 4 卷第 250 頁。

[71] 《孫中山年譜長編》，下冊，第 1269 頁，引鄒魯：《中國國民黨史稿》（上海：民智書局，1929；北京：中華書局，1962 年重印），第 3 篇第 1089 頁。

[72] 陳炯明致孫中山電報原件，1920 年 9 月 4 日，原件藏中國國民黨中央黨史會，載《國父年譜》（1985），下冊，第 886 頁。

[73] 陳炯明致孫中山電報原件，1920 年 9 月 5 日，原件藏中國國民黨中央黨史會，載《國父年譜》（1985），下冊，第 886 頁。

[74] 《孫中山年譜長編》，下冊，第 1279 頁，1920 年 9 月 9 日條。

[75] 李福林上孫中山書，1920 年 10 月 21 日，原件藏中國國民黨中央黨史會，載《國父年譜》（1985），下冊，第 890 頁。

州。(76)國會議員中附庸桂系的政學系之勢力，也土崩瓦解。(77) 10 月 29 日，粵軍克服廣州城，陳炯明電請孫中山「立刻回粵主持煩劇。」(78)

1920 年 11 月 28 日，孫中山所乘「中國號」郵輪自上海抵達香港。香港各界紛至船埠熱烈歡迎。(79)香港政府沒有加以阻止，看來是覺得粵軍新勝，氣勢如虹，而穗港關係密切，不宜太早開罪孫中山而自招麻煩。香港政府甚至讓孫中山登岸，讓他轉乘九廣鐵路的專車赴穗；(80)而不必像 1912 年 4 月 24 日，當孫中山正式辭退臨時大總統的職位後、南下取道香港赴穗時，要勞駕廣州方面派砲艇去接他。(81)火車在當天下午 5 時到達廣州，孫中山受到軍政府長官和廣大群眾歡迎：從廣州的大沙頭火車站到前督軍衙門的街道兩旁排滿士兵，沿途商店懸旗放炮，市民表示歡迎者，不絕於道。(82)當晚 7 時，陳炯明在廣東省署舉行歡迎宴會。(83)蓋陳炯明已於 1920

---

(76) 《孫中山年譜長編》，下冊，第 1279 頁，1920 年 10 月 27 日條。

(77) 唐德剛：《戊戌以後三十年政治》，第 307 頁。

(78) 陳炯明致孫中山電報原件，1920 年 10 月 29 日，原件藏中國國民黨中央黨史會，載《國父年譜》（1985），下冊，第 895 頁。

(79) 《孫中山年譜長編》，下冊，第 1320 頁，引上海《民國日報》1920 年 11 月 29 日。

(80) 《孫中山年譜長編》，下冊，第 1320 頁，引上海《民國日報》1920 年 11 月 30 日。

(81) 《孫中山年譜長編》，上冊，第 693 頁，引《民立報》，1912 年 4 月 25 日。

(82) 《孫中山年譜長編》，下冊，第 1320 頁，引上海《民國日報》1920 年 11 月 30 日。

(83) 《孫中山年譜長編》，下冊，第 1320 頁，引上海《民國日報》1920 年 12 月 1 日。

年 11 月 1 日接受軍政府任命為廣東省長兼粵軍總司令。[84]廣東督軍的職位就此取消。

1920 年 11 月 29 日，軍政府重開政務會議。[85]決定軍政府沿襲多頭的總裁制（即不恢復原來的單頭大元帥制）。下屬有秘書廳、總務廳、參謀部、陸軍部、財政部、交通部、內政部、外交部、司法部。初無海軍部和大理院，後補設。其中孫中山除了當總裁之一外還兼內政部長，陳炯明任陸軍部長兼廣東省長。[86]

1920 年 11 月 30 日，孫中山在軍政府主持重要會議。會上，孫中山與陳炯明馬上出現矛盾。還是老問題：孫中山出於全國的考慮，提出重建各地「民軍」，由新政府直接控制以便進行北伐來統一全國；陳炯明則出於地方和個人的考慮，認為省內軍隊應當統一而且只能由他一個人來指揮。[87]從這開始，兩人的分歧隨著時間的轉移而不斷擴大。

首先，陳炯明著手辦理一些對廣東省有利的事情。首先是在 1920 年 12 月 1 日宣佈全省禁賭，並組織民眾白天遊行，晚上提著燈籠也遊行，既慶祝禁賭也藉此宣傳賭博的罪惡。此舉很明顯地是

---

[84] 《孫中山年譜長編》，下冊，第 1308 頁，引上海《民國日報》1920 年 11 月 1 日。

[85] 中國第二歷史檔案館編：《中華民國史檔案資料匯編》（南京：江蘇古籍出版社，1986），第 4 輯，上冊，第 12 頁。

[86] 中國第二歷史檔案館編：《中華民國史檔案資料匯編》（南京：江蘇古籍出版社，1986），第 4 輯，上冊，第 8-9 頁、18 頁。

[87] 廣東省檔案館藏，粵海關檔案全宗號 94 目錄號 1 案卷號 1582 秘書科類《各項事件傳聞錄》，1920 年 11 月 30 日條。

順應了民情，故有口皆碑。[88]同時，陳炯明又採取有效措施解散「民軍」。[89]因為這些「民軍」，可兵可匪，對地方治安是一種威脅。孫中山則你捨我取，不斷地把陳炯明解散了的「民軍」募為己用。他的目的是要建立一支強大的軍隊來統一中國，而他要打擊的第一個目標就是從廣東敗退回廣西的桂系軍閥。[90]在香港謀生的某些廣東人聞訊，即函請省長陳炯明不要派兵伐桂。[91]此函很能代表粵省民情。在兵荒馬亂的歲月，粵民只盼望有一個由粵人組織的、能保護廣東利益的政府。

關於這種地方情結，從其他方面都能清楚地看出來：孫中山返穗翌日，即 1920 年 11 月 29 日，一方面是孫中山著手重組軍政府，另一方面就是廣州市民舉行大遊行，促請孫中山早日「振興工商業政策以及建築南方大港計劃。」[92]而早在 1920 年 9 月 27 日魏邦平與李福林會師宣佈廣州獨立時，魏邦平即於翌日電孫中山等曰：「此次粵軍持粵人治粵宗旨。」[93]李福林也函孫中山曰：「福

---

[88] 廣東省檔案館藏，粵海關檔案全宗號 94 目錄號 1 案卷號 1582 秘書科類《各項事件傳聞錄》，1920 年 12 月 1 日條。

[89] 廣東省檔案館藏，粵海關檔案全宗號 94 目錄號 1 案卷號 1582 秘書科類《各項事件傳聞錄》，1920 年 12 月 11 日條。

[90] 廣東省檔案館藏，粵海關檔案全宗號 94 目錄號 1 案卷號 1582 秘書科類《各項事件傳聞錄》，1920 年 12 月 20 日條。

[91] 廣東省檔案館藏，粵海關檔案全宗號 94 目錄號 1 案卷號 1582 秘書科類《各項事件傳聞錄》，1920 年 12 月 9 日條。

[92] 《孫中山年譜長編》，下冊，第 1321-1322 頁，引上海《民國日報》1920 年 12 月 3 日。

[93] 《孫中山年譜長編》，下冊，第 1286 頁，引上海《民國日報》1920 年 9 月 30 日。

林為愛鄉愛國」。[94]愛鄉先於愛國。李福林和魏邦平都是廣東人。陳炯明也是廣東人。孫中山當然也是廣東人，但孫中山愛國先於愛鄉。其實，廣大粵民遊行要求他振興工商業及建築南方大港等等，都是孫中山在先一年（即 1919 年）旅居上海時所發表的《實業計劃》中具體提出來的。[95]不過，彼一時也此一時也。孫中山的邏輯似乎是：閒居上海可以漫談建設，掌握了軍政府以後就必須趕緊統一中國才談得上全國進行建設。

孫中山依靠甚麼力量來與這麼多跟他意見相左的當地人抗衡？英國駐廣州總領事的機密報告提供了一些寶貴資料。他向英國駐華公使報告說：「1918 年孫中山被迫離開廣州後，國民黨在穗的勢力已蕩然無存。但桂系勢力從廣東政壇敗退後，他們的要職就由約 400 名曾經留學美國和日本的中國留學生充任，而這些留學生大多數是國民黨的支持者。」[96]孫中山的恩師康德黎醫生真有眼光：上文提到，康德黎醫生早在 1913 已經對倫敦的政要和報界說，當大批在外國留學的優秀的年輕人學成歸國後，一定會掌握軍政大權，到了那個時候，曾經反對過孫中山的列強政府就後悔莫及。[97]

當時國內外的形勢又怎樣？國內形勢較諸第一次護法初期，表

---

[94] 李福林上孫中山書，1920 年 10 月 21 日，原件藏中國國民黨中央黨史會，載《國父年譜》（1985），下冊，第 890 頁。

[95] 見《國父全集》（1989），第一冊，第 423-552 頁。

[96] Intelligence Report for the March quarter of 1921, enclosed in Sir James William Jamieson (Consul-Gneral at Canton) to Sir Beilby Francis Alston (British Minister at Peking), Desp. 28, 29 April 1920, pp. 271-196: at p. 272.

[97] Neil Cantlie and George Seaver, *Sir James Cantlie: A Roman in Medicine* (London: John Murray, 1939), p. 113.

面上是惡化了。1917 年孫中山倡議護法時，有雲南的唐繼堯和桂系的陸榮廷等聲援，並議東南自主，聲勢上大致可與北洋軍閥分廷抗禮。1920 年底粵軍把桂系勢力逐出廣東後，兩粵勢成水火，桂系再度附庸於北洋軍閥。雲南的唐繼堯亦已失勢，閒居香港。結果滇、桂、湘、黔等軍閥都倒向北洋軍閥。過去的所謂護法省份，只剩下廣東。[98]而在廣東本身，不支持甚至反對孫中山北伐以護法的，也大有人在。

但實質上，孫中山首兩次在廣東成立政權所處的境況並沒有改變——孫中山等少數革命黨人，仍然是勢孤力單。而孫中山又仍然是知其不可而為之而已。這是孫中山一生的特點，過去矢志推翻滿清的時代如此，現在矢志打倒軍閥的時代同樣是如此。知我者謂我堅毅；不知我者嘲我罔顧實際——像英國的外交官那樣。[99]為甚麼英國外交官這麼說？因為孫中山多次公開展示心中的藍圖，是建立一個西南聯省政府。而這個聯省政府包括粵、桂、湘、滇、黔、閩、蜀。以一省的力量去強迫其他七省就範，有點異想天開。[100]

孫有自己的想法：若他的政府能夠拿到屬於中國西南的全中國

[98] Intelligence Report for the March quarter of 1921, enclosed in Sir James William Jamieson (Consul-Gneral at Canton) to Sir Beilby Francis Alston (British Minister at Peking), Desp. 28, 29 April 1920, pp. 271-196: at p. 272-3.

[99] Intelligence Report for the March quarter of 1921, enclosed in Sir James William Jamieson (Consul-Gneral at Canton) to Sir Beilby Francis Alston (British Minister at Peking), Desp. 28, 29 April 1920, pp. 271-196: at p. 273.

[100] Intelligence Report for the March quarter of 1921, enclosed in Sir James William Jamieson (Consul-Gneral at Canton) to Sir Beilby Francis Alston (British Minister at Peking), Desp. 28, 29 April 1920, pp. 271-196: at p. 272.

海關稅收餘款（簡稱關餘），他的資源就不會侷限於廣東一隅。所謂關餘者，源自 1854 年上海小刀會起義時，清朝海關大亂，英公使包令（Sir John Bowring）主動命英駐滬領事代中國向英商收稅，外人奪取中國海關管理權自此始。滿清無能，讓各通商口岸的海關管理權一個一個地落入以英國人為首的集團。辛丑條約將中國海關稅收作為義和團賠款及別項外債之抵押。除償還該等債務本息外，所餘之款則為關餘。過去的關餘，全交北京政府。1919 年，南北議和，以致南北政府得以分享關餘。[101]廣東軍政府因而分得關餘 13.7%，按月交與軍政府，共有六次。迨 1920 年 3 月，南方軍政府內部分裂，岑春煊和莫榮廷臨垮臺前宣佈取消南方政府，公使團因而暫停交付關餘予南方政府。[102]現在孫中山已經於 1920 年 11 月回到廣州企圖重組西南聯合政府，於是就照會北京的公使團，要求其勒令代管關餘的銀行委員將西南應得的關餘攤分，並將西南方面的海關盈餘交給位於廣東的軍政府使用。可惜公使團拒絕了他的要求。孫中山覺得有先例可援，為何現在就是不給？他發急了，就在 1921 年 1 月宣佈從 2 月 1 日起接管護法省份內各海關。當時孫中山武力所及者，止於粵海關，於是香港總督司徒拔（Sir Reginald Stubbs）立即派遣兩隻軍艦到廣州河面為粵海關站崗。孫中山鑑於

---

[101] Canton Consular Body to Southern Government at Canton, 16 January 1919, enclosing Peking Diplomatic Corps to Canton Consular Body, telegram [16 January 1919], 廣東省檔案館藏，粵海關檔案全宗號 94 目錄號 1 案卷號 1572 秘書科類《收回粵海關》1919-1921。

[102] 孫中山：〈軍政府對海關問題宣言，1923 年 12 月 24 日〉，《國父全集》第 2 冊，第 126-7 頁。

英國態度強硬，而孫中山本人在廣州還未站穩腳步，便宣佈暫緩收回海關。[103]

至於國際局勢，則孫中山一重提關餘的問題，馬上就把他與英國和香港的關係搞僵。不但如此，從中國大局看，英國不願意孫中山北伐。其實英國是不願意見到中國有任何形式的內戰，因為內戰影響英國人做生意。從地方局部上看，香港毗鄰廣東。廣東禁賭，減少社會動盪，對香港有利；解散「民軍」，穩定廣東社會，對香港有利。當然，孫中山把他們收編為正規軍，杜絕他們在社會遊蕩，同樣起到穩定社會的作用。但孫中山用他們來北伐，那就是另一回事了。難怪香港政府偏向陳炯明那一方，並試圖扶陳倒孫。事情是這樣的：當香港總督知道孫、陳不和後，即授意香港立法局華人議員、商人劉鑄伯提出一項經濟援助陳炯明的計劃，先決條件是陳炯明必須與北京政府妥協並與孫中山決裂。司徒拔以保護香港利益為理由，於 1921 年 3 月 20 日電要求殖民地部批准這項計劃。[104]同時又迫不及待地派劉鑄伯到廣州遊說陳炯明；陳炯明自知羽翼未豐而婉拒。[105]殖民地部也以不應捲入廣東政局為理由拒絕了司徒拔的要求。[106]扶陳倒孫的鬧劇就此夭折。[107]

---

[103] Sir B.F. Alston (British Minister, Peking) to Lord Curzon, 2 February 1923, FO405/230, p. 142. 又見張俊義：〈20 年代初期的香港與廣東政局〉，載余繩武、劉蜀永編：《20 世紀的香港》（北京：中國大百科全書出版社，1995），第 73-101 頁：其中第 76 頁。

[104] Stubbs to CO, Telegram, 20 March 1921, CO129/467, p. 303.

[105] Sir James Jamieson (Consul General, Canton) to Sir B.F. Alston (Minister at Peking), 30 March 1921, CO129/471, p. 596.

[106] CO minutes on Stubbs to CO, Telegram, 20 March 1921, CO129/467, p. 300.

似乎仍在夢中的孫中山自有他自己的主觀願望：如果他能成立一個包括西南八省的聯合政府，並選出一個總統以總其成，聲勢不亞於北洋政府，應該可以爭取到列強在外交上的承認。達到這個目的以後，便可以與列強駐中國的外交使團重開關於繼續發還海關餘款的談判。[108]有了關餘這筆重要收入，便可以進一步擴充軍備來進行北伐，統一全中國。而且，西南諸軍閥也不是一成不變的，因為他們見異思遷，如果參加西南聯省政府對他們更有利，他們就會參加。至於國會議員，則過去附庸桂系的政學系勢力已垮。他可以動員其他議員，並曉以大義。結果，到了 1921 年 4 月 7 日，出席在廣州舉行的國會兩院聯席會議的 222 位議員，一致通過了有關總統職權的規定。[109]該等規定是：

1. 總統由國會非常會議選舉產生，得票超過半數者當選；
2. 總統負責行政事務、頒佈法律政令、統率陸軍和海軍；然而，對牽涉到國庫開支的協定，則必須經過國會批准或事後予以認可；
3. 總統對外代表中華民國；

---

[107] 關於這齣鬧劇的詳情，見張俊義：〈20 年代初期的香港與廣東政局〉，載余繩武、劉蜀永編：《20 世紀的香港》，第 73-101 頁：其中第 78-79 頁。

[108] 廣東省檔案館藏，粵海關檔案全宗號 94 目錄號 1 案卷號 1582 秘書科類《各項事件傳聞錄》，1921 年 2 月 7 日條。

[109] 廣東省檔案館藏，粵海關檔案全宗號 94 目錄號 1 案卷號 1582 秘書科類《各項事件傳聞錄》，1921 年 4 月 8 日條。

4.總統負責各部首腦的任免；

5.以上各項規則從頒佈之日起生效；屆時，現在的軍政府章程即行失效。[110]

訂下了遊戲規則，接着是決定是否要舉行選舉總統。英國人控制的粵海關的探子探得在廣州的 290 多名議員中，到了 1921 年 4 月 7 日已有 260 人簽名贊成舉行選舉總統。事態迅速發展的原因，該探分析如下：

1.選舉總統將會改善西南各省的處境。

2.在同外國談判時，利用總統名義，可以阻止北方取得優越于南方的有利地位。據說，美國國務卿在致本地一位領導人的電報中曾聲稱，如果西南各省選出總統，美國將首先承認西南各省同北方的交戰地位。

3.貴州和雲南當局已經表示繼續效忠於護法事業，願意服從軍政府的命令。

4.這次選舉還將大大有助於西南各省爭取關稅餘款的鬥爭。[111]

筆者按：⑴其中提到的關稅餘款，可見孫中山對此還存很大的

---

[110] 廣東省檔案館藏，粵海關檔案全宗號 94 目錄號 1 案卷號 1582 秘書科類《各項事件傳聞錄》，1921 年 4 月 4 日條。

[111] 廣東省檔案館藏，粵海關檔案全宗號 94 目錄號 1 案卷號 1582 秘書科類《各項事件傳聞錄》，1921 年 4 月 8 日條。

希望(2)其中有關美國國務卿云云，是否孫中山在重施其 1911 年 11 月於倫敦的故技，[112]則有待進一步核實。(3)其中各條雖然得到貴州和雲南表示支持，湖南卻通電反對。[113]

至於在廣州當地，則被內定當財政總長的唐紹儀，[114]始終反對選舉總統，也拒當財政總長，並準備離開廣州到上海去。[115]被內定當外交總長的伍廷芳，[116]也暗示他本人曾反對這次選舉；但既然米已成炊，他就不便繼續提出異議以避免內部糾紛。[117]被內定當內務總長的陳炯明[118]暨粵軍大部份將領也反對這次選舉，陳炯明更恐怕被任為內務總長的最終目的是為了解除他總司令的職務。[119]唐紹儀、伍廷芳、陳炯明暨粵軍將領皆廣東人，鄉土情深，只盼保住廣東，孫中山的理想則超乎鄉土，堅要用粵東一省之力統一中國。內部矛盾自難避免。

---

[112] 見本書第五章。

[113] 廣東省檔案館藏，粵海關檔案全宗號 94 目錄號 1 案卷號 1582 秘書科類《各項事件傳聞錄》，1921 年 4 月 16 日條。

[114] 廣東省檔案館藏，粵海關檔案全宗號 94 目錄號 1 案卷號 1582 秘書科類《各項事件傳聞錄》，1921 年 4 月 13 日條。

[115] 廣東省檔案館藏，粵海關檔案全宗號 94 目錄號 1 案卷號 1582 秘書科類《各項事件傳聞錄》，1921 年 4 月 14 日條。

[116] 廣東省檔案館藏，粵海關檔案全宗號 94 目錄號 1 案卷號 1582 秘書科類《各項事件傳聞錄》，1921 年 4 月 13 日條。

[117] 廣東省檔案館藏，粵海關檔案全宗號 94 目錄號 1 案卷號 1582 秘書科類《各項事件傳聞錄》，1921 年 4 月 14 日條。

[118] 廣東省檔案館藏，粵海關檔案全宗號 94 目錄號 1 案卷號 1582 秘書科類《各項事件傳聞錄》，1921 年 4 月 13 日條。

[119] 廣東省檔案館藏，粵海關檔案全宗號 94 目錄號 1 案卷號 1582 秘書科類《各項事件傳聞錄》，1921 年 4 月 14 日條。

內憂外患，迫使孫中山的總統就職儀式一再延期。如此尷尬種種，英國人在穗的探子都探得清清楚楚。[120]英國當局怎會重視孫中山？無論孫中山如何努力爭取英國政府的支持，都屬徒然。

孫中山雖然處於如此艱難複雜的環境，卻沒有被其弄得昏頭轉向。他認識到，團結粵軍將領是當前要務。故於 1921 年 4 月 25 日宴請他們，喻之以理，說：廣東是國民黨所控制的唯一省份，若在廣東省內也起紛爭，則廣東省必然成為敵對鄰省的獵物，終致玉石俱焚。他促請諸將領緊密團結。經過長時間的談心，孫中山終於爭取到全體將領的支持。[121]消息傳到香港，就連那位早已離穗赴港的唐紹儀，也在香港對記者說，將打消出洋的念頭而返回廣州，出席孫中山就任總統的典禮，並盡一切個人力量支持討伐廣西。[122]陳炯明也表示願意率部伐桂。[123]

孫中山終於在 1921 年 5 月 5 日就任大總統職務了。廣州市民明顯地感到欣慰，同向孫中山祝賀。[124]相反地，香港政府卻為孫中山成立了正式政府而感到憂慮，尤其是憂慮佔香港人口絕大多數的

---

[120] 廣東省檔案館藏，粵海關檔案全宗號 94 目錄號 1 案卷號 1582 秘書科類《各項事件傳聞錄》，1921 年 4 月 13、18、19 日條。

[121] 廣東省檔案館藏，粵海關檔案全宗號 94 目錄號 1 案卷號 1582 秘書科類《各項事件傳聞錄》，1921 年 4 月 28 日條。

[122] 廣東省檔案館藏，粵海關檔案全宗號 94 目錄號 1 案卷號 1582 秘書科類《各項事件傳聞錄》，1921 年 4 月 29 日條。

[123] 廣東省檔案館藏，粵海關檔案全宗號 94 目錄號 1 案卷號 1582 秘書科類《各項事件傳聞錄》，1921 年 5 月 4 日條。

[124] 廣東省檔案館藏，粵海關檔案全宗號 94 目錄號 1 案卷號 1582 秘書科類《各項事件傳聞錄》，1921 年 5 月 5、6 日條。

華人會受到革命思潮影響而起來反對殖民政府。於是在孫中山就任總統前一天的 5 月 4 日，輔政司派人到處張貼中文告示，禁止居民舉行任何慶祝活動。(125)孫中山就任後第二天的 5 月 6 日，又出告示警告居民不要響應孫中山在香港籌款的呼籲。理由是孫中山的政府，旦夕有破產之虞，不能冀望其能償還任何債務。(126)此舉就連英國駐廣州總領事杰彌遜也認為過份，並向駐華公使建議香港總督撤銷該等告示。(127)司徒拔總督一方面自辯說張貼告示時他在北京而不知情，另一方面又表示他完全同意該等告示的宗旨，因香港政府只承認北京中央政府，因此不能容許與北京政府為敵的其他政權在香港舉行慶祝總統就職的活動，更不能容許它在香港籌集資金。(128)但最後司徒拔還是通過英國駐廣州總領事向孫中山道歉了。道歉的理由是該等告示措詞欠佳，而事前又未經他批准。(129)

孫中山似乎也感覺到，取代北洋軍閥在北京的政權是當前急務，解決了這個主要矛盾，他與香港甚至英國的關係就好辦，於是在他就任大總統以後的第四天，即電北京的徐世昌總統，力數其應該自行引退種種：(1)不知何謂共和政治；(2)不懂為何要實行共和政

---

(125) Government Proclamation issued by the Colonial Secretary, 4 May 1921, enclosure 2 in Alston to Curzon, 25 July 1921, FO405/232, p. 59.

(126) Government Proclamation issued by the Colonial Secretary, 6 May 1921, enclosure 3 in Alston to Curzon, 25 July 1921, FO405/232, p. 59.

(127) Jamieson to Alston, 12 May 1921, FO405/232, p. 61.

(128) Stubbs to Jamieson, 20 May 1921, FO405/232, p. 62.

(129) Jamieson to Wu Tingfang (Minister of Foreign Affairs, Canton), 23 May 1921, FO405/232, p. 62. This was in reply to Wu's protest addressed to Jamieson on 13 May 1921, FO405/232, p. 60.

體；(3)不斷變節：過去曾相繼背叛過滿清政府和袁世凱，現在又背叛民國。(130)孫中山言下之意是，如此料子，怎配當民國元首？孫中山當然不會期望徐世昌因此而含羞讓賢；只不過是其宣傳攻勢，希望藉此爭取國內外（尤其是英國）的支持而已。

接着孫中山經濟援助了湖南軍閥趙恆惕，於是趙恆惕馬上表示願意聯粵伐桂，(131)並於 1921 年 6 月 3 日動員了兩支分遣隊。(132)黔、滇兩省亦出兵，黔軍攻打廣西的懷遠縣，滇軍攻打桂林和柳州。(133)至於孫中山曾付出過甚麼代價而取得黔、滇軍閥攻桂，就不可得而知之矣。戰事打響，陳炯明親臨前線督師。(134)在粵、湘、黔、滇四省軍隊從四面八方攻擊下，桂軍全面崩潰，到了 1921 年 7 月 25 日，陸榮廷逃往安南。陳炯明移師南寧。(135)孫中山歡欣鼓舞，準備大展鴻圖：以兩廣為主力，團結西南各省，向長江推進，最後實現全國統一。(136)

---

(130) 廣東省檔案館藏，粵海關檔案全宗號 94 目錄號 1 案卷號 1582 秘書科類《各項事件傳聞錄》，1921 年 5 月 9 日條。

(131) 廣東省檔案館藏，粵海關檔案全宗號 94 目錄號 1 案卷號 1582 秘書科類《各項事件傳聞錄》，1921 年 5 月 23 日條。

(132) 廣東省檔案館藏，粵海關檔案全宗號 94 目錄號 1 案卷號 1582 秘書科類《各項事件傳聞錄》，1921 年 6 月 3 日條。

(133) 廣東省檔案館藏，粵海關檔案全宗號 94 目錄號 1 案卷號 1582 秘書科類《各項事件傳聞錄》，1921 年 6 月 2 日條。

(134) 廣東省檔案館藏，粵海關檔案全宗號 94 目錄號 1 案卷號 1582 秘書科類《各項事件傳聞錄》，1921 年 6 月 21 日條。

(135) 廣東省檔案館藏，粵海關檔案全宗號 94 目錄號 1 案卷號 1582 秘書科類《各項事件傳聞錄》，1921 年 6 月 25 日條。

(136) 廣東省檔案館藏，粵海關檔案全宗號 94 目錄號 1 案卷號 1582 秘書科類《各項事件傳聞錄》，1921 年 6 月 27、28 日條。

准此，孫中山的注意力就從地方轉到全國。1921 年 8 月 30 日，他以「合法」政府總統的身份發佈正式文告，不承認北京政府發行的 1921 年國庫債券。文告警告中、外人士不要認購該等債券，也不要與其有任何牽連。[137] 9 月 15 日，又發佈命令，禁止中、外人士認購北洋政府所發行的國庫債券，理由是該等債券不但是無效的而且是非法的。[138]可以想像，已經購入該等債券的英商當然很不高興，認為孫中山在搗亂，破壞他們發財的機會。

同時，為了在軍事上固本培源，孫中山打算一俟在廣西參戰的粵軍凱旋歸來，即將所有正規軍與警察部隊編成國防軍的許多個師，分別駐紮在不同的軍區接受訓練。各區的治安將由各區的民兵來維持。各區民兵由當地人民自行組織和補給。一俟各區民兵有足夠能力維持當地治安，國防軍將全部撤出地方，進行北伐。[139]

但是，這種長遠打算，在殘酷的現實面前破滅了。粵軍在廣西被當地土匪纏住了。這些土匪都是潰散了的前桂軍，對粵軍和當地百姓造成極大危害。[140]孫中山左右為難：留桂勦匪，曠日持久；回師廣東，又怕廣西失控。倒不如馬上從廣西北伐，還有強大的號召力。於是他於 1921 年 10 月 15 日起程前往廣西，準備先往南寧晤

---

[137] 廣東省檔案館藏，粵海關檔案全宗號 94 目錄號 1 案卷號 1582 秘書科類《各項事件傳聞錄》，1921 年 8 月 30 日條。

[138] 廣東省檔案館藏，粵海關檔案全宗號 94 目錄號 1 案卷號 1582 秘書科類《各項事件傳聞錄》，1921 年 9 月 15 日條。

[139] 廣東省檔案館藏，粵海關檔案全宗號 94 目錄號 1 案卷號 1582 秘書科類《各項事件傳聞錄》，1921 年 9 月 22 日條。

[140] 廣東省檔案館藏，粵海關檔案全宗號 94 目錄號 1 案卷號 1582 秘書科類《各項事件傳聞錄》，1921 年 10 月 26 日條。

陳炯明，再赴桂林會李烈鈞，再從桂林親率北伐軍借道湖南攻打湖北。[141]北伐要經過湖南，於是他與湖南代表取得協議：北伐軍只通過湖南省的邊緣地區前往攻打湖北，沿途不強行攤派軍費及要求提供給養，不干涉該省政務，該省目前文武官員的任命不變。[142]

孫中山作出馬上北伐並藉此凝聚民心以求國家統一的決定，首先得到大多數國會議員認同。他們認為，孫中山作為國會選出來的總統，在動身前往廣西之前，已擁有實現國家統一的絕對全力。當孫中山作為總統身份而宣佈徐世昌、吳佩孚一伙的罪行後，就有責任按照全國人民的意願來北伐以統一中國。因此，在下令北伐的問題上，應該由孫總統全權決定。[143]他北伐的決定，後來甚至得到利益最受影響的湖南軍方的認同：湖南督軍趙恆惕召開軍事會議，用不記名的投票方式試探輿論，結果 151 票贊成北伐，40 票反對，14 票主張湖南保持中立。[144]

1922 年 3 月 4 日，孫中山在桂林舉行誓師典禮。[145]孫中山又

---

[141] 廣東省檔案館藏，粵海關檔案全宗號 94 目錄號 1 案卷號 1582 秘書科類《各項事件傳聞錄》，1921 年 10 月 15 日條。

[142] 廣東省檔案館藏，粵海關檔案全宗號 94 目錄號 1 案卷號 1583 秘書科類《各項事件傳聞錄》，1922 年 3 月 20 日條。

[143] 廣東省檔案館藏，粵海關檔案全宗號 94 目錄號 1 案卷號 1582 秘書科類《各項事件傳聞錄》，1921 年 12 月 16 日條。

[144] 廣東省檔案館藏，粵海關檔案全宗號 94 目錄號 1 案卷號 1582 秘書科類《各項事件傳聞錄》，1921 年 12 月 16 日條。

[145] 廣東省檔案館藏，粵海關檔案全宗號 94 目錄號 1 案卷號 1583 秘書科類《各項事件傳聞錄》，1922 年 3 月 14 日條，報導桂林來電有關 3 月 28 日條。

派伍朝樞赴奉天聯繫張作霖互相呼應。[146]伍朝樞抵達上海後，遵囑闡明孫中山之北伐旨在護法，消滅賣國賊，統一南北和聯合各省自治政府。[147]這個聯省政府採甚麼模式？(1)共認孫中山為正式總統；(2)全國劃分為六個軍區，西南和東北各任命三個軍區的督軍；(3)地區行政長官由民選產生。[148]伍朝樞抵達奉天後，又與張作霖取得進一部協議，內容包括：(1)排除徐世昌和吳佩孚；(2)保持曹錕和張作霖他們原有的地盤；(3)實行各省自治。[149]

這邊廂形勢大好，那邊廂陳炯明卻暗渡陳倉。早在 1921 年 12 月 27 日，英國人在穗的探子已探得：先是陳炯明藉故返回廣州接待孫中山要打倒的敵人——吳佩孚——派來的代表張雨山並與其談判。跟着陳炯明又派自己的代表隨張雨山北上河南洛陽，與吳佩孚談判。[150] 1922 年 2 月 1 日又探得陳炯明於先一日電令在廣西南寧的粵軍總指揮葉舉帶兵返穗。[151] 1922 年 2 月 6 日更探得陳炯明藉口回鄉掃墓，在惠州召開緊急軍事會議，出席者主要是其自己系統

---

[146] 廣東省檔案館藏，粵海關檔案全宗號 94 目錄號 1 案卷號 1583 秘書科類《各項事件傳聞錄》，1922 年 3 月 6 日條。

[147] 廣東省檔案館藏，粵海關檔案全宗號 94 目錄號 1 案卷號 1583 秘書科類《各項事件傳聞錄》，1922 年 3 月 20 日條。

[148] 廣東省檔案館藏，粵海關檔案全宗號 94 目錄號 1 案卷號 1583 秘書科類《各項事件傳聞錄》，1922 年 3 月 23 日條。

[149] 廣東省檔案館藏，粵海關檔案全宗號 94 目錄號 1 案卷號 1583 秘書科類《各項事件傳聞錄》，1922 年 3 月 27 日條。

[150] 廣東省檔案館藏，粵海關檔案全宗號 94 目錄號 1 案卷號 1582 秘書科類《各項事件傳聞錄》，1921 年 12 月 27 日條。

[151] 廣東省檔案館藏，粵海關檔案全宗號 94 目錄號 1 案卷號 1583 秘書科類《各項事件傳聞錄》，1922 年 2 月 1 日條。

的將領。會上討論了與吳佩孚結盟和與孫中山決裂的問題。蓋陳炯明於去冬遣往北方談判的代表剛回來向其匯報談判結果。[152]

應邀出席惠州會議的還有伍廷芳的兒子伍朝樞。[153]伍氏父子對革命事業是忠心耿耿的。可以想像，如果伍朝樞在會議上以勢孤力單而不吭一聲以免招殺身之禍，則事後一定與乃父商量並以第一時間通知孫中山。緊接着所發生的事情就好解釋：1922 年 2 月 22 日，孫中山從桂林電令陳炯明赴桂任北伐軍左翼總司令，督師北伐。[154]為何是左翼？可能性之一是左翼距離陳炯明的地盤惠州最遠（中間隔了中路和右翼），也調離其本部。同樣可以預料的是：陳炯明拒不從命。[155]而且加快其謀反的步伐，在 1922 年 3 月 28 日派其心腹古均秘密往見英國駐廣州總領事，要求貸款二百五十萬元，不果。[156]

孫中山雖不知陳炯明向英方秘密請求貸款事，但種種跡象已經

---

[152] 廣東省檔案館藏，粵海關檔案全宗號 94 目錄號 1 案卷號 1583 秘書科類《各項事件傳聞錄》，1922 年 2 月 6 日條。

[153] 廣東省檔案館藏，粵海關檔案全宗號 94 目錄號 1 案卷號 1583 秘書科類《各項事件傳聞錄》，1922 年 2 月 6 日條。

[154] 廣東省檔案館藏，粵海關檔案全宗號 94 目錄號 1 案卷號 1583 秘書科類《各項事件傳聞錄》，1922 年 2 月 22 日條。

[155] 廣東省檔案館藏，粵海關檔案全宗號 94 目錄號 1 案卷號 1583 秘書科類《各項事件傳聞錄》，1922 年 2 月 22 日條。

[156] James Jamieson (CG Canton) to Sir Beiby Alston (British Minister, Peking), very confidential, *typescript*, 28 March 1922, enclosed in Sir James Jamieson (CG Canton) to A.G. Stephen (Hong Kong), private *typescript*, 30 March 1922, HSBC Group Archives, GHO 8.1, Chief Manager, In-coming Private Letter Book, p. 31.

表明北伐無異把後防和補給基地的廣州拱手讓給陳炯明。於是孫中山決定返粵處理陳炯明的事情，在快要到達廣州時（具體地點是三水）[157]即於 1922 年 4 月 22 日批准了陳炯明辭去內政部長、廣東省長和粵軍總司令等職務，但仍任陸軍部長。[158]孫中山這種做法的動機很明顯：陸軍部長是國家級的職位，仍留陳炯明為陸軍部長是希望他從國家大局看問題。另一方面，讓他辭去廣東省長和粵軍總司令等職務，是免去他的實權而同時又希望免得他老是從地方的層次看問題。此外，讓他辭去內政部長的職位是避免他權傾政軍。陳炯明也不待孫中山回到廣州，即於當天晚上在其部屬陪同下乘廣九線火車離穗回惠州。[159]英國人的探子探得，陳炯明離穗前就從政府庫房提款購買並帶走了約四百萬元港幣，又帶領隨從約九千人從廣州軍火庫中取去大量武器彈藥，其中大部份是新式的來福槍和機關槍。[160]當他回到惠州後，即開始結集軍隊。[161]

孫中山的對策是：不斷請求陳炯明顧全大局。[162]陳炯明若即若

---

[157] 廣東省檔案館藏，粵海關檔案全宗號 94 目錄號 1 案卷號 1583 秘書科類《各項事件傳聞錄》，1922 年 2 月 22 日條。

[158] 廣東省檔案館藏，粵海關檔案全宗號 94 目錄號 1 案卷號 1583 秘書科類《各項事件傳聞錄》，1922 年 6 月 16 日條。

[159] 廣東省檔案館藏，粵海關檔案全宗號 94 目錄號 1 案卷號 1583 秘書科類《各項事件傳聞錄》，1922 年 4 月 22 日條。

[160] 廣東省檔案館藏，粵海關檔案全宗號 94 目錄號 1 案卷號 1583 秘書科類《各項事件傳聞錄》，1922 年 4 月 29 日條。

[161] 廣東省檔案館藏，粵海關檔案全宗號 94 目錄號 1 案卷號 1583 秘書科類《各項事件傳聞錄》，1922 年 5 月 2 日條。

[162] 廣東省檔案館藏，粵海關檔案全宗號 94 目錄號 1 案卷號 1583 秘書科類《各項事件傳聞錄》，1922 年 4 月 27 日，5 月 3、9、10、11、22 日條。

離，今天答應重返廣州，明天又藉故推延。[163] 1922 年 4 月 29 日，第二次直奉戰爭爆發。[164]這是北伐的大好時機，因為孫中山已約好張作霖夾擊吳佩孚。孫中山考慮再三，結論是機不可失，於是再度懇請陳炯明顧全大局，以國家為重；陳炯明覆電說，如果形勢需要，他可以暫時不辭掉陸軍部長一職。[165]孫中山信以為真，就於 1922 年 5 月 3 日給陳炯明發了一封情詞懇摯的電報，同時委派陳炯明以陸軍部長的名義接管粵軍總司令部。[166]孫中山以為安排妥善，再沒後顧之憂，就毅然在 1922 年 5 月 4 日下令北伐，[167]並於 5 月 6 日親赴韶關督師。[168]

如果孫中山的情報像英國人那麼厲害的話，他肯定不會對陳炯明如此掉以輕心。因為，在 1922 年 5 月 2 日，英國人的探子已探出，陳炯明已經開始在惠州結集軍隊，密切注視直奉戰爭結果。若吳佩孚得勝，陳炯明即帶兵返穗驅逐孫中山；若吳佩孚打敗，陳炯明將固守惠州，以待雲、貴增援，蓋陳炯明早已與吳佩孚和剛回到

---

[163] 見這段時期的粵海關檔案全宗號 94 目錄號 1 案卷號 1583 秘書科類《各項事件傳聞錄》。

[164] 《孫中山年譜長編》，下冊，第 1445 頁。

[165] 廣東省檔案館藏，粵海關檔案全宗號 94 目錄號 1 案卷號 1583 秘書科類《各項事件傳聞錄》，1922 年 5 月 1 日條。

[166] 廣東省檔案館藏，粵海關檔案全宗號 94 目錄號 1 案卷號 1583 秘書科類《各項事件傳聞錄》，1922 年 5 月 3 日條。

[167] 《孫中山年譜長編》，下冊，第 1446-7 頁，引上海《民國日報》1922 年 5 月 6 日載 5 月 4 日孫中山北伐令。

[168] 《孫中山年譜長編》，下冊，第 1447-8 頁，引鄒魯編輯：《中國國民黨史稿》（上海：民智書局，1929；北京：中華書局，1962 年重印），第 3 編第 1096 頁。

雲南奪得軍權的唐繼堯結了盟。[169]

孫中山傾巢北伐，陳炯明部屬葉舉卻在 1922 年 5 月 2 日擅自率部進駐廣州。[170]同日，陳炯明又派遣其早已結集在惠州的部份軍隊開往連平、和平。英國人的探子莫名其妙。[171]筆者初閱此文件時，曾以為陳炯明此舉大有監視北伐軍以防其突然回師廣州的意圖。因為孫中山深感湖南友善，故不再借道湖南而轉為攻打江西。[172]後閱《國父年譜》引鄒魯《中國國民黨史稿》，更知陳炯明此舉有攻擊北伐軍的意圖，因為後來北伐軍在 1922 年 6 月 13 日攻克贛州即繳獲文件曰：「據陳炯明部報告，北伐軍內容，以右翼最強，應以勁旅當右翼。又陳部於相當時機，可由連平、和平出兵三南，與我協同動作，夾擊北伐軍。」[173]

在廣州方面，葉舉自 1922 年 5 月 2 日率部進駐廣州後，即命 2,000 人在粵漢鐵路沿線設防；而自 5 月 24 日以後，設防兵力激增至 7,000 人。他們佔領了石井兵工廠，又在新街鐵路站以南一帶晝夜不停地搶修碉堡和戰壕，就連英國人的探子也看出他們似乎在嚴

---

[169] 廣東省檔案館藏，粵海關檔案全宗號 94 目錄號 1 案卷號 1583 秘書科類《各項事件傳聞錄》，1922 年 5 月 1 日條。

[170] 《孫中山年譜長編》，下冊，第 1451 頁。

[171] 廣東省檔案館藏，粵海關檔案全宗號 94 目錄號 1 案卷號 1583 秘書科類《各項事件傳聞錄》，1922 年 5 月 18 日條。

[172] 廣東省檔案館藏，粵海關檔案全宗號 94 目錄號 1 案卷號 1583 秘書科類《各項事件傳聞錄》，1922 年 2 月 22 日條。

[173] 羅家倫、黃季陸主編，秦孝儀、李雲漢增訂：《國父年譜》（臺北：國民黨黨史會出版，1994），一套二冊，下冊，第 1199 頁。以後簡稱《國父年譜》（1994）。

密地進行設防。[174]孫中山似乎也察覺到大事不妙，就於 6 月 1 日下午 4 時離韶返穗。[175]所帶者只不過是人數極少的、攜有 1921 年製造的湯姆生手提機關槍（後來又稱衝鋒槍）的衛隊。[176]

孫中山回省前，胡漢民已力言三害：(1)定受包圍(2)受包圍則消息必斷，斷則無法拯救(3)若陳炯明反叛，則後果不堪設想。[177]孫中山則從大局考慮，認為回粵可鎮攝住陳炯明，而鎮攝住陳炯明則可令前敵將士無後顧之憂，放心前進。[178]胡漢民擔心孫中山個人安危，摯誠可嘉。孫中山為了國家統一而不顧個人安危，則更是可敬。

為何孫中山認為陳炯明不會加害於他？竊以為孫中山可能認為陳炯明儘管有割據之意，但總不至於危害統一。再沿這思路進一步冥想，就明白為甚麼孫中山於 6 月 6 日晚偕同兩位老國民黨員汪精衛和胡漢民僱了汽船專程趕往惠州見一位資歷也不算淺的國民黨員

---

[174] 廣東省檔案館藏，粵海關檔案全宗號 94 目錄號 1 案卷號 1583 秘書科類《各項事件傳聞錄》，1922 年 5 月 27 日條。

[175] 廣東省檔案館藏，粵海關檔案全宗號 94 目錄號 1 案卷號 1583 秘書科類《各項事件傳聞錄》，1922 年 6 月 2 日條。

[176] Canton Intelligence Report: June Quarter 1922, enclosed in Sir James Jamieson (Consul-General, Canton) to Sir Beilby F Alston (Minister, Peking), Separate, 24 June 1922, FO228/3276, pp. 428-446.

[177] 胡漢民：〈六月十六日之回顧〉，載胡漢民：《胡漢民先生文集》，第二冊，第 191 頁。

[178] 李劍農：《中國近百年政治史》一套二冊（湖南：藍田師範學院史地學會，1942；上海：商務印書館，1947），下冊，第 571-2 頁。

陳炯明。[179]看來孫中山是希望通過國民黨的關係暨該黨的理想來打動陳炯明。但結果似乎雙方還是談不攏，因為到了 6 月 9 日，孫中山等還未回廣州。[180]而到了這個時候，從廣西撤回廣東並駐守西江的陳炯明部以及陳炯明自己帶回惠州的部屬都已經明目張膽地扣押所有在西江和東江政府的稅收。省庫馬上入不敷支。[181]更不要說補給北伐軍了。

孫中山還作最後努力。他自惠州返穗後還在 6 月 13 日打電報給陳炯明，要求他命令部下不要欺人太甚，以免妨礙在江西已經取得節節勝利的北伐軍乘勝繼續北上。又說，目前江西戰局已進入關鍵時刻，如果孫中山本人在江西獲得全勝，他就會帶領全軍進入江西然後攻打長江流域的北洋軍閥。[182]孫中山的意思最明顯不過了：既然陳炯明志在割據廣東，那就由他；但陳炯明必須停止干擾孫中山他自己攻打江西，因為若孫中山在江西全勝了，才有能力把他自己的全部軍隊撤離廣東。孫中山志不在廣東而在國家統一。有廣東作為後盾更好，但若陳炯明矢志割據，則孫中山也不願意為了爭奪廣東而兩敗俱傷。

可惜，這麼優厚的條件，陳炯明還是不願意接受。駐紮在廣州

---

[179] 廣東省檔案館藏，粵海關檔案全宗號 94 目錄號 1 案卷號 1583 秘書科類《各項事件傳聞錄》，1922 年 6 月 9 日條。

[180] 廣東省檔案館藏，粵海關檔案全宗號 94 目錄號 1 案卷號 1583 秘書科類《各項事件傳聞錄》，1922 年 6 月 9 日條。

[181] 廣東省檔案館藏，粵海關檔案全宗號 94 目錄號 1 案卷號 1583 秘書科類《各項事件傳聞錄》，1922 年 6 月 9 日條。

[182] 廣東省檔案館藏，粵海關檔案全宗號 94 目錄號 1 案卷號 1583 秘書科類《各項事件傳聞錄》，1922 年 6 月 13 日條。

的陳炯明部共 60 個營。⑱孫中山的總統衛隊就顯得勢孤力單了。據英國人在穗的探子報導，1922 年 6 月 16 日凌晨 2 時許，陳部圍攻總統府，孫部很快就被解除武裝。孫中山則早在 6 月 15 日晚上已聽到風聲，馬上離開總統府，隨行的有兒子孫科、省長伍廷芳及總統府的官員。⑱粵海關的情報說他們逃往「海圻」號巡洋艦。⑱其實他們是先登「楚豫」後轉「永豐」。⑱

從孫中山登上軍艦那一分鐘開始，他與英國當局的關係馬上尖銳化。原因是孫中山利用海軍與陳炯明和他的部屬抗爭，直接影響到英國在粵的商業和水路交通。他與英國當局的緊張關係，直到 1922 年 8 月 9 日他坐上英國炮艦「摩漢」號（HMS Moorhen）號離開廣州前往香港轉坐客輪赴上海⑱才暫時結束。准此，筆者的筆峰就再度回到本章正題：即孫中山第二次在廣州成立政府時期與英國當局的關係；而本章直到目前為止的很多文字，只是為了服務於這個目標而提供背景而已。

---

183 廣東省檔案館藏，粵海關檔案全宗號 94 目錄號 1 案卷號 1583 秘書科類《各項事件傳聞錄》，1922 年 6 月 15 日條。

184 廣東省檔案館藏，粵海關檔案全宗號 94 目錄號 1 案卷號 1583 秘書科類《各項事件傳聞錄》，1922 年 6 月 16、17 日條。

185 廣東省檔案館藏，粵海關檔案全宗號 94 目錄號 1 案卷號 1583 秘書科類《各項事件傳聞錄》，1922 年 6 月 16、17 日條。

186 見《國父年譜》的有關描述。

187 Intelligence Report: September Quarter 1922, enclosed in Sir James Jamieson (Consul-General, Canton) to Sir Beilby F Alston (Minister, Peking), Separate, 23 October 1922, FO228/3276, pp. 447-467: at p. 451.

三、孫中山第二次在廣州成立政府時期與英國當局的關係

孫中山第二次在廣州成立政府時與英國當局的關係，可以分兩個時期來闡明：⑴陳炯明兵變之後⑵陳炯明兵變之前。為與上一節有延續性，本節就先處理陳炯明兵變之後的事情。

㈠陳炯明兵變之後

兵變翌日，即 1922 年 6 月 17 日，孫中山命海軍艦隊砲轟省垣陳部。從孫中山的角度看，當然是「以示正義之不屈，政府威信之尤在。」[188]但從英國官方的角度看，則此舉進一步破壞了廣州的繁榮和穩定，不利英國人做生意，故着重報導說：粵民怨聲載道。[189]粵海關的探子則報導說：砲轟後全城居民非常恐慌，為了保護市民的生命財產，各團體昨天呼籲召開會議尋找調停方案。[190]粵民為何驚慌？正史沒提供答案，只說孫中山指揮的艦隊，於 1922 年 6 月 17 日「下午五時，復沿長堤向東遊行，沿途發砲，擊斃叛軍數百

---

[188] 孫中山：〈九月十八日告同志述陳變始末及今後方針書〉，載《國父全集》，第二冊，106 頁。

[189] "The bombardment of Canton by Sun on the 17th caused a wave of resentment" -- Canton Intelligence Report: June Quarter 1922, enclosed in Sir James Jamieson (Consul-General, Canton) to Sir Beilby F Alston (Minister, Peking), Separate, 24 June 1922, FO228/3276, pp. 428-446: at p. 432.

[190] 廣東省檔案館藏，粵海關檔案全宗號 94 目錄號 1 案卷號 1583 秘書科類《各項事件傳聞錄》，1922 年 6 月 19 日條。

人。」(191)英國的情報卻說：艦隊沿長堤發砲時，所發的幾打砲彈毀壞了不少民居和打死了幾十名平民。(192)以 21 世紀炮火的準確程度來說，美國在 2003 年攻打伊拉克軍事目標時仍難免殃及池魚，1922 年 6 月 17 日孫中山炮火的準確性就不難想像。

但英國的情報也注意到，粵民的怨忿很快就改變了方向，直指陳炯明。為甚麼？陳部在廣州內外任意搶掠：「士兵們五六成群，遇到途人必把其金銀珠寶洗劫一空。三個多星期以來，大部份的商店都關了門。巨大的難民潮如洪水般自穗湧往香港，最初是有錢人家，後來則所有自忖在香港有辦法糊口的都去了。小巷的閘門經常緊閉；大街則空無一人，即使有都是那些無所事事的閒漢。所有房子的大門都做好隨時關閉的準備，一有士兵出現，激烈關門之聲音就響個不絕。這種情況，激發了市民對陳炯明強烈的不滿，他們認為陳炯明早該回穗維持秩序。」(193)

這份情報帶出兩個問題：

第一、歷來表現得愛鄉先於愛國的陳炯明，為何縱兵洗劫鄉

---

(191) 蔣中正：《孫大總統廣州蒙難記》（臺北：1975 年臺重排九版），第 5-6 頁。

(192) “Several dozons of shells were fired, thus causing great casualties to the dwelling houses in many places and killing several tens of persons.” 廣東省檔案館藏，粵海關檔案全宗號 94 目錄號 1 案卷號 1583 秘書科類《各項事件傳聞錄》，1922 年 6 月 19 日條。

(193) “The bombardment of Canton by Sun on the 17th caused a wave of resentment” -- Canton Intelligence Report: June Quarter 1922, enclosed in Sir James Jamieson (Consul-General, Canton) to Sir Beilby F Alston (Minister, Peking), Separate, 24 June 1922, FO228/3276, pp. 428-446: at p. 431.

親？據說：1922 年 6 月 17 日陳炯明在石龍召集所部諸將會議，議定由葉舉發難；接着熊略言兵士不願打總統，以為打總統即是大逆不道，必須許以重利，始肯向前。陳曰此時無錢犒賞，只好照我們打廣西例，准其隨意搶掠，萬事皆可解決，遂議定。[194]這條出自國民黨方面的史料如果屬實，則陳炯明愛己更先於愛鄉，因為他為了達到一己割據之私，不惜縱兵洗劫鄉親。若用愛國、愛鄉、愛己三個標準來量度孫中山與陳炯明的行事動機，則孫中山無疑是愛國的，陳炯明則只愛自己。人格之高低，最是明顯不過。若英國當局了解到這些具體細節，對孫、陳的態度可能就不一樣。

第二、不但遠在天邊的英國政府不瞭解孫、陳之間真正的分別，就是近在眼前的倫敦傳道會廣州分會的牧師迪遜·克遜斯也莫名其妙。他向總部報告說：「我不相信任何外國人會明白他們爲何打起來。看來個人名利與宗族仇恶似乎是主要因素。」[195]但由於戰事猝起，傳教士無法正常運作，對孫中山不無怨言。[196]若這位傳教士知道葉舉砲轟總統府時，身懷六甲的宋慶齡與丈夫失散後，驚慌

[194] 《國父年譜》（1994），下冊，第 1201 頁，引鄧澤如：《中國國民黨二十年史蹟》，第 253 頁，轉引陳炯明部下某統領語。

[195] Rev C. Dixon Cousins (Poklo) to Rev. F.H. Hawkins, LL.B. (London, LMS Foreign Secretary), 17 July 1922, CWM/LMS, South China, Incoming correspondence 1803-1936, Box 22 (1920-1922), Folder 3 (1922), Jacket C (June-August 1922).

[196] Rev C. Dixon Cousins (Poklo) to Rev. F.H. Hawkins, LL.B. (London, LMS Foreign Secretary), 18 July 1922, CWM/LMS, South China, Incoming correspondence 1803-1936, Box 22 (1920-1922), Folder 3 (1922), Jacket C (June-August 1922).

過渡而流產，⑲則可能會同情孫氏夫婦的遭遇。而且，身為基督徒的宋慶齡，其實是幸得基督教會之中的華人教徒為她打掩護才逃出生天，先到沙面租界避難，後藏身於 Canton Christian College。⑱初時筆者不知宋慶齡這藏身地方的中文名字為何，徵諸倫敦傳道會檔案，方知是廣州嶺南大學。⑲該校原為美國基督教傳教士安德魯·哈帕牧師（Rev Andrew P. Harper）創建，⑳到了 1922 年，倫敦傳道會已應邀成爲該校信托人（trustee）之一，㉑該會的傳教士也參其與該校的政和教學。㉒基於這些淵源，英國傳教士圈子應該更同情孫氏夫婦。可惜他們似乎不知道。

197 關於宋慶齡流產的報導，有多方證據，唯具體在那天流產，則眾說紛紜。見余齊昭：《孫中山文史圖片考釋》（廣州：廣東省地圖出版社，1999），第 181-182 頁。

198 Minute by Commissioner A.H. Harris of the Canton Customs Service, Intelligence report, 20 June 1922, Canton Customs Archives 94/1/1583.

199 A. Baxter (Canton) to Rev. F.H. Hawkins, LL.B. (London, LMS Foreign Secretary), 6 February 1923, CWM/LMS, South China, Incoming correspondence 1803-1936, Box 23 (1923-1924), Folder 1 (1923), Jacket A (January-March 1923)。

200 H.L. Boorman, et al. *Biographical Dictionary of Republican China* (New York: Columbia University Press, 1967), v. 1, pp. 229-232.

201 C.K. Edmunds (President of Canton Christian College) to Rev. F.H. Hawkins (Foreign Secretary, London Missionary Society), circular, 20 October 1922, in CWM/LMS, South China, Incoming correspondence 1803-1936, Box 23 (1923-1924), Folder 1 (1923), Jacket D (August - December 1922).

202 A. Baxter (Canton) to Rev. F.H. Hawkins, LL.B. (London, LMS Foreign Secretary), 6 February 1923, CWM/LMS, South China, Incoming correspondence 1803-1936, Box 23 (1923-1924), Folder 1 (1923), Jacket A (January-March 1923).

第三、為何陳炯明在其部下佔據了廣州以後，長期不回穗控制局面，以致造成天怒人怨的局面？英國當局也百思不得其解，最後諉過於「一種複雜得讓人痛楚難當的思維方法阻止了他返回廣州，在全世界面前堂堂正正地主持大局。」[203]這證明英國人也看出，陳炯明背上了一種沉重的思想包袱。這思想包袱是甚麼？英國人就知其然而不知其所以然了。竊以為這包袱正是上一段熊略所說過的，連丘八也懂得的道理：打總統即是大逆不道。[204]孫中山也說過：「我在廣州的警衛軍，既已全部撤赴韶關，此即示其坦白無疑，毫無敵對之意。倘彼果有不利於我，亦不必出此用兵之拙計。如敢明目張膽，作亂謀叛，以兵加我，則其罪等於逆倫反常；叛徒賊子，人人可得而誅之。」[205]看來陳炯明也懂得這個道理，所以一直蟄居惠州，希望給人一種假象：就是他與廣州兵變無關，目的就是要逃避逆倫反常的罪名。但這種手法就連英國人也騙不了，因為英國官方的報告從一開始就直書陳炯明命令葉舉兵變。[206]

---

[203] " … some tortuous process of the Chinese mind having prevented him from returning to Canton and taking charge before the eyes of the world" -- Canton Intelligence Report: September Quarter 1922, enclosed in Sir James Jamieson (Consul-General, Canton) to Sir Beilby F Alston (Minister, Peking), Separate, 23 October 1922, FO228/3276, pp. 447-467: at p. 448.

[204] 《國父年譜》（1994），下冊，第 1201 頁，引鄧澤如：《中國國民黨二十年史蹟》，第 253 頁，轉引陳炯明部下某統領語。

[205] 蔣中正：《孫大總統廣州蒙難記》（臺北：1975年臺重排九版），第2-3頁。

[206] "Yeh Chu … acting under the orders of Ch'en Chiung-ming" -- Canton InteIntelligence Report: June Quarter 1922, enclosed in Sir James Jamieson (Consul-General, Canton) to Sir Beilby F Alston (Minister, Peking), Separate, 24 June 1922, FO228/3276, pp. 428-446: at p. 430.

英國當局對孫、陳一知半解的情況直接影響到他們對兩人的評價以及態度。無以名之，英方就不點名地複述了陳炯明的一位老朋友對兩人的評價。他說，孫中山腦子裡充滿了中國現代化的藍圖，憧憬着鐵路分佈全國、國家有用不完的錢、國會有一塵不染般廉潔的議員、國會所通過的法律馬上就被全國人民遵守等等。陳炯明則只求有效地統治一個安定繁榮的省份。他不屬於反動派，而是一個實幹的保守派，略帶改良的味道，他目標鮮明而不會在還沒有認清楚目的地之前就開始他的旅途。[207]一句話：孫中山是不切實際的。後果是：孫中山無論怎麼樣追求英國的援助也屬徒然。

1922 年 6 月 17 日孫中山炮轟廣州葉舉部後，即率艦隊回黃埔，等候北伐軍回師驅逐陳炯明。但一天復一天，總不見故人來。而他最缺乏的就是糧草。陳炯明則軟硬兼施：軟則不斷用金錢運動孫中山艦隊的官兵反孫。以致 7 月 8 日，英國情報已偵知艦隊中最大的三隻軍艦宣佈獨立並駛離黃埔港。[208]徵諸漢文史料，可知為「海圻」號、「海琛」號和「肇和」號教練艦。[209]以致孫中山在黃埔的日子猶如熱鍋上的螞蟻。硬則聲言要砲轟黃埔港，接着陳部果

---

[207] Canton InteIntelligence Report: June Quarter 1922, enclosed in Sir James Jamieson (Consul-General, Canton) to Sir Beilby F Alston (Minister, Peking), Separate, 24 June 1922, FO228/3276, pp. 428-446: at p. 432.

[208] Intelligence Report: September Quarter 1922, enclosed in Sir James Jamieson (Consul-General, Canton) to Sir Beilby F Alston (Minister, Peking), Separate, 23 October 1922, FO228/3276, pp. 447-467: at p. 449.

[209] 蔣中正：《孫大總統廣州蒙難記》（臺北：1975 年臺重排九版），第 17、21-22 頁。

然於 7 月 9 日發動攻擊。孫中山迫得率艦隊突擊回穗。[210]艦隊闖過車歪砲臺後即停泊在緊靠廣州沙面的白鵝潭。硬闖車歪砲臺的情節，正史集中寫孫中山如何英勇，戰士如何浴血甲板。[211]英方情報則大書特書車歪砲臺（Macao Fort）的設計是壞得如何透徹，以致大砲根本無法打中過往的船隻。在虛耗了大量彈藥之後，才有一顆砲彈打中一隻軍艦，砲臺的守軍光瞪着眼睛讓艦隊駛過。陳部將領大怒之餘，把該臺的正副守將槍斃洩憤。[212]把中英雙方的材料合併起來，可以組合成一幅較為完整的圖畫。

接下來中方史料平鋪直敘地說：「先生率軍艦泊白鵝潭後，與外人之戰艦，鱗次櫛比。」[213]英方情報則加以評述說：孫中山此舉絕頂聰明（ingenious），蓋其下碇之白鵝潭不但外艦雲集，且靠近沙面租界，葉舉無法對其砲轟。[214]陳炯明乃買兇佈雷，「適值潮水漲滿，永豐艦移動，距離水雷爆發處尚遠。」[215]英國情報則更準確有趣，謂當時如果潮水是往相反方向流的話，漂浮的水雷就會命中；

---

[210] Intelligence Report: September Quarter 1922, enclosed in Sir James Jamieson (Consul-General, Canton) to Sir Beilby F Alston (Minister, Peking), Separate, 23 October 1922, FO228/3276, pp. 447-467: at p. 449.

[211] 蔣中正：《孫大總統廣州蒙難記》（臺北：1975 年臺重排九版），第 22-24 頁。

[212] Intelligence Report: September Quarter 1922, enclosed in Sir James Jamieson (Consul-General, Canton) to Sir Beilby F Alston (Minister, Peking), Separate, 23 October 1922, FO228/3276, pp. 447-467: at p. 450.

[213] 鄧澤如：《中國國民黨二十年史蹟》，第 264-5 頁。

[214] Intelligence Report: September Quarter 1922, enclosed in Sir James Jamieson (Consul-General, Canton) to Sir Beilby F Alston (Minister, Peking), Separate, 23 October 1922, FO228/3276, pp. 447-467: at p. 450.

[215] 鄧澤如：《中國國民黨二十年史蹟》，第 264-5 頁。

但結果差點兒把美國軍艦「錘喜」號（USS Tracy）炸掉。216可知下了碇的永豐艦之能逃過一劫，並非由於漲潮把其稍為移動，而是兇手們對潮水漲退不分。難怪英方認為，如此貨色，儘在搞笑（Gilbertian）。217更大的笑話還在後頭：爆炸後，兇手四人竟然「再駕原船往覘動靜，見永豐艦依然無恙，知水雷炸力無效，相顧失色，正在轉舵圖逃之際，為乘電輪來追之水兵捕獲。」218愚蠢之處，無與倫比。

此後所發生的事情，正史集中描述北伐軍回師討逆；失利。1922 年 8 月 9 日，孫中山「遂決定離粵赴滬。並託某顧問通告各國領事以先生即日離粵之事。初本擬乘搭商輪，嗣英領事言可派砲艦摩漢號護送赴港。下午三時四十五分，先生率蔣中正、陳策、黃惠龍，登英國摩漢號砲艦」離開廣州。219為何英領事給予援手？竊以為原因可能有三：

第一、英國駐廣州總領事杰彌遜爵士（Sir James William Jamieson），可能出於對孫中山的敬重，而讓他體面地離開廣州。所謂敬重，不難從他轄下的總領事館寫給英國駐華公使的報告中看出

---

216 Intelligence Report: September Quarter 1922, enclosed in Sir James Jamieson (Consul-General, Canton) to Sir Beilby F Alston (Minister, Peking), Separate, 23 October 1922, FO228/3276, pp. 447-467: at p. 450.

217 Intelligence Report: September Quarter 1922, enclosed in Sir James Jamieson (Consul-General, Canton) to Sir Beilby F Alston (Minister, Peking), Separate, 23 October 1922, FO228/3276, pp. 447-467: at p. 450.

218 鄧澤如：《中國國民黨二十年史蹟》，第 264-5 頁。

219 蔣中正：《孫大總統廣州蒙難記》（臺北：1975 年臺重排九版），第 40-43 頁。

蛛絲馬跡。在總結孫中山兩次在廣東成立政府的表現時，該領事館的報告曰：無論我們怎麼老大不願意，亦不能不給予孫中山一定程度的敬仰，因為他百折不撓、屢敗屢起。究其原因，則「似乎他掌握了中國所有的新興力量：無論是學生團體還是工人團體，國民黨還是海外華僑，都對他無窮地信任而絕對不信賴任何其他人。對他們來說，他代表了新時代的曙光。」[220]此件讀來，大有識英雄者重英雄之慨。而且，從英國的長遠利益看，這樣的一位領袖，巴結還來不及，派軍艦護送只不過是舉手之勞，何樂而不為？而且，英國的優良傳統之一，是禮遇有身份的人，那怕該人是戰俘。1859 年 1 月，英法聯軍俘虜了兩廣總督葉明琛後決定把他送往印度，儘管戰事仍酣，依然派軍艦「不屈」號（HMS Inflexible）專程把他送往印度。[221]比諸一些漢文報刊的插圖，把被俘後的葉名琛繪成是帶上手鐐的人，是對英國文化天大的誤會。至於孫中山憑甚麼「掌握了中國所有的新興力量」，[222]則孫中山受到五四運動的啟發，走在時代的前面，在憧憬上撰寫了他對於中國現代化的藍圖《建國方略》，在理論上發展了他的三民主義，在實踐上他重視學生運動和工會的

---

[220] InteIntelligence Report: June Quarter 1922, enclosed in Sir James Jamieson (Consul-General, Canton) to Sir Beilby F Alston (Minister, Peking), Separate, 24 June 1922, FO228/3276, pp. 428-446: at p. 433.

[221] 見拙文〈葉名琛歷史形象的探究——兼論林則徐與葉名琛的比較〉，《九州學林》（香港城市大學和上海復旦大學合編），第 2 卷（2004），第 1 期，第 86-129 頁。

[222] InteIntelligence Report: June Quarter 1922, enclosed in Sir James Jamieson (Consul-General, Canton) to Sir Beilby F Alston (Minister, Peking), Separate, 24 June 1922, FO228/3276, pp. 428-446: at p. 433.

發展。如此種種，呂芳上教授在他那本傑出的《革命之再起》已經作出了精湛的交代，[223]筆者在此不贅了。

第二、杰彌遜爵士可能出於人道主義的考慮，而保證孫中山安全地離開廣州。從砲轟總統府到佈雷圖炸孫中山座艦永豐號，英國人的看法是：陳炯明要置孫中山於死地，若讓他乘搭商輪離開，難保槍手不登船暗殺。這種看法，中國學術界不一定認同。筆者就聽過這麼一種說法：陳炯明的部屬已經把總統圍困得水洩不通，孫中山帶着孫科以及總統府各官員離開，無論他們怎麼喬裝打扮，也難逃重重盤問，看來陳炯明早已命令網開一面；因為若把孫中山趕跑，陳炯明自忖在廣東就可以穩坐泰山，割據之目的已達，沒必要置孫中山於死地。若真的把他打死了，則徒招惡名而得不到實惠。智者不為。比較英、中兩種看法，竊以為中國學者的看法比較接近國情，故較為可信。但筆者在這裡探索的焦點是英國總領事的態度，而英國總領事的態度決定於他對事情的看法，他的看法可以在他的報告中尋找端倪，筆者能找到的端倪是，他很可能認為陳炯明要置孫中山於死地。故派砲艦護送他安全離穗。

第三、杰彌遜爵士可能出於保護英國利益的考慮，讓孫中山儘快離開廣州。自從遭到水雷攻擊後，孫中山即下令扣留所有靠近他艦隊的汽船。他甚至扣押了兩艘屬於英商的汽船，直到粵海關派員說項才予釋放。「他把扣押到的汽船團團圍住他（的艦隊），並派兵持械駐守該等汽船，不讓任何船隻接近。這種做法，為水上交通

---

[223] 呂芳上：《革命之再起：中國國民黨改組前對新思潮的回應，1914-1924》（臺北：中央研究院近代史研究所，1989）。

帶來極大不便。廣州河面本來有一排一排的船隻絡繹不絕。但由於害怕孫中山對廣州進行第二次轟炸，所以這些民船都消聲匿跡了。」㉒㉔英國人當然也深感不便。為了保證他離開廣州和避免任何反覆，派兵艦送走他是最保險的辦法。

綜合上述三種可能性，竊以為第一種最值得進一步探索：既然英國駐穗總領事認為孫中山似乎已經掌握了中國所有的新興力量，為何英國不支持孫中山以保障英國在華利益？准此，又帶出英國人重視現實的一面。該總領館的另一份報告說：「陳炯明不像孫中山那樣認為一個為正義而戰的士兵可以賽過十個為軍閥賣命的丘八。」㉒㉕語氣似乎是批評孫中山好高騖遠。但正是因為孫中山無私地高瞻遠視，才贏得了中國新興力量的無窮信賴。㉒㉖當孫中山因陳炯明兵變而逃到泊在省河的北洋艦隊時，英國的情報就認為該艦隊官兵對孫中山的忠誠是不可靠的。」㉒㉗果然，在五天以後的 1922

㉒㉔ Intelligence Report: September Quarter 1922, enclosed in Sir James Jamieson (Consul-General, Canton) to Sir Beilby F Alston (Minister, Peking), Separate, 23 October 1922, FO228/3276, pp. 447-467: at p. 450-1.

㉒㉕ Canton InteIntelligence Report: June Quarter 1922, enclosed in Sir James Jamieson (Consul-General, Canton) to Sir Beilby F Alston (Minister, Peking), Separate, 24 June 1922, FO228/3276, pp. 428-446: at p. 432.

㉒㉖ InteIntelligence Report: June Quarter 1922, enclosed in sir James Jamieson (Consul-General, Canton) to Sir Beilby F Alston (Minister, Peking), Separate, 24 June 1922, FO228/3276, pp. 428-446: at p. 433.

㉒㉗ 'Sun Yat Sen was down at Whampoa with the Peiyang Fleet and one or two Kuangtung gunboats, all of whose allegiance to him was, to say the least of it, doubtful.' -- Intelligence Report: September Quarter 1922, enclosed in Sir James Jamieson (Consul-General, Canton) to Sir Beilby F Alston (Minister, Peking), Separate, 23 October 1922, FO228/3276, pp. 447-467: at p. 449.

年 6 月 21 日，海軍將領們所指派的全權代表就與葉舉的代表簽訂協議。協議第一條就說海軍全體將領要求孫逸仙辭去總統職務；第二條說整個艦隊應服從陳炯明將軍的命令。㉘在這種情況下，孫中山仍然能夠說服在他身邊的官兵繼續對他效忠，就證明他那種「一個為正義而戰的士兵可以賽過十個為軍閥賣命的丘八」㉙的精神，的確深深地打動了他週遭的人。這種所謂正義的精神，正是孫中山三民主義當中的民族主義。英國這個老大帝國主義本來也是以民族主義起家，但到了 1922 年，已經養尊處優了大半個世紀，無法認識到從歐洲傳來的這種新的概念——民族主義——已經通過孫中山而開始在中國傳播了。㉚

英國當局沒法認識到中國民族主義的萌芽，則除了長期養尊處優以外，也可能是由於其情報的局限性。比方說，上一段提到的協議內容，英國的探子可以探出來。㉛後來三艘巡洋艦在陳炯明軟硬兼施下棄孫而去，英國的情報也可以準確地報導了。㉜但發生在孫

㉘ 廣東省檔案館藏，粵海關檔案全宗號 94 目錄號 1 案卷號 1583 秘書科類《各項事件傳聞錄》，1922 年 6 月 22 日條。

㉙ Canton InteIntelligence Report: June Quarter 1922, enclosed in Sir James Jamieson (Consul-General, Canton) to Sir Beilby F Alston (Minister, Peking), Separate, 24 June 1922, FO228/3276, pp. 428-446: at p. 432.

㉚ 參見拙文〈英國對華「炮艦政策」剖析：寫在「紫石英」號事件 50 週年〉，《近代史研究》，（北京：中國社會科學院近代史研究所，1999 年 7 月），總 112 期，第 1-43 頁。

㉛ 廣東省檔案館藏，粵海關檔案全宗號 94 目錄號 1 案卷號 1583 秘書科類《各項事件傳聞錄》，1922 年 6 月 22 日條。

㉜ Intelligence Report: September Quarter 1922, enclosed in Sir James Jamieson (Consul-General, Canton) to Sir Beilby F Alston (Minister, Peking), Separate, 23 October 1922, FO228/3276, pp. 447-467: at p. 449.

中山艦隊甲板上的事情，英國的情報就似乎是鞭長莫及。例如，儘管甲板上糧草奇缺，戰士們還是先於 1922 年 6 月 18 日拒絕陳炯明以 20 萬金收買他們出賣孫中山。[233] 6 月 25 日，更全體加入中國國民黨，宣誓為三民主義而奮鬥終生。[234]他們都是為了一個理想而不是為金錢而堅守崗位。

這些對孫中山來說是積極的後果，英國人看不到或不全面，以致對孫中山的成果知其然而不知其所以然，當然就不會理會孫中山執著追求其援助了。另一方面，對於英帝國主義來說是消極的後果，英國當局則在陳炯明兵變之前已嚐透了苦頭，故對孫中山只能產生惡感而更加不會援助他。准此，話題就轉到陳炯明兵變之前，孫中山與英國當局的關係。

㈡陳炯明兵變之前

香港海員大罷工以及由此而引起的香港工人大罷工，是陳炯明兵變之前，孫中山第二次在廣州所成立的政府與英國當局磨擦得最厲害的事件。

1921 年 11 月初，廣州的一些報章已經報導了香港海員準備罷工的傳聞。但廣州方面所得到的有關信息卻非常疏落。儘管在廣州的各個英商公司與香港的總公司每天都有汽船絡繹不絕，但對將要發生的香港海員大罷工卻懵然不知，以致大罷工在廣州做成了極大

[233] 蔣中正：《孫大總統廣州蒙難記》（臺北：1975 年臺重排九版），第 6-7 頁。

[234] 蔣中正：《孫大總統廣州蒙難記》（臺北：1975 年臺重排九版），第 10 頁。

的心理震盪。當成千上萬的罷工工人從香港到達廣州時，廣州的工會敲鑼打鼓地熱烈歡迎他們，英國人雖然不高興但也不感意外——他們同是工人階級嘛。但讓英國當局甚為不快的，是基督教青年會（YMCA）為他們舉行招待會洗塵。而讓英國當局更不快的，是中國國民黨竟然也為他們舉行招待會洗塵。[235]

追源禍始，廣州的紳商把香港海員大罷工的責任全推到孫中山身上，認為是他當上總統後着手組織工會、鼓勵工人要求加薪引起。他們甚至認為，香港海員大罷工是孫中山派人到香港搞起來的。[236]現在我們知道，廣州紳商只猜對了一半：香港海員大罷工的確是要求加薪所致，但絕對不是孫中山故意派去專門煽動罷工的。國、共雙方的權威史料都足以說明這一點。[237]而且，如果海員沒有正當的理由罷工，也很難把他們煽動起來：當各輪船外國海員的工

---

[235] Canton Intelligence Report: March Quarter 1922, enclosed in Sir James Jamieson (Consul-General, Canton) to Sir Beilby F Alston (Minister, Peking), Separate, 21 April 1922, FO228/3276, pp. 404-426: at p. 406.

[236] Canton Intelligence Report: March Quarter 1922, enclosed in Sir James Jamieson (Consul-General, Canton) to Sir Beilby F Alston (Minister, Peking), Separate, 21 April 1922, FO228/3276, pp. 404-426: at p. 406-7.

[237] 陳公博說：「恰巧香港的中國海員為着要求加薪罷工」，見其〈我與共產黨〉，《寒風集》（上海：地方行政社，1945），第甲216頁。「3.廣東方面：……香港海員罷工時，全部黨員及青年團團員參加招待及演講。」，見〈中共中央執委會書記陳獨秀給共產國際的報告，1922年6月30日〉，載中央檔案館編：《中共中央政治報告選輯，1922-1926》（北京：中共中央黨校出版社，1981），第8頁。感謝邱捷教授的高足霍新賓博士為我提供了這兩種史料的複印本。

資增加 15% 卻拒絕對中國海員的工資進行任和調整時，㉘中國海員那肯罷休。中國海員的遭遇得到香港廣大勞苦大眾的同情和支持，故當為數約 6,500 的中國罷工海員遭到香港政府高壓對付後，㉙香港各行業工人舉行總罷工，罷工總人數達 10 萬，香港完全陷入癱瘓狀態。㉚廣州紳商錯怪了孫中山，對孫中山當然不利，英國當局信以為真，更不利於孫中山與英國修好。當然，英國人也不是盲目地相信廣州的紳商，後來他們的探子的確探出罷工工人的首領之一是國民黨員謝英伯。㉛儘管如此，仍不能把事情說成是孫中山為了針對香港政府而專門派人到香港煽動罷工的。

但接下來發生的事情，竊以為讓孫中山與英國修好的願望雪上加霜。當大批的香港罷工工人到達廣州時，他能不表示歡迎嗎？不能。當香港軍警於 1922 年 3 月 4 日，為了阻止罷工工人離開香港返回廣州而向數千徒步經過沙田的罷工工人開槍掃射，打死 6 人傷

---

238 曾慶榴主編：《中國共產黨廣東地方史》，第 1 卷（廣州：廣東人民出版社，1999），第 58-64 頁：第 4 節〈黨早期的革命活動：工人運動的勃興〉：第 61 頁。感謝邱捷教授為我提供了這史料的複印本。

239 曾慶榴主編：《中國共產黨廣東地方史》，第 1 卷（廣州：廣東人民出版社，1999），第 58-64 頁：第 4 節〈黨早期的革命活動：工人運動的勃興〉：第 61 頁。

240 曾慶榴主編：《中國共產黨廣東地方史》，第 1 卷（廣州：廣東人民出版社，1999），第 58-64 頁：第 4 節〈黨早期的革命活動：工人運動的勃興〉：第 63 頁。

241 廣東省檔案館藏，粵海關檔案全宗號 94 目錄號 1 案卷號 1584 秘書科類《各項事件傳聞錄》，1923 年 12 月 15 日條。

無數時，孫中山能不表示憤怒？[242]孫中山答應不干預英國駐廣州領事館人員購買食物供應香港，但廣州市民自發地把某商人準備買給英國人的活魚整船倒到河裡，[243]孫中山又有甚麼辦法？香港政府派水兵駕駛兩隻汽船到穗購買蔬菜食物等，但沒有任何批發商願意跟他們做買賣，結果被迫空手而回，[244]孫中山那能出面為英國人說話？當工會領袖號召沙面華工進行罷工時，孫中山沒有表態，倒是陳炯明出面禁止了。[245]所以英國當局對陳炯明是比較有好感的。當香港政府屈服於罷工工人後，廣州的工會領袖連日組織大遊行：在沙面小河對岸的沙基馬路搖旗吶喊，鑼鼓喧天，炮竹震寰，一里接一里的沒完沒了的遊行隊伍，其中包括工人、學生、童子軍。[246]

英國人看在眼裡，聽在耳裡，萬分滋味在心頭。更不是味兒的事情還在後頭。自從省港大罷工發生以後，英國人察覺到，廣州人

[242] 曾慶榴主編：《中國共產黨廣東地方史》，第 1 卷（廣州：廣東人民出版社，1999），第 58-64 頁：第 4 節〈黨早期的革命活動：工人運動的勃興〉：第 63 頁。

[243] Canton Intelligence Report: March Quarter 1922, enclosed in Sir James Jamieson (Consul-General, Canton) to Sir Beilby F Alston (Minister, Peking), Separate, 21 April 1922, FO228/3276, pp. 404-426: at p. 406-7.

[244] Canton Intelligence Report: March Quarter 1922, enclosed in Sir James Jamieson (Consul-General, Canton) to Sir Beilby F Alston (Minister, Peking), Separate, 21 April 1922, FO228/3276, pp. 404-426: at p. 407-8.

[245] Canton Intelligence Report: March Quarter 1922, enclosed in Sir James Jamieson (Consul-General, Canton) to Sir Beilby F Alston (Minister, Peking), Separate, 21 April 1922, FO228/3276, pp. 404-426: at p. 408.

[246] Canton Intelligence Report: March Quarter 1922, enclosed in Sir James Jamieson (Consul-General, Canton) to Sir Beilby F Alston (Minister, Peking), Separate, 21 April 1922, FO228/3276, pp. 404-426: at p. 407.

再不像以往那樣，在外國人面前垂頭喪氣地過日子，而是挺起胸膛做人。在過去，若英國人打高爾夫球而誤中穗人的話，給他兩毛錢就可了事；大罷工以後，則同樣的事情馬上就招來一大批群眾，聲勢洶洶得怕人，英國人要馬上召警把群眾驅散才逃過一劫。甚至那些地位低微的人力車車伕，在等候客人時都高談闊論華盛頓會議。有兩個法國人不知好歹，跑去拍攝罷工工人的聚會而被包圍起來，直到他們表明是法國人而不是英國人才得脫身。在穗的漢語報章連日來又刊登了一批敵意極濃的讀者來信，指責英國當局在廣九鐵路英段歧視華人。沙田槍殺案發生後，有人給英國駐廣州總領事館寫了封信，恐嚇說要殺十個英國人來填補一個在沙田被殺的中國人，傷害十個英國人以彌補一個在沙田被槍傷的中國人，害得旅穗英人寢食不安。[247]

這一批一批的新生事物，英國總領事館的人都認為是拜孫中山所賜。為甚麼？因為他們先入為主地認定，1921 年 5 月孫中山就職總統時香港政府不幸地發表了一份對孫中山不太友善的告示而開罪了他，以致孫中山處心積慮地要對付香港政府。[248]准此，他們又

---

[247] Canton Intelligence Report: March Quarter 1922, enclosed in Sir James Jamieson (Consul-General, Canton) to Sir Beilby F Alston (Minister, Peking), Separate, 21 April 1922, FO228/3276, pp. 404-426: at p. 408.

[248] Canton Intelligence Report: March Quarter 1922, enclosed in Sir James Jamieson (Consul-General, Canton) to Sir Beilby F Alston (Minister, Peking), Separate, 21 April 1922, FO228/3276, pp. 404-426: at p. 407.

聯想到廣州紳商懷疑是孫中山派人到香港策動工人罷工，[249]於是就誤認孫中山有能力把香港搞個天翻地覆。

四、小結

上述史料加上神遊冥想，有助於破解一樁歷史懸案。該懸案就是：七個月後的 1923 年 2 月，孫中山快要在廣東第三次成立政府時，香港總督突然對孫中山萬分友善，為甚麼？竊以為正是上述駐廣州英國總領事館對孫中山錯誤的認識傳染了香港政府的結果：香港政府實在害怕孫中山搞第二次海員大罷工。詳見本書第七章。

---

[249] Canton Intelligence Report: March Quarter 1922, enclosed in Sir James Jamieson (Consul-General, Canton) to Sir Beilby F Alston (Minister, Peking), Separate, 21 April 1922, FO228/3276, pp. 404-426: at p. 406-7.

第七章
執著追求 1923-1924

圖十三

圖十四

1923年2月17，孫中山一行自上海赴穗途中經過香港，香港政府一反常態地讓其登岸並破格予以隆重接待。圖十三所示乃在港島登岸的卜公碼頭（香港歷史檔案館提供）。香港政府之破格接待孫中山，乃鑑於1922年的香港海員大罷工，於是積極與孫中山修好。圖十四所示乃香港海員工會幹事 1922 年從香港步行回到廣州後所攝（廣東省檔案館提供）。

緒　論

上一章以陳炯明叛變，孫中山苦苦支撐了近兩個月後被迫離開廣州作結束。

孫中山離穗經香港赴滬後，陳炯明即於 1922 年 8 月 15 日入駐廣州，❶一嚐其割據之夢。群醜爭位，就連英國人也看不過眼，在報告中甚有微詞。❷

孫中山則在滬日夜籌備討陳。北伐軍在粵北失利後，原粵軍許崇智、李福林部轉戰福建省，1922 年 10 月 12 日與徐樹錚合作克福州市。❸ 10月18 日，孫中山任命許崇智為東路討賊軍總司令。❹至於北伐軍原滇軍朱培德部則入廣西，克桂林，後與其他在桂滇軍如楊希閔等部會合。❺ 1922 年 11 月 8 日，孫中山函在桂滇軍迅速圖粵。孫中山憑甚麼能調動滇軍？當天鄧澤如在香港「交付楊希閔代表黃實港幣四萬三千元，省行券一萬元，攜往廣西，作楊部滇軍

❶ 廣東省檔案館藏，粵海關檔案全宗號 94 目錄號 1 案卷號 1583 秘書科類《各項事件傳聞錄》，1922 年 8 月 16 日條。

❷ Intelligence Report: September Quarter 1922, enclosed in Sir James Jamieson (Consul-General, Canton) to Sir Beilby F Alston (Minister, Peking), Separate, 23 October 1922, FO228/3276, pp. 447-467: at p. 453.

❸ 《國父年譜》（1994），下冊，第 1251 頁，1922 年 10 月 12 日條；第 1252 頁，1922 年 10 月 17 日條。

❹ 《國父年譜》（1994），下冊，第 1253 頁，1922 年 10 月 18 日條。

❺ 《國父年譜》（1994），下冊，第 1247 頁，1922 年 10 月 1 日條；第 1258 頁，1922 年 10 月 27 日條。

發動費。」❻這五萬多元從那裡來？原來早在 1922 年 10 月 19 日，鄧澤如等即在香港商定討陳駐港辦事處條例，決定設三個科，第三科負責「經濟之運動與收支各業務，推鄧澤如任之，分函寄海外各埠同志，速籌鉅款以助討逆軍餉糈。」❼香港再次發揮了它的作用。英方材料也佐證了中方有關孫中山的革命黨人不斷向海外外僑捐款的活動。早在海員大罷工時，光是一家美國煙草代理商一口氣就捐了四萬元。❽此外，桂軍之可靠者，為第一師師長劉震寰部，「鄒魯派范其務往遊說之，震寰慨然允諾。❾如此，西路討陳大軍亦由滇軍和部份桂軍聯合組成，由楊希閔當總指揮，1922 年 12 月 28 日克梧州。❿ 1923 年 1 月 9 日克肇慶。⓫ 1 月 9 日克三水。⓬ 1 月 16 日陳炯明不戰而遁，逃回惠州老巢。滇、桂軍深夜

---

❻ 《國父年譜》（1994），下冊，第 1260 頁，1922 年 11 月 8 日條，引鄧澤如：《中國國黨二十年史跡》（上海：正中書局，1948），第 273 頁。

❼ 《國父年譜》（1994），下冊，第 1254 頁，1922 年 10 月 19 日條，引鄧澤如：《中國國黨二十年史跡》（上海：正中書局，1948），第 273 頁。

❽ Canton Intelligence Report: March Quarter 1922, enclosed in Sir James Jamieson (Consul-General, Canton) to Sir Beilby F Alston (Minister, Peking), Separate, 21 April 1922, FO228/3276, pp. 404-426: at p. 409.

❾ 《國父年譜》（1994），下冊，第 1268-9 頁，1922 年 12 月 6 日條，引鄒魯：《中國國民黨史稿》（重慶：商務印書館，1944），第三編，第 1133-4 頁。

❿ 《孫中山年譜長編》（1994），下冊，第 1538 頁，1922 年 12 月 28 日條，引上海《民信日刊》，1923 年 1 月 5 日。

⓫ 《國父年譜》（1994），下冊，第 1283 頁，1923 年 1 月 9 日條，引鄧澤如：《中國國黨二十年史跡》（上海：正中書局，1948），第 273 頁。

⓬ 《國父年譜》（1994），下冊，第 1283-4 頁，1923 年 1 月 10 日條，引鄒魯：《中國國民黨史稿》（重慶：商務印書館，1944），第三編，第 1134 頁。

入駐省城，電請孫中山回粵，復任大元帥。[13]

英國人的探子注意到，在過去的半年裡，孫中山雖然人不在廣州，但精神仍在。因為，支持他的數不清的激進份子在廣東各地製造動亂，以致粵民寢食不安。[14]香港總督若掌握到類似的情報，同時又獲悉孫中山很快就要回粵復任，再回顧一年前的香港海員大罷工，寧不心裡發毛？1923 年 1 月 26 日，更感孫中山先聲奪人，因為當天孫中山在上海與蘇聯代表發表了《孫文越飛宣言》。[15]雖然該聲明開宗名義第一條就說孫中山認為共產組織、甚至蘇維埃制度，均不能引用於中國；但第二條就足以引誘中國的新興力量[16]傾向蘇聯，蓋該條聲稱越飛確認 1920 年 9 月 27 日俄國曾經對中國發表過的聲明內容，即俄國政府願意放棄沙俄時代在華強行索到的利益。越飛又保證俄國不把外蒙古從中國分裂出去。[17]如此種種，能不讓中國的愛國之士雀躍？同時又對英國仍然佔據香港更加不滿？

接着，孫中山就打他的蘇聯牌了。他授意陳友仁分別在 1923 年 1 月 11 日和 19 日兩次拜會英國駐上海總領事巴爾敦爵士（Sir Sydney Barton）。在第一次拜訪中，陳友仁代孫中山表達了積極搏取

[13] 《國父年譜》（1994），下冊，第 1285-6 頁，1923 年 1 月 16 日條，引毛思誠：《民國十五年前之蔣介石先生》（香港：龍門書店，1936），第五冊，第 2 頁。

[14] 廣東省檔案館藏，粵海關檔案全宗號 94 目錄號 1 案卷號 1584 秘書科類《各項事件傳聞錄》，1923 年 1 月 17 日條。

[15] 該宣言的英語原稿，經世界新聞社翻譯成漢語。見王聿均：《中蘇外交的序幕》（臺北：中央研究院近代史研究所，1963），第 453-4 頁。

[16] 見本書第三節。

[17] 《國父年譜》（1994），下冊，第 1291 頁，1923 年 1 月 26 日條。

英國同情的願望。在第二次拜訪中，陳友仁代孫中山表達了與香港政府修好的願望。並說，若孫中山重返廣州建立政權而一如既往地遭到香港政府的敵視，則待雙方再起糾紛時，孫中山將會被迫尋找其他列強（按即蘇聯）的幫助。陳友仁更暗示，若孫中山能與香港總督舉行一次會晤，將會甚得人心。⓲

巴爾敦總領事把孫中山的意圖報告給當時正到達了香港並準備到北京上任的英國駐華新公使麻克類（Sir Ronald MacLeay）爵士知道。1923 年 2 月 1 日，麻克類在赴京途中經過上海時，孫中山派陳友仁和伍朝樞去拜訪他。麻克類表示英國政府對孫中山個人並無敵意，但不同意他在南方另設獨立於北京的政府，因為英國的一貫政策是維護中國的安定和統一。麻克類從會談所得到的印象是，孫中山無意在廣州成立一個獨立的共和國。准此，麻克類向英國外交部建議，若孫中山不再挑起香港的勞工運動，則英國政府可以對他保持友好態度。⓳

准此，孫中山在離開上海往廣州之前，就親自拜訪當時正在上海訪問的匯豐銀行香港總行的總經理史提芬（Alexander Gordon Stephen），事後又請其給香港總督司徒拔捎個口信，詢問在他途經香港時，能否一晤。⓴司徒拔回答說，只要孫中山不以中華民國大

⓲ S. Barton (Consul-General, Shanghai) to R.H. Clive (British Counsellor, Beijing), 23 January 1923, CO129/482.

⓳ Sir Ronald MacLeay to Lord Curzon, 28 February 1923, FO405/240.

⓴ A.G. Stephen (Chief Manager Hong Kong) to Sir Newton Stabb (London), private *ms*, 23 February 1923, HSBC Group Archives, Letter Book Private, K.2.1.

總統或其他英國政府不認可的身份抵港，他將樂意接見，並共進午餐。㉑

難怪 1923 年 2 月 17 日孫中山一行自上海赴穗途中，香港政府一反常態地讓其登岸。這下子香港可熱鬧了。而筆者的注意力，很自然地就集中在孫中山經過香港時，在這塊英國殖民地上與英國當局所產生的關係。

一、1923 年 2 月孫中山經過香港的各種活動探索

《孫中山年譜長編》引周卓懷先生大文，「四十二年前國父經過香港盛況」說：雖然當天香港天氣寒冷，港口大霧，但市民從下午開始就大批地聚集在卜公碼頭等候，香港華人海員工會更租賃了許多汽船，船上飄着彩旗懸起鞭炮，駛到港口以外去迎接，沿途大放鞭炮。「杰斐遜總統」號郵輪到下午 6 時半在港口出現，但該輪不駛往卜公碼頭反而轉駛向九龍倉碼頭，好在孫中山未在九龍倉碼頭下船而乘汽船按計劃在卜公碼頭登陸。孫中山在碼頭出現時，掌聲雷動，歡呼四起。孫中山步出碼頭後，即乘汽車到半山區干德道 9 號楊西巖私宅。又說，當日孫中山拜會了香港總督。而且，由於

㉑ Stubbs to Lord Devonshire, 23 December 1923, CO129/481, p. 557. This report was written some ten months after the event. Obviously Stubbs did not report Sun's approach or the lunch at the time. He did so only after Sun's threat to take over the Canton Customs in December 1923 and Stubbs's defence of Sun sparked off an inquiry by the Colonial Office. See below.

孫中山抵港的消息傳遍香港，全市鳴放鞭炮，由下午 8 時直放到 11 時。㉒

由於該文是筆者看過的漢語史料中唯一的一篇有關報導，既被《孫中山年譜長編》引述，又被香港回歸前這敏感時刻出版的一本有關香港史的專著所引用，㉓而顯得特別重要。但觀其內容，則與筆者蒐集到的香港英文報章《德臣西報》（*China Mail*）的一些報導既有相同之處而又有重大差別，更由於本書着重探索孫中山與英國的關係，這些差別就顯得舉足輕重。因此，不能放過其差異而必須認真核實。承陳三井先生不厭其煩地應筆者要求而將周卓懷先生的大文複印寄下，得睹全豹。看其「附記」，則果如所料，該文的確是根據《德臣西報》（*China Mail*）的報導而寫成的。茲將兩文比較，發現如下：

第一、周文說，香港華人海員工會租賃了許多汽船，船上飄着彩旗懸起鞭炮，駛到港口以外去迎接，沿途大放鞭炮等情，㉔與《德臣西報》的報導有出入。該報說：不單是海員工會，香港其他工會也租賃了汽船，一道朝東往筲箕灣方向行駛。還說：海員工會之中具體租賃汽船的是 Luen Yee Seamen's Society，㉕按應即聯誼

㉒ 《孫中山年譜長編》下冊，第 1583 頁，1923 年 2 月 17 日條，引周卓懷：〈四十二年前國父經過香港盛況〉，《傳記文學》第 7 卷第 5 期。

㉓ 張俊義：〈20 年代初期的香港與廣東政局〉，載余繩武、劉蜀永編：《20 世紀的香港》（北京：中國大百科全書出版社，1995），第 73-101 頁：其中第 91 頁。

㉔ 周卓懷：〈四十二年前國父經過香港盛況〉，《傳記文學》第 7 卷第 5 期（1965 年 11 月），第 21-22 頁：其中第 21 頁第 1 段。

㉕ Anon, "Dr. Sun Here. Labour Guilds' Welcome. To Speak Tomorrow", Hong Kong *China Mail*, Monday 19 February 1923.

社。[26]更說，諸汽船沒接上「杰斐遜總統」號郵輪，敗興而返。[27]周卓懷先生似乎覺得「敗興而返」太掃興了，於是略去不提。為甚麼沒接上？竊以為很可能是與香港政府的保安措施有關。該等小汽船隊，一邊大鳴鞭炮一邊往外海駛去。當局應該估計到，它們若迎上輪船，則伴着輪船進港時更會加倍鳴放，這就等同告訴可能埋伏的槍手隨時準備行動。當時陳炯明在香港有他自己的羽翼，北洋軍閥當中孫中山也不乏敵人，萬一孫中山在碼頭被槍殺，香港政府可擔當不起。該等小汽船隊在出發往外海的時間，應該是按照公佈了的「杰斐遜總統」號郵輪的船期而定。待出了港口，大風大浪加上大霧，等到天色已晚，迎接隊伍中的海員們，經驗豐富，決定返航，是很自然的事。准此，筆者還忽發奇想，會不會香港政府通過甚麼途徑，預先密令「杰斐遜總統」號郵輪的船長推遲進港時間，以策安全？鑑於本書在下面第五節中，筆者探索孫中山第三次在廣州成立政府時期與香港總督的關係時，所發現種種，竊以為這種可能性極高。

第二、若要突出孫中山在香港所感受到的溫情，則如實翻譯了《德臣西報》的報導而加上神遊冥想，可以得到下面一幅藍圖：《德臣西報》的記者親臨其地採訪，混在人群之中，注意到該等群眾大部份是香港各工會派出的代表。竊以為這種特殊情況的意義就非常重大。鑑於英國的情報早注意到孫中山掌握了中國新興力量諸

---

[26] 見陳公博：《寒風集》（上海：地方行政社，1945），第甲 216 頁。

[27] Anon, "Dr. Sun Here. Labour Guilds' Welcome. To Speak Tomorrow", Hong Kong *China Mail*, Monday 19 February 1923.

如工人階級，因為「他代表了新時代的曙光。」㉘那麼，查清楚這次不畏惡劣天氣（inclement weather）㉙來等候歡迎孫中山的正是香港的工人代表，而且是那麼多的工人代表，又一次證明了英國情報在這方面的準確性，及本章所抓的關鍵是走對了方向。所謂惡劣天氣，並非狂風暴雨，而是嚴寒。香港處亞熱帶地區，很少嚴寒的時候，故一般勞苦大眾，極少像較為富裕的香港市民那樣具備了大衣、圍巾、手套、絨帽等禦寒衣物。罕有的寒流來了，勞苦大眾就吃盡苦頭。現在他們站在港島向北的卜公碼頭海邊，冒着連那位慣於嚴寒的英國記者也認為是惡劣的西北風，等候歡迎孫中山，正顯真情。但周先生可能沒認識到這一點；甚至可能認為光是勞苦大眾去歡迎孫中山不夠高檔，於是改為「香港市民」，㉚則既失真而又失掉其真正意義。

第三、周文說，「當天因為氣候不佳，『杰斐遜總統』直到下午六時半才在港口出現。出現後竟然不『照預定計劃在海面停留』，反而直趨港島對岸的九龍倉碼頭，以致在港島卜公碼頭等候的新聞記者，看見總統輪轉駛向九龍倉後，便紛紛僱了電船追過

㉘ InteIntelligence Report: June Quarter 1922, enclosed in Sir James Jamieson (Consul-General, Canton) to Sir Beilby F Alston (Minister, Peking), Separate, 24 June 1922, FO228/3276, pp. 428-446: at p. 433.

㉙ Anon, "Dr. Sun Here. Labour Guilds' Welcome. To Speak Tomorrow", Hong Kong *China Mail*, Monday 19 February 1923. 感謝香港政府檔案處的許崇德先生為我提供此件複印品。

㉚ 周卓懷：〈四十二年前國父經過香港盛況〉，《傳記文學》第 7 卷第 5 期（1965 年 11 月），第 21-22 頁：第 1 段。

去。」㉛在這段文字當中，除了氣候不佳、六時半進港、駛向九龍倉等句外，全部是原文沒有的。察其用意，似乎是周先生鑒於自己在該文「附言」中說明所據乃《德臣西報》，而該當時該報的記者皆洋人，於是虛構一個洋記者群「紛紛僱了電船追過去」的故事，以顯示洋人對孫中山也熱情洋溢。唉！他虛構得也太不像話：客輪到埠，當然是必須靠碼頭讓乘客過跳板上岸的。那會「照預定計劃在海面停留」來讓乘客上岸的？而且，怎麼上岸？從大客輪高高的甲板上把客人像貨物般一個一個地用吊車放到海面上的駁艇嗎？但是，為了虛構一個洋記者「紛紛僱了電船追過去」的故事，儘管違反情理也在所不惜。

第四、周文說，孫中山在卜公碼頭出現時，掌聲雷動，歡呼四起。㉜此節亦為《德臣西報》的報導所無。不單如此，該報記者還說，由於大霧，以致到了五時三十分，消息傳來，孫中山所乘坐的「杰斐遜總統」（President Jefferson）號郵輪已經決定不駛進香港的海港了，等待翌日天亮時再說。結果，聚集在卜公碼頭的群眾聞訊後一哄而散。㉝可以想像，等到孫中山在晚上七時三十分左右步出卜公碼頭時，㉞碼頭空蕩蕩冷清清的，何來歡聲雷動？周卓懷似乎

㉛ 周卓懷：〈四十二年前國父經過香港盛況〉，《傳記文學》第 7 卷第 5 期（1965 年 11 月），第 21-22 頁：第 2 段。

㉜ 周卓懷：〈四十二年前國父經過香港盛況〉，《傳記文學》第 7 卷第 5 期（1965 年 11 月），第 21-22 頁：第 3 段。

㉝ Anon, "Dr. Sun Here. Labour Guilds' Welcome. To Speak Tomorrow", Hong Kong *China Mail*, Monday 19 February 1923. 感謝香港政府檔案處的許崇德先生為我提供此件複印品。

㉞ Anon, "Dr. Sun Here. Labour Guilds' Welcome. To Speak Tomorrow", Hong Kong *China Mail*, Monday 19 February 1923.

不願意面對這種事實，於是略去《德臣西報》的報導而揑造了「掌聲雷動，歡呼四起」㉟的場面。關鍵就在於郵輪當晚不進港的消息，是誰散播的？筆者在下一段會作進一步探索。

第五、周文遺漏了聚集在九龍倉碼頭的大批群眾，其中還夾雜了一些洋人，希望一睹孫中山之風采。該碼頭是遠洋輪船停泊的地方，位置在九龍半島接近尖沙嘴。而卜公碼頭則是提供海港之內小汽船的客人上船下船的地方，位置在港島。「杰斐遜總統」號郵輪是遠洋輪船，必須在九龍倉碼頭靠岸。正因為如此，該碼頭當局對於該輪是否仍會在當天靠岸的訊息就比較準確。結果聚集在那裡的人群並沒有散去。而且，當人群目睹大批武裝警察在安格斯警長（Inspector Angus）帶領下嚴陣以待，湊熱鬧的心理更會把他們留下來。黃昏六時過後不久，船靠岸了。警隊嚴拒任何人進入九龍倉碼頭。另一方面，大批便裝探員密佈碼頭之內和跳板上，護送孫中山登上一艘正在等候的小汽船，讓其渡海到港島的卜公碼頭。㊱香港政府這些嚴密的保安措施，讓筆者懷疑很可能是香港政府在卜公碼頭散播該輪當天不進港的謠言，以便群眾散去。卜公碼頭是完全開放的碼頭，沒有出入閘口，絕對四通八達，當局不可能控制人群。而且，到了下午五時多，還在嚴冬季節的香港已經夜幕垂簾。大霧加上天黑是行船大忌，在這個時候散播該輪當天不進港的謠言，比較有說服力。

㉟ 周卓懷：〈四十二年前國父經過香港盛況〉，《傳記文學》第 7 卷第 5 期（1965 年 11 月），第 21-22 頁：第 3 段。

㊱ Anon, "Dr. Sun Here. Labour Guilds' Welcome. To Speak Tomorrow", Hong Kong *China Mail*, Monday 19 February 1923.

第六、《孫中山年譜長編》引周文而說當天（即 1923 年 2 月 17 日）孫中山拜會了港督。㊲竊以為是引錯了，因為周文裡便沒提過這一點。筆者所看過的英語材料也沒有報導此事。其實，孫中山離開卜公碼頭時已經是晚上七時三十分左右，㊳當他坐汽車到達半山區干德道 9 號楊西巖宅時，至低限度已經是八時，風塵僕僕地往訪港督？於禮不合。打點梳洗後再空着肚皮去嗎？吃過飯才去嗎？是什麼時辰了？孫中山所受過的小學、中學、大學都是英式教育，又在倫敦生活過九個月，在恩師康德黎醫生的潛移默化之下，對英國人的生活習慣到底是有認識的，那會如此冒失地在晚上打擾香港總督愛德華·雷金納德·司徒拔爵士（Sir Edward Reginald Stubbs）？

第七、周文說，由於孫中山抵港的消息傳遍香港，全市鳴放鞭炮，由下午 8 時直放到 11 時。㊴準確來說，不是全市鳴放鞭炮，只在是德輔道中（Des Voeux Road Central）接近新落成的防火館附近，因為在那個地方集中了至少有十個海員協會（seamen's societies），而燃放鞭炮的，全都是海員協會和其他行業的行會（labour guilds）所為。至於燃放鞭炮數量之多和次數之頻繁，就連英國記者也認為是不同凡響的，充滿了工人階級對孫中山的高度熱情。而燃放的時間，也的確是從晚上 8 時到大約 11 時。不知內情

㊲ 《孫中山年譜長編》下冊，第 1583 頁，1923 年 2 月 17 日條，引周卓懷：〈四十二年前國父經過香港盛況〉，《傳記文學》第 7 卷第 5 期。

㊳ Anon, "Dr. Sun Here. Labour Guilds' Welcome. To Speak Tomorrow", Hong Kong *China Mail*, Monday 19 February 1923.

㊴ 周卓懷：〈四十二年前國父經過香港盛況〉，《傳記文學》第 7 卷第 5 期（1965 年 11 月），第 21-22 頁：第 3 段。

的歐洲人，還以為是當時華人慶祝農曆新年的部份節目。❹⓪

第八、周文說，這連續三個小時燃放鞭炮，「是香港有史以來對任何個人前所未有的盛大歡迎。」㊶此話太過份了。香港自1841年1月26日開埠㊷到1923年2月17日孫中山訪問香港當天止，這80年當中訪問過香港的個別英國皇室成員所受到隆重歡迎，包括檢閱三軍等，難道就比不上這三個小時的鞭炮？

第九、周文說，2月19日上午，孫中山應邀到香港大學發表演說時，在講臺上與孫中山同坐的，有「港督葛羅斯紛」。㊸我的天！翻閱原文，則所謂「港督葛羅斯紛」者，乃 the Hon. Mr Claud Severn, C.M.G.（尊敬的葛羅·司芬先生），他不是港督。若他是港督，則《德臣西報》是會說清楚的。原文沒說他是港督，周先生偏偏要把他說成是港督，何苦？其實，當時的香港總督是司徒拔爵士（Sir Reginald Stubbs）。查葛羅·司芬先生者，香港輔政務司（Colonial Secretary）㊹兼香港大學副校長（Pro Vice-Chancellor）也。㊺

㊵ Anon, "Dr. Sun Here. Labour Guilds' Welcome. To Speak Tomorrow", Hong Kong *China Mail*, Monday 19 February 1923.

㊶ 周卓懷：〈四十二年前國父經過香港盛況〉，《傳記文學》第7卷第5期（1965年11月），第21-22頁：第3段。

㊷ G. B. Endacott, *A History of Hong Kong*, p. 17.

㊸ 周卓懷：〈四十二年前國父經過香港盛況〉，《傳記文學》第7卷第5期（1965年11月），第21-22頁：第5段。

㊹ See H. Fox to Sir Ronald Macleay (Peking), Confidential, 25 December 1923, FO371/10230, pp. 186-94 [Reg. No. F503/3/10, 19 February 1924: at pp. 190-94.

㊺ Anon, "Dr. Sun Cheered and Chaired. Speech at University. My Revolutionary Ideas", Hong Kong *China Mail*, Tuesday 20 February 1923.

周先生要嘛是不知情，要嘛是故意把港督搬出來以便抬高孫中山的身價。

第十、周文又說，在講臺上還有港大副校長佈蘭特的夫人。[46]所謂「副校長佈蘭特」者，乃 Sir William Brunyate（威廉斯·布蘭華特爵士）。他是正校長（Vice-Chancellor）而不是副校長。周先生似乎不知道在英國大學的制度中，Vice-Chancellor 就是校長。Pro Vice-Chancellor 才是副校長。至於 Chancellor，那絕對不是校長。比方說，目前英國劍橋大學的 Chancellor 是英女王的丈夫愛丁堡公爵。准此，Chancellor 應該譯作校監。

第十一、周文說又說，在講臺上還有「香港西商會主席皮西士博士」。[47]查閱原文，則所指當是"Dr T. W. Pearce, LLD."[48]原文絕對沒有說他是香港西商會主席，也沒說明他的身份。竊以為他正是筆者在倫敦蹲了好幾個寒暑來鑽研其文書的英國倫敦傳道會的托馬斯·皮堯士牧師（Rev. Thomas W. Pearce, LLD）。當孫中山過去在香港西醫學院唸書時，上課的地方就是雅麗氏醫院，而雅麗氏醫院正是英國倫敦傳道會直轄的。[49]西醫學院又是香港大學的前身。看來正是由於這種關係，到了 1923 年香港大學學生會邀請孫中山回母校

---

[46] 周卓懷：〈四十二年前國父經過香港盛況〉，《傳記文學》第 7 卷第 5 期（1965 年 11 月），第 21-22 頁：第 5 段。

[47] 周卓懷：〈四十二年前國父經過香港盛況〉，《傳記文學》第 7 卷第 5 期（1965 年 11 月），第 21-22 頁：第 5 段。

[48] Anon, "Dr. Sun Yat Sen's Address", Hong Kong *Daily Press*, 21 February 1923.

[49] 見本書第 2 章。

演講時，為了表示對英國倫敦傳道會的尊重，邀請該會在香港的主任牧師皮堯士博士出席，合情合理。同時，徵諸英國倫敦傳道會檔案，1923 年的皮堯士牧師還當了香港大學學生宿舍之一的馬禮遜堂（Morrison Hall）的舍監（Warden）。㊿當天邀請孫逸仙演講的是香港大學學生會，若該會邀請該校各舍監列席，亦合情合理。准此，當天的道東有雙重理由邀請皮堯士牧師出席。周卓懷先生在毫無根據的情況下，把皮堯士牧師說成是香港西商會主席，可能又是出於抬高孫中山的苦心。

第十二、周文說：當孫中山於 1923 年 2 月 21 日清晨準備乘搭「香山」號客輪前往廣州時，「碼頭外齊集送行的市民」。(51)原文

㊿ "This is written from Morrison Hall, where my quarters as Warden were re-occupied on Saturday last in readiness for the Autumn Term of the University which opens on the 11th of the current month." Rev Dr Thomas W Pearce (HK) to Rev. F.H. Hawkins, LL.B. (London, LMS Foreign Secretary), 4 September 1922, CWM/LMS, South China, Incoming correspondence 1803-1936, Box 23 (1923-1924), Folder 1 (1923), Jacket D (August - December 1922). See also the draft public appeal prepared by Rev Dr Thomas W. Pearce on behalf of St John's Hall and Morrison Hall of the University of Hong Kong, 1 July 1922, attached to Rev C. Dixon Cousins (Hong Kong) to Rev. F.H. Hawkins, LL.B. (London, LMS Foreign Secretary), 18 July 1922, CWM/LMS, South China, Incoming correspondence 1803-1936, Box 22 (1920-1922), Folder 3 (1922), Jacket C (June-August 1922). See also Thomas W. Pearce to Rev. A. Baxter, n.d., enclosed in Rev A. Baxter (Canton) to Rev. F.H. Hawkins, LL.B. (London, LMS Foreign Secretary), 6 February 1923, CWM/LMS, South China, Incoming correspondence 1803-1936, Box 23 (1923-1924), Folder 1 (1923), Jacket A (January-March 1923), in which Dr Pearce spoke of appointing an Assistant Warden to help him.

(51) 周卓懷：〈四十二年前國父經過香港盛況〉，《傳記文學》第 7 卷第 5 期（1965 年 11 月），第 21-22 頁：第 14 段。

卻是這樣說：「由於漢語報章還未恢復出版（筆者按：當時是農曆新年期間），所以只有少量的華人知道他行將離港。」(52)原文又說：「輪船啟碇前，我們可以看到孫氏很突出地在甲板上與他的隨從閒談。」(53)這麼簡單的一句話，到了周氏手裡，就變成國父在甲板上「頻頻向送行的群眾揮手致意」。(54)船開行了，周氏說送行的「市民歡聲雷動」。(55)這一句是原文沒有的。

花了如斯筆墨探索這些細節，筆者只有一個目的：希望還歷史面貌真相而較準確地探索當時孫中山與香港當局甚至英國政府的關係。比諸 1897 年香港政府拒絕孫中山要求撤銷對其放逐令那封傲慢的信，1923 年 2 月香港政府對孫中山的態度，真有天淵之別。香港政府對孫中山更高層次的禮遇還在後頭。

翌日，1923 年 2 月 18 日，香港總督設午宴款待孫中山。英文的報導說：昨天孫中山赴總督府午宴，場合是非官式的（informal）。(56)既然是非官式的，就可以不那麼拘束而可以隨便地表現得親切。而且，竊以為個中玄機，港督不足為外人道。什麼玩

---

(52) Anon, "Dr. Sun -- Departure for Canton", *China Mail*, Wednesday 21 February 1923, paragraph 2.

(53) Anon, "Dr. Sun -- Departure for Canton", *China Mail*, Wednesday 21 February 1923, paragraph 4.

(54) 周卓懷：〈四十二年前國父經過香港盛況〉，《傳記文學》第 7 卷第 5 期（1965 年 11 月），第 21-22 頁：第 15 段。

(55) 周卓懷：〈四十二年前國父經過香港盛況〉，《傳記文學》第 7 卷第 5 期（1965 年 11 月），第 21-22 頁：第 16 段。

(56) Anon, "Dr. Sun Here. Labour Guilds' Welcome. To Speak Tomorrow", Hong Kong *China Mail*, Monday 19 February 1923.

意？筆者查過香港大學冼玉儀博士所編的英國殖民地部有關香港檔案的索引，以及香港政府檔案處所編的英國殖民地部有關孫中山在香港活動期間（1923 年 2 月）資料的索引，對港督宴請孫中山的報告都付諸闕如。甚麼 !? 港督膽敢瞞騙殖民地部大臣？竊以為既然是非官式的，那就是私人聚餐（the gathering was informal），而且是星期天我主休息日的私人聚餐。可以說是屬於私人生活，不一定要公函報告上司。儘管事後追究起來，也可以勉強說得過去。就這樣，港督既給了孫中山面子，又不一定要對官方負責，兩全其美，高明之至。到了 1923 年 12 月，孫中山為了關餘的事情與英國政府的關係劍拔弩張時，在華的英國人鼓譟起來，殖民地部公函追問其事，司徒拔才公函和盤托出。並補充說：在午宴上，孫中山表示香港和廣州的利益密不可分，他亟望與英國緊密合作。同時又為自己的行動辯護說：1922 年的海員大罷工已充份證明香港的繁榮與廣東有着密切的關係。若廣東與香港為敵，香港貿易將陷於停頓。為了香港的利益，香港政府必須與廣州當局保持良好關係。[57]

當天下午，孫中山又應羅伯特·何東爵士邀請到其府上喝下午茶。陪行的有陳友仁。[58]孫中山動員何東爵士捐款，以便支持他裁

---

[57] Stubbs to Lord Devonshire, 23 December 1923, CO129/481, p. 554. This report was written some ten months after the event. Obviously Stubbs did not report Sun's approach or the lunch at the time. He did so only after Sun's threat to take over the Canton Customs in December 1923 and Stubbs's defence of Sun sparked off an inquiry by the Colonial Office. See below.

[58] Anon, "Dr. Sun Here. Labour Guilds' Welcome. To Speak Tomorrow", Hong Kong *China Mail*, Monday 19 February 1923.

撤廣東省一半的軍隊。[59]當天晚上，孫中山赴香港各工團的聯合宴請。在宴會上，他讚揚了香港工界明辨順逆，大有助於討伐陳炯明，並勉勵他們以後更加團結以救國。[60]

當天還有甚麼活動？一位《德臣西報》的記者跑到干德道 9 號楊西巖的住宅採訪時，有位私家偵探模樣的洋人詳細打量過他以後，就讓他走過前花園到達鐵門。在那裡，記者得悉孫中山在陳友仁的陪同下，拜會香港輔政司去了。[61]竊以為此言可信。當時的輔政司正是尊敬的葛羅·司芬先生（the Hon. Mr Claud Severn, C.M.G.）。[62]他在辛亥革命前就在英屬海峽殖民地見過孫中山一面，後來在香港又見過他，對他很有好感。[63]而且，司芬先生同時兼任香港大學副校長（Pro Vice-Chancellor），[64]他要在孫中山行將到達香港大學作演講時，代表校長致歡迎辭。[65]

---

[59] 韋慕廷：《孫中山——壯志未酬的愛國者》（廣州：中山大學出版社，1986），第 157 頁。

[60] 《孫中山年譜長編》下冊，第 1583 頁，1923 年 2 月 18 日條，引上海《民國日報》1923 年 2 月 20 日。

[61] Anon, 'Visit to Colonial Secretariat', *China Mail*, 19 February 1923.

[62] See H. Fox to Sir Ronald Macleay (Peking), Confidential, 25 December 1923, FO371/10230, pp. 186-94 [Reg. No. F503/3/10, 19 February 1924: at pp. 190-94.

[63] See Severn's wecome speech, included in Anon, "Dr. Sun Yat Sen's Address", Hong Kong *Daily Press*, 21 February 1923.

[64] Anon, "Dr. Sun Cheered and Chaired. Speech at University. My Revolutionary Ideas", Hong Kong *China Mail*, Tuesday 20 February 1923.

[65] See Severn's wecome speech, included in Anon, "Dr. Sun Yat Sen's Address", Hong Kong *Daily Press*, 21 February 1923.

孫中山在那一天應邀在香港大學作演講？演講的具體日期，史家歷來有所爭議，原因是各自所據不同日期的報紙都說演講在「昨天」舉行了。但承廣州市中山大學的邱捷教授相告，他看過的漢語報刊當中，不少報導中所謂「昨天」是記者撰稿時所指，到該稿見報時一般已是「前天」甚至是「大前天」。[66]由於該演講在中國近代史和香港史都佔重要地位，故筆者除了究其細節以外，亦願意花點筆墨探索事發的具體日期。

陳錫祺先生主編的《孫中山年譜長編》說是 1923 年 2 月 20 日。所據乃香港大學所藏的《華字日報》1923 年 2 月 21 日的報導。[67]筆者飛香港回母校香港大學查閱該報的縮微膠卷，則 1923 年 2 月 11-21 日的《華字日報》皆闕如。初以為是拍縮微膠捲的技術人員拍漏了。追查原件，的確是闕如。向香港政府檔案處查詢，則該處並沒有收藏該報。掃興之至。

《孫中山全集》第七卷據上海《民國日報》1923 年 2 月 28 日的報導定為 2 月 19 日。《民國日報》雖然在 28 日才把講詞刊出，但 20 日已報導有演講其事。該報為國民黨的黨報，看來是孫中山的秘書在演講當天就電告該報，以便翌日刊登該項消息。准此，是否可以酌定為 1923 年 2 月 19 日？而且，綜觀《國父年譜》(1994)和《孫中山年譜長編》對於孫中山在 1923 年 2 月 19 日的活動都闕如，而其他日子都有大型活動，難道演講果真在 1923 年

---

[66] 筆者於 2004 年 5 月 19 日在穗向邱捷教授請教所得。他又說，有些所謂「昨天」甚至可以是去月的事情，完全看撰稿與刊出之間的時差。

[67] 陳錫祺主編《孫中山年譜長編》，下冊，第 1854 頁，1923 年 2 月 20 日條。

2月19日舉行？

過去筆者曾徵諸香港的英文報章，則1923年2月21日星期三的《孖喇西報》（*Dail Press*）報導說：「正如預為廣告者，孫中山於昨天上午對香港大學學生會演講。」[68]難道當時香港的英語記者在採用「昨天」這詞時同樣是以撰稿當天為准？又徵諸香港的《德臣西報》（*China Mail*），則1923年2月19日的報導說：「明天他將對大學堂的學生會演說。」[69] 1923年2月20日的報導又開宗明義地說：「今天上午，孫中山在擠滿了學生和客人的香港大學大禮堂演講。」[70]當天上午發生過的事情怎可能在這以前的當天清晨見報？可見記者在撰稿時沒考慮到該稿見報時讀者的觀感，編輯用稿時同樣沒作相應的考慮。英中報章，習慣一樣。

其實，另外一些權威史料應該是香港總督向英國殖民地部所寫的有關報告。但正如前述，筆者曾查過香港大學冼玉儀博士所編的英國殖民地部有關香港檔案的索引，以及香港政府檔案處所編的英國殖民地部有關孫中山在香港活動資料的索引，都付諸闕如。這是一種很奇怪的現象，筆者在下文再試圖探索。此外，筆者注意到，

---

[68] "As announced, Dr. Sun Yat-sen addressed the members of the Kongkong University Union yesterday morning and had a most enthusiastic audience." Hong Kong *Daily Press*, 21 February 1923.

[69] Anon, "Dr. Sun Here. Labour Guilds' Welcome. To Speak Tomorrow", Hong Kong *China Mail*, Monday 19 February 1923. 感謝香港政府檔案處的許崇德先生為我提供此件複印品。

[70] Anon, "Dr. Sun Cheered and Chaired. Speech at University. My Revolutionary Ideas", Hong Kong *China Mail*, Tuesday 20 February 1923. 感謝香港政府檔案處的許崇德先生為我提供此件複印品。

當天出席的貴賓包括英國倫敦傳道會的托馬斯·皮堯士牧師（Rev. Thomas W. Pearce）。(71)待將來重訪倫敦時再查閱他的文書，且看能否把日期完全確定下來。(72)

言歸正傳。有關演講的整個過程都用英語進行，故筆者就採當時英語報章的報導。報導說，孫中山的聽眾對他熱情極了。港大當局應同學們的要求而把該校的大禮堂（筆者按：即陸佑堂）提供給他們使用，並特別供應了茶點，盛意拳拳，動人心坎。主席桌與禮臺平行而擺在臺上，同學們面對面地坐着（而不是面向主席臺）。靠主席桌而坐的，除了孫中山一行人以外，還有校長（Vice-Chancellor）威廉斯·布蘭華特爵士（Sir William Brunyate）的夫人（Lady Brunyate）。由於校長布蘭華特爵士本人因公出差去了上海，所以由尊敬的葛羅·司芬先生（the Hon. Mr Claud Severn, C.M.G.）代表他出席（筆者按，司芬先生乃香港輔司司長 Colonial Secretary (73)兼香港大學副校長 Pro Vice-Chancellor (74)）。另外還有羅伯特·何東爵士（Sir Robert Hotung）、托馬斯·皮堯士博士牧師（Rev. Thomas W. Pearce, LLD，按

---

(71) Anon, "Dr. Sun Yat Sen's Address", Hong Kong *Daily Press*, 21 February 1923.

(72) 2005 年 1-2 月間，筆者再度訪英，專程到倫敦大學亞非學院鑽研托馬斯·皮堯士牧師的文書，則隻字未提該事，大感失望。這樁懸案，就留待將來再說。

(73) See H. Fox to Sir Ronald Macleay (Peking), Confidential, 25 December 1923, FO371/10230, pp. 186-94 [Reg. No. F503/3/10, 19 February 1924: at pp. 190-94.

(74) Anon, "Dr. Sun Cheered and Chaired. Speech at University. My Revolutionary Ideas", Hong Kong *China Mail*, Tuesday 20 February 1923.

乃倫敦傳道會駐香港主牧）(75)以及香港大學的教授多人。(76)

孫中山乘坐羅伯特·何東爵士的汽車到達香港大學正門時，已經有大批港大學生在那裡恭候。同學們預先準備了一臺轎椅，勸諭坐上去。孫中山猶豫了好一陣子，終於覺得盛情難卻，就坐上去了。然後就由一批主要是港大學生會前任主席組成的隊伍扛着他走往大禮堂。後來孫中山解釋他為何猶豫了好一陣子才坐上那臺轎椅：作為一個推翻了滿清帝制的人，自己卻像皇帝般讓人扛着，前呼後擁地前進，似乎不太妥當。但他顯然被同學們的熱情所深深感動。當他被扛着前進的時候，好像不曉得如何處理他的帽子。戴又不是，拿又不是，結果把它高高舉起，就像中國人在遊行時舉起旗幟的樣子。(77)

他的心情可以理解。戴着帽子給同學們扛轎椅就顯得不夠謙虛。拿着帽子吧，同樣給人高高在上的感覺。倒不如高舉帽子向同學們致意。英國人可能不懂他的意思，同時又聯想起中國人高舉旗幟遊行的姿態，就把孫中山的表現說成是中國人的民族特徵（something characteristic of nationality）。(78)

當孫中山進入大禮堂的時候，全場的學生都站起來歡呼，並奮

---

(75) 《孫中山年譜長編》下冊，第 1584 頁，1923 年 2 月 20 日條說他是西商會主席，恐怕有誤。

(76) Anon, "Dr. Sun Yat Sen's Address", Hong Kong *Daily Press*, 21 February 1923.

(77) Anon, "Dr. Sun Yat Sen's Address", Hong Kong *Daily Press*, 21 February 1923.

(78) Anon, "Dr. Sun Yat Sen's Address", Hong Kong *Daily Press*, 21 February 1923.

力揮動他們的帽子或敲桌子，孫中山明顯地為之動容。(79)他不斷地鞠躬答禮。賓主入座後，港大學生會應屆會長愛德華·何東（按即何世儉，何世禮將軍之兄），(80)似乎不太習慣於主持這樣大型的聚會，顯得有點手足無措。但在同學們的歡呼勉勵下，終於站起來，清脆玲瓏地介紹了孫中山。接着尊敬的葛羅·司芬先生代表校長致詞歡迎。然後就是孫中山的演講。

當他站起來演講時，全場再度掌聲雷動。他共講了 45 分鐘，雖然放緩了速度，但是他用英語道來還是不太清楚。當他講到他的革命思想孕育於香港時，同學們被逗得大樂。他又說，舊的房子已被拆掉，新的房子還未建起來。未來的快樂，要用當前的痛苦去爭取。當他滔滔不絕地還要講下去的時候，陳友仁就提醒他時間已到。於是他就以下面的話作結束：「同學們：您和我都在這塊英國殖民地、這所英語大學唸過書，我們一定要學習英國人的榜樣，把英國式的優良政治帶到中國的每一個角落。」

國人均把注意力集中在孫中山的演講詞本身，並把記者所報導的各個演講片段拼湊成文翻譯刊登。(81)筆者固然重視該演講詞，尤其是它的焦點：即他的革命思想孕育於香港。但鑑於英國駐廣州總領事館的報告認為中國的新興力量諸如學生團體均對孫中山有着無

(79) Anon, "Dr. Sun Cheered and Chaired. Speech at University. My Revolutionary Ideas", Hong Kong *China Mail*, Tuesday 20 February 1923.

(80) 周卓懷：〈四十二年前國父經過香港盛況〉，《傳記文學》第 7 卷第 5 期（1965 年 11 月），第 21-22 頁：第 5 段。

(81) 見上海《民國日報》1923 年 2 月 28 日。該文為被《國父全集》和《孫中山全集》收錄。

窮的信任，又認為「他代表了新時代的曙光。」[82]則竊以為這次香港大學同學們的表現，就是活生生的例子。從同學們雲集在大學正門歡迎他，由歷屆學生會會長扛着他從大學正門走到大禮堂，他入場時掌聲如雷，他起立演講時再次掌聲雷鳴，當他講到有意思時掌聲又此起彼伏，在在證明了同學們對他的衷心敬仰。不要忘記，他們都是英國殖民政府精心調教出來的精英、文革期間被香港左派辱罵為奴化教育的成果。他們尚且如此公開地表示敬仰孫中山，當時中國大陸廣大學生的思想感情，完全可以想像出來。

當時香港大學學生會應屆會長愛德華·何東的歡迎詞同樣值得深思。他說，「孫中山」這個名字，與「中國」是同義詞。若把他的畢生經歷撰寫成書的話，將會是最引人入勝的讀物（鼓掌）。如果熱愛自由是量度一個人是否偉大的標準、如果熱愛自己的民族是量度一個人是否偉大的標準，那麼孫中山與偉大這個名詞就分不開了（掌聲雷動）。他又說，孫中山是西醫學院的畢業生，而香港大學又是從該學院的基礎上建立起來的，所以，可以說香港大學出了一位偉人（鼓掌）。孫中山是一位偉大的中國人、一位真正的君子、一位胸襟廣闊的愛國者（鼓掌）。

筆者還需要寫些什麼？

1923 年 2 月 20 日下午，孫中山拜訪香港匯豐銀行總經理史提

---

[82] InteIntelligence Report: June Quarter 1922, enclosed in Sir James Jamieson (Consul-General, Canton) to Sir Beilby F Alston (Minister, Peking), Separate, 24 June 1922, FO228/3276, pp. 428-446: at p. 433.

芬，商量向其貸款以裁兵的事情。事後當天黃昏[83]，孫中山把會晤過程對香港工商界領袖說：「今日下午上海銀行[84]士梯雲君請予茶會，予曾以裁兵借款事告之，他極贊成，願向小呂宋、爪哇、新加坡各行借出，[85]不需特別抵押，所用以抵押者，祇將來所築之路耳。其方法係將路旁之地以現在之價值定購，待路通價漲時即以溢利還債。」[86]孫中山建議把裁去一半的士兵用以築路，故云。[87]

孫中山在香港的最後一項活動，是 1923 年 2 月 20 日黃昏 6 時在楊西巖宅設茶會接待香港工商界領袖。「到會者商家約 40 餘人，工團約 30 人，商界則有馬應彪、……王棠、吳鐵城等多人，工界則有工團總會、海員工會等。由王棠、吳鐵城等為招待。」[88]孫中山的談話主要有兩方面：

第一、他說：「香港政府已向予表明意見，自後彼此互相協助，一致行動，各商人亦可與予一致行動。從前因為商家協助革命

---

[83] 原文（見下注）作史梯雲，竊以為即 A. G. Stephen，一般音譯作史提芬。本書以後還要提到他。為了統一起見，本書全音譯作史提芬。見下注。

[84] 按即匯豐銀行，其英文原名是 Hongkong and Shanghai Banking Corporation，故云。

[85] 據史提芬自己說，則並未予茶會，也沒答應貸款，是孫中山自誇以自重而已。見 A.G. Stephen (Chief Manager Hong Kong) to Sir Newton Stabb (London), private ms, 23 February 1923, HSBC Group Archives, Letter Book Private, K.2.1.

[86] 佚名：〈孫中山與本港工商歡敘〉，《香港華字日報》，1923 年 2 月 22 日，第 3 頁第 4-5 欄：其中第 5 欄。

[87] 同上。

[88] 佚名：〈孫中山與本港工商歡敘〉，《香港華字日報》，1923 年 2 月 22 日，第 3 頁第 4-5 欄：其中第 4 欄。

為政府逮捕，今可無虞，當可與予一致行動。」(89)孫中山親自與香港政府高層接觸過的場合是 2 月 18 日赴香港總督的午宴和後來拜會香港輔政司。可惜筆者至今仍未找出該總督等寫給英國殖民地部的有關報告作為佐證。但鑑於該總督等在孫中山這次訪問香港的表現，竊以為他若真的跟孫中山說過港澳之間「自後彼此互相協助」的話，毫不奇怪。而且是有誠意的。至於讓商人放心協助孫中山繼續革命則未必，看來是孫中山自己附加的。

第二、孫中山向該等工商界領袖貸款以作為廣東裁兵之用，並冠以匯豐銀行士梯雲君「極贊成」以致「借款亦有把握」等語。(90)事緣孫中山曾於 1923 年 1 月 26 日發表宣言，提出全國裁兵以達到和平統一的目的。(91)裁兵必須有遣散費，遣散費無着，孫中山只好用愛國主義來打動香港工商界領袖的心，以便籌措這筆遣散費。他說：「若各商家贊成此事，和平統一之希望目的，當可立見。」(92)他的遊說結果如何，筆者無從查核。但孫中山「勸工團總會與華工總會聯合，改名為中華總工會」，則似乎得到贊成，因為他馬上

(89) 佚名：〈孫中山與本港工商歡敘〉，《香港華字日報》，1923 年 2 月 22 日，第 3 頁第 4-5 欄。

(90) 佚名：〈孫中山與本港工商歡敘〉，《香港華字日報》，1923 年 2 月 22 日，第 3 頁第 4-5 欄：其中第 5 欄。See also Anon, "Dr. Sun -- Departure for Canton; Money will be Forthcoming", Hong Kong *South China Morning Post*, 22 February 1923, paragraph 2.

(91) 《國父全集》，第二冊，第 114-116 頁。

(92) 《孫中山年譜長編》下冊，第 1585 頁，1923 年 2 月 20 日條，引上海《民國日報》1923 年 3 月 1 日。

「親書一招牌與之。」茶會在晚上 8 時散會。[93]

1923 年 2 月 21 日星期三清晨，天下着微微細雨。孫中山離開干德道 9 號楊西巖的家前往港島中區的省港澳碼頭。香港政府派警察開道車護送。碼頭的入口由一隊印度籍的警察把守。碼頭內和孫中山將要乘坐的「香山」號輪船上則佈置了洋、華便衣警探。警方這一行動由沃豪思警司（P. P. J. Wodehouse, D.S.P.）指揮。[94]當孫中山到達碼頭時，馬上由景警長（T.H. King）所率領的一大隊警察保護起來，並把他護送上船。[95]孫中山一行人雖然只有七八十人，卻把「香山」號的頭等艙全包下來。[96]頭等艙共有 200 個座位，[97]為何如此浪費？看來又是與保安措施有關。誰出的錢？羅伯特·何東爵士。[98]何東爵士與孫中山萍水相逢，為何如此關照他？竊以為很可能是香港總督授意他這樣做。香港總督最關心孫中山的人身安全，但不能派員隨船保護，更不能用公帑把頭等艙全包下來。示意富豪何東爵士這樣做則最適合不過。船上的頭等艙本來已經有鐵欄把它

[93] 佚名：〈孫中山與本港工商歡敍〉，《香港華字日報》，1923 年 2 月 22 日，第 3 頁第 4-5 欄：其中第 5 欄。

[94] Anon, "Dr. Sun -- Departure for Canton", Hong Kong *China Mail*, Wednesday 21 February 1921, paragraph 2.

[95] Anon, "Dr. Sun -- Departure for Canton; Money will be Forthcoming", Hong Kong *South China Morning Post*, 22 February 1923, paragraph 2.

[96] Anon, "Dr. Sun -- Departure for Canton", Hong Kong *China Mail*, Wednesday 21 February 1921, paragraph 4.

[97] Anon, "Dr. Sun -- Departure for Canton; Money will be Forthcoming", Hong Kong *South China Morning Post*, 22 February 1923, paragraph 2.

[98] 佚名：〈孫中山與本港工商歡敍〉，《香港華字日報》，1923 年 2 月 22 日，第 3 頁第 4-5 欄：其中第 5 欄。

從二等艙隔絕。但在當天還加派了船上警衛在鐵欄外站崗。看來也是秉承香港政府的意思。此外，香港警察還加倍搜查其他乘客，以策安全。[99]

孫中山在 7 時 30 分上船後，即陸續接見前來送行的工商代表。[100]也有「全港巨商多人，紛紛上船送行。」[101]最後一批登船送行的人當中就有愛德華·何東[102]（按即羅伯特·何東爵士的兒子何世儉）。「香山」號準時於早上 8 點鐘啟航。啟航的汽笛一鳴，就像發出一個信號，送行的小電船馬上就燃放鞭炮響應，[103]小電船船上的送行者也高聲歡呼。[104]「香山」號本身「亦燃放極長的爆竹。」[105]當「香山」號駛過停泊在附近的「新南海」輪船時，「新南海」輪上也燃放極長的爆竹。[106]而送行的小電船乃聯誼社、其他海員工會

---

[99] Anon, "Dr. Sun -- Departure for Canton", Hong Kong *China Mail*, Wednesday 21 February 1921, paragraph 4.

[100] Anon, "Dr. Sun -- Departure for Canton; Money will be Forthcoming", Hong Kong *South China Morning Post*, 22 February 1923, paragraph 2.

[101] 佚名：〈孫中山與本港工商歡敘〉，《香港華字日報》，1923 年 2 月 22 日，第 3 頁第 4-5 欄：其中第 5 欄。

[102] Anon, "Dr. Sun -- Departure for Canton", Hong Kong *China Mail*, Wednesday 21 February 1921, paragraph 5.

[103] Anon, "Dr. Sun -- Departure for Canton", Hong Kong *China Mail*, Wednesday 21 February 1921, paragraph 7.

[104] Anon, "Dr. Sun -- Departure for Canton; Money will be Forthcoming", Hong Kong *South China Morning Post*, 22 February 1923, paragraph 2。

[105] 佚名：〈孫中山與本港工商歡敘〉，《香港華字日報》，1923 年 2 月 22 日，第 3 頁第 4-5 欄：其中第 5 欄。

[106] Anon, "Dr. Sun -- Departure for Canton; Money will be Forthcoming", Hong Kong *South China Morning Post*, 22 February 1923, paragraph 2. See also 佚名：〈孫中山與本港工商歡敘〉，《香港華字日報》，1923 年 2 月 22 日，第 3 頁第 4-5 欄：其中第 5 欄。

和其他行會代表所租賃的，[107]共有三、四隻，[108]船上飄揚着彩旗，[109]沿途燃放鞭炮，一直把「香山」號送到香港港口西邊進口的汲水門後才折返。[110]

二、孫中山第三次在廣州成立政府

1923 年 2 月 21 日孫中山離開香港後，同日到達廣州，即在農林試驗場宴敘，宣佈「此次回粵，決不再組織總統府，並擬定民政概付與省長經理，軍隊事則由自己全權管理。」[111]就是說，他再不以總統名義而是以大元帥名義行使職權。[112]為甚麼？表面上他官樣文章地宣佈以大元帥的身份比較更有效地節制海陸各軍，故設立大本營，就大元帥職。[113]但箇中玄妙，則本章上一節已經表露無遺。

---

[107] Anon, "Dr. Sun -- Departure for Canton", Hong Kong *China Mail*, Wednesday 21 February 1921, paragraph 7.

[108] 佚名：〈孫中山與本港工商歡敘〉，《香港華字日報》，1923 年 2 月 22 日，第 3 頁第 4-5 欄：其中第 5 欄。

[109] Anon, "Dr. Sun -- Departure for Canton; Money will be Forthcoming", Hong Kong *South China Morning Post*, 22 February 1923, paragraph 2.

[110] 佚名：〈孫中山不再組織總統府消息〉，《香港華字日報》，1923 年 2 月 23 日，第 3 頁第 5 欄。

[111] 佚名：〈孫中山與本港工商歡敘〉，《香港華字日報》，1923 年 2 月 22 日，第 3 頁第 4-5 欄：其中第 5 欄。

[112] 廣東省檔案館藏，粵海關檔案全宗號 94 目錄號 1 案卷號 1584 秘書科類《各項事件傳聞錄》，1923 年 1 月 17 日條。

[113] 《孫中山年譜長編》下冊，第 1586 頁，1923 年 2 月 21 日條，引《申報》1923 年 3 月 4 日。

無他，英國政府不願意見到他在廣州重新建立一個共和國並自當大總統。為了爭取英國政府的同情和支持，他在名堂上稍作讓步而已。他甚至揚言說，不會再次興師北伐。[114]

1923 年 2 月 22 日，孫中山又電令原東路討陳軍的許崇智部留在福建，因為廣州再容納不了更多的軍隊。[115]把孫中山這一措施，結合他早在 1923 年 1 月 26 日已提出裁兵和 1923 年 2 月 20 日在香港向工商領袖商意貸款以便裁兵這幾件事情來神遊冥想，則竊以為孫中山在除了和平統一中國的理想以外，其實已經預見他這次回到廣東第三次成立政府的實際困難。因為，陳炯明雖然被趕離廣州，但趕跑他的主力是滇、桂軍閥。他們之願意帶兵伐陳，既不是因為他們與孫中山志同道合要護法，甚至不如陳炯明之愛鄉。只是貪圖廣東富庶，希望仿效過去陸榮廷、莫榮新之流到廣東發財而已。但他們苦於出師無名。現在孫中山送錢來裝備他們去廣東驅逐陳炯明，他們就可以冠冕堂皇地打到廣東去，在孫中山的幌子下刮取民脂民膏。孫中山有鑑於此，就先是早在香港時就試圖貸款來遣散客軍再去組織自己的軍隊。後是自當海陸軍大元帥試圖控制客軍。

孫中山又提出「滇軍回滇、桂軍回桂、湘軍回湘、贛軍回贛」。[116]但事與願違。第一是孫中山籌不到所需款項把客軍送回老

---

[114] 佚名：〈孫中山與本港工商歡敘〉，《香港華字日報》，1923 年 2 月 22 日，第 3 頁第 4-5 欄：其中第 5 欄。

[115] 廣東省檔案館藏，粵海關檔案全宗號 94 目錄號 1 案卷號 1584 秘書科類《各項事件傳聞錄》，1923 年 2 月 22 日條。

[116] 佚名：〈解決粵局之會議〉，《香港華字日報》，1923 年 2 月 24 日，第 3 頁第 4 欄。

家。第二是客軍不願被裁甚至不願被控制而丟掉發財機會。第三是陳炯明不斷聲稱要打回廣州，迫得孫中山不得不倚客軍自重。1923年11月18日陳炯明甚至傾巢猛攻廣州，激戰於市郊；幸豫軍樊鍾秀及時增援，才免於難。但如此廣州又多了一路客軍。第四，各路客軍老是與陳炯明展開拉鋸戰，不但師老無功，更不斷向孫中山榨取軍需，沒完沒了。(117)結果到了1923年11月，英國人的探子探得孫中山的政權已到了破產邊緣！(118)

孫中山沒法之餘，再次打粵海關的主意。粵海關甚至整個中國海關，都是由英國人為首的列強所控制的。正如當時英國駐華公使麻克類爵士所指出：中國海關是英國和其他列強在華貿易的磐石。英國在華的龐大利益，全繫於此。(119)現在孫中山再次要動它，那麼他與列強、尤其是英國的關係又頓形緊張。

三、為了關餘孫中山與英國劍拔弩張

上節末端提到的所謂孫中山再次打粵海關主意者，事緣孫中山早在1921年1月21日已宣佈過，從1921年2月1日起，接管廣

(117) 這是筆者詳閱廣東省檔案館藏，粵海關檔案《各項事件傳聞錄》1923年當中每天（星期天和公共假期除外）的報告所得到的總結。

(118) 廣東省檔案館藏，粵海關檔案全宗號94目錄號1案卷號1584秘書科類《各項事件傳聞錄》，1923年11月12日條。

(119) Sir R Macleay (Peking) to Sir R. Stubbs (HK Governor), 13 December 1923, enclosed in Sir R Macleay (Peking) to FO [Austen Chamberlain] Proforma 704 (7504/23), 17 December 1923, FO371/10230, pp. 153-60 [Reg. No. F312/3/10, 17 January 1924] at p. 155-59.

州海關。香港當局馬上派兩艘兵艦到穗為粵海關站崗。⑳現在孫中山在經濟極度困難時迫得在 1923 年 9 月 5 日照會北京公使團㉑要求撥還西南應得之關餘。㉒公使團於 1923 年 9 月 28 日簡單電覆，謂對軍政照會正在考慮中。㉓之後就如石沉大海，顯然是希望就此敷衍了事。前後拖了近三個月，公使團終於決定拒絕孫中山要求，並命英國駐華公使電令英國駐廣州英國代理總領事（時總領事杰彌遜爵士休假）轉達。公使於 1923 年 12 月 1 日電廣州代總領事。㉔代總領事即以廣州領事團㉕的名義，於 1923 年 12 月 3 日㉖將電文轉孫中山。文曰「不俟使團答覆 9 月 5 日之照會，擬逕行迫脅收管廣

---

[120] 個中情節，見本書第 6 章。中文的有關文獻，可參考《中華民國資料史叢稿》，第 7 冊，第 9 頁。

[121] 按即 Corps Diplomatique or Diplomatic Body。

[122] 《國父年譜》（1994），下冊，第 1367 頁，1923 年 9 月 5 日條，引孫中山：〈軍政府對海關問題宣言〉，《國父全集》（1989）第二冊，第 126-7 頁。

[123] 《國父年譜》（1994），下冊，第 1413-4 頁，1923 年 12 月 5 日條，引孫中山：〈軍政府對海關問題宣言〉，《國父全集》（1989）第二冊，第 126 頁。

[124] MacLeay to Barton (Br Consul-General Canton), Tel. 40 (7118/23), 1 December 1923, Despatched 1.15 p.m. in "R" FO371/10230, pp. 141-47 [Reg. No. F138/3/10, 14 January 1924]: at p. 143.

[125] 按即 Consular Body。

[126] 《國父年譜》（1994），下冊，第 1413 頁，1923 年 12 月 5 日條，引孫中山：〈軍政府對海關問題宣言〉，《國父全集》（1989）第二冊，第 126-7 頁。又見《孫中山年譜長編》下冊，第 1762 頁，1923 年 12 月[3]日條，引《申報》1923 年 12 月 20 日。

州稅關……當以相當之強硬手段對付。」[127]看來是孫中山等不了而揚言要收回粵海關，以致公使團突然來電。而列強又馬上派兵艦到穗：英國四艘，美法各二艘，日本一艘。[128]

翌日，1923 年 12 月 4 日，孫中山在廣州大本營與《字林西報》[129]記者談話，表示截留廣東關餘的決心。記者問曰：「各國如從事阻止截留，是否將與各國抗爭？」記者又再三問孫中山抗爭的辦法，孫中山隱示擬與蘇俄聯盟，但馬上補充說：切願與列強維持友交，對英尤甚。惟列強若長此以精神上及財政上之助力予北京政府，則護法戰爭無日終止。北京政府藉海關之機關、列強之保護，而得向一省取款，即用以與該省作戰，不公孰甚，此實萬不能忍者。[130]

分析這次談話，可見孫中山聯俄之主張，「實受列強壓迫，不

---

[127] MacLeay to Barton (Br Consul-General Canton), Tel. 40 (7118/23), 1 December 1923, Despatched 1.15 p.m. in "R" FO371/10230, pp. 141-47 [Reg. No. F138/3/10, 14 January 1924]: at p. 143. 該電文的漢語翻譯見《國父年譜》（1994），下冊，第 1413 頁，1923 年 12 月 5 日條，引孫中山：〈軍政府對海關問題宣言〉，《國父全集》（1989）第二冊，第 126-7 頁。又見《孫中山年譜長編》下冊，第 1762 頁，1923 年 12 月[3]日條，引《申報》1923 年 12 月 20 日。該宣言的英文本見 Barton (Acting Consul-General Canton) to Macleay, Tel. 35 (via Shanghai), 6 December 1923, FO371/10230, pp. 141-47 [Reg. No. F138/3/10, 14 January 1924]: at p. 144-45.

[128] 《孫中山年譜長編》下冊，第 1764 頁，1923 年 12 月 4 日條，引《申報》1923 年 12 月 7 日。

[129] 按即 North China Daily News. 感謝邱捷教授為我查出它的英文原名。

[130] 《孫中山年譜長編》下冊，第 1764 頁，1923 年 12 月 4 日條，引《申報》1923 年 12 月 7 日。

得已而有此對策與部署。」[131]可以說，是孫中山對列強的最後呼籲了。可惜列強的警覺性不高，聽了他的話以後不但不作任何讓步，還是一步一步地把孫中山迫向聯俄容共的道路上。何以見得？列強陸續派出更多兵艦浩浩蕩蕩地開到廣州河面保護粵海關，最後的總數是 16 艘。[132]

孫中山的反應可圈可點。他在 1923 年 12 月 17 日命特派員傅秉常致函駐穗英領事，質問為何外艦雲集廣州河面，函曰：「奉大本營外交部長諭，現聞本口岸，泊有英國兵艦五艘，美國兵艦六艘，法國兵艦二艘，日本兵艦二艘，葡國兵艦一艘。查外國軍艦駛泊通商口岸，原為條約所許。惟現在粵垣地方安堵，洋商貿易如常，無特別加派艦隊保護之必要。現駛進口岸者不下十餘艘之多，為從來所未有。市民睹此情形，不無疑訝，仰轉函問理由等因。相應函達貴領袖領事官，[133]即希將現在各國軍艦駐泊廣州口是何理由，明以見告為荷。」[134]不慌不忙之處，把各國領袖之急派軍艦兵臨城下顯得慌張忙亂。又明知故問之處，等同兒戲，直把各國元首當頑童。孫中山香港之行，可能恢復了他過去受英式教育薰陶而養成的幽默感。

孫中山更於 12 月 19 日訓令粵海關稅務司將關餘解交西南政

[131] 《國父年譜》（1994），下冊，第 1414-5 頁，1923 年 12 月 7 日條。

[132] C. Martin Wilbur, *Sun Yat-sen: Frustrated Patriot* (New York: Columbia University Press, 1976), p. 135. Wilbur, *Sun Yat-sen*, p. 186.

[133] 按即 Senior Consul。

[134] 《國父年譜》（1994），下冊，第 1419-20 頁，1923 年 12 月 17 日條，引《國民黨週刊》，1923 年 12 月 30 日，第 3 版。

府。限十日內答覆，如不遵命，即另委關員[135]此舉簡直把雲集廣州的外國軍艦視若無睹。限期十日，即 1923 年 12 月 29 日就到期了，粵海關稅務司慌忙向駐在北京的總稅務司、英國人安格聯爵士（Sir Francis Arthur Aglen, 1869-1932）請示。安格聯早就擔心孫中山有此一着，因此在這以前已經寫了一封私人急件給他在英國的朋友艾奇遜（L. Acheson）說，恐怕這一次孫中山要當真了。[136]艾奇遜馬上拿着這封信約見外交部遠東司司長威勒斯里（Victor Wellesley）。他們在 1924 年 1 月 1 日見過面後，艾奇遜即電覆安格聯，電文內容不詳，但看上文下理，似乎是讓他不要驚慌。安格聯馬上電艾奇遜說，箭已在弦，他在翌日就電拒孫中山要求，恐怕會引起事故。[137]

分析這些往來信電，則首先是安格聯寫信給艾奇遜的日期不難猜測。以當時遠洋輪船的速度來量度，則安格聯應在 1923 年 12 月初發信。這與公使團突然於 1923 年 12 月 3 日電廣州領事團轉孫中山恐嚇說要「以相當之強硬手段對付」[138]的時間吻合。當時已經有

---

[135] 《孫中山年譜長編》下冊，第 1774-5 頁，1923 年 12 月 19 日條，引上海《民國日報》1923 年 12 月 23 日。韋慕廷，第 199-200 頁。

[136] Victor Wellesley's minute of 3 January 1924 on L. Acheson to V. Wellesley, 2 January 1924, FO371/10230, pp. 115-18 [Reg. No. F3/3/10, 1 January 1924]: at p. 115.

[137] L. Acheson to V. Wellesley, 2 January 1924, FO371/10230, pp. 115-18 [Reg. No. F3/3/10, 1 January 1924]: at p. 115.

[138] 《國父年譜》（1994），下冊，第 1413 頁，1923 年 12 月 5 日條，引孫中山：〈軍政府對海關問題宣言〉，《國父全集》（1989）第二冊，第 126-7 頁。又見《孫中山年譜長編》下冊，第 1762 頁，1923 年 12 月[3]日條，引《申報》1923 年 12 月 20 日。

英國四艘，美法各二艘，日本一艘（總共 7 艘）停迫在廣州河面。[139]安格聯仍然那麼擔心，何故？其次是 1924 年 1 月 2 日安格聯寫給艾奇遜的電報，當時已經有英國兵艦五艘，美國兵艦六艘，法國兵艦二艘，日本兵艦二艘，葡國兵艦一艘（總共 16 艘）停迫在廣州河面。[140]安格聯仍不放心，何故？很明顯地，安格聯對孫中山甚為忌憚。不但安格聯如此，英國外交部也如此：該部 1924 年 1 月 3 日的一份批示說：「情況仍然危怠，只好靜觀其變。」[141]

危怠在甚麼地方？英國人所感受到的威脅，看來不是孫中山手下那些唯利是圖的客軍，也不是曾多次反覆的北洋艦隊，而是本節曾着重提出過的、英國駐廣州總領事館早在 1922 年 6 月已經察覺到的：孫中山「似乎掌握了中國所有的新興力量：無論是學生團體還是工人團體，國民黨還是海外華僑，都對他無窮地信任而絕對不信賴任何其他人。對他們來說，他代表了新時代的曙光。」[142]這些人目前還是手無寸鐵，但英國當局已經隱隱感覺到，他們絕對不好惹。後來蘇聯代代表鮑羅廷到達廣州時很快也有同感：「孫中山在

---

[139] 《孫中山年譜長編》下冊，第 1764 頁，1923 年 12 月 4 日條，引《申報》1923 年 12 月 7 日。

[140] C. Martin Wilbur, *Sun Yat-sen: Frustrated Patriot* (New York: Columbia University Press, 1976), p. 135. Wilbur, *Sun Yat-sen*, p. 186.

[141] E.H. Carr's minute of 3 Jaunary 1924 on Sir R Macleay to FO [Lord Curzon], Tel. 289 (R), 31 December 1923, in FO371/10230, pp. 115-18 [Reg. No. F3/3/10, 1 January 1924]: at p. 115.

[142] InteIntelligence Report: June Quarter 1922, enclosed in Sir James Jamieson (Consul-General, Canton) to Sir Beilby F Alston (Minister, Peking), Separate, 24 June 1922, FO228/3276, pp. 428-446: at p. 433.

中國比較激進人士中的威望與日俱增……孫中山有可能崛起，變成國內最強大的力量——這才是他對帝國主義的客觀威脅。現在，他們之所以怕他，原因就在這裡。唯其如此，他們才不願意同孫中山決裂，雖然他們並不會也不可能去迎合他。」[143]孫中山本人似乎也感到這一點，所以才能夠在 1923 年 12 月 17 日從容不迫地命傅秉常致函駐穗英領事質問為何外艦雲集廣州河面。[144]

這些手無寸鐵的人，在這次關餘風潮當中扮演了甚麼角色？1923 年 12 月 15 日，在穗的中國海員工會、各行各業的工會、各學校的學生會，以及各種小團體之如人權會、婦女協會等都紛紛出面，號召在未來兩天之內召開會議，討論如何支持孫中山的行動。英國人的探子還探出，組織這次運動的中心人物，正是 1922 年香港海員大罷工的重要領袖謝英伯。[145]一提到香港海員大罷工，英國人就談虎變色！

1923 年 12 月 16 日，在謝英伯的主持下，一個群眾大會召開了。出席的人數，英國人的探子認為大約只有 2,000 人的集會卻被

---

[143] 鮑羅廷：〈鮑羅廷筆記和報告局陸摘要——孫中山與帝國主義的所做所為〉，約 1924 年 1 月底，李玉貞譯：《聯共、共產國際與中國，1920-1925》第一卷（臺北：東大圖書公司，1997），第 111 號文件，第 350 頁。感謝陳三井先生割愛，把其手頭藏書寄筆者以應燃眉之急。同件另譯見中共中央黨史研究室第一研究部譯：《聯共（布）、共產國際與中國國民革命運動，1920-1925》，一套六冊，（北京：北京圖書館出版社，1997），第 1 卷，第 430 頁。感謝張海鵬所長代為購寄該書。

[144] 《國父年譜》（1994），下冊，第 1419-20 頁，1923 年 12 月 17 日條，引《國民黨週刊》，1923 年 12 月 30 日，第 3 版。

[145] 廣東省檔案館藏，粵海關檔案全宗號 94 目錄號 1 案卷號 1584 秘書科類《各項事件傳聞錄》，1923 年 12 月 15 日條。

國民黨的報紙誇大為 20,000 人。會議通過三項議案：⑴發表宣言，指出列強干涉中國內政之不公（蓋關餘如何分配完全是中國內政的問題）。⑵上書孫中山要求他沒收粵海關的稅收。⑶打電報給北京的公使團把關餘交給廣東。大會又選出四位代表準備晉謁孫中山。會後，該等群眾在各馬路遊行，沿途散發傳單，號召市民支持孫中山爭取關餘的行動。[146]

當四位代表謁見孫中山時，孫中山說：「我已經決定在未來的三天之內照會粵海關，限三天之內交出關餘。如該關在三天之內不照辦，則警告該關稅務司必須在七天之內執行。如該司拒不從命，則我自有辦法控制粵海關……請把我的話廣為傳播。」[147]緊接着孫中山就於 1923 年 12 月 19 日訓令粵海關稅務司將關餘解交西南政府。限十日內答覆，如不遵命，即另委關員。[148]

1923 年 12 月 20 日國民黨又出面印製大批標語，遍貼穗城大街小巷，標語曰：「抵制英美，力爭關餘」。[149] 12 月 21 日，國民黨在穗的機關報白紙黑字地重複了孫中山的話。並補充說，他將置粵海關監督及其所有職工在其政府控制之下。若到了這個地步而列強仍不應其所求，他就另起爐灶而自行成立一個嶄新的粵海關，或

[146] 廣東省檔案館藏，粵海關檔案全宗號 94 目錄號 1 案卷號 1584 秘書科類《各項事件傳聞錄》，1923 年 12 月 17 日條。

[147] 廣東省檔案館藏，粵海關檔案全宗號 94 目錄號 1 案卷號 1584 秘書科類《各項事件傳聞錄》，1923 年 12 月 17 日條。

[148] 《孫中山年譜長編》下冊，第 1774-5 頁，1923 年 12 月 19 日條，引上海《民國日報》1923 年 12 月 23 日。韋慕廷，第 199-200 頁。

[149] 廣東省檔案館藏，粵海關檔案全宗號 94 目錄號 1 案卷號 1584 秘書科類《各項事件傳聞錄》，1923 年 12 月 20 日條。

把廣州開放為一個「萬國公用市場」。[150]

對於外國軍艦雲集廣州的場面，孫中山派伍朝樞發表聲明說，這種軍事訛詐集中暴露了列強那侵略者的嘴臉。同時，早已組織起來的「國民外交後援大會」又散發傳單，號召市民在 12 月 24 日參加大遊行。[151]國民黨更印製了大量傳單，上面印有「收管關稅」、「打倒勾結列強的軍閥」、「恢復主權、推翻利用軍閥的列強」、「抵抗列強、經濟絕交」等字樣。又把同樣的口號印製在橫額和旗幟上，以便在 12 月 24 日的大遊行中使用。[152]

到了 12 月 24 日遊行當天，參加的人都是一些工人、苦力和政府學校的男女學生，人數總共還是約只 2,000 人，他們遊行到了海關大樓時，在門外高喊了幾句「收管關稅」的口號，散發了一些傳單，就草草收場。讓如臨大敵的英方探子大感掃興。國民外交後援會又用不同的語言印刷了大量傳單，手遞給上岸的各國水兵，勸諭他們別為帝國主義當炮灰、欺負苦難深重的中國人。[153]

英方探子雖然大感掃興，總稅務司卻不同他一般見識。總稅務司清楚地認識到，民心不可侮。因此在電拒孫中山之前，仍電在英

---

[150] 廣東省檔案館藏，粵海關檔案全宗號 94 目錄號 1 案卷號 1584 秘書科類《各項事件傳聞錄》，1923 年 12 月 21 日條。

[151] 廣東省檔案館藏，粵海關檔案全宗號 94 目錄號 1 案卷號 1584 秘書科類《各項事件傳聞錄》，1923 年 12 月 22 日條。

[152] 廣東省檔案館藏，粵海關檔案全宗號 94 目錄號 1 案卷號 1584 秘書科類《各項事件傳聞錄》，1923 年 11 月 24 日條。

[153] 廣東省檔案館藏，粵海關檔案全宗號 94 目錄號 1 案卷號 1584 秘書科類《各項事件傳聞錄》，1923 年 11 月 27 日條。

的朋友轉求英國外交部援助以防萬一。[154]英國外交部也準確地認識到：「情況仍然危怠，只好靜觀其變。」[155]

英國人的探子注意到，支持這次行動的主要是工人階級和學生，廣大市民都不太熱心，紳商更是敵意甚濃。有位商人說：「我們做生意的，在孫醫生的手上吃盡苦頭，恨他還來不及，哪會給他援手。他拿到的錢越多，越為廣州帶來麻煩。」[156]無他，這位商人，愛鄉多於愛國，愛己多於愛鄉而已。但也顯示出廣州已出現嚴重分化，這位商人的話，可以視為八個月以後商團事變的前奏。

英國駐華公使麻克類爵士（Sir James William Ronald MacLeay, 1870-1940）對關餘的看法又如何？他認為，既然孫中山宣稱他不承認北京政府為符合憲法的政府，又否認該政府能代表中華民族，則列強若絲毫承認他有任何權利扣留關稅或分享關餘，無疑是承認他是一個獨立的政權。[157]

英國外交部的官員對於駐華公使的看法又採取什麼態度？卡爾先生（E.H. Carr）認為是站不住腳的，因為在 1920 年已經把應該屬

---

[154] L. Acheson to V. Wellesley, 2 January 1924, FO371/10230, pp. 115-18 [Reg. No. F3/3/10, 1 January 1924]: at p. 115.

[155] E.H. Carr's minute of 3 Jaunary 1924 on Sir R Macleay to FO [Lord Curzon], Tel. 289 (R), 31 December 1923, in FO371/10230, pp. 115-18 [Reg. No. F3/3/10, 1 January 1924]: at p. 115.

[156] 廣東省檔案館藏，粵海關檔案全宗號 94 目錄號 1 案卷號 1584 秘書科類《各項事件傳聞錄》，1923 年 11 月 24 日條。

[157] Sir R Macleay to FO [Austen Chemberlain], Tel. 5, 5 January 1924, FO371/10230, pp. 121-135 [Reg. No. F5/3/10, 5 January 1924], pp. 121-135: at p. 123-5, last paragraph.

於廣東的部份關餘撥過給廣東，但當時誰也不會認為此舉等同承認廣州是一個獨立的政權。(158)他的上司牛敦先生（B.C. Newton）同意，儘管把關餘分給孫中山後，他如虎添翼會為列強帶來更多更大的困難。但他建議，電覆駐華公使時應該把卡爾先生這種看法寫進去。(159)遠東司司長也同意卡爾先生的看法，並認為在理論上孫中山所言甚有道理，但同時又認為，關餘如何分配，完全是中國人自己的事情，列強不宜把自己的想法強加在他們頭上。(160)

完了！孫中山祭起護法這面大旗，部份原因是考慮到英國是最重視法治的，進而深信英國當局會支持他的護法運動。但經過近八年的艱苦護法，他從英國方面陸陸續續得到的信息是：理論上他甚有道理，但實際上英國不願意為了幫助他實現他的理想而為自己增添麻煩。同時到了這個時候，在穗的軍隊都是絲毫沒有護法意思的客軍。而本來有護法意思的粵軍又隨陳炯明叛變去了。孫中山孤掌難鳴。准此，1924 年 1 月 4 日，孫中山在廣州大本營召開政務特別大會上，建議收束護法旗幟，與會者經過討論後同意！(161)

---

(158) E.H. Carr's minute of 9 January 1924 on Sir R Macleay to FO [Austen Chemberlain], Tel. 5, 5 January 1924, FO371/10230, pp. 121-135 [Reg. No. F5/3/10, 5 January 1924]: at p. 121.

(159) B.C. Newtons' minute of 16 January 1924 on Sir R Macleay to FO [Austen Chemberlain], Tel. 5, 5 January 1924, FO371/10230, pp. 121-135 [Reg. No. F5/3/10, 5 January 1924]: at p. 121-2.

(160) Victor Wellesley's minute of 17 January 1924 on Sir R Macleay to FO [Austen Chemberlain], Tel. 5, 5 January 1924, FO371/10230, pp. 121-135 [Reg. No. F5/3/10, 5 January 1924]: at p. 122.

(161) 莫世祥：《護法運動史》，第 307 頁。收束護法旗幟的理由是：北京的豬仔「國會非法，尚何護法可言？」

不打護法的旗幟，用甚麼作號召？用軍事行動統一中國。這樣更能調動中國各種新興力量的積極性。准此，1924 年 1 月 20 日，中國國民黨第一次全國代表大會在廣州舉行時，孫中山就鄭重宣佈他的政權是「軍事時期的政府」。憑甚麼力量統一中國？聯俄容共的政策。[162]

但從 1924 年 1 月 4 日決定收束護法旗幟到 1924 年 1 月 20 日宣佈聯俄容共這段日子裡，孫中山對英國還存一線希望，希望那位突然對他熱情起來的香港總督司徒拔爵士為他奔走呼籲的努力能開花結果。准此，筆鋒就轉到孫中山在關餘的爭執中與香港總督的關係。

四、在關餘問題上香港總督給予孫中山的支持

事緣孫中山在 1923 年 12 月 3 日接英國總領事轉來北京公使團電拒他對關餘的要求後，就於 1923 年 12 月 4 日給香港總督寫了一封信。在信中，孫中山除了申明他爭取關餘的立場以外，又對公使團的所謂「當以相當之強硬手段對付」[163]一句話作詮釋，說要嘛是

---

[162] 莫世祥：《護法運動史》，第 308 頁。

[163] MacLeay to Barton (Br Consul-General Canton), Tel. 40 (7118/23), 1 December 1923, Despatched 1.15 p.m. in "R" FO371/10230, pp. 141-47 [Reg. No. F138/3/10, 14 January 1924]: at p. 143. 該電文的漢語翻譯見《國父年譜》（1994），下冊，第 1413 頁，1923 年 12 月 5 日條，引孫中山：〈軍政府對海關問題宣言〉，《國父全集》（1989）第二冊，第 126-7 頁。

砲轟廣州城，要嘛是經濟封鎖。他不相信列強會野蠻到血洗一座毫無防衛、毫無敵意的城市。如作經濟封鎖，則肯定用香港作為跳板。果真如此，則廣州必定反擊。兩敗俱傷，是穗港雙方都不願意見到的。「如何措置之處，特函商於閣下，並委陳友仁持本函拜見，餘言亦由陳友君奉達。」[164]

1923 年 12 月 8 日星期六，香港總督接見了陳友仁和接受了他隨身攜帶的孫中山函。1923 年 12 月 11 日星期二再度接見了他和接受了孫中山對關餘要求的修訂案，並於同日函覆孫中山說：「感謝您這麼坦率有禮地闡明您的立場，您當然會明白到我沒有資格評論英王陛下政府的政策，但是我已經用電報把您的立場和要求一字不漏地轉呈我國駐華公使和我國殖民地部大臣。」[165]香港總督的回信，為孫中山帶來了一絲曙光。

駐華公使接到香港總督的電報後即於 1923 年 12 月 13 日寫了一封很長的覆信給港督。他說，中國海關的稅收，是中國唯一能夠履行她的債務的可靠的經濟來源。中國海關是英國和其他列強在華貿易的磐石。英國在華的龐大利益，全繫於此。若孫中山成功地干預了該海關的正常運作，侵吞了該海關的收入，其他省份爭相效

---

[164] Sun Yatsen to Stubbs, 4 December 1923, enclosed in MacLeay to Curzon, Desp. 717, 21 December 1923, FO371/10230, pp. 167-78 [Reg. No. F484/3/10, 19 February 1924]: at pp. 171.

[165] Stubbs to Sun Yatsen, 11 December 1923, enclosed in MacLeay to Curzon, Desp. 717, 21 December 1923, FO371/10230, pp. 167-78 [Reg. No. F484/3/10, 19 February 1924]: at pp. 172.

尤，就會嚴重地傷害了英國在華的利益。[166]可惜！

孫中山在給香港總督的信結尾時說：「餘言亦由陳友仁君奉達。」[167]陳友仁在拜見該督時說了些甚麼？從後來英國駐廣州總領事杰彌遜爵士的信件中可見端倪。事緣該總督在接見過陳友仁後似乎又函該總領事為孫中山說項，故該總領事就給他寫了一封很長的覆信。[168]在覆信中他否認英國當局是帶頭拒孫的罪魁禍首：一致行動是目前列強的基本政策，不存在帶頭跟尾的問題。只是由於海關總監是英國人，廣州領事團團長這位置剛剛又輪到英國駐廣州總領事來擔當，而大部份中國海關的債券又由英國人買下，如此而已。陳友仁表示與香港政府合作鎮壓海盜的承諾是空頭支票，杯葛香港的威脅是虛聲恫嚇。在中國以外的任何地方，陳友仁都是英國子民，若他真的推行杯葛香港的政策，則如果香港有相關的保安條例容許的話，大可在他下次訪港時逮捕他！總領事更強烈抗議港督曾接見陳友仁，認為廣州的事情歷來由總領事全權辦理，並相信駐華公使也會完全同意這種看法。最後，總領事提醒港督不要為了保護

---

[166] Sir R Macleay (Peking) to Sir R. Stubbs (HK Governor), 13 December 1923, enclosed in Sir R Macleay (Peking) to FO [Austen Chamberlain] Proforma 704 (7504/23), 17 December 1923, FO371/10230, pp. 153-60 [Reg. No. F312/3/10, 17 January 1924] at p. 155-59.

[167] Sun Yatsen to Stubbs, 4 December 1923, enclosed in MacLeay to Curzon, Desp. 717, 21 December 1923, FO371/10230, pp. 167-78 [Reg. No. F484/3/10, 19 February 1924]: at pp. 171.

[168] Jamieson to Stubbsd, 13 December 1923, enclosed in MacLeay to Curzon, Desp. 717, 21 December 1923, FO371/10230, pp. 167-78 [Reg. No. F484/3/10, 19 February 1924]: at pp. 173-8.

香港的局部利益而傷害了英國在華的整體利益。[169]

駐華公使完全支持總領事的看法。[170]而令公使更感不快的是：港督繼續支持孫中山：孫中山在 1923 年 12 月 16 日接到北京公使團的覆電後，又將該覆電和他自己的反駁交陳友仁讓其再度拜見港督。港督再予接見並與其商討對策。[171]會談的內容沒有公佈，但在 1923 年 12 月 19 日，孫中山就如言命令粵海關稅務司馬上截留所有其屬內的稅收，把其中自 1920 年 3 月以來應歸西南的關餘交出，此後每月把應歸西南的關餘交軍政府。[172]

公使懷疑孫中山此舉可能又是從港督那裡得到甚麼啟示，忍無可忍之餘，除了把他所掌握到的港督與孫中山的來往信件和總領事寫給港督的信全部轉外相[173]以外，又特別於 1923 年 12 月 24 日親

---

[169] Jamieson to Stubbsd, 13 December 1923, enclosed in MacLeay to Curzon, Desp. 717, 21 December 1923, FO371/10230, pp. 167-78 [Reg. No. F484/3/10, 19 February 1924]: at pp. 173-8.

[170] MacLeay to Wellesley, private, 24 December 1923, FO371/10230, pp. 161-66 [Reg. No. F416/3/10, 11 February 1924]: at pp. 163b Postscript.

[171] Reuters Hong Kong 21 December 1923, newspaper cutting, enclosed in MacLeay to Curzon, private and confidential, 24 December 1923, FO371/10230, pp. 161-66 [Reg. No. F416/3/10, 11 February 1924]: at p. 164.

[172] Reuters Peking quoting telegram from Hong Kong, 22 December 1923, newspaper cutting, enclosed in MacLeay to Curzon, private and confidential, 24 December 1923, FO371/10230, pp. 161-66 [Reg. No. F416/3/10, 11 February 1924]: at p. 164. 孫中山下命令的具體日期應為 1923 年 12 月 19 日，見《孫中山年譜長編》下冊，第 1774-5 頁，1923 年 12 月 19 日條，引上海《民國日報》1923 年 12 月 23 日。韋慕廷：《孫中山 —— 壯志未酬的愛國者》（廣州：中山大學出版社，1986），第 199-200 頁。

[173] MacLeay to Curzon, Desp. 717, 21 December 1923, FO371/10230, pp. 167-78 [Reg. No. F484/3/10, 19 February 1924]: at pp. 173-8.

筆寫了一封私人信給英國外交部助理常務次長。⑰在信中，公使指出港督一反常態，一年以前，港督還不惜高價打電報給殖民地部斥責孫中山是「人類文明敵人，是人類必須不惜任何代價來毀滅的敵人。」該督同時又建議用金錢和其他方面幫助陳炯明推翻孫中山。言猶在耳，現在該督卻處處護着孫中山。⑰

港督還用實際行動支持孫中山。既然粵海關拒絕把稅收交給孫中山，港督就命令九龍關把該關的稅收交給他。該關的稅收，每月大約有三萬兩白銀。⑰此外，孫中山強行接管廣州鹽務的稅收時，有一艘鹽務汽船抗命逃到香港。鹽務總監電請港督給予庇護時，又遭到該督嚴拒。⑰以致英公使認為，該督不但同情孫中山，甚至是鼓勵他抵抗列強。⑰

美國人看在眼裡，就懷疑英國人出賣他們：一方面英國與美國並肩出兵，另一方面又千方百計地討好孫中山。而且，英國在華的利益比美國大得多，而派出的兵艦又比美國少：英國兵艦五艘，美

---

[174] MacLeay to Wellesley, private, 24 December 1923, FO371/10230, pp. 161-66 [Reg. No. F416/3/10, 11 February 1924]: at pp. 163-163b.

[175] MacLeay to Wellesley, private, 24 December 1923, FO371/10230, pp. 161-66 [Reg. No. F416/3/10, 11 February 1924]: at pp. 163-163b, paragraph 3.

[176] Leading article, 'Hong Kong and Canton', *Peking and Tientsin Times*, Monday 24 December 1923, newspaper cutting, enclosed in MacLeay to Wellesley, private and confidential, 7 January 1924, FO371/10230, pp. 186-94 [Reg. No. F503/3/10, 19 February 1924]: at p. 189, paragraph 1.

[177] MacLeay to Wellesley, private, 24 December 1923, FO371/10230, pp. 161-66 [Reg. No. F416/3/10, 11 February 1924]: at pp. 163-163b, paragraph 3.

[178] MacLeay to Wellesley, private, 24 December 1923, FO371/10230, pp. 161-66 [Reg. No. F416/3/10, 11 February 1924]: at pp. 163-163b, paragraph 1.

國兵艦六艘。⑰英國是否要讓美國首當其衝，多負臭名？如此下去，美方必須慎重考慮是否要撤兵。英國駐華公使聞訊後大驚失色，連忙電告英國外交部。⑱外交部又趕快向華盛頓解釋，以免誤會。⑱公使很自然地認定香港總督是這場誤會的罪魁禍首。⑱

英國公使在深究香港總督的行事動機時，肯定是 1922 年的海員大罷工以及由此而引起的全港大罷工，讓該督拼命要維持香港與廣東的友好關係，以致破壞英國在華的整體利益也在所不惜。公使的結論是，港督老是跟他對着幹，讓他無法順利地履行公使的職務，故私函外交部他的頂頭上司、英國外交部助理常務次長，請他私下做點工作。⑱該助理常務次長請示常務次長。⑱常務次長請示外相。外相經考慮後徵詢一位與殖民地部常務次長友好的部下說：若私下把公使的私人信副本和有關文件轉殖民地部常務次長過目是

---

⑰ C. Martin Wilbur, *Sun Yat-sen: Frustrated Patriot* (New York: Columbia University Press, 1976), p. 135. Wilbur, *Sun Yat-sen*, p. 186.

⑱ Sir R Macleay to FO [Lord Curzon], Tel. 6, 6 January 1924, FO371/10230, pp. 136-38 [Reg. No. F37/3/10: at pp. 137-8.

⑱ J.F. Brenan's minute of 7 January 1924 on Sir R Macleay to FO [Lord Curzon], Tel. 6, 6 January 1924, FO371/10230, pp. 136-38 [Reg. No. F37/3/10: at p. 136.

⑱ Sir R Macleay to FO [Lord Curzon], Tel. 6, 6 January 1924, FO371/10230, pp. 136-38 [Reg. No. F37/3/10: at pp. 137-8, paragraph 6.

⑱ MacLeay to Wellesley, private, 24 December 1923, FO371/10230, pp. 161-66 [Reg. No. F416/3/10, 11 February 1924]: at pp. 163-163b, paragraph 5.

⑱ Victor Wellesley (Assistant Under Secretary of State for Foreign Affairs) to Sir Eyre Crowe (Permanent Under Secretary of State for Foreign Affairs), 5 February 1924, FO371/10230, pp. 161-66 [Reg. No. F416/3/10, 11 February 1924]: at p. 162.

否適合？[185]部下回覆說：當然可以，這樣做說不定很快就導致香港總督調職。[186]於是乎外相就命部屬為他起草信件，[187]再經外交部助理常務次長與外相先後審查後，[188]就由常務次長簽發了。[189]外交部如此慎密地部署其事：既照顧到殖民地部人事關係和思想感情，又顧全了殖民地部的面子，而且又是為了大局着想，後果如何？容下章分解。

完了！完了！孫中山耐心地等到 1924 年 1 月 20 日，仍然沒有消息，他已經估計到，他希望通過香港總督的幫助而下情上達的希望又被粉碎了！於是在 1924 年 1 月 20 日於廣州召開的國民黨第一次全國代表大會上，孫中山進一步採取聯俄容共的政策。

但是，儘管到了這個地步，孫中山還希望英國不要完全拋棄

---

[185] Austen Chamberlain (Secretary of State for Foreign Affairs) to Sir William Tyrrell (Assistant Under Secretary of State for Foreign Affairs), 5 February 1924, FO371/10230, pp. 161-66 [Reg. No. F416/3/10, 11 February 1924]: at p. 162.

[186] Sir William Tyrrell (Assistant Under Secretary of State for Foreign Affairs) to Austen Chamberlain (Secretary of State for Foreign Affairs), 6 February 1924, FO371/10230, pp. 161-66 [Reg. No. F416/3/10, 11 February 1924]: at p. 162.

[187] Austen Chamberlain's minute, 6 February 1924, FO371/10230, pp. 161-66 [Reg. No. F416/3/10, 11 February 1924]: at p. 162.

[188] Victor Wellesley's initials and Austen Chamberlain's initials on Crowe to Masterton-Smith, 12 February 1924, FO371/10230, pp. 161-66 [Reg. No. F416/3/10, 11 February 1924]: at p. 165.

[189] Sir Eyre Crowe (Permanent Secretary of State for Foreign Affairs) to Sir J.E. Masterton-Smith (Permanent Secretary of State for the Colonies), 12 February 1924, FO371/10230, pp. 161-66 [Reg. No. F416/3/10, 11 February 1924]: at p. 166.

他。為了追求英國的幫助，孫中山在 1923 年 12 月 20 日前後打了一封電報給英國的工黨領袖麥克唐納（Ramsay MacDonald）請求他幫助。⑲⓪後果如何？且看下回分解。

五、孫中山給英國工黨領袖麥克唐納的電報

不待麥克唐納表態，在華的一些英語報章聞訊就於 1923 年 12 月 24 群起攻擊孫中山，侮蔑孫中山此舉屬 impudent。⑲①當筆者試圖用漢語來表達這個字的微言大義時甚費躊躇。它的意思，輕者可謂唐突無禮，重則可言厚顏無恥。⑲②究竟該等記者，用意何在？則必須看上文下理和類似的報導。⑲③同日的《京津時報》（*Peking and*

---

⑲⓪ [Woodhead], 'Hong Kong and Canton', *Peking and Tientsin Times*, Monday 24 December 1923, newspaper cutting, enclosed in MacLeay to Wellesley, private and confidential, FO371/10230, pp. 186-94 [Reg. No. F503/3/10, 19 February 1924: at p. 180. 這封電報被節錄其中，《國父全集》和《孫中山全集》都沒收錄。筆者在下文加以翻譯，供讀者參考。

⑲① 'Impudent Appeal to Labour: Sun Yat-sen's wire to Ramsay MacDonald', newspaper cutting, n.d. [but therein the various telegrams bear the dates of 21 and 22 December 1923], enclosed in MacLeay to Wellesley, private, 24 December 1923, FO371/10230, pp. 161-66 [Reg. No. F416/3/10, 11 February 1924]: at pp. 164.

⑲② 感謝邱捷教授，在 2004 年 5 月 23 日星期天費神與筆者討論筆者對 impudent 這字所理解到的、可能包含的微言大義。

⑲③ Leading article, 'Hong Kong and Canton', *Peking and Tientsin Times*, Monday 24 December 1923, newspaper cutting, enclosed in MacLeay to Wellesley, private and confidential, 7 January 1924, FO371/10230, pp. 186-94 [Reg. No. F503/3/10, 19 February 1924]: at p. 189, paragraph 1.

Tientsin Times）評論說：「任何一個稍具個人尊嚴的英國人，當他過去閱讀到有關孫中山（在本年 2 月經過香港時），香港政府所給予他的種種優厚待遇，都會感到噁心。」⑲⑷准此，則用「厚顏無恥」來表達 impudent ⑲⑸的意思，就最貼切不過了，因為它充份地表達當時英國在華的一些記者那種狂妄無知的心態。他們不如一些有見識的英國外交官，他們看不到中國的新興力量，更看不到孫中山掌握了時代的脈搏而成為中國新興力量的領袖。

鑑於香港總督不但處處護着孫中山，並主動地以實際行動支持他，讓筆者忽發奇想：孫中山適逢在這個時候電英國工黨領袖麥克唐納爭取他的支持，主意是否來自該督？蓋當時孫中山為了軍政府財政枯竭的問題、客軍跋扈的問題、陳炯明的威脅、關餘的爭執、外國軍艦兵臨城下、籌備和召開國民黨全國第一次代表大會、聯俄容共在國民黨內所引起的爭論等等問題，千頭萬緒，而這個時候的孫中山對英國政情不一定很了解。香港總督就不一樣，他感到，對於孫中山這位得到中國工人階級熱烈支持的領袖，英國工黨可能多少會有些好感。若能爭取到黨魁的支持，萬一工黨執政，關餘的爭

---

⑲⑷ Leading article, 'Hong Kong and Canton', *Peking and Tientsin Times*, Monday 24 December 1923, newspaper cutting, enclosed in MacLeay to Wellesley, private and confidential, 7 January 1924, FO371/10230, pp. 186-94 [Reg. No. F503/3/10, 19 February 1924]: at p. 189, paragraph 1.

⑲⑸ 'Impudent Appeal to Labour: Sun Yat-sen's wire to Ramsay MacDonald', newspaper cutting, n.d. [but therein the various telegrams bear the dates of 21 and 22 December 1923], enclosed in MacLeay to Wellesley, private, 24 December 1923, FO371/10230, pp. 161-66 [Reg. No. F416/3/10, 11 February 1924]: at pp. 164.

執或有轉機？而當時英國的政情大致如下：1923 年英國大選，保守黨在國會下議院贏得 259 議席，工黨 191，自由黨 159。表面上保守黨是勝利了，但是，若遇到重大議案在國會需要投票決定而工黨與自由黨聯手投票反對時，保守黨就無法施政。這種情況在 1924 年 1 月發生了，保守黨的黨魁伯德文（Stanley Baldwin）自忖他無法繼續施政而辭職，於是乎英王就命令由得到議席第二多數的工黨組閣，如此這般，工黨就破天荒地第一次執政。工黨黨魁麥克唐納在 1924 年 1 月 22 日走馬上任首相的職位。[196]

孫中山就是在 1923 年 12 月 20 日左右打電報給麥克唐納的。當時英國工黨還未執政，但呼之欲出。香港總督當然比孫中山更瞭解英國國情，故竊以為打電報的主意很可能間接來自該督。在電文裡，孫中山請求麥克唐納：「告訴英國人民，尤其是工人階級，目前在中國的危機完全是英國駐華公使一手造成的。我的政府受到戰爭的嚴重威脅：列強派遣了接近二十艘軍艦到廣州來對付我們，有些水兵已經在沙面登陸。這種敵對行動，表面上是駐北京公使團的決定，其實是由英國駐華公使所推動。他推動其事，美其名是廣州領事團的領袖領事官和中國海關總監所建議，但該領袖領事官正是英國駐廣州總領事，而中國海關總監同樣都是英國人！」孫中山同時告訴麥克唐納說，中國無疑是英國貨物最廣大的市場之一，但這個市場再不能用過去那種炮艦政策來奪取，而必須以爭取中國人民

---

[196] David Marquand, *Ramsay MacDonald* (London: Jonathan Cape, 1977), pp. 296-304.

的友好來維持。[197]

1924 年 1 月 27 日，就是麥克唐納當上新首相的第六天，他向外交部召來最新的、有關中國關餘的文件。正好當天外交部剛接到英國駐華公使麻克類爵士的又一封電報。麥克唐納看後在上邊批示曰：「我要全面瞭解此案。」[198]於是外交部馬上準備了一份備忘錄，把關餘的歷史和最近所發生的爭執詳細道來。竊以為該備忘錄比較中肯之處有關鍵性的兩點：

第一、它說在 1919 年，列強向北洋政府施壓力，讓北洋政府把當時西南應該得到的關餘共 13.7% 分配給軍政府。[199]中肯之處，是該備忘錄坦率地承認了 1919 年正是由於列強向北洋政府施壓力，而結果西南聯合政府得到了應得的關餘。此端無形之中說明了 1923 年公使團以不干預中國內政為理由來拒絕孫中山對關餘的要求，[200]是站不住腳的。

---

[197] 'Impudent Appeal to Labour: Sun Yat-sen's wire to Ramsay MacDonald', newspaper cutting, n.d. [but therein the various telegrams bear the dates of 21 and 22 December 1923], enclosed in MacLeay to Wellesley, private, 24 December 1923, FO371/10230, pp. 161-66 [Reg. No. F416/3/10, 11 February 1924]: at pp. 164.

[198] 'I desire full information on this.' -- Ramsay MacDonald's minute, n.d., on MacLeay to FO, Tel. 19, 27 January 1924, FO371/10230, pp. 148-52 [Reg. No. F264/3/10, 27 January 1924]: at p. 148.

[199] FO memorandum of 28 January 1924 on MacLeay to FO, Tel. 19, 27 January 1924, FO371/10230, pp. 148-52 [Reg. No. F264/3/10, 27 January 1924]: at pp. 149-51, paragraph 2.

[200] FO memorandum of 28 January 1924 on MacLeay to FO, Tel. 19, 27 January 1924, FO371/10230, pp. 148-52 [Reg. No. F264/3/10, 27 January 1924]: at pp. 149-51, paragraph 3.

第二、它說北京公使團在 1923 年 10 月（按準確日期應為 9 月），收到孫中山要求恢復分配關餘的照會後只是敷衍了事，原因是當時公使團認為孫中山第三次在廣東所成立的政府不會維持多久。若他很快垮臺了，難題就迎刃而解。不料他的政府活下來了，列強就只好訴諸武力來阻止孫中山實行控制粵海關的恐嚇。[201]此端坦率地承認了公使團先敷衍後抵賴的行徑。

備忘錄接下來的部份，暗示新首相該如何取態：第一、目前的公使團已經再沒有能力像 1919 年那樣有效地向北洋政府施壓力了。第二、目前孫中山所控制的地方面積比 1919/1920 年是大大地減少了。第三、1919 年北京以外只有西南聯合政府這另外一個政權，現在則多了張作霖等大小軍閥。若他們都紛紛要在關餘的問題上分杯羹，甚至武力搶關，則伊於胡底？

大家不用多花腦筋就能想像新首相——那怕是英國第一任工黨首相——取態如何。他批示曰：關鍵是，雲集的聯軍軍艦是否有必要繼續結集下去。如果武力奪取海關的威脅已經煙消雲散，軍艦就不宜繼續結集。最新的消息如何？[202]外交部回覆曰：麻克類公使最新的一封電報說公使團認為威脅還未過去。[203]其實公使的電報還說

---

[201] FO memorandum of 28 January 1924 on MacLeay to FO, Tel. 19, 27 January 1924, FO371/10230, pp. 148-52 [Reg. No. F264/3/10, 27 January 1924]: at pp. 149-51, paragraph 3.

[202] Ramsay MacDonald's minute, n.d., on MacLeay to FO, Tel. 19, 27 January 1924, FO371/10230, pp. 148-52 [Reg. No. F264/3/10, 27 January 1924]: at p. 151.

[203] Wellesley's minute of 30 January 1924 on MacLeay to FO, Tel. 19, 27 January 1924, FO371/10230, pp. 148-52 [Reg. No. F264/3/10, 27 January 1924]: at p. 151.

廣州的領事團建議聯軍軍艦可以從廣州撤走。[204]以致新首相再提問說：為何北京的公使團與廣州的領事團的意見不一致？[205]外交部回覆曰：此問無法答覆，杰彌遜總領事再過幾天就會回到英國述職了，到時我再親自問問他此案的詳細過程。[206]新首相在檔案上用很粗的紅色鉛筆打了一個大交叉，意思是不採取任何行動，他對此案的關注到此為止。時約為 1924 年 2 月 5 日。[207]

完了！完了！徹底完了！孫中山不必等到麥克唐納首相在檔案上用很粗的紅色鉛筆打了一個大交叉，才知道他竭力追求英國援助的最後一絲希望也熄滅了！事情是這樣的：當孫中山知道麥克唐納在英國時間 1924 年 1 月 27 日就任首相時，曾經以第一時間於英國時間當天晚上（即廣州時間 1924 年 1 月 28 日清晨）打電報向其祝賀：

> 中國國民黨各省區及華僑代表大會，現開會于廣州，通過議決案如下：查本黨政綱，關於促進民治、增益社會幸福諸大端，皆與英國勞工黨之宗旨相同。今英國勞工黨已獲得在英

---

[204] MacLeay to FO, Tel. 19, 27 January 1924, FO371/10230, pp. 148-52 [Reg. No. F264/3/10, 27 January 1924]: at p. 152.

[205] Ramsay MacDonald's minute of 3 February 1924 on MacLeay to FO, Tel. 19, 27 January 1924, FO371/10230, pp. 148-52 [Reg. No. F264/3/10, 27 January 1924]: at p. 151.

[206] Wellesley's minute of 30 January 1924 on MacLeay to FO, Tel. 19, 27 January 1924, FO371/10230, pp. 148-52 [Reg. No. F264/3/10, 27 January 1924]: at p. 151.

[207] Ramsay MacDonald's red pencil cross of [5 February 1924] on MacLeay to FO, Tel. 19, 27 January 1924, FO371/10230, pp. 148-52 [Reg. No. F264/3/10, 27 January 1924]: at p. 151.

國勞工史上空前未有之勝利，中國於潛勢上，實世界之最大商場，亟需機械工具，爲經濟上之發展，故深足資助英國勞工政府以解決種種經濟問題，尤以失業問題爲最要。惟中國政治上經濟上之發展，現因北京及中國大部爲軍閥與反動派所盤據，以致妨礙進行。茲特致電英國勞工黨傑出之首領，慶賀其成功及其黨之成功。並希望此後英國之對華政策，不復援助軍閥與反動派，而能予中國之民治主義與解放運動以自由發展之一切機會焉。中國國民黨全國代表大會主席孫文叩。[208]

驕傲的麥克唐納不屑回電。孫中山苦苦等候，都沒有動靜，已經意識到大事不妙。其實，他打電報給麥克唐納當天，已是國民黨全國代表大會在 1924 年 1 月 20 日宣佈了聯俄容共政策之後一個星期，他還在苦苦追求英國的友誼。為甚麼？

六、飲鴆止渴

孫中山三次在廣東成立護法政府，經費一次比一次困難，處境一次比一次不妙。爲了中國的獨立和統一，他積極尋求外援，但西方列強不予理會。甚至他在 1923 年 12 月 20 日左右寫封電報給英

---

[208] 孫中山：〈致英國勞工黨賀成功電〉，1924 年 1 月 28 日《國父全集》（1989），第 5 冊，第 502-3 頁。

國工黨領袖，也被一些英國人辱罵為厚顏無恥。[209]唯一願意幫助他的，只有那個對中國存有不可告人目的之俄國。當他在迫不得已的情況下、一步一步地朝着聯俄的方向而走時，仍然一步一回首地不斷追求英國的援助。就連跟他在一起的蘇聯代表鮑羅廷也注意到這種特殊現象。並且向莫斯科報告說：「忽而，他打電報給俄國，說這次代表大會的召開是受列寧學說的影響。忽而，他又對麥克唐納盡極盡阿諛奉承之能事，好像盟國也應像幫助土耳其恢復主權那樣，來幫助中國恢復政權！」[210]

鮑羅廷所謂阿諛奉承之事，所指當然是 1924 年 1 月 28 日孫中山發給麥克唐納的賀電。[211]如何評價鮑羅廷這尖銳的批評？筆者不厭其詳地把該電全文引用於上，目的就是方便分析：綜觀該電，措詞不亢不卑，目標平等互利，鮑羅廷偏偏要把它說成是阿諛奉承，反映了鮑羅廷心胸狹隘，動機不純：無他，鮑羅廷的動機是要孫中山俯首聽命，讓蘇聯像後來奴役東歐各國般奴役中國。鮑羅廷從何

---

[209] 'Impudent Appeal to Labour: Sun Yat-sen's wire to Ramsay MacDonald', newspaper cutting, n.d. [but therein the various telegrams bear the dates of 21 and 22 December 1923], enclosed in MacLeay to Wellesley, private, 24 December 1923, FO371/10230, pp. 161-66 [Reg. No. F416/3/10, 11 February 1924]: at pp. 164.

[210] 鮑羅廷：〈鮑羅廷筆記和報告局陸摘要——孫中山與俄國〉，約 1924 年 1 月底，俄羅斯現代史文獻保管與研究中心檔案全宗 514/目錄 1/卷宗 103，第 111 號文件，第 4-92 頁，打字稿，副本，無簽字，載李玉貞譯：《聯共、共產國際與中國，1920-1925》第一卷，第 111 號文件，第 352 頁。

[211] 孫中山：〈致英國勞工黨賀成功電〉，1924 年 1 月 28 日《國父全集》（1989），第 5 冊，第 502-3 頁。

得悉孫中山曾經發過這樣的一封電報？孫中山故意將該電報刊登於翌日的國民黨機關報、廣州《民國日報》。[212]又讓廣州的《現象報》和北京的《晨報》同時報導。[213]觀其用意，似乎是向身在廣州、香港以至全中國的英國人表示修好，藉此緩和一下關餘爭執以來劍拔弩張的緊張氣氛。甚至讓鮑羅廷看到該公開發表的電文後囉囉唆唆也在所不惜。結果，鮑羅廷向莫斯科報告說「這個老謀深算的人，無論你怎樣幫助他，他終究還是矚目於那些『自由民族』，等待他們來救中國。」[214]

為甚麼孫中山會有這種表現？竊以為主要的原因有二：

第一、他是由衷地仰慕英國的制度，尤其是她的管理方法。如果有人懷疑他在 1923 年 2 月 19 日於香港大學的演說中那些讚美英國在香港管治有方的語言，有譁眾取寵之嫌的話，那麼鮑羅廷的秘密報告就可以完全免卻這種憂慮。在香港大學他是這樣說的：「三十年前在香港讀書，暇時輒閒步市街，見其秩序整齊，建築宏美，工作進步不斷，腦海中留有甚深之印象。我每年回故里香山二次，兩地相較，情況迥異。香港整齊而安穩，香山反是。我在里中時竟

---

[212] 孫中山：〈國民黨電賀英首相〉，廣州《民國日報》，1924 年 1 月 29 日，載《孫中山全集》第 9 卷，第 163 頁。又見《國父全集》（1989），第 5 冊，第 503 頁，第 7 行。

[213] 《孫中山全集》第 9 卷，第 163 頁，腳註*。

[214] 鮑羅廷：〈鮑羅廷筆記和報告局陸摘要——孫中山與俄國〉，約 1924 年 1 月底，俄羅斯現代史文獻保管與研究中心檔案全宗 514/目錄 1/卷宗 103，第 111 號文件，第 4-92 頁，打字稿，副本，無簽字，載李玉貞譯：《聯共、共產國際與中國，1920-1925》第一卷，第 111 號文件，第 353 頁。

須自作警察以自衛，時時留意防身之器完好否？恒默念香山、香港相距僅五十英里，何以如此不同？外人能在七八十年間在荒島上成此偉績，中國以四千年之文明，乃無一地如香港，其故安在？」[215] 鮑羅廷的秘密報告是這樣講的：「本來應該是一個國家奇恥大辱的租界，在許多國民黨人眼裡事實上卻是模範區，應當效法。正如農民效法示範農業一樣。制度嚴格，清潔整齊，秩序井然。」[216]這些國民黨人包括不包括孫中山？當然包括，鮑羅廷在同一段文字的註解中說：「孫中山也是英國教育的產物，他在香港上的是英國學校—鮑羅廷。」[217]

第二、孫中山對蘇聯的國力和國際地位沒有信心。鮑羅廷向莫斯科報告說：孫中山向我們靠攏，「但是他不同意公開聲明要同我們建立統一戰線。他對我們還不夠信任，做不到這一點。如果得到英國承認我國的消息時（按當時英國在外交上還未承認蘇維埃政府是俄國的合法政府，到了 1924 年 2 月 1 日才承認），提出統一戰線問題，那他或許就不會反對這一條了。」[218]

---

[215] 孫中山：〈革命思想之產生：在香港大學〉，1923 年 2 月 19 日，《國父全集》（1989），第 3 冊，第 323-4 頁：其中第 323 頁第 18-20 行。《國父全集》誤作 1923 年 2 月 20 日，已如前述。

[216] 鮑羅廷：〈鮑羅廷筆記和報告局陸摘要——代前言〉，約 1924 年 2 月，俄羅斯現代史文獻保管與研究中心檔案全宗 514/目錄 1/卷宗 103，第 111 號文件，第 4-92 頁，打字稿，副本，無簽字，載李玉貞譯：《聯共、共產國際與中國，1920-1925》第一卷，第 111 號文件，第 344 頁。

[217] 同上，腳註。

[218] 鮑羅廷：〈鮑羅廷筆記和報告局陸摘要——孫中山與俄國〉，約 1924 年 1 月底，俄羅斯現代史文獻保管與研究中心檔案全宗 514/目錄 1/卷宗 103，第 111 號文件，第 4-92 頁，打字稿，副本，無簽字，載李玉貞譯：

第三、孫中山對蘇聯並不存任何幻想，他很清楚地意識到蘇聯之所以提出要援助他，完全是出於俄國自己國家利益的考慮。關於這一點，從他過去在 1922 年 12 月 6 日寫給列寧的信就明白：

> 親愛的列寧：
>
> 因有要事，今趁機致短函於閣下。文得悉蘇俄武裝力量正在滿洲邊界集結準備佔領北滿。
>
> 文擔心，此種佔領將來會給對中蘇關係造成嚴重後果。對於中國人民來說，昔日北滿的被佔領曾經是沙皇制度的明顯例證。如果貴國佔領這一地區，文相信，中國人民定會將其視為舊俄帝國主義政策的繼續。
>
> 文本人不相信，莫斯科的舉措乃出於帝國主義的動機。[219]

對於俄帝國主義，孫中山的看法似乎是這樣的：「以其人之性質，及其智識之差等而言，俄人之待遇中國人，又較德人為酷，徵

《聯共、共產國際與中國，1920-1925》第一卷，第 111 號文件，第 342-390 頁：其中第 351 頁。

[219] 孫中山致列寧函，1922 年 12 月 6 日，俄羅斯現代史文獻保管與研究中心檔案全宗 5/目錄 1/卷宗 1549，第 50 號文件，第 1 頁，打字稿，經過核對的副本，載李玉貞譯：《聯共、共產國際與中國，1920-1925》第一卷（臺北：東大圖書公司，1997），第 50 號文件，第 129-130 頁。同件另譯見中共中央黨史研究室第一研究部譯：《聯共（布）、共產國際與中國國民革命運動，1920-1925》，一套六冊，（北京：北京圖書館出版社，1997），第 1 卷，第 163-4 頁。至於孫中山寫這封信的背景，則見邱捷：〈孫中山、張作霖的關係與「越飛宣言」〉，《歷史研究》總 246 期，1997 年第 2 期，第 68-76 頁。

之前史，無可諱言……俄人之在其後，其慘狀乃恐較協商國之不勝為尤甚也。」[220]筆者用上「似乎」之辭，原因是因為此段所引之言最初出自《中國存亡問題》一書，而該書在 1917 年首版時所印作者名字是朱執信。《國父全集》（1989）在收入該書時作題解曰：據吳拯寰編輯的《孫中山全集續集》。原編者按：「本書係孫先生在民國六年反抗對德參戰之宏論，由朱執信同志依孫先生之命意屬辭。刻覓得原稿，爰亟補刊列入本公司所編之《孫中山全集續集》。」[221] 1925 年 4 月 14 日戴季陶在吳拯寰編輯的《孫中山全集續集》中「著作及演講技錄要目」中記云：「執信文集未收入，余意確應入中山全集。」[222]既是孫授意朱執筆，難免有執筆者發揮己意之慮。但此段所引朱文與上段所引孫中山電報，則忌憚俄國對華領土野心之處如出一轍，可知朱氏完整無缺地表達了孫中山的意思而沒有擅加己意。至於朱執信為人之正直，則呂芳上教授的《朱執信與中國革命》一書已有深刻的闡述。[223]其文集也已出版，[224]可供讀者參考。

---

[220] 孫中山：〈中國存亡問題〉，《國父全集》（1989），第 2 冊，第 284-329：其中第 319 頁第 18-20 行。

[221] 孫中山：〈中國存亡問題〉，《國父全集》（1989），第 2 冊，第 284-329：其中第 328 頁，第 14-16 行。

[222] 孫中山：〈中國存亡問題〉，《國父全集》（1989），第 2 冊，第 284-329：其中第 328 頁，第 13-14 行。

[223] 呂芳上：《朱執信與中國革命》（臺北：東吳大學中國學術著作獎助會，1978）。

[224] 廣東省社會科學研究所歷史研究室編：《朱執信集》（北京：中華書局，1979）。

鮑羅廷向莫斯科報告說：「要把國民黨建成一個真正革命、團結而有紀律的政黨，是不可能的。但與此同時，我還認為，黨的改組還離不開孫中山。要利用他的左傾，利用他的威信，利用他的建黨願望，把國內的真正革命份子發動起來，把他們集結在國民黨內左派的周圍。」[225]怎麼又來了個國民黨左派？當時是中共黨員的周佛海事後說：「鮑羅廷告訴我們的策略，最重要的就是把國民黨分做左、右兩派。他把當時的中央黨部當做左派的機關，把廣州市黨部當做右派的機關，使這兩級黨部互相排擠」[226]這句話有鮑羅廷諸報告證明其真實性。[227]分裂國民黨的手段之一，就是由中共要人陳獨秀、蔡和森、瞿秋白、彭述之等，在國民黨左右派之間打入楔

---

[225] 鮑羅廷：〈鮑羅廷筆記和報告局陸摘要——孫中山與俄國〉，約 1924 年 1 月底，俄羅斯現代史文獻保管與研究中心檔案全宗 514/目錄 1/卷宗 103，第 111 號文件，第 4-92 頁，打字稿，副本，無簽字，載李玉貞譯：《聯共、共產國際與中國，1920-1925》第一卷，第 111 號文件，第 353 頁。

[226] 羅剛編著：《中國華民國國父實錄》（臺北：羅剛先生三民主義獎學金基金會，1988），第 6 冊，第 4653 頁。

[227] 見鮑羅廷：〈鮑羅廷筆記和報告局陸摘要——孫中山與俄國〉，約 1924 年 1 月底，俄羅斯現代史文獻保管與研究中心檔案全宗 514/目錄 1/卷宗 103，第 111 號文件，第 4-92 頁，打字稿，副本，無簽字，載李玉貞譯：《聯共、共產國際與中國，1920-1925》第一卷，第 111 號文件，第 342-390 頁。又見鮑羅廷：〈鮑羅廷在聯共（布）中央政治局使團會議上的報告〉，1926 年 2 月 15、17 日於北京，絕密，俄羅斯現代史文獻與研究中心，檔案全宗 17/文件集，第 1-38，第 21 號文件，打字稿，未經校對的速記紀錄，中共中央黨史研究室第一研究部譯：《聯共（布）、共產國際與中國國民革命運動，1920-1925》，一套六冊（北京：北京圖書館出版社，1997），第 3 卷，第 21 號文件，第 135 頁。

子，具體辦法是由這批人在中共的喉舌《嚮導週報》發表一系列文章挑撥離間。[228]瞿秋白甚至指陳廉伯也是國民黨右派。[229]這麼明顯地無中生有的做法，難道孫中山就毫不察覺？憤怒的國民黨中央執行委員會公函指責中共「強分國民黨為中左右三派」。[230]難道孫中山會充耳不聞？

鮑羅廷在孫中山身邊或明或暗地所幹的這一切的最終目的是甚麼？為了中國的利益還是俄國的利益？老謀深算[231]的孫中山還不清楚？過去不少西方學者都已指出這一點。[232]喜見近年中國的學者也

---

[228] 敖光旭：〈共產國際與商團事件——孫中山及國民黨鎮壓廣州商團的原因及其影響〉，載林家有、李明主編：《孫中山與世界》（長春：吉林人民出版社，2004），第 198-228 頁：其中第 217-8 頁。

[229] 同上，引巨緣：〈帝國主義與反革命壓迫下的孫中山政府〉，《嚮導週報》，第 85 期，1924 年 10 月 1 日。

[230] 同上，引中國國民黨中央執行委員會公函致「執筆為此等論文之和森同志諸人」，收入題為〈記《嚮導週報》攻擊孫政府事〉一文，載香港華字日報社編《廣東扣械潮》（香港：華字日報社，1924），卷四特別記載，第 23-26 頁（總 435-438 頁）。查核原文，並無「強分國民黨為中左右三派」等字樣。姑且暫時保存該引文，待 2004 年 7 月中旬訪穗時向敖光旭博士請教過後再定去留。如能找到該語出處，當為珍貴史料。至於該公開信，內容所指全是中共攻擊孫中山政府 1924 年 10 月 15 日鎮壓商團過程中所出現的問題，筆者擬於本書第 8 章中分析。

[231] 鮑羅廷：〈鮑羅廷筆記和報告局陸摘要——孫中山與俄國〉，約 1924 年 1 月底，俄羅斯現代史文獻保管與研究中心檔案全宗 514/目錄 1/卷宗 103，第 111 號文件，第 4-92 頁，打字稿，副本，無簽字，載李玉貞譯：《聯共、共產國際與中國，1920-1925》第一卷，第 111 號文件，第 353 頁。

[232] Allen S. Whiting, *Soviet Policy in China, 1917-1924* (Stanford: Stanford University Press, 1954); S. T. Leong, *Sino-Soviet Diplomatic Relations, 1917-*

做出了優秀的成績；[233]而年輕學者敖光旭一文對俄國援助孫中山的動機寫得尤其淋漓盡致。[234]中外學者的豐碩成果，在在說明孫中山當時的判斷是準確的。

既然孫中山已經認識到俄國對中國不懷好意，那麼為何他還決定聯俄？竊以為這與孫中山為了中國獨立和統一而奮鬥終生的理想有關。到了 1924 年 1 月 20 日國民黨一大的時候，孫中山為了他的理想已經奮鬥到了接近力竭聲嘶的地步，而且年老多病，[235]再過一年左右，他就與世長辭了。筆者少年在香港教會學校唸書而上宗教學的課時，聽過這麼一個故事：有一個人在猛烈的太陽下走路多時，在嚴重缺水的情況下，快要倒下去了。他發覺路旁有一個棄

1926 (Canberra: Australian National University Press, 1976); Dan N. Jacobs, *Borodin -- Stalin's Man in China* (Cambridge, MA: Harvard University Press, 1981); C. Martin Wilbur and Julie Lien-ying How, *Missionaries of Revolution: Soviet Advisers and Nationalist China* (Cambridge, MA: Harvard University Press, 1989); Bruce A. Elleman, *Diplomacy and Deception: The Secret History of Sino-Soviet Diplomatic Relations, 1917-1927* (Armonk, N.Y.: M.E. Sharpe, 1997).

[233] 黃修榮主編：《蘇聯、共產國際與中國革命的關係新探》（北京：中共黨史出版社，1995）；李玉貞：《孫中山與共產國際》（臺北：中央研究院近代史研究所，1996）；蔣永敬、楊奎松：《中山先生與莫斯科》（臺北：臺灣書店，2001）。

[234] 敖光旭：〈共產國際與商團事件——孫中山及國民黨鎮壓廣州商團的原因及其影響〉，載林家有、李明主編：《孫中山與世界》（長春：吉林人民出版社，2004），第 198-228 頁。

[235] 廣東省檔案館藏，粵海關檔案全宗號 94 目錄號 1 案卷號 1584 秘書科類《各項事件傳聞錄》不斷傳出他害病的消息。1924 年 5 月的報紙甚至傳出他已經病逝的消息。

嬰，他決定非拯救他不可。舉目往前看，前面不遠就是一座城市。若把棄嬰抱到城裡，肯定有人可憐他而把他收養。這樣棄嬰就可以活下來了。但是他自己已經沒有絲毫氣力，連抱棄嬰也抱不動，遑論走路。他注意到，路旁有一湖清水，湖邊豎有一告示牌，曰：「毒水莫喝」。他自忖毒性發作需要一段時間，若喝了水就有力量把棄嬰抱到城裡去。他喝了。[236]

孫中山在香港唸書時肯定也聽過這個故事？

七、小結

孫中山在接受了俄國的援助後，在病榻垂危之時，[237]仍念念不忘爭取英國的支援，並在 1925 年 1 月 22 日派陳友仁往遊說行將回國述職的英國駐華公使麻克類爵士。[238]託孤之情，躍然紙上。孫中山本來已經受盡了英國人的白眼，臨終前仍作最後努力，為甚麼？他不願意中國終於墮入新沙俄帝國主義的掌握之中！

---

[236] 筆者在年輕時聽過這個故事後，至今記憶猶新。初以為出自聖經，後遍查無蹤影。在雪梨向熟讀聖經的 Kyle Oliver 先生請教，答覆是未聞此事，可能是現代人按聖經精神編出來的。2004 年 6 月 30 日筆者還特別致電母校九龍華仁書院徐志忠神父向其請教，他也說聖經上沒這故事，但與聖經的精神吻合。

[237] Sir Ronald Macleay (Peking) to Austen Chamberlain, Desp. 64, Confidential, 31 January 1925, Received 31 March 1925, FO371/10917, pp. 196-99 [Reg. No. F1150/2/10, 31 March 1925].

[238] Sir R Macleay (Peking) to Austen Chamberlain, Desp. 40, 23 January 1925, FO371/10917/pp. 185-6, F879/2/10.

難道英國就安好心？他在《中國存亡問題》說英國並沒有安甚麼好心，甚至認為在第一次世界大戰中英國引誘中國對德參戰的最終目的是為了犧牲中國。」[239]眾所週知，列強屬意中國參戰，關鍵在於華工，而陳三井先生的《華工與歐戰》正是這個題目的經典著作。[240]但正如陳三井先生所指出，當時最熱衷於華工的是法國和俄國。那麼英國勸說中國參戰的目標又是甚麼？孫中山認為英國已經可從印度抽取大量的人力，故志不在中國的工人而在利用中國的土地來討價還價。其邏輯是：「加入之後，英國可認中國以為己所率之國，故當然有杜絕他國併吞之地位，而其容許併吞即為一種之惠與。」[241]如此這般，若德國勝利，英國就可以把這附庸讓給德國以保存印度，若德國戰敗而俄國崛起，英國又可以把這附庸讓給俄國以保存印度。[242]相反地，若中國保持中立，就可以逃過這種命運。[243]結果他猜錯了，德國戰敗，英國並沒有把中國交給俄國，其實英國也沒有這種獨斷獨行的能力在國際上私相授受。大量的英國外交部檔案在在足以說明這一點。但既然孫中山認為英國有能力

---

[239] 孫中山：〈中國存亡問題〉，《國父全集》（1989），第 2 冊，第 284-329：其中第 323 頁，第 13 行。

[240] 陳三井：《華工與歐戰》（臺北：中央研究院近代史研究所，1986）。至於孫中山與法國的關係，則見陳三井：《中山先生與法國》（臺北：臺灣書店，2002）。

[241] 孫中山：〈中國存亡問題〉，《國父全集》（1989），第 2 冊，第 284-329：其中第 323 頁，第 13 行。

[242] 孫中山：〈中國存亡問題〉，《國父全集》（1989），第 2 冊，第 284-329：其中第 323 頁，第 13-15 行。

[243] 孫中山：〈中國存亡問題〉，《國父全集》（1989），第 2 冊，第 284-329：其中第 328 頁，第 11-12 行。

「杜絕他國併吞」中國，則我們沿他的思路探索，就不難看出他認定英國正是那個對中國有領土野心的俄國的剋星。所以在臨終前仍作最後努力求助於英國。

可惜麻克類爵士仍是不予理會。無他，麻克類爵士認爲幫助孫中山不符合當前英國的利益也。至於是否符合英國的長遠利益，他就看不到了。此後由於孫中山聯俄的政策而引起在中國所發生的一系列事情，以及這些事情對中國、對英國甚至對全世界所發生的影響，責任應由誰負？

第八章
現實抉擇 1924-1925

圖十五

圖十六

1920 年代，廣東治安不佳，盜匪如毛，有錢人家都買槍自衛。著名僑鄉開平縣的華僑所建之房子更如碉堡，故名碉樓，四角有所謂燕子竇可以打槍拒盜。圖十五所示乃該等碉樓之一（五邑大學張國雄教授提供）。廣東商人更組織商團軍自衛，並準備全省聯防。廣州商團團長陳廉伯企圖藉商團軍推翻孫中山的政府，但苦於缺乏槍支彈藥。於是暗中從西歐偷運大批軍械進入廣州。若非粵海關代理稅務司職務的副稅務司英國人羅雲漢（W.O. Law）堅持載運該批軍火的「哈佛」號輪船船長如實報關，陳廉伯的陰謀就可能得逞。圖十六所示乃當時粵海關副稅務司在沙面的公館(廣東省檔案館提供)。

緒　論

本書把孫中山的晚年分為兩個階段處理。從 1917 年護法戰起孫中山三次在廣東成立政府，到 1924 年 1 月 20 日國民黨第一次全國代表大會，是護法時期。在這段時期，孫中山不斷追求英國的幫助，都失望了。到了最後階段，由於經濟極度困難，他再度要求以英國為首的列強撥給他屬於廣東的關餘。公使團敷衍了他三個多月後，他發急了，就聲稱要用武力控制粵海關，結果招來列強兵臨城下，使得本來已經飽受內憂煎磨的孫中山更加上外患的威脅，到了內外交困的地步。這一切，在上兩章已有所交代。

孫中山就是在內外交困、差不多瀕臨絕境的情況下，作出了現實的抉擇——聯俄，以博取俄國的援助。而俄國人給予孫中山援助的條件之一，就是容共，即孫中山的國民黨容許剛在 1921 年成立的、幼小的中國共產黨的黨員，以個人身份參加中國國民黨。至於俄國堅持孫中山容共條件的動機，則中外學者已經或明或晦地指出其希望滲透國民黨而控制之。❶關於這一點，本書第七章也已有所

---

❶ See S. T. Leong, *Sino-Soviet Diplomatic Relations, 1917-1926* (Canberra: Australian National University Press, 1976); S.T. Leong, "Sun Yatsen's International Orientation, The Soviet Phase, 1917-1925", in J.Y. Wong (ed.), *Sun Yatsen: His International Ideas and International Connections* (Sydney: Wild Peony, 1987); Bruce A. Elleman, *Diplomacy and Deception: The Secret History of Sino-Soviet Diplomatic Relations, 1917-1927* (Armonk, N.Y.: M.E. Sharpe, 1997); Allen S. Whiting, *Soviet Policy in China, 1917-1924* (Stanford: Stanford University Press, 1954); Dan N. Jacobs, *Borodin -- Stalin's Man in*

交代。本章要重點探索的，正是孫中山作出了這個現實抉擇以後，直到他逝世那一天，他與英國的關係。

俄國共產黨以推翻資本主義為天職，孫中山與其結盟，無異把自己放在以英國為首的資本主義世界的對立面。他與英國的關係，就變成是敵我關係了。孫中山雖然決不願意成為英國的敵人，但敵我關係已成，使孫中山懷疑從此在廣州所發生的一系列事情都是英國當局在幕後操縱。事實是否如此？這正是本章重點探索的問題。

這個時期孫中山與英國的關係，舉其最重大的事件，莫如商團事變。該事件從 1924 年 8 月 12 日孫中山下令把廣東商團「偷運」入境的軍械扣押開始，到 1924 年 10 月 15 日孫中山成功地鎮壓商團叛變而告終。個中高潮，無疑是 1924 年 8 月 29 日英國駐廣州代理總領事翟比南（Bertram Giles），書面通告廣州交涉員傅秉常說，若孫中山以砲艇攻擊廣州商團，英國海軍將立即出動全力對待；以及 1924 年 9 月 1 日孫中山就商團事件所對外所發表的宣言，指責該代理總領事的行徑，並發誓曰：「吾人前此革命之口號曰排滿，至今日吾人之口號當改為推翻帝國主義之干涉，以排除革命成功之最大障礙。」❷言詞之激烈，態度之堅決，是孫中山與英國關係中

China (Cambridge, MA: Harvard University Press, 1981)；李玉貞：《孫中山與共產國際》（臺北：中央研究院近代史研究所，1996）；蔣永敬、楊奎松：《中山先生與莫斯科》（臺北：臺灣書店，2001）。至於俄國最近解密的有關檔案中譯本，則可參見李玉貞譯：《聯共、共產國際與中國，1920-1925》第一卷（臺北：東大圖書公司，1997）。

❷ 孫中山：〈反對帝國主義干涉吾國內政之宣言〉，1924 年 9 月 1 日，《國父全集》（1989），第 2 冊，第 160-161 頁：其中第 161 頁第 19 行。

最厲害的一次。

為何一至於此？孫中山說：「自廣州滙豐銀行買辦陳廉伯反叛政府逆謀發見之始，余即疑其此種反國民運動，必有英帝國主義為之後盾❸……今英國海軍在廣州河面又有轟擊中國政府之威嚇❹……不能不信此種帝國主義的舉動，實欲以之摧殘國民黨之政府而已。蓋此次之叛亂，指揮之者為英帝國主義在中國最有勢力之機關之職員。而英國之所謂工黨政府者，乃以轟擊中國政府，使不能以威力平亂，以維持其存在者也。」❺

孫中山甚至打電報給英國首相麥克唐納說：

> 滙豐銀行廣州支行買辦（陳廉伯）近組織一所謂中國法西斯蒂黨之團體，其傾覆本政府之目的，現已披露。叛黨擬俟由歐來粵之哈佛（譯音）船所運入口之軍械到手，即將實行之。
>
> 該哈佛輪已於八月十日抵廣州，即被本政府扣留，❻由

❸ 孫中山：〈反對帝國主義干涉吾國內政之宣言〉，1924 年 9 月 1 日，《國父全集》（1989），第 2 冊，第 160-161 頁：其中第 161 頁第 1 行。

❹ 孫中山：〈反對帝國主義干涉吾國內政之宣言〉，1924 年 9 月 1 日，《國父全集》（1989），第 2 冊，第 160-161 頁：其中第 161 頁第 12 行。

❺ 孫中山：〈反對帝國主義干涉吾國內政之宣言〉，1924 年 9 月 1 日，《國父全集》（1989），第 2 冊，第 160-161 頁：其中第 161 頁第 14-16 行。

❻ 在這裡，孫中山把「哈佛」輪船到達廣州的日期和被扣留的日期混為一談，很容易讓人誤會該船在到達廣州當天，即 8 月 10 日，就被扣留。以致郭廷以先生也被誤導了，見郭廷以編著：《中華民國史事日誌》，一套

是叛黨及反革命党在廣州籍罷市名目，即已呈現謀叛狀態。惟時予正擬適當方法戡定叛亂，不意忽接駐粵英總領事致本政府一函，內有數言如下：「本總領事現接駐粵英國海軍艦隊領袖軍官來訊，謂經奉香港艦隊司令命令，如遇中國當道有向城市開火之時，英國海軍即以全力對待。」

夫中國反革命黨既屢得英國歷來政府之外交的經濟援助，而本政府又爲今日反革命黨唯一抵抗中心，故予迫於深信此哀的美敦書之主旨，乃傾滅本政府，對於最近此種帝國主義干涉中國內政之舉，余特提出嚴重抗議。

孫逸仙❼

麥克唐納沒有覆電。❽於是孫中山就打電報給國際聯盟

四冊（臺北：中央研究院近代史研究所，1979），第1冊第812頁，1924年8月10日條。其實，該船是在兩日之後，即1924年8月12日，才被孫中山的政府下令駛往黃埔並在黃埔被扣留的。見 Bertram Giles to Sir Ronald Macleay, Despatch 140, Very Confidential, Canton 21 August 1924, enclosed in MacLeay to MacDonald, Desp. 561 (5592/24), Very Confidential, 6 September 1924, in FO371/10240, pp. 44-88 [Reg. No. 3443/15/10, 16 Oct 1924]: at pp. 53-61, paragraph 10。

❼ 孫中山：〈致麥克唐納電〉，1924年9月1日，英語原文見 Sun Yatsen to Ramsay MacDonald, Telegram, 1 September 1924, received 2 September 1924, FO371/10244 [F3004/19/10]. 漢語底稿刊國民黨機關報、上海《民國日報》1924年9月10日，原稿可能沒日期，收入《國父全集》（1989）第5冊第525-6頁時，編者把日期定為1924年9月3日，不確。《孫中山全集》，第11卷，第3頁按別電定為1924年9月1日，準確。但內容卻是把香港英文報章《孖喇西報》*Hong Kong Daily Press* 所刊電文翻譯過來者。故筆者決定引《國父全集》（1989）所載之漢語底稿，力求其真。

（League of Nations）的主席莫達（Monsieur Motta）。是緣當時國際聯盟第五屆大會正在日內瓦舉行，英國首相麥克唐納出席了會議並致詞。❾孫中山在電文中說：

> 鑑於藍賽·麥克唐納先生在國際聯盟近幾次會議上曾發表演說，提及喬治亞國之獨立，國際和平及正義等事，聯盟或許有興趣得知，我曾在九月一日就英國政府向我國政府發出最後通牒事，向麥克唐納先生提出抗議。英國政府揚言，如我政府採取必要之措施，鎮壓帝國主義者和反動分子煽動的廣州叛亂，英國海軍將採取敵對行動。對我提出的抗議，麥克唐納先生迄未答復。就我所知，他的沉默表示，英國對中國的政策仍將繼續以帝國主義的干預行動，支援反革命活動對抗以建立強大而獨立的中國為目的的國民運動。
>
> 麥唐納先生在協助廣州的叛亂與反動分子之後，在以尋求高加索石油的「誠實經紀人」身份，前往日內瓦鼓吹喬治亞共和國的反革命，也就不足為奇了。
>
> 孫逸仙❿

---

❽ 按電報不是丟失了，而是英國外交部決定不作覆。見 FO minutes on Sun Yatsen to Ramsay MacDonald, Telegram, 1 September 1924, received 2 September 1924, FO371/10244 [F3004/19/10].

❾ Anon, "Sun Yatsen and the British Prime Minister -- A telegram to the League of Nations", *Hong Kong Daily Press*, 26 September 1924.

❿ 孫中山：〈致國際聯盟主席莫達告英國首相麥克唐納之矛盾行為電〉，1924 年 9 月 24 日，《國父全集》（1989）第 5 冊第 533-4 頁。英語原文見 Anon, "Sun Yatsen and the British Prime Minister -- a telegram to the League of Nations", *Hong Kong Daily Press*, 26 September 1924。

在這道電文中，孫中山言之鑿鑿地⑴指責「英國政府向我國政府發出最後通牒」。竊以為是孫中山進一步地認定英國駐廣州代理領事所發的最後通牒是政府的行為，而排除了個人行為的可能性了。⑵指責麥克唐納曾「協助廣州的叛亂與反動份子。」給人一種印象是：孫中山已經從懷疑邁進了堅信的地步。⓫

但麥克唐納仍然不作反應。學術界會怎麼想？學者們可能會認為，孫中山在國際場合公開挑戰麥克唐納，而麥克唐納以首相之尊仍然不敢應戰，證明他作賊心虛。由於英國政府對孫中山的指控不吭一聲，以致孫中山對英國的指責和由此而可能產生的憤怒，有很長的一段時期被廣大的中華民族所認同。後來在 1956 年於中國大陸出現的一篇頗具影響力的學術論文更是猶如火上加油。該文的作者徐嵩齡寫道：

> 自從國民黨改組之後，英國就千方百計地慫恿和援助陳炯明向廣州進攻。它「從香港暗輸軍械給陳炯明，以香港為陳炯明陰謀密探的中心地，想顛覆廣州革命政府，根本剷除中國的民族革命運動。」⓬但是，它利用陳炯明的計劃遭受到了失敗。於是它就利用廣州的買辦階級，以商團為基礎來組織軍隊，陰謀推翻廣州革命政府。⓭

⓫ 實情是否如此，筆者在本書第九章將作進一步探索。

⓬ 按原註是雙林：〈孫中山辛亥革命後之第二功績〉，《嚮導週報》，第 107 期。

⓭ 徐嵩齡：〈1924 年孫中山的北伐與廣州商團事變〉，《歷史研究》，1956 年第 3 期，第 59-69 頁：其中第 59-60 頁。

在這裡，徐嵩齡一口咬定是英國政府為了推翻孫中山的政權而先助陳炯明後助商團。關於商團的問題，他說：「廣州的商團，是買辦階級所主持的一種反革命的武裝組織。它的首腦就是英國匯豐銀行廣州支行的買辦陳廉伯。」接着還言之鑿鑿地寫道：

> 最初，他（陳廉伯）的死黨只不過幾個人，商團軍士受其鼓動的也不過三五十人，羽毛還沒有豐滿，這樣要反抗廣州革命政府，是沒有辦法的。⓮當時英帝國主義者鼓動陳廉伯說：「如果你能夠運動商團反對政府，我們英國便幫助你組織商人政府，你陳廉伯就是中國的華盛頓。」陳廉伯「受了英國人的這種運動，既可以得英國的幫助，自己又住在沙面，得英國人的保護，安然無恙。於是他的膽量便雄壯起來，便發生野心」⓯。⓰

這段引文中所說的英帝國主義者，概念模糊，是指英國政府還是個別的英國人？須知政府行為與個人行為是不能混為一談的。但接下來的一段文字，似乎所指的確實是英國政府了：

⓮ 按原註是胡漢民編：《總理全集》，第二集，上海民智書局版，第 559 頁，〈中國內亂之原因〉。

⓯ 按原註是胡漢民編：《總理全集》，第二集，上海民智書局版，第 559 頁，〈中國內亂之原因〉。

⓰ 徐嵩齡：〈1924 年孫中山的北伐與廣州商團事變〉，《歷史研究》，1956 年第 3 期，第 59-69 頁：其中第 59-60 頁。

> 毛主席指出：「大資產階級的政治代表們沒有後臺老闆，是一件小事也做不成的。」⑰事情正是如此。當時《嚮導週報》曾分析商團活動背景說：買辦階級「所嚷出的商人政府，若不是英國帝國主義……，他們自己是一輩子不敢嚷出如此口號的。⑱」⑲

他祭出當時在中國大陸被視之為神的毛澤東的話和當年（1924 年）的中共喉舌《嚮導週報》來支持他判斷的權威性，讓筆者疑雲重重：是不是他自知所提供的證據欠缺說服力而求庇於權威？於是筆者決心把他所引的題為「中國內亂之原因」而收在《總理全集》的文章查個水落石出。實際上該文就是 1924 年 11 月 25 日孫中山在神戶國民黨歡迎會上的演講。⑳原文開始是這樣講的：

> 外國人在中國生活的……有少數流氓……一到中國，不上幾年，稍為知道中國內情，便結交官僚，逢迎軍閥。一逢迎到了軍閥，便無惡不作，他們都是包辦一切的，好像小皇帝一樣。……這幾年來，有幾個英國人不喜歡國民黨，不願意國民黨的政府發展，更煽動陳廉伯，運動商團全體，在廣州內

---

⑰ 按原註是《毛澤東選集》，第二卷，第 750 頁。

⑱ 按原註是惠仙：〈廣州革命派與反革命派的大激戰〉，《嚮導週報》，第 89 期。

⑲ 徐嵩齡：〈1924 年孫中山的北伐與廣州商團事變〉，《歷史研究》，1956 年第 3 期，第 59-69 頁：其中第 60 頁。

⑳ 邱捷覆黃宇和電郵，2004 年 6 月 10 日。

> 部，反對國民黨的政府。㉑

在這裡，孫中山毫不含糊地說清楚了：煽動陳廉伯的只是幾個英國人，不是英國政府。如此又帶出兩個新問題：第一、在 1924 年 9 月，孫中山既拍電報給國際聯盟又發表宣言，聲討英國政府煽動陳廉伯推翻他的國民黨政府。但到了同年 11 月，就改口說只不過是幾個英國流氓的個人行為。孰是孰非？此題在下文分解。第二、孫中山既然已經改了口，但徐嵩齡在引用這段已經改了口的文字時，不但漠視其已經改了口的事實，更斷章取義地引用其中片段來證明是英國政府煽動陳廉伯的。此一現象，證明徐嵩齡不相信孫中山那已經改了口的話。而他的文章面世以後，廣大中外華人更加根深蒂固地相信是英國政府煽動陳廉伯組織商團的。真相是否如此？

要推翻孫中山的廣州政權，光有商團的團眾還不行，必須有軍火。於是徐嵩齡就說，陳廉伯：

> 所購的頭一批軍火，利用一隻叫做「哈佛」的丹麥（按應該作挪威）㉒船，運進廣州。㉓當時黃埔軍校「全體學生表決

㉑ 孫中山：〈中國內亂之原因〉，1924 年 11 月 25 日，《國父全集》（1989），第三冊，第 527-535 頁：其中第 529 頁，第 15-20 行。同文以〈在神戶歡迎會的演說〉為題目刊於《孫中山全集》第 11 卷第 377-389 頁：其中第 380-381 頁，並註明所據乃《總理全集》中〈中國內亂之原因〉一文。

㉒ 按該船乃挪威船，非丹麥船，見英國外交部但檔案 FO371/10238, War

將其扣留，並準備與商團作戰。」㉔孫中山受到了鼓舞，當即命令楊希閔、劉震寰進行查辦。但「劉、楊與陳廉伯另有關係，別具險心，奉命而不照行。」㉕孫中山隨即命令黃埔軍校當局進行偵察。㉖到了 8 月 11 日，果然查獲大批槍械，計長短槍一萬支，子彈三百萬發。㉗這批被扣留的軍械即保存於黃埔軍校。㉘

這段引文又帶出了一些新的問題和很珍貴的線索。文題之一是：香港政府有沒有像《嚮導週報》所說的「從香港暗輸軍械給陳炯明」㉙？既然是「暗輸」，該報怎會知道？它提出了證據沒有？沒有。珍貴的線索則包括所引胡去非在《總理事略》中所言「黃埔軍校全體學生表決將其扣留」和「孫中山隨即命令黃埔軍校當局進行偵察」等句。該句可有旁證？與其他史料有沒有衝突？

鑑於上述種種，本章試圖探索下列問題：⑴為何武裝團體諸如

Office to Colonial Office, Secret, 11 July 1924, in FO371/10238, pp. 108-115 [Registry No. F2510/15/10, 26 July 1924]: at p. 110。

㉓ 孫中山：〈中國內亂之原因〉，載胡漢民編：《總理全集》，第二集，第559。

㉔ 按原註是一個戰士：〈廣州前第通信〉，《嚮導週報》，第 79 期。

㉕ 按原註是胡去非：《總理事略》商務版，第 292 頁。

㉖ 按原註是胡去非：《總理事略》商務版，第 292 頁。

㉗ 按原註是獨秀：〈反革命的廣東商團軍〉，《嚮導週報》，第 79 期。

㉘ 徐嵩齡：〈1924 年孫中山的北伐與廣州商團事變〉，《歷史研究》，1956 年第 3 期，第 59-69 頁：其中第 61 頁。

㉙ 按原註是雙林：〈孫中山辛亥革命後之第二功績〉，《嚮導週報》，第 107 期。

廣州商團能辦起來甚至反對政府？是不是真的由於英國政府的官員官方地煽動而辦起來的？易地而處，若當時的中國政府或個人在倫敦煽動英國商人組織武裝商團反對政府，肯定就搞不起來。英國政府不會容許；英國商人也不會同意，甚至會向政府告發。為何偏偏在當時的廣州就能成為氣候？⑵英國政府有沒有煽動商團的首領陳廉伯組織商人政府以代替孫中山的政府？⑶英國政府有沒有協助陳廉伯購買和偷運軍火到廣州？⑷英國政府有沒有通過其駐廣州的代理總領事在 1924 年 8 月 29 日向孫中山發出最後通牒？⑸為何孫中山在接了該最後通牒後仍然於 1924 年 10 月 14 日晚武裝鎮壓商團？

一、為何武裝團體諸如廣州商團能辦起來甚至敢於反對政府？

過去有關商團事件的著作，多從孫中山的角度看問題。這種情況，很大程度是由客觀條件所促成的。蓋鎮壓商團的軍事行動是由孫中山親自下令，蔣中正指揮，行動中湧現的大量文電都是來自政府的。依靠該等文電來寫作當然就只能反映了官方的立場，而把商團事變定性為一場反革命叛亂。㉚正因為這樣，學者們對於為何武裝團體諸如廣州商團能辦起來甚至敢於武裝反抗政府之類的問題，就不夠重視了。

㉚ 海峽兩岸都有這種情況，在臺灣方面最有代表性的是《國父年譜》，在大陸方面則是《孫中山年譜長編》。

率先打破這種局面的是廣州市中山大學的邱捷教授。他的論文〈廣州商團與商團事變——從商人角度的再探討〉，㉛顧名思義是從一個嶄新的角度——從商團本身的角度——來鑽研這個問題。所用資料，包括當時商團方面的電文和刊登在香港的《華字日報》的大量報導，㉜再廣引博徵其他漢語史料，完成了一篇有突破性的文章。同樣珍貴的是，他把廣州商團這個組織溯源到 1911 年 10 月 10 日武昌起義而引發的辛亥革命後，由於新政府沒有帶來社會安定，廣州商人就在 1911 年冬籌建粵商維持公安會。當時已經是主要策動人之一的陳廉伯認為，「商人爲保衛自身權益應有自衛實力，辦商團是爲了一旦政治變動，商人也可自衛；但不要捲入政爭漩渦。」㉝

陳廉伯（1884-1945）者，廣東南海西樵人，出生於一個絲業世家，著名粵商陳啟源之孫，早年在香港皇仁書院讀書。畢業後在其祖父陳啟源的昌棧絲莊任司理。後為滙豐銀行廣州分行的買辦。㉞

㉛ 邱捷：〈廣州商團與商團事變——從商人角度的再探討〉，《歷史研究》，總 276 期（2002 年 4 月，第 2 期），第 53-66 頁。為了搶時間，邱捷教授應筆者要求，將其大文的電腦打字稿用電郵附件方式傳給筆者，省卻引用時重複抄錄，及避免出現抄錯的情況，特此鳴謝。

㉜ 其中有不少文章被該報收輯成書，曰《廣東扣械潮》（香港：華字日報社，1924 冬）。

㉝ 邱捷：〈廣州商團與商團事變——從商人角度的再探討〉，《歷史研究》，總 276 期（2002 年 4 月，第 2 期），第 53-66 頁：其中第 57 頁，引〈粵商自治會與粵商維持公安會〉，《廣州文史資料》第 7 輯，第 27 頁。

㉞ Stephanie Po-yin Chung, *Chinese Business Groups in Hong Kong and Political Change in South China, 1920-1925* (Basingstoke: Macmillan, 1998), pp. 80-1.

1911 年，他就是以滙豐銀行買辦的身份參加粵商維持公安會的。㉟1912 年 1 月，廣州商團已經成軍並會操，絲業商人岑伯著被選任團長。㊱上章提到，1913 年 8 月，廣東進行反袁的號稱「二次革命」。但此次行動是得不到亟欲安定的廣州商團支持的。二次革命失敗，袁所任命龍濟光為新都督。㊲但龍濟光甫進廣州，即武力解決已經投降的粵軍，使商場受損不少：濟軍還經常滋擾商民，警察不敢干預。商團穿起制服荷槍出巡，遇濟軍入民家「搜查」，則實行監視，「抓人不問，搬東西制止」，使濟軍不得不稍有忌憚。一般商民認爲商團確能收自衛之效，參加者日多。㊳

1919 年 3 月，陳廉伯繼岑伯著爲商團團長，「廣州商團開始了一個大發展的時期。」㊴原因是廣州治安的持續惡化給予商團發展的機會。1919 年夏天，以陳廉伯為首的廣東商人因不滿繼龍濟光而統治廣東的桂系軍閥，於 7 月舉行罷市，向軍政府提出「出師討賊」。軍政府不敢向商人施以高壓，軍政府總裁、廣東督軍莫榮新等連日邀請商人團體的領袖商量解決辦法。㊵這次罷市，是廣州

㉟ 見邱捷：〈廣州商團與商團事變——從商人角度的再探討〉，《歷史研究》，總 276 期（2002 年 4 月，第 2 期），第 53-66 頁：其中第 58 頁，引《粵商維持公安會同人錄》之《會員芳名列》，廣州，1912 年印行。

㊱ 邱捷引〈商團推廣〉，《香港華字日報》，1912 年 1 月 16 日。

㊲ 邱捷引〈各界歡迎龍都督〉，廣州《民生日報》，1913 年 8 月 9 日。

㊳ 邱捷引〈陳廉伯其人與商團事變〉，《廣州文史資料》第 7 輯，第 44 頁。

㊴ 邱捷：〈廣州商團與商團事變——從商人角度的再探討〉，《歷史研究》，總 276 期（2002 年 4 月，第 2 期），第 53-66 頁：其中第 59 頁。

㊵ 邱捷引〈廣州罷市之急風雲〉、〈罷市要聞彙志〉，《香港華字日報》，1919 年 7 月 12 日、14 日。

商人爲政治目的、以罷市爲手段向政府的一次示威。

1921 年初，陳廉伯又被選爲廣州總商會會長。政界名流經常與其交遊，他既控制了商場，又籠絡了官場，於是聲名益顯。㊶他在 1921 年初出任商團團長時，宣佈商團的四大宗旨，曰：「一、實力保衛地方；二、認定本團爲獨立性質，無論如何不爲政潮所左右；三、聯絡團軍，親愛感意；四、力謀擴張及進步。」㊷陳廉伯組織了商團模範隊，加強操練與實彈射擊，其訓練包括「操練巷戰」，「兼習技擊」。商團人數迅速由幾百人增至近兩千人。㊸

1922 年陳炯明叛變期間，即從 6 月 16 日、葉舉部砲轟孫中山的總統府起到 8 月 9 日孫中山坐上英國炮艦「摩漢」號（HMS Moorhen）號離開廣州為止：㊹

> 商團晝夜武裝巡邏西關商業繁盛之地，「另配便裝暗探到處巡察」；「倘遇加緊戒嚴時期，夜深尤擇要握守」；還舉行武裝大遊行以顯示實力、安定人心。㊺商團在事變中維持治

㊶ 邱捷引〈陳廉伯其人與商團事變〉，《廣州文史資料》第 7 輯，第 43 頁。

㊷ 邱捷引〈商團歡迎團長〉，《香港華字日報》，1919 年 3 月 13 日。

㊸ 邱捷引〈商團力謀進行〉、〈粵商團懇親會之盛況〉，《香港華字日報》，1919 年 5 月 3 日、27 日。

㊹ Intelligence Report: September Quarter 1922, enclosed in Sir James Jamieson (Consul-General, Canton) to Sir Beilby F Alston (Minister, Peking), Separate, 23 October 1922, FO228/3276, pp. 447-467: at p. 451.

㊺ 邱捷引〈商團軍巡查之得力〉、〈商團軍大巡遊盛況〉，《香港華字日報》，1922 年 7 月 15 日、8 月 21 日。

安得力，「商民甚爲感激，因此團務日形發達，報名入團者倏增千數百人」[46]。[47]

在 1923 年初，孫中山所號召的、由滇桂軍所組成的西路討賊軍向當時佔據廣州的陳炯明部進攻時，商團決議「如遇軍事緊急時，毋論新招舊有各團連，一律以西瓜園商團公所爲臨時大本營」，由大本營統一指揮全市商團行動，「並加設商團汽車隊，俾資迅速」。[48]目的當然不是為了響應孫中山的討賊軍進攻陳炯明，而是為了自保其商業利益。

總之，本節所提出的問題很好回答：從 1911 年到 1924 年，廣東動蕩的局勢給了廣東商團成立、發展和壯大的機遇。「每逢廣東發生嚴重動亂，商團就會獲得一度之發展，終於成爲全國規模最大、裝備最精良的商團。而商團的首領陳廉伯成爲廣州最有影響力的商界領袖。」[49]這一切，無論與英國政府與個人都毫無關係。

---

[46] 邱捷引〈商團請給購槍護照〉，《香港華字日報》，1922 年 9 月 30 日。
[47] 邱捷：〈廣州商團與商團事變——從商人角度的再探討〉，《歷史研究》，總 276 期（2002 年 4 月，第 2 期），第 53-66 頁：其中第 58 頁。
[48] 邱捷引〈商團實行自衛〉，《香港華字日報》，1923 年 1 月 6 日。
[49] 邱捷：〈廣州商團與商團事變——從商人角度的再探討〉，《歷史研究》，總 276 期（2002 年 4 月，第 2 期），第 53-66 頁：其中第 59 頁。

二、英國政府有沒有煽動商團的首領陳廉伯組織商人政府以代替孫中山的政權？

上節提到，孫中山首先是言之鑿鑿地指責英帝國政府曾經煽動陳廉伯試圖組織商人政府以代替孫中山自己的政府。㊿後來又改口說是幾個英國流氓幹的好事。51而歷史學者徐嵩齡是傾向於相信孫中山的前言而不信其後語的。52究竟孫中山的前言還是後語近乎史實？在探索這個問題前，又必須先搞清楚甚麼是商人政府以及陳廉伯有沒有試圖成立商人政府來倒孫？

提到商人政府，就使人聯想到廣州市中山大學年輕教員敖光旭的一篇很有份量的學術論文，題為：〈「商人政府」之夢——廣東商團與「大商團主義」的歷史考察〉。53其有份量之處，在其於

㊿ 孫中山：〈致國際聯盟主席莫達告英國首相麥克唐納之矛盾行為電〉，1924 年 9 月 24 日，《國父全集》（1989）第 5 冊第 533-4 頁。英語原文見 Anon, "Sun Yatsen and the British Prime Minister -- a telegram to the League of Nations", *Hong Kong Daily Press*, 24 September 1924。

51 孫中山：〈中國內亂之原因〉，《國父全集》（1989），第三冊，第 527-535 頁：其中第 529 頁，第 15-20 行。同文以〈在神戶歡迎會的演說〉為題目刊於《孫中山全集》第 11 卷第 377-389 頁：其中第 380-381 頁，並註明所據乃《總理全集》中〈中國內亂之原因〉一文。

52 徐嵩齡：〈1924 年孫中山的北伐與廣州商團事變〉，《歷史研究》，1956 年第 3 期，第 59-69 頁。

53 敖光旭：〈「商人政府」之夢——廣東商團與「大商團主義」的歷史考察〉，載《近代史研究》，總 136 期（北京：2003 年 7 月，第 4 期），第 177-248 頁。該文原來是作者在中山大學林家有教授指導下完成的博士論文，濃縮成學術論文發表。

《粵省商團月報》的基礎上，結合大量當時的其他報刊資料，有系統地把廣東商團從崛起、興旺、顛峰到沒頂的過程，作了一個極為詳盡的描述。他引吳稚暉的一段話來總結這個過程，曰：「第二次革命失敗後，廣東的商人開始痛恨革命黨，於是歡迎龍濟光入粵。迨龍濟光無惡不作，則又歡迎莫榮新。迨莫榮新實行桂人亡粵的政策，則又歡迎陳炯明。陳炯明打總統府之日，洪兆麟軍隊搶掠東南關一帶，十室九空，於是商人又厭惡陳炯明。至陳炯明出走之日，廣州與香港的商戶大燃爆竹，這時廣州商人厭惡陳炯明，可謂至極度了。到現在的商人又謂孫不如陳。」[54]敖光旭進一步發揮說，商人倒孫的心理，已不同於既往的「望甲怨乙」，而是出於「覺悟」和「自救」。[55]

覺悟於再不能依靠別人而必須自救，即倒孫以後由商人們自己來組織政府。

龍濟光、莫榮新、陳炯明之流，完全是為了一己之私，孫中山是豁出了老命為國家，難道廣州商人看不出來？對此，敖光旭有很好的解釋：五四運動以反帝愛國為主旨，就商業方面而言，則力倡抵制外貨、提倡國貨。而高揭「商戰」的粵省商團，不但沒有積極匯入這潮流，反而藉口「在商言商」而深閉固拒，且不少售賣日貨的「亡國公司」也列籍其中，這說明粵省商界已與國民黨人漸行漸

---

[54] 敖光旭：〈「商人政府」之夢〉，《近代史研究》，總 136 期，第 177-248 頁，其中第 215 頁，引吳稚暉〈再論廣州商團〉，廣州《國民日報》，1924 年 11 月 24 日。

[55] 敖光旭：〈「商人政府」之夢〉，《近代史研究》，總 136 期，第 177-248 頁，其中第 215 頁。

遠。(56)

就是說，廣州商團為了一己之私，已「隱含着主宰粵省社會的強烈願望。」(57)而陳廉伯早在 1919 年於其就任團長時所發表的聲明中，就已經很露骨地說：商團「若得人扶掖，雖高遠之境，不難漸達。」(58)誰來扶掖商團？英國的影子呼之欲出。究竟是英國政府還是個別的英國人？筆者所閱讀過的英國外交部檔案和殖民地部檔案當中，沒有一份文件顯示出在倫敦的英國政府曾絲毫表示過要扶掖廣州商團來推翻孫中山的政府。該等檔案倒是證明有個別的英國人曾對孫中山表示過強烈的不滿。其中最關鍵的人物莫如陳廉伯的老闆——香港匯豐銀行廣州分行的代表（Agent）福勃士（Donald Forbes）。他很坦率地表示廣州商人憎恨孫中山，認為孫中山毀了他們的生計。其中有百分之八十的商人要把他趕跑。孫中山的部隊，都是來自雲南、河南、和湖南的僱傭軍，全不受孫中山控制。在廣州城外的駐軍，把駐地作為自己的地盤，任意榨取民脂民膏。(59)

這位匯豐銀行廣州分行代表的話，相信孫中山自己也同意，因

---

(56) 敖光旭：〈「商人政府」之夢〉，《近代史研究》，總 136 期，第 177-248 頁，其中第 197 頁。

(57) 敖光旭：〈「商人政府」之夢〉，《近代史研究》，總 136 期，第 177-248 頁，其中第 197 頁。

(58) 敖光旭引陳廉伯：〈團長宣言書〉，《粵省商團月報》，第一期，1919 年 9 月。

(59) H. Fox to Sir Ronald MacLeay, 23 December 1924, enclosed in Sir Ronald MacLeay to Victor Wellesley, private and confidential, 7 January 1924, FO371/10230, pp. 186-94 [Reg. No. F503/3/10, 19 February 1924]: at pp. 190-4, paragraph 5.

為他自己對粵民所受的苦難描述得更為具體：「軍事既殷，軍需自繁，羅掘多方，猶不能給，於是病民之諸捐雜稅，繁然並起，其結果人民生活受其牽制，物價日騰，生事日艱。夫革命為全國人民之責任，而廣東人民所負擔為獨多，此已足致廣東人民之不平矣。而間有驕兵悍將，不修軍紀，為暴於民。貪官污吏，託名籌餉，因緣為利。馴致人民之生命、自由、財產無所保障，交通為之斷絕，廛市為之凋敝，此尤足令廣東人民嘆息痛恨，而革命政府所由徬徨夙夜莫知所措者。」㊿此段讀來，其勇擔責任之處，有出自肺腑之感。比起當今大量文過飾非的政客，孫中山可稱得上是位超塵脫俗的政治家。就連那位痛恨孫中山的匯豐銀行廣州分行的福勃士代表，也不得不承認孫中山兩袖清風，沒有與其他人同流合污。[61]

為何這位代表如此痛恨孫中山？廣州商業茂盛，水漲船高，銀行才有錢賺。百業蕭條，銀行也有關門大吉之虞。加上客軍任意榨取民脂民膏，孫中山的政府又不斷增加苛捐雜稅。[62]匯豐銀行自己做過統計，在 1923 年一年之內，客軍敲詐和苛捐雜稅等等單在廣

---

[60] 孫中山：〈為實現民治告粵民三事文〉，《國父全集》（1989），第二冊，第 167-169 頁：其中第 168 頁第 7-10 行。同文另目曰〈告廣東民眾書〉則見《孫中山全集》第 11 卷第 34-36 頁。

[61] H. Fox to Sir Ronald MacLeay, 23 December 1924, enclosed in Sir Ronald MacLeay to Victor Wellesley, private and confidential, 7 January 1924, FO371/10230, pp. 186-94 [Reg. No. F503/3/10, 19 February 1924]: at pp. 190-4, paragraph 5.

[62] H. Fox to Sir Ronald MacLeay, 23 December 1924, enclosed in Sir Ronald MacLeay to Victor Wellesley, private and confidential, 7 January 1924, FO371/10230, pp. 186-94 [Reg. No. F503/3/10, 19 February 1924]: at pp. 190-4, paragraph 5.

州一座城市之內加起來就有一億元，其中只有三千萬是用在本地的，其餘的七千萬都被客軍，尤其是滇軍匯回老家去。廣州銀根短缺，匯豐的存款被提取一空。[63]匯豐這家資金雄厚的英資銀行，可以苦苦支撐下來。但一家總部同樣是設在香港的華資銀行，卻支持不住而終於倒閉了。孫中山政府的反應不是設法挽救這家銀行以安定局面，反而是封屋抓人。[64]銀行界寧不心寒？又試想：「大量廣州的富有人家都把資金挪到香港買房地產，開商店，設工廠。」匯豐銀行廣州分行的存款就被提得空空如也。[65]沒人存款沒人貸款，銀行怎能生存下去？匯豐銀行廣州分行的代表變得沒事幹，其買辦陳廉伯同樣是沒事幹，怎會不痛恨孫中山？若該行買辦積極進行倒孫，則該行代表會袖手旁觀？就從陳廉伯那句露骨的話——商團「若得人扶掖，雖高遠之境，不難漸達」[66]——就不難想像福勃士會積極支持陳廉伯利用商團倒孫。

另一位痛恨孫中山的關鍵人物，正是孫中山曾經揚言要武力控

---

[63] Bertram Giles to Sir Ronald Macleay, Despatch 140, Very Confidential, Canton 21 August 1924, enclosed in MacLeay to MacDonald, Desp. 561 (5592/24), Very Confidential, 6 September 1924, in FO371/10240, pp. 44-88 [Reg. No. 3443/15/10, 16 Oct 1924]: at pp. 53-61, paragraph 4.

[64] 廣東省檔案館藏，粵海關檔案全宗號 94 目錄號 1 案卷號 1585 秘書科類《各項事件傳聞錄》，1924 年 6 月 19 日條。

[65] H. Fox to Sir Ronald MacLeay, 23 December 1924, enclosed in Sir Ronald MacLeay to Victor Wellesley, private and confidential, 7 January 1924, FO371/10230, pp. 186-94 [Reg. No. F503/3/10, 19 February 1924]: at pp. 190-4, paragraph 5.

[66] 敖光旭引陳廉伯：〈團長宣言書〉，《粵省商團月報》，第一期，1919 年 9 月。

制的粵海關[67]的總頭目——中國海關總稅務司安格聯爵士。他特別寫了一封公函給英國外交他所認識的一位高官說：孫中山自欺欺人地認為自己有很大的影響力，殊不知道野心家只不過是利用他的聲譽以行一己之私，而把廣州變成一片焦土。聲言支持他的軍隊，其實對他毫無忠誠可言。他們有奶便是娘，一天孫中山能從廣州市民中榨取到足夠的金錢來供養他們，一天他們還會支持他。但終有一天他再無法填其慾壑時，對他就會棄如敝屣。安格聯爵士認為那一天很快就要到來了。但一轉念又補充說，孫中山歷來有起死回生之力，而那些信賴他的活躍份子對英國來說又是個很大的隱憂。[68]

言下之意，安格聯爵士他自己願意為了剷除孫中山而盡一分棉薄之力。

英國外交部諸公對安格聯爵士來鴻的批示很能說明問題，同時回答了本章所提出的問題，即英國政府有沒有煽動商團的首領陳廉伯組織商人政府以代替孫中山的政府？第一位官員簽名了事，表示他「知道了」。[69]他上司批示曰：「我想這封信不必回覆吧。」[70]再上一級的批示是：「安格聯爵士對孫中山的看法真有意思……他

---

[67] 見本書第6章。

[68] Sir Francis Aglen KBE to Victor Wellesley, 12 March 1924, private, in FO371/10231, pp. 8-13 [Reg. No. F998/3/10, 12 March 1924]: at pp. 9-11.

[69] E.P. Mills's minute of 2 April 1924 on Sir Francis Aglen KBE to Victor Wellesley, 12 March 1924, private, in FO371/10231, pp. 8-13 [Reg. No. F998/3/10, 12 March 1924]: at p. 8.

[70] L. Collier's minute of 3 April 1924 on Sir Francis Aglen KBE to Victor Wellesley, 12 March 1924, private, in FO371/10231, pp. 8-13 [Reg. No. F998/3/10, 12 March 1924]: at p. 8.

鹵莽地、不智地把海關的收入押上押，把自己推進了死胡同……」(71)又上一級的官員批示曰：「他對孫中山處境的描述蠻有趣味。」(72)最後，常務助理外交次長批示曰：「起草短覆，謝他蠻有趣味的來鴻。」(73)他力排眾議而決定覆信，竊以為是因為安格聯爵士那封信是專門寫給他的！

總而言之，本章所提出問題的答案是否定的，英國政府並有沒有煽動商團的首領陳廉伯組織商人政府以代替孫中山的政府。而且，當個別的英國人，像安格聯爵士那樣，別有居心地暗示英國政府進行干預時，只會招來外交部諸公的私下揶揄。

總的來說，本節鎖定了兩個嫌疑人物，他們就是香港匯豐銀行廣州分行的福勃士代表和中國海關總稅務司安格聯爵士。他們兩人都有很明顯的動機要幫助陳廉伯攻擊孫中山的政府。具體如何幫忙？話題就轉到購買和偷運軍火的事情上，即著名的廣東口械潮一案。

---

(71) B. C. Newton's minute of 7 April 1924 on Sir Francis Aglen KBE to Victor Wellesley, 12 March 1924, private, in FO371/10231, pp. 8-13 [Reg. No. F998/3/10, 12 March 1924]: at p. 8.

(72) S. P. Waterlow's minute of 7 April 1924 on Sir Francis Aglen KBE to Victor Wellesley, 12 March 1924, private, in FO371/10231, pp. 8-13 [Reg. No. F998/3/10, 12 March 1924]: at p. 8.

(73) Victor Wellesley's minute of 8 April 1924 on Sir Francis Aglen KBE to Victor Wellesley, 12 March 1924, private, in FO371/10231, pp. 8-13 [Reg. No. F998/3/10, 12 March 1924]: at p. 8.

三、英國政府有沒有協助陳廉伯購買和偷運軍火？

首先應該說明一點：不待「哈佛」號輪船自挪威運來大批軍火，廣州商團自從在 1911 年成立那一天開始，就已經擁有大量武器。這是與晚清以降廣東社會動盪不安有關。城鄉各地都有不少居民以防盜爲理由購買了槍械。而在廣州市本身就「凡殷實商戶，多有儲槍自衛者」。(74)據說，「滬上某西報記者調查所得，中國槍械以廣東爲最多。合商鄉團各種自衛槍械；與現役軍隊並土匪等等，共有四百萬。」(75)著名的廣東開平碉樓所設的各種「燕子窩」槍眼就是那個時代的見證。(76)尤有甚者，「粵省商團槍支名冊，向未造報於官廳，故槍照均由本團簽發」。(77)廣州商人團體甚至可以代外地商團民團辦理。(78)「哈佛」號輪船中所載軍械，就有不少是廣州

---

(74) 邱捷：〈廣州商團〉，《近代史研究》總 276 期（2002 年第 2 期）第 53-66 頁：其中第 59 頁，引〈警廳佈告〉，廣州《民生日報》，1912 年 5 月 18 日。

(75) 邱捷：〈廣州商團〉，《近代史研究》總 276 期（2002 年第 2 期）第 53-66 頁：其中第 59 頁，註 7，引何民魂：〈自殺底孫文〉，香港《華字日報》1924 年 9 月 18 日。邱捷教授補充說，即使加上土造槍械，這個數位也令人難以相信。但此說至少反映出時人心目中廣東民間槍械之多。

(76) 感謝廣東省檔案局張平安局長，在 2004 年 2 月 20 日帶我到開平參觀自力村等地方的碉樓。有關開平碉樓專著，見張國雄等（編）：《老房子：開平碉樓與民居》（南京：江蘇美術出版社，2002）。

(77) 邱捷引〈仍催商團造繳名冊〉，《香港華字日報》1924 年 6 月 11 日。

(78) 邱捷引〈總商會布告各鄉領械辦法〉，《香港華字日報》1912 年 1 月 12 日。

商團為省城以外的其他商團購買的。[79]

任何一個政府都有管理槍枝彈藥的權力並予收費。當孫中山的政府在 1924 年 1 月訓令廣州衛戍總司令要求商團繳交武器查驗費時，商團決不從命。並堅持該團的槍械不應按私有論，而應該免繳查驗費。覆曰：「用再瀆陳清聽，伏乞准照前呈所請迅賜明令廣州衛戍總司令，即將商團槍支領折一案取消，並乞批示祗遵。」當時孫中山為了關餘的事情與列強的激烈鬥爭——最激烈的時候有 16 艘外國軍艦在英、法海軍司令的統率下兵臨廣州[80]——剛剛慘敗下來，被商團迫得緊了，只好「令飭廣州衛戍總司令免與查驗收費。」[81]可以想像，孫中山當時的處境一定是非常兇險，才會作出這重大讓步。對於他當時的處境，有兩位外來的目擊者的報告提供了有力的佐證。一位是英國人，他乘探親之便，從北京到香港並順道訪問廣州。另一位是法國人，他是法國駐遠東海軍司令，他帶領兵艦到穗時也登岸進行過考察。英國駐華公使麻克類爵士說，法軍司令的報告與那位英國人的報告完全吻合，[82]所以筆者的注意力就

[79] 敖光旭：〈「商人政府」之夢〉，《近代史研究》，總 136 期，第 177-248 頁，其中第 239 頁，引〈粵省東莞軍團衝突案（三）〉，《申報》1924 年 9 月 15 日。

[80] 見本書第 7 章。

[81] 孫中山致廣東省長廖仲愷，大元帥訓令第 64 號，1924 年 2 月 19 日，原載於《陸海軍大元帥大本營公報》，1924 年第 5 號：收錄於杜永鎮編《近代史資料專刊——陸海軍大元帥大本營公報選編》（北京：中國社會科學出版社，1981），第 545-6 頁。

[82] French Admiral Frochet's verbal account to Sir Ronald MacLeay, as related in MacLaey to Victor Wellesley, private and confidential, 7 January 1924, FO371/10230, pp. 186-94 [Reg. No. F503/3/10, 19 February 1924]: at pp. 187-8, paragraph 3.

集中分析那位英國人的報告。

這位英國訪客好像是英國駐華公使麻克類爵士的好朋友，因為他的報告是採取私人通信方式，而且直呼其個人名字而不稱麻克類爵士之類的客套。報告讀來平實可靠，也看不出它有任何渲染的必要。對於廣州的報導，它一開始就說該城似乎處於白色恐怖狀態，原因是該城完全被滇軍所控制，而滇軍軍士所賴以糊口（subsist）的，完全是嫖、賭、吹的牌照費。而這些妓院、賭檔、鴉片煙館氾濫於整個廣州城。[83]關於這一點，有漢語資料作為佐證。滇軍自從1923 年 1 月進入廣州城後，就依靠這些收入糊口。[84]

該報告繼續說，警察已經不再運作了，治安由一些市民保安隊來維持，但顯得軟弱無力。最近有一位市民保安隊員，為了從拉夫隊中拯救一位老人時，竟然在光天化日之下被滇軍士兵開槍打死了。[85]竊以為所謂市民保安隊極有可能正是商團的武裝隊伍。蓋當時的廣州除了商團以外，再無其他類似的組織。而商團又曾自稱曰：「十數年來，粵垣政局疊變，商場未大受蹂躪，皆商團自衛之力；居恒禦盜制暴，軍警有不能爲力者，獨商團毅然任之」；[86]

---

[83] H. Fox to Sir Ronald MacLeay, 25 December 1924, enclosed in Sir Ronald MacLeay to Victor Wellesley, private and confidential, 7 January 1924, FO371/10230, pp. 186-94 [Reg. No. F503/3/10, 19 February 1924]: at pp. 190-4, paragraph 4.

[84] 邱捷引〈商團軍拒賭被毆〉，香港《華字日報》，1923 年 1 月 26 日。

[85] H. Fox to Sir Ronald MacLeay, 25 December 1924, enclosed in Sir Ronald MacLeay to Victor Wellesley, private and confidential, 7 January 1924, FO371/10230, pp. 186-94 [Reg. No. F503/3/10, 19 February 1924]: at pp. 190-4, paragraph 4.

[86] 《廣東扣械潮》，卷 1〈事實〉，第 1 頁。

「平時則分班教練，作育人才；有事則協力佈防，保衛閭裏。遇有水旱偏災，無不分途散賑」。[87]邱捷教授認為「商團自身的評價，自有過頭之處，但商團在維持地方治安和社會救濟兩個方面確實都發揮了作用，獲得頗佳的聲譽。」[88]

該英國人的報告又說，那些最佳的商店大多數已經關門大吉，廣州的對外貿易已經慢慢癱瘓了。蓆子貿易已經完全停頓，鞭炮也買不到。絲織行會剛通知外商說，除非孫中山的政府取消其剛頒布的重稅，他們將不再出售絲織品。河盜猖獗，整個珠江三角洲的糧食都被搶掠一空，客軍為免捱餓，也傾巢而出到處搶掠運米的船隻，廣州很快就要鬧飢荒。在這種情況下：

> 廣州聯合保險公司的蒙塔古·依特（Montague Ede）告訴我，他正在向香港政府申請組織一支武裝汽船護航隊，並打算向香港的警察隊伍招聘保安人員作為武裝汽船護航隊的隊員。這樣，若米商從西貢進口大米到廣州而向他的公司買保險的話，(從香港到廣州的水路)就由這支武裝汽船隊來護航。……過去珠江三角洲那頻繁的客運和貨運已一去不復返，只有幾隻外國公司諸如義大利和法國的汽船，還繼續行走。我從香港到廣州所乘坐的那隻屬於英國公司大汽船，有粗重的鋼鐵

---

[87] 特約通訊員立人：〈官商爭械潮——附錄粵商團總公所爲扣留軍械通電〉，香港《華字日報》1924年8月16日，第3頁第1-3欄：其中第3欄。

[88] 邱捷：〈廣州商團〉，《近代史研究》總276期（2002年第2期）第53-66頁：其中第58頁。

圍桿把外國乘客和船上的外國職員的船艙完全與船的其他部份隔絕。船上所有的外國職員都攜帶手槍，荷槍實彈的印度看更人整夜在船上來回巡邏。[89]

這篇英語報告，有香港的《華字日報》的大量報導、獨立的粵海關檔案《各項事件傳聞錄》每天（星期天和公眾假期除外）的報告、英國海軍部的情報以及上述法國海軍司令的口頭報告作為佐證。應為信史。但皆只知其然而不知其所以然，唯有漢語的《廣州民國日報》把這種現象解釋得最清楚。該報 1923 年 12 月 14 日的報導說：自從 1911 年辛亥革命以來，

廣東所受之兵禍，以本年為最烈。北江之戰事甫停，而西江繼之；西江甫定，而東江禍作。此數月中，三江人民，其慘死於槍彈之下者，何可勝數；三江人民之財產，其受戰爭影響，而掃地以盡者，又何可勝數。[90]

正是由於 1923 年廣東戰事連綿，才造成上述英語報導那種慘

---

[89] H. Fox to Sir Ronald MacLeay, 23 December 1924, enclosed in Sir Ronald MacLeay to Victor Wellesley, private and confidential, 7 January 1924, FO371/10230, pp. 186-94 [Reg. No. F503/3/10, 19 February 1924]: at pp. 190-4, paragraph 4.

[90] 敖光旭：〈「商人政府」之夢——廣東商團與「大商團主義」的歷史考察〉，載《近代史研究》，總 136 期（北京：2003 年 7 月，第 4 期），第 177-248 頁：其中第 208 頁，引《廣州民國日報》1923 年 12 月 4 日的報導。

狀。沒有《廣州民國日報》的說明，該英語報導很容易就會造成一種錯覺，讓人誤認責任應該完全由孫中山的政府來負責。這正是筆者為何在本書上一章從一開始就花了大量篇幅描述孫中山三次在廣州成立政府的軍事和政治背景。《廣州民國日報》又進一步分析說：廣州為全省商務中心，

> 是以歷來軍事發生，亦不免有多少影響。然僅數日之間，即可恢復原狀，尚未有停滯如今年之久者……惟其出產之地既遭兵燹者，固已來源斷絕。餘亦匪風猖獗，運輸維艱。加之沿途勒收護費，成本過重，難於負擔，遂有百業停竭之勢。[91]

本來是客運和貨運都如輪轉的珠江三角洲，現在變成一潭死水，既重重地打擊了商業機會，也嚴重地影響了孫中山政府的稅收。政府入不敷支，又不斷地對各行業抽取苛捐雜稅，對商家來說，無異雪上加霜。因此商人除了不滿政府無力保護他們之外，更恨這種無能造成地方不靖，盜賊遍野摧毀商機；而政府再來個苛捐雜稅，那就恨上加恨。再加上政府所賴以生存的各路客軍橫行廣東，商團那能不咬牙切齒？如此種種，很快就造成商團與政府對立。

載有大量軍火的「哈佛」號輪船，就是在廣州商團與孫中山的政府劍拔弩張的情況下，於 1924 年 8 月 10 駛進廣州的省城下游之

---

[91] 敖光旭：〈「商人政府」之夢〉《近代史研究》，總 136 期（北京：2003 年 7 月，第 4 期），第 177-248 頁：其中第 208 頁，引《廣州民國日報》1923 年 12 月 7 日的報導。

黃埔港。這是廣州商團購買的軍火。孫中山懷疑這是商團用來攻打他的政府的，又懷疑背後有英國政府這隻黑手，(92)最後就把該船扣押起來。從那個時候開始，中國史學界甚至廣大華人，都認同孫中山的懷疑而指責英國政府。在大陸方面，本章前面引用過的、徐嵩齡在《歷史研究》所發表的論文就是典型的例子。(93)，以後陸續在大陸出版的論著，大都按照這個調子來論述。(94)在臺灣方面中央研究院近代史研究所出版的、權威性很高的《中華民國史事日誌》是這樣寫的：「商團團長匯豐銀行買辦陳廉伯與陳炯明相結，英人助之，由挪威輪『哈佛』（Harvard，筆者按：應作 Hav）將所購軍械運至廣州，謀危害廣州政府」。(95)所據似乎全是孫中山的宣言和電報。(96)所以在這個問題上，海峽兩岸的學者有很長的一段時間的看法都是一致的。

打破這種局面的是中國大陸另一位年輕學者張俊義。他充分利

(92) 詳見本章〈緒論〉部份。

(93) 徐嵩齡：〈1924 年孫中山的北伐與廣州商團事變〉，《歷史研究》，1956 年第 3 期，第 59-69 頁。

(94) 舉例說，張磊：〈孫中山與 1924 年廣州商團叛亂〉，廣州《學術月刊》，1979 年第 10 期，後收入張磊：《孫中山論》（廣州：廣東人民出版社，1986），第 150-174 頁。張憲文主編：《中華民國史綱》（鄭州：河南人民出版社，1985），第 204 頁。

(95) 郭廷以編著：《中華民國史事日誌》，一套四冊（臺北：中央研究院近代史研究所，1979），第 1 冊，第 812 頁，1924 年 8 月 9 日條。又因為該等史料沒提該輪的原來名字，只用漢語譯名「哈佛」，所以又倒譯為 Harvard，蓋該漢語譯名「哈佛」與美國著名的「哈佛」相同也。其實該船原名為 Hav。

(96) 見本章緒論部份所引用過的孫中山的宣言和電報。

用了中國社會科學院近代史研究所與英國學術院交流協議的留英三個月，專心至意地在英國國家檔案館收集英國外交部檔案中有關「哈佛」號輪船的資料，寫成了一篇有突破性的文章，題為〈英國政府與 1924 年廣州商團叛亂〉(97)他的結論是：「從目前所見英國外交部的有關檔案來看，英國政府並未參與軍火的採購與運送，而且『哈佛』號裝貨啟運前並不知情」。(98)理由是英國陸軍部的情報人員是在「哈佛」號已經在 1924 年 7 月日離開了蘇彝士運河（Suez Canal）以後而快到達科倫坡（Columbo）的時候，才偵知船上有一批標誌着「機器」但可能是軍火的貨物。(99)

若英國政府沒有幫助陳廉伯購買軍火以推翻孫中山的政府，那麼個別的英國人有沒有？在這個問題上，另一位年輕學者、香港的鍾寶賢博士作出了優秀的成績。(100)她充分地利用了匯豐銀行原始文件當中碩果僅存的一些有關信件，有系統地輔以英國外交部和殖民地部的檔案以及當時中、英報章的報導，對這個問題有突破性的發現。首先，她證明陳廉伯的老闆、匯豐銀行廣州分行的代表德寇西（J. E. B. de Courcy，按即福勃士 Donald Forbes 的繼任者），曾經為陳廉伯從歐洲購買軍火的計劃穿針引線。他的行動，得到匯豐銀行香港總

---

(97) 張俊義：〈英國政府與 1924 年廣州商團叛亂〉，《中國社會科學院近代史研究所年青學術論壇》1999 年卷（北京：社會科學文獻出版社，2000），第 48-63 頁。

(98) 同上，第 48-49 頁。

(99) 同上，第 49 頁。

(100) Stephanie Po-yin Chung, *Chinese Business Groups in Hong Kong and Political Change in South China, 1900-25* (Basingstoke: Macmillan, 1998), pp. 107-125.

行總經理史提芬（A. G. Stephen）和他的繼任人巴羅（A.H. Barlow）的大力支持並給予信用貸款。接着他們分頭在香港和廣州試圖打通各個關節：總經理拜會香港總督司徒拔爵士（Sir Reginald Stubbs）請求他對「哈佛」號上的貨物視若無睹。分行代表則接觸粵海關稅務司請其對「哈佛」號上的貨物給予方便。[101]筆者徵諸粵海關檔案，可知該缺當時空置，暫行代理稅務司者乃副稅務司（Deputy Commissioner as Acting Commissioner）英國人羅雲漢，1905 年到關。[102]筆者再徵諸英國外交部檔案，可知羅雲漢的英文原名是 W.O Law。[103]鍾寶賢博士又發現，遠在北京的中國海關總稅務司安格聯爵士（Sir Francis Arthur Aglen）也牽涉在內。[104]而英國駐廣州的總領事杰彌遜爵士（Sir James William Jamieson）以及事發時的代理總領事翟比南（Sir Bertram Giles），亦有牽連。[105]

同樣重要的是，鍾寶賢博士發掘了翔實證據，證明這一批英國紳士——其中過半是英王陛下策封的爵士——那麼神秘地進行的這項工程，是不折不扣的偷運軍火進入廣州。而其目的，也的確是要推翻孫中山的政府。[106]不錯，陳廉伯之「從國外購買大宗軍火」，

---

[101] Stephanie Chung, *Chinese Business Groups in Hong Kong*, pp. 107-125: at pp. 107-111.

[102] 廣東省檔案館全宗號（Serial Number）：外文資料；案卷號（File Number）704；案卷標題：海關題名錄，附刊常關，第 50 次，第 4 頁。

[103] 'Movement of Foreign Officials', FO228/3276, p. 530.

[104] Stephanie Chung, *Chinese Business Groups in Hong Kong*, pp. 107-125: at p. 109.

[105] Stephanie Chung, *Chinese Business Groups in Hong Kong*, pp. 107-125: at pp. 107, 112-4.

[106] Stephanie Chung, *Chinese Business Groups in Hong Kong*, pp. 107-125.

確實「曾得到軍政部的批准。」[107]這個批准的證據，正是陳廉伯向孫中山大本營的軍政部（Military Department）[108]領取到的進口軍火的執照。但這一紙執照，是陳廉伯賄賂了某雲南將領而取得的。[109]後來這位將領心裡有鬼，又去告發陳廉伯，[110]才引起孫中山的注意。孫中山一鬧起來，英國外交部下令調查，大鬼小鬼通通歸隊。諸鬼無所遁形之際，各自推擋之辭，讓人噴飯。鍾寶賢博士又發現，小鬼粵海關代理稅務司羅雲漢最倒楣，他被總稅務司撤職消消氣。[111]

諸鬼各懷的是甚麼胎？由於下節集中處理英國駐廣州總領事的問題，所以筆者決定留待下節才探索各位紳士、爵士降格參與這種勾當的動機。這勾當的結果之一，就是「哈佛」輪船的軍火在 8 月 12 日[112]被孫中山扣起來了。密謀敗露，陳廉伯怎麼辦？他馬上辭

[107] 邱捷：〈廣州商團〉，《歷史研究》總 276 期（2002 年第 2 期）第 53-66 頁：其中第 59-60 頁。

[108] 廣東省檔案館藏，粵海關檔案全宗號 94 目錄號 1 案卷號 1585 秘書科類《各項事件傳聞錄》，1924 年 8 月 12 日條。

[109] Stephanie Chung, *Chinese Business Groups in Hong Kong*, pp. 107-125: at p. 110. 該雲南將領究竟是誰，已電郵請教鍾寶賢博士（見 Wong to Chung, e-mail, 14 June 2004）。

[110] Stephanie Chung, *Chinese Business Groups in Hong Kong*, pp. 107-125: at p. 111，引香港《華字日報》1924 年 8 月 11-13 日。

[111] Stephanie Chung, *Chinese Business Groups in Hong Kong*, pp. 107-125: at p. 114。對於鍾寶賢博士這項優秀的研究成果，筆者在下文會作進一步分析。

[112] Bertram Giles to Sir Ronald Macleay, Despatch 140, Very Confidential, Canton 21 August 1924, enclosed in MacLeay to MacDonald, Desp. 561 (5592/24), Very Confidential, 6 September 1924, in FO371/10240, pp. 44-88 [Reg. No. 3443/15/10, 16 Oct 1924]: at pp. 53-61, paragraph 1.

退粵省商團團長的職位。有學者把陳廉伯此舉的目的解釋為「鼓煽商人之敵對情緒，」⑪³藉此以退為進。竊以為陳廉伯辭職的事實的確煽動了商人之敵對情緒。但又認為辭職原意，若放在他心驚膽戰地進行了近半年的密謀敗露之際來觀察，則逃命的動機較為接近事實。因為他馬上就躲進滙豐銀行沙面分行的買辦辦事處。⑪⁴但既然他辭職的客觀效果是商人之敵對情緒被鼓煽起來了，於是他就留在幕後指揮，企圖挽回敗局。商團的罷市和其他敵對行動不斷升級，迫得孫中山揚言要武力強迫商團在廣州的根據地西關開市。⑪⁵如此這般就帶出上面提到過的、英國駐廣州代理總領事翟比南向孫中山發出最後通牒以制止其軍事行動。

四、英國政府有沒有命令其駐廣州總領事向孫中山發出過最後通牒？

對於這個問題，已故美國哥倫比亞大學資深教授韋慕庭先生在其 1976 出版的大作已經提供了答案：具體來說沒有。英國駐廣州代理總領事翟比南之向孫中山發出最後通牒，完全是他自作主張。

---

(113) 張磊：〈孫中山與 1924 年廣州商團叛亂〉，收入張磊：《孫中山論》（廣州：廣東人民出版社，1986），第 150-174 頁：其中第 156 頁。敖光旭：〈「商人政府」之夢〉，《近代史研究》，總 136 期，第 177-248 頁，其中第 235-6 頁。

(114) Stephanie Chung, *Chinese Business Groups in Hong Kong*, pp. 107-125: at p. 112.

(115) 廣東省檔案館藏，粵海關檔案全宗號 94 目錄號 1 案卷號 1585 秘書科類《各項事件傳聞錄》，1924 年 8 月 29 日條。

事前既未向上司請示，事後更被英國外交部指令駐華公使向其提出譴責。[116]步韋慕廷先生後塵而參閱了同樣史料以及擴大搜索範圍並收集了相關佐證的學者諸如鍾寶賢[117]、張俊義[118]等，也得出了相同的結論。因此，我們可以說，孫中山錯怪了英國政府。

基本的問題解決了，新的問題就接踵而來。那就是翟比南發出最後通牒的動機問題：是他與孫中山在那一方面有甚麼重大的利益衝突而必須用這種嚴厲的手段對付他？准此，話題就回到本章上節提出的、一批過半是英王陛下冊封為爵士的英國紳士們涉疑暗中聯手幫助廣州商團偷運軍火進入廣州企圖推翻孫中山的政府，究竟各懷的是甚麼鬼胎？正是這些鬼胎造成了孫中山對英國政府的誤會，以致孫中山公開痛斥英國政府執行帝國主義的侵略政策。[119]這種指責使孫中山與英國政府的關係日益惡化。

首先，讓我們探索翟比南的動機。英國外交部諸公對翟比南的動機應該是最清楚的，因為按照定例，每次新官上任，外交部都對其發出非常清晰的訓令，指出職權範圍。白紙黑字地向駐地政府發出最後通牒而事先不請示上司乃外交大忌。所以英國外交部對翟比

---

[116] C. Martin Wilbur, *Sun Yat-sen: Frustrated Patriot* (New York: Columbia University Press, 1976), pp. 261-3. 漢語譯本見韋慕廷著、楊慎之譯：《孫中山：壯志未酬的愛國者》（廣州：中山大學出版社，1986），第 265 頁和第 395 頁註 47。

[117] Stephanie Chung, *Chinese Business Groups in Hong Kong*, pp. 107-125.

[118] 張俊義：〈英國政府與 1924 年廣州商團叛亂〉，《中國社會科學院近代史研究所年青學術論壇》1999 年卷（北京：社會科學文獻出版社，2000），第 48-63 頁。

[119] 見本章緒論部份。

南的動機，摸不着頭腦。該部是在 1924 年 9 月 6 日早上 9 時收到駐華公使麻克類爵士在 1924 年 9 月 5 日晚上 9 時零 5 分從北京發出的電報，⑳才知道最後通牒已經在 8 月 29 日清晨發出了。㉑而公使本人，也是在 1924 年 9 月 5 日的報章上看到孫中山在 9 月 2 日發給英國首相麥克唐納的抗議電報，電詢翟比南後，才從翟比南的覆電中確知其事。㉒

9 月 5 日晚上 9 時 50 分，麻克類公使經過 45 分鐘的考慮以後，又從北京發出第二份電報，表達了他對翟比南行動的不滿。㉓

英國外交部一位官員對翟比南行動的評價是這樣的：判斷錯誤，責任應該由翟比南代總領事與駐香港的海軍司令分擔。但是，若我們為翟比南設身處地想一想，則 8 月 28 日黃昏，領事團接到孫中山政府的通知，說翌晨即用武力對付西關，就連夜開會，決定向孫中山提出口頭抗議。接着翟比南就寢，但由於擔心英國人的生

---

[120] Sir James MacLeay to Ramsay MacDonald, Tel. 245, 5 September 1924, dispatched at 9.05 p.m., received on 6 September 1924 at 9 a.m., FO371/10244, pp. 023-26 [Reg. No. F3043/19/10, 6 September 1924]: at pp. 24-26.

[121] Sir James MacLeay to Ramsay MacDonald, Tel. 245, 5 September 1924, dispatched at 9.05 p.m., received on 6 September 1924 at 9 a.m., FO371/10244, pp. 023-26 [Reg. No. F3043/19/10, 6 September 1924]: at pp. 24-26, paragraph 5.

[122] Sir James MacLeay to Ramsay MacDonald, Tel. 245, 5 September 1924, dispatched at 9.05 p.m., received on 6 September 1924 at 9 a.m., FO371/10244, pp. 023-26 [Reg. No. F3043/19/10, 6 September 1924]: at pp. 24-26.

[123] Sir James MacLeay to Ramsay MacDonald, Tel. 246, 5 September 1924, dispatched at 9.50 p.m., received on 6 September 1924 at 7 a.m., FO371/10244, pp. 27-33 [Reg. No. F3043/19/10, 6 September 1924]: at p. 30.

命財產遭到毀壞，徹夜難眠。清晨起來，砲轟快要開始，即接駐香港海軍司令的信息說，若孫中山砲轟西關，英國皇家海軍在廣州的所有軍艦即一齊行動，興奮之餘，就馬上書面制止孫中山砲轟西關。此舉固然出格，但其情可恕？(124)

外交常務次長對這個評價的批示是這樣的：代總領事與駐香港海軍司令的行動是否恰當，繫於砲轟西關是否會危害到沙面租界的安全。如果是會的話，那麼，他們的行動是合理，雖然由於事前沒得到上級的批准而可能出格了。五份之四的沙面租界是英屬，五份之一是法屬。英國的利益是絕對不能受到挑戰的。所以，在決定發出譴責以前，我們必須搞清楚這一點。(125)

英國外交部認為事情的嚴重性足以請示首相兼外相麥克唐納。(126)最後，外交部授權麻克類公使調查此事；若有必要的話就對翟比南進行譴責。而譴責的理據不是翟比南曾向孫中山發出最後通

(124) S. P. Waterlow's minutes of 10 September 1924 on Sir James MacLeay to Ramsay MacDonald, Tel. 246, 5 September 1924, dispatched at 9.50 p.m., received on 6 September 1924 at 7 a.m., FO371/10244, pp. 27-33 [Reg. No. F3043/19/10, 6 September 1924]: at p. 28, paragraphs 1-2.

(125) R.M.'s minute of 10 September 1924 on Sir James MacLeay to Ramsay MacDonald, Tel. 246, 5 September 1924, dispatched at 9.50 p.m., received on 6 September 1924 at 7 a.m., FO371/10244, pp. 27-33 [Reg. No. F3043/19/10, 6 September 1924]: at p. 29. Checking the FO list, it seems that R.M. was the Rt Hon. Ronald McNeill, MP, Under Secretary of State for Foreign Affairs.

(126) Ramsay MacDonald's minute of 11 September 1924 on Sir James MacLeay to Ramsay MacDonald, Tel. 246, 5 September 1924, dispatched at 9.50 p.m., received on 6 September 1924 at 7 a.m., FO371/10244, pp. 27-33 [Reg. No. F3043/19/10, 6 September 1924]: at p. 32.

牒這件事情的本身，而是他不應該發出書面通牒：口頭警告已經足夠了。(127)因為該書面通牒成了孫中山強烈反英的證物。(128)英國外交部譴責翟比南的理據也不在於其未得授權就發出最後通牒。其邏輯是，若英國人的生命財產真正受到威脅，則事先來不及請示上級都可以發出最後通牒。關於這一點，外交部對麻克類公使的指示是很清楚的：「如果事實上孫中山砲轟西關不會對沙面造成嚴重威脅，而該代總領事仍然發出了該最後通牒的話，才可以對該代總領事發出譴責。」(129)

公使的最後決定是：給予該代總領事溫和的譴責（mild raprimand）。譴責的理據是沒有必要發出書面的最後通牒那麼過火和挑釁。(130)既然要譴責，為何又要溫和？他的理由可以從他建議如

(127) S. P. Waterlow's minutes of 10 September 1924 on Sir James MacLeay to Ramsay MacDonald, Tel. 246, 5 September 1924, dispatched at 9.50 p.m., received on 6 September 1924 at 7 a.m., FO371/10244, pp. 27-33 [Reg. No. F3043/19/10, 6 September 1924]: at p. 28, paragraphs 3. Accordingly, FO to Sir James MacLeay, Tel. 170, Draft, 12 September 1924 at 6.30 p.m., FO371/10244, pp. 27-33 [Reg. No. F3043/19/10, 6 September 1924]: at p. 33, paragraph 1.

(128) S. P. Waterlow's minutes of 10 September 1924 on Sir James MacLeay to Ramsay MacDonald, Tel. 246, 5 September 1924, dispatched at 9.50 p.m., received on 6 September 1924 at 7 a.m., FO371/10244, pp. 27-33 [Reg. No. F3043/19/10, 6 September 1924]: at p. 28.

(129) FO to Sir James MacLeay, Tel. 170, Draft, 12 September 1924 at 6.30 p.m., FO371/10244, pp. 27-33 [Reg. No. F3043/19/10, 6 September 1924]: at p. 33, paragraph 5.

(130) Sir Ronald MacLeay to FO, Tel. 265, 16 September 1924, FO371/10244, pp. 113-19 [Reg. No. F3127/19/10, 16 September 1924]: at p. 114, paragraph 1.

何處理駐香港海軍司令的辦法可見一斑。他建議外交部通過英國海軍駐華艦隊總司令要求駐香港海軍司令對事件呈交一份報告了事。理由是，在目前中國那種動盪不安的局面，不宜封殺海軍軍官勇於任事主動出擊的積極性。[131]竊以為他還有一道理由，明眼人從他在晚上一個小時之內發給外交部的兩道電報就可以看出來。即代總領事在事前不請示他，事後又不告訴他，待他從報章上看到孫中山打電報向英國首相告狀才知有其事，他處境之尷尬可知道，惱怒可知！但當他安靜下以後，尤其是在外交部提出譴責的問題後，他就心軟了。他珍惜部下那種勇於任事主動出擊的積極性，於是就選擇了溫和的譴責這個方式。這樣，既維護了自己的尊嚴與權威，又沒有打擊部屬的積極性，可謂兩存其美。難怪英國外交部中國處處長認為公使這樣的路子是走對了。[132]常務次長簽署了他名字的簡寫表示贊成。[133]

分析這批英國外交部的文件的過程中，覺得它們很清楚地反映了關鍵的一點：保護英國公民在華的性命財產是英國外交部首要急務。而筆者所看過的所有新官上任前英國外交部對其所頒發的指示，都鄭重地說明這一點。因此筆者認為，儘管從狹義上說，英國

---

[131] Sir Ronald MacLeay to FO, Tel. 265, 16 September 1924, FO371/10244, pp. 113-19 [Reg. No. F3127/19/10, 16 September 1924]: at p. 114, paragraph 2.

[132] S.P. Waterlow's minute of 17 September 1924 on Sir Ronald MacLeay to FO, Tel. 265, 16 September 1924, FO371/10244, pp. 113-19 [Reg. No. F3127/19/10, 16 September 1924]: at p. 11.

[133] Ronald McNeill's minute of 18 September 1924 on Sir Ronald MacLeay to FO, Tel. 265, 16 September 1924, FO371/10244, pp. 113-19 [Reg. No. F3127/19/10, 16 September 1924]: at p. 11.

政府在 1924 年 8 月 29 日該代總領事向孫中山發出最後通牒這樁個別事情上，英國政府沒有特別指令他這樣做。但是，從廣義來說，在該代總領事上任前，外交部頒發給他的任職指示中，其實已經授權他在必要時這樣做。同時，在 1924 年 8 月 29 日那種情況下，該代總領事，向孫中山發出最後通牒，儘管其動機是保護英國人的性命財產，但客觀後果無疑是阻止了孫中山懲辦那個蓄意推翻他政府的武裝團體。從這個意義來說，孫中山並沒有錯怪英國當局。

由此筆者又聯想到代總領事翟比南與商團團長陳廉伯偷運軍火的關係：孫中山依靠客軍而在廣州第三次成立的政府，弄得百業蕭條，嚴重地損害了英國商人的利益。翟比南的首要任務是保護英國人在廣州的利益，而英國人在廣州的主要利益是商人的利益。孫中山自然而然就成了翟比南要認真對付的敵人。在這個問題上，翟比南與陳廉伯的立場是一致的。因此陳廉伯決心倒孫，翟比南暗中盡力相助，是極有可能的。

筆者更聯想到，1923 年 12 月，孫中山提出武力控制粵海關。當時還在廣州的英國總領事杰彌遜爵士就建議用海軍封鎖廣州以強迫孫中山屈服。[134]無他，中國海關是英國在華利益的命根子也。現任總領事在 1923 年 12 月可以建議訴諸武力以保護英國在華利益，1924 年 8 月的代總領事只不過是繼續執行這個任務而協助陳廉伯罷市而已。其實，早在 1923 年 9 月孫中山通過廣州領事團向北京

---

[134] Sir Ronald MacLeay to Sir Reginald Stubbs, 13 December 1923, in FO371/10230, pp. 153-60 [Reg. No. F312/3/10, 17 January 1924]: at pp. 155-9, paragraph 10.

公使團提出把屬於廣東的關餘分配給他的政府之後不久，杰彌遜總領事已經有開始協助陳廉伯的跡象。因為在 1923 年 10 月，他就收到匯豐銀行香港總行的總經理史提芬的私人信，曰：

> 我親愛的杰彌遜：
>
> 陳廉伯（買辦）告訴了我很多有關商團的事情。自從辛亥革命以來，該商團經常做了不少好事，相信您都很熟悉。
>
> 他說，商團有一萬團員，但只有五千枝武器，因而非常渴望多買長槍和機關槍等，讓每一位團員都有武器。他又說，粵海關稅務司和孫（中山）都不反對。
>
> 這件事情是可以辦好的，因為我相信香港政府會對於任何能夠保障廣州和平穩定的工程，都會好意地視若無睹。
>
> 您怎麼想？您會採取甚麼態度？
>
> 您忠實的
>
> 史提芬[135]

杰彌遜總領事接到這封信時，沒有向上司報告。到了大約一年以後，東窗事發時，他已經由於休假而離開了廣州。待英國外交部

---

[135] A. Stephen to Sir James Jamieson, 10 October 1924, carbon copy, enclosed in Sir Ronald MacLeay to Ramsay MacDonald, Desp. 561 (5592/24), Very Confidential, 6 September 1924, FO371/10240, pp.044-88 [Reg. No. 3443/15/10, 16 Oct 1924]: at p. 62.

下令調查，他又已經結束休假離開了英國而在返回廣州的途中，[136]外交部無法傳他問話。結果由代理總領事翟比南差人用打字機把該信抄錄一遍呈外交部，並用打字機在信末打上杰彌遜總領事的批示曰：「我覆信說我不能為他做任何事情。1923 年 10 月 11 日。」[137]為甚麼代總領事不把原件上呈外交部？箇中玄妙是否與杰彌遜的批示有關連？短短幾個字的批示，如果原件是有的話，就能顯示是用手寫的。但如果原件根本沒有這行批示的話，代理總領事該如何處理？到底是由代理總領事繼續執行了總領事開了頭的工作啊！如果信末沒有總領事拒絕參與其事的批語，就表示他參與了。如果總領事參與了，代總領事那能不繼續參與？代總領事為了自保，就必須有總領事那句批語！奧妙就在這裡。至於參與的程度，可能就限於視若無睹。為何視若無睹就等同參與？因為英國政府積極執行對華禁運軍火的條約，這時期大量的英國外交部檔案都與英國在這方面所作的努力有關，而其積極性是基於軍火進華會增加社會動盪而不利英國人做生意。英國在華的外交官有責任積極幫助英國政府緝私，在得悉陳廉伯等準備私自偷運軍火進口而不向上司報告，就等同默許。

---

[136] E. W. P. Mills's minute of 21 October 1924 on Sir Ronald MacLeay to Ramsay MacDonald, Desp. 561 (5592/24), Very Confidential, 6 September 1924, FO371/10240, pp.044-88 [Reg. No. 3443/15/10, 16 Oct 1924]: at p. 44.

[137] Jamieson's minute typed at the end of A. Stephen to Sir James Jamieson, 10 October 1924, carbon copy, enclosed in Sir Ronald MacLeay to Ramsay MacDonald, Desp. 561 (5592/24), Very Confidential, 6 September 1924, FO371/10240, pp.044-88 [Reg. No. 3443/15/10, 16 Oct 1924]: at p. 62.

1924 年 8 月 12 日「哈佛」號輪船被孫中山下令扣押了。[138]事件於翌日見報，英國駐華公使麻克類爵士就於見報之日電詢廣州代總領事翟比南。[139]翟比南寫了一份詳細的報告作覆：

翟比南說，他已經掌握到確鑿的證據，證明該案是一宗牽涉面很廣的陰謀，目的是要用武力趕跑客軍以便推翻孫中山的政府來達到粵人治粵的目標。陰謀的主腦是陳廉伯，幾個月前他說服了他當時的老闆、匯豐銀行廣州分行代表福勃士（Donald Forbes）。福勃士轉而又說服了匯豐銀行香港總行總經理史提芬。福勃士於 1924 年 5 月休假回國，事情就由他的繼任人德寇西（J. E. B. de Courcy）接辦。由於列強對中國禁運軍火，所以只能走私。發貨的一方在發票上把軍火寫成是機器。船上的貨物清單則準備兩份，一份說是機器，另一份說是軍火。陳廉伯自知孫中山的政府絕對不會發給他進口軍火的執照，於是賄賂了滇軍的第二號人物[140]而取得一紙空白的執照，內容由陳廉伯自己填寫。陰謀功敗垂成，是由於知道內幕的某人堅持船上的貨物清單必須如實。陳廉伯迫得在執照上也如實填寫。結果當「哈佛」號在 1923 年 8 月 10 日到達黃埔時，當局即得

---

[138] Bertram Giles to Sir Ronald Macleay, Despatch 140, Very Confidential, Canton 21 August 1924, enclosed in MacLeay to MacDonald, Desp. 561 (5592/24), Very Confidential, 6 September 1924, in FO371/10240, pp. 44-88 [Reg. No. 3443/15/10, 16 Oct 1924]: at pp. 53-61, paragraph 10.

[139] Bertram Giles to Sir Ronald Macleay, Despatch 140, Very Confidential, Canton 21 August 1924, enclosed in MacLeay to MacDonald, Desp. 561 (5592/24), Very Confidential, 6 September 1924, in FO371/10240, pp. 44-88 [Reg. No. 3443/15/10, 16 Oct 1924]: at pp. 53-61, paragraph 1.

[140] 此人是誰？下文自有分解。

悉它所載有大量軍火並準備將該批軍火交給商團。於是當局馬上取消其執照，並要求粵海關稅務司阻止「哈佛」號卸貨。翌日陳友仁拜會翟比南請求他幫助政府阻止「哈佛」號把軍火交給商團。翟比南告訴陳友仁「哈佛」號已於當日駛進省河。陳友仁臉色大變，馬上告辭。孫中山聞訊即命砲艇監視「哈佛」號，又命部份滇軍在岸上佈防。8 月 12 日，命令「哈佛」號開回黃埔，否則將砲轟之。「哈佛」號只好從命。甫抵黃埔，船上軍火即被當局強行卸下。[141]

這份報告珍貴極了。它證明翟比南對該案的來龍去脈瞭如掌指。為何陳廉伯似乎甚麼都告訴翟比南？因為他和匯豐銀行的職員都認識到，翟比南是他們陰謀成敗的關鍵之一。翟比南坦率地說，陳廉伯曾多次向他表示過要利用商團來結束孫中山對廣州的統治。翟比南對他的目標表示可以同情，但無法認同他的手段。[142]對於這一切，翟比南一直不告訴他的上司、英國駐華公使麻克類爵士，說明他是同情商團的目標的。因為，一旦他告訴了上司，上司就必須報告外交部。英國政府矢志執行軍火禁運，陳廉伯的陰謀就不能得逞，英國商人在廣州的利益就會繼續受到傷害。竊以為麻克類爵士是瞭解部下的苦衷的，所以他向外交部報告這件事情時，就明確表

[141] Bertram Giles to Sir Ronald Macleay, Despatch 140, Very Confidential, Canton 21 August 1924, enclosed in MacLeay to MacDonald, Desp. 561 (5592/24), Very Confidential, 6 September 1924, in FO371/10240, pp. 44-88 [Reg. No. 3443/15/10, 16 Oct 1924]: at pp. 53-61, paragraphs 2-10.

[142] Bertram Giles to Sir Ronald Macleay, Despatch 140, Very Confidential, Canton 21 August 1924, enclosed in MacLeay to MacDonald, Desp. 561 (5592/24), Very Confidential, 6 September 1924, in FO371/10240, pp. 44-88 [Reg. No. 3443/15/10, 16 Oct 1924]: at pp. 53-61, paragraph 2.

示不準備追究總領事杰彌遜爵士的責任的。[143]言下之意，代理總領事的責任也不追究。外交部接到公使的報告，也聽到了絃外之音，因此絕口不提向他們追究責任的問題。[144]

竊又以為麻克類爵士決定不向其部下追究責任的另一原因，是兩位總領事都沒有用任何實際行動來支持陳廉伯。比方說，1924 年 8 月 10 日，當孫中山取消陳廉伯已經取得的進口軍火的執照時，匯豐銀行廣州分行代表德寇西就親自往見翟比南，要求該代總領事幫助陳廉伯向孫中山討回「哈佛」號船上的軍火，翟比南就一口拒絕。[145]其實，翟比南若真要干預其事，他是有法律根據制止孫中山強迫「哈佛」號駛往黃埔以及制止孫中山的人強行登船卸貨的。因為貨船進港和卸貨等事情，都屬於海關直接管轄的範圍。[146]海關是中央政府的組織，孫中山的地方政府是不能干涉其運作的。君不見，1923 年 12 月孫中山揚言要接管粵海關，馬上惹來軒然大

---

[143] MacLeay to MacDonald, Desp. 561 (5592/24), Very Confidential, 6 September 1924, in FO371/10240, pp. 44-88 [Reg. No. 3443/15/10, 16 Oct 1924]: at pp. 48-52, paragraph 3.

[144] See the varius minutes on MacLeay to MacDonald, Desp. 561 (5592/24), Very Confidential, 6 September 1924, in FO371/10240, pp. 44-88 [Reg. No. 3443/15/10, 16 Oct 1924]: at pp. 44-47.

[145] Bertram Giles to Sir Ronald Macleay, Despatch 140, Very Confidential, Canton 21 August 1924, enclosed in MacLeay to MacDonald, Desp. 561 (5592/24), Very Confidential, 6 September 1924, in FO371/10240, pp. 44-88 [Reg. No. 3443/15/10, 16 Oct 1924]: at pp. 53-61, paragraph 9.

[146] MacLeay to MacDonald, Desp. 561 (5592/24), Very Confidential, 6 September 1924, in FO371/10240, pp. 44-88 [Reg. No. 3443/15/10, 16 Oct 1924]: at pp. 48-52, paragraph 4.

波。若翟比南成功地阻止了孫中山，並按照「哈佛」號輪船上軍火的發票和陳廉伯手上的執照而物歸原主的話，後果是不堪設想的。但雖然翟比南有法理在手和可能的武力後盾，但他沒有出面阻止孫中山。

如果真的要追究責任的話，麻克類公使認為匯豐銀行香港總行的總經理暨其同仁竟然被其買辦說服而降格幹這可恥的軍火走私勾當，實在令人難以置信。[147]准此，英國外交部的一位官員批示曰：該行一些職員的行事方式的確是既愚蠢又鹵莽，但該行本身沒有作過詐騙或違法的事情。[148]中國處處長批示曰：我們沒有找到任何證據證明匯豐銀行本身曾經提供實際款項來購買和偷運軍火。[149]另一種意見是：雖然沒有證據起訴該銀行本身，但個別職員呢？至低限度該行應該對曾經牽涉在這個漩渦的職員採取行動，例如命令他們與陳廉伯斷絕關係。[150]

竊以為從盡忠職守保護匯豐銀行利益，也就是從英國利益的角

---

[147] MacLeay to MacDonald, Desp. 561 (5592/24), Very Confidential, 6 September 1924, in FO371/10240, pp. 44-88 [Reg. No. 3443/15/10, 16 Oct 1924]: at pp. 48-52, paragraph 3.

[148] B. C. Newton's minute of 22 October on MacLeay to MacDonald, Desp. 561 (5592/24), Very Confidential, 6 September 1924, in FO371/10240, pp. 44-88 [Reg. No. 3443/15/10, 16 Oct 1924]: at pp. 44-47, paragraph 2.

[149] S. P. W. Waterlow's minute of 22 October on MacLeay to MacDonald, Desp. 561 (5592/24), Very Confidential, 6 September 1924, in FO371/10240, pp. 44-88 [Reg. No. 3443/15/10, 16 Oct 1924]: at pp. 44-47, paragraph 2.

[150] J.S. Will's minute of 23 October on MacLeay to MacDonald, Desp. 561 (5592/24), Very Confidential, 6 September 1924, in FO371/10240, pp. 44-88 [Reg. No. 3443/15/10, 16 Oct 1924]: at pp. 44-47, paragraph 2.

度看問題，則值得回顧 1923 年 12 月底匯豐銀行廣州分行代表福勃士（Donald Forbes）對孫中山的政權所作過的嚴厲批評，⑮而香港總行總經理史提芬寫給廣州總領事的那封信的日期又竟然是 1923 年 10 月 10 日。⑯就是說，匯豐銀行協助陳廉伯購買和走私軍火的勾當，到了 1924 年 8 月中旬事發時止，前後接近一年。德寇西（J. E. B. de Courcy）不過是接福勃士之手辦理而已。無獨有偶，香港總行總經理史提芬也半途去世了，⑰但他的繼任人巴羅照樣一絲不苟地辦下去。這種現象說明了一個問題：這兩批人——外交官和銀行家——都是忠於自身的使命：外交官保護英國人在華的利益、銀行家保護自身的利潤。歷任銀行職員上下聯手對付那位威脅到他們使命的孫中山，不會因為人事更替而有所改變。

另一位其牽涉進這漩渦的人是香港總督司徒拔。匯豐銀行香港總行總經理史提芬在寫給廣州總領事杰彌遜的信中就暗示香港政府將會視若無睹。⑱而廣州分行的德寇西更指天誓日地對說翟比南

---

⑮ H. Fox to Sir Ronald MacLeay, 23 December 1924, enclosed in Sir Ronald MacLeay to Victor Wellesley, private and confidential, 7 January 1924, FO371/10230, pp. 186-94 [Reg. No. F503/3/10, 19 February 1924]: at pp. 190-4, paragraph 5.

⑯ A. Stephen to Sir James Jamieson, 10 October 1924, carbon copy, enclosed in Sir Ronald MacLeay to Ramsay MacDonald, Desp. 561 (5592/24), Very Confidential, 6 September 1924, FO371/10240, pp.044-88 [Reg. No. 3443/15/10, 16 Oct 1924]: at p. 62.

⑰ He died while on leave in London on 27 August 1924. This information was supplied by the HSBC Group Archives while I was researching at the Bank on Friday 4 February 2005.

⑱ A. Stephen to Sir James Jamieson, 10 October 1924, carbon copy, enclosed in

說：走私軍火曾得到香港總督的批准。[155]司徒拔總督當然否認其事。[156]鍾寶賢和張俊義在看過司徒拔的自辯以後，分別覺得其「難以入信」[157]和「蒼白無力」。[158]但從筆者目前要探索的主題、即忠於其使命的問題，則司徒拔總督無疑是佼佼者。本書第六章曾經提到，1921 年司徒拔為了香港的繁榮安定而不惜降格試圖以經濟援助陳炯明。後來香港海員大罷工把香港搞個天翻地覆，司徒拔誤以為是孫中山的主意，於是在 1923 年 2 月孫中山路過香港時，司徒拔對他敬禮有嘉，以致在華北的一些英國人公開的表示「噁心」。[159]難道驕傲的司徒拔總督自己就不感到噁心？無他，1922 年在香港發生過的海員大罷工對總督來說是一場惡夢。他害怕行將到廣州第三次成立政府的孫中山跟他過不去。為了保護香港的繁榮安定，他違心地對孫中山敬禮有嘉而已。到了 1923 年底，孫中山揚言要接

Sir Ronald MacLeay to Ramsay MacDonald, Desp. 561 (5592/24), Very Confidential, 6 September 1924, FO371/10240, pp.044-88 [Reg. No. 3443/15/10, 16 Oct 1924]: at p. 62.

[155] Bertram Giles to Sir Ronald Macleay, Despatch 140, Very Confidential, Canton 21 August 1924, enclosed in MacLeay to MacDonald, Desp. 561 (5592/24), Very Confidential, 6 September 1924, in FO371/10240, pp. 44-88 [Reg. No. 3443/15/10, 16 Oct 1924]: at pp. 53-61, paragraph 9.

[156] Stubbs to Amery (CO), 31 December 1924, CO129/485, p. 472.

[157] Stephanie Chung, *Chinese Business Groups in Hong Kong*, p. 115.

[158] 張俊義：〈英國政府與 1924 年廣州商團叛亂〉，《中國社會科學院近代史研究所年青學術論壇》1999 年卷，第 48-63 頁：其中第 62 頁。

[159] Leading article, 'Hong Kong and Canton', *Peking and Tientsin Times*, Monday 24 December 1923, newspaper cutting, enclosed in MacLeay to Wellesley, private and confidential, 7 January 1924, FO371/10230, pp. 186-94 [Reg. No. F503/3/10, 19 February 1924]: at p. 189, paragraph 1.

管粵海關，司徒拔堅決站在孫中山這一邊：司徒拔同樣是害怕孫中山採取報復行動而搞垮香港而已。這一切，本書在第七章已有所交代。

英國外交部諸公對司徒拔的「倒行逆施」惱怒之餘，精心設計一個圈套，企圖讓殖民地部把司徒拔從香港調走。[160]但沒成功：君不見，1924 年 12 月 31 日他不正是還以香港總督的身份，為了「哈佛」號輪船的軍火走私案，而與各方周旋嗎？[161]走私軍火這個禍闖得也夠大了，以致有學者寫道：司徒拔「在 1925 年初就被調離香港。」[162]其實不然，司徒拔在香港當總督直到 1925 年 10 月退休時才離職。[163]英國殖民地部諸公心裡很清楚：司徒拔無論是支持孫中山或者陰謀推翻他，動機只有一個：保證其治下的香港繁榮安定。為了達到這個目的，他甘犯眾怒，甚至激怒英國外交部諸公也在所不惜。這麼盡忠職守的殖民地官員往那找？殖民地部不保護他保護誰？

曾經參與過這樁走私軍火醜聞的外國人還有誰？鍾寶賢和張俊義都注意到，翟比南的報告說還有一個外國人曾牽進這個漩渦，但

---

[160] 見本書第 7 章。關鍵的文件是 Sir Eyre Crowe (Permanent Secretary of State for Foreign Affairs) to Sir J.E. Masterton-Smith (Permanent Secretary of State for the Colonies), 12 February 1924, FO371/10230, pp. 161-66 [Reg. No. F416/3/10, 11 February 1924]: at p. 166.

[161] Stubbs to Amery (CO), 31 December 1924, CO129/485, p. 472.

[162] Stephanie Chung, *Chinese Business Groups in Hong Kong*, p. 115.

[163] G.B. Endacott, *A History of Hong Kong, revised edition* (Hong Kong: Oxford University Press, 1973), p. 294.

翟比南自己必須守口如瓶。[164]筆者在本章第二節早鎖定了兩個嫌疑人物：除了香港匯豐銀行廣州分行的福勃士代表以外，就是中國海關總稅務司安格聯爵士。他有很明顯的動機要幫助陳廉伯推翻孫中山的政府。因為孫中山曾經兩度——在 1921 年初和 1923 年底——揚言要接管粵海關，對安格聯來說，是嚴重地侵犯了他的勢力範圍。筆者再細讀翟比南的報告時，發覺他在漫長的一篇報告裡絕口沒提到安格聯的名字。難道他所指的果然是安格聯？他的上司、駐華公使麻克類爵士，讀了這份報告時，有責任找出這位神秘人物究竟是誰。因為他必須把這份報告上呈外交部，而外交部看後肯定要追問。事後被追問就很被動了，事前搞清楚才顯得能幹。但他不能向部下「逼供」，這樣要破壞他的職業道德。幸虧老天爺幫忙，走私軍火的案件曝光後，安格聯為此拜會了他，讓他在自己的報告中可以很含蓄地說：總稅務司對整個事情的來龍去脈似乎都瞭如指掌。[165]

在同一個段落裡，公使又說：由於安格聯爵士的一名部下、屬英國國籍的粵海關稅務司，也牽涉了進去。因此，除非英國政府強

---

[164] Bertram Giles to Sir Ronald Macleay, Despatch 140, Very Confidential, Canton 21 August 1924, enclosed in MacLeay to MacDonald, Desp. 561 (5592/24), Very Confidential, 6 September 1924, in FO371/10240, pp. 44-88 [Reg. No. 3443/15/10, 16 Oct 1924]: at pp. 53-61, paragraph 7.

[165] MacLeay to MacDonald, Desp. 561 (5592/24), Very Confidential, 6 September 1924, in FO371/10240, pp. 44-88 [Reg. No. 3443/15/10, 16 Oct 1924]: at pp. 48-52, paragraph 3.

迫安格聯爵士招供，否則他是不會自動和盤托出的。[166]絃外之音，是不便向其追究責任。為甚麼？總稅務司、英王陛下冊封的爵士大人降格去幹這種丟人的勾當，其主要動機不外是保護英國在華利益的磐石——中國海關！

無獨有偶，翟比南在其報告中，也是在同一個段落裡一口氣共提到兩個人。他這樣做，明顯在暗示兩者之間是有關係的。一個是他不能說出其名字的神秘人物。另一個人他同樣沒有指名道姓；但又說，如果不是這個知內情的人堅持「哈佛」號輪船上的貨物清單必須如實的話，整個陰謀就會得逞而商團就會如願地得到他們所需要的武器。[167]誰有這個權力堅持清單必須如實？竊以為他肯定是粵海關的暫行代理稅務司副稅務司英國人羅雲漢（W.O Law）。[168]筆者這種判斷有佐證，滙豐銀行香港總行的檔案顯示，該行與粵海關是有密切接觸的。1924 年 6 月 10 日廣州分行寫信給總行說：陳廉伯認為，既然他過去已蒙粵海關稅務司俯允（sanction），該關有義務提供協助。[169]竊以為此句暗示了當前的代理稅務司羅雲漢不買賬。

---

[166] MacLeay to MacDonald, Desp. 561 (5592/24), Very Confidential, 6 September 1924, in FO371/10240, pp. 44-88 [Reg. No. 3443/15/10, 16 Oct 1924]: at pp. 48-52, paragraph 3.

[167] Bertram Giles to Sir Ronald Macleay, Despatch 140, Very Confidential, Canton 21 August 1924, enclosed in MacLeay to MacDonald, Desp. 561 (5592/24), Very Confidential, 6 September 1924, in FO371/10240, pp. 44-88 [Reg. No. 3443/15/10, 16 Oct 1924]: at pp. 53-61, paragraph 7.

[168] 廣東省檔案館全宗號（Serial Number）：外文資料；案卷號（File Number）704；案卷標題：海關題名錄，附刊常關，第 50 次，第 4 頁。

[169] De Courcy to Barlow, 10 June 1924, 'Correspondence from Shamain to Hong Kong, 1921-8', Group Archives, Hongkong and Shanghai Banking Corporation.

稍後一封同是來自廣州分行的信證明了這一點，它說：羅雲漢的覆信不置可否，形同廢紙。[170]

徵諸 1924 年印刷的海關題名錄，直到 1924 年 6 月 1 日為止，粵海關稅務司的名字叫巴爾。[171]再徵諸英國外交部檔案，可知巴爾的英文原名是 Major W.R.M'D Parr（巴爾少校）。[172]可以想像，這位轉業軍人絲毫未改好勇鬥狠的氣習，答應了陳廉伯協助他走私軍火。無奈軍火到達時他已經離開了廣州，代理稅務司羅雲漢堅決不幹這種違法亂紀的事情。匯豐銀行香港總行的檔案顯示，羅雲漢很快就被總稅務司安格聯爵士撤職。徵諸 1925 年印刷的海關題名錄，則 1925 年的粵海關稅務司已經改為易紈士[173]（A.H.F. Edwardes），是為有力佐證。羅雲漢的姓氏是 Law——法律的意思！真是貼切極了！看來羅雲漢比他的上司有眼光：如果高級海關人員為了一時方便而破壞法紀、對走私漏稅的事情視若無睹，則此例一開，整個制度就要垮臺，英國在華利益的磐石就要動搖。

綜觀這一大批涉案的英國人，無論是鐵面無私諸如羅雲漢，知法犯法諸如安格聯，知情不報諸如兩任駐穗總領事，視若無睹諸如香港總督，積極參與諸如匯豐銀行的大小代表，通通都只有一個目

---

[170] De Courcy to Barlow, 21 June 1924, 'Correspondence from Shamain to Hong Kong, 1921-8', Group Archives, Hongkong and Shanghai Banking Corporation.

[171] 廣東省檔案館全宗號（Serial Number）：外文資料；案卷號（File Number）704；案卷標題：海關題名錄，附刊常關，第 50 次，第 2 頁。

[172] 'Movement of Foreign Officials', FO228/3276, p. 530.

[173] 廣東省檔案館全宗號（Serial Number）：外文資料；案卷號（File Number）704；案卷標題：海關題名錄，附刊常關，第 51 次，第 3 頁。

的：保護英國在華的利益。這是他們嚴肅的使命。為了這個使命，他們都願意用不同的方式、不同程度地犧牲個人利益。相形之下，龍濟光、陸榮廷、莫榮新、陳炯明之流，滇軍、桂軍、湘軍、豫軍等等客軍的大小頭目，從來就沒有把中華民族的利益放心頭。只有那行將入木的孫中山還在那裡為了中國的獨立和統一而垂死奮鬥，以致那位把他恨之入骨的匯豐銀行廣州分行福勃士代表也不得不承認孫中山自有其可敬之處：因為他兩袖清風。[174]而英國駐廣州總領事杰彌遜爵士也不得不對孫中山的百折不撓「多少表示仰慕」（a certain reluctant admiration）。[175]

五、為何孫中山接了英國駐廣州總領事最後通牒後仍然鎮壓商團？

在研究這個問題時，過去的中國學者多採用現成的、孫中山方面的史料。前蘇聯的檔案被解密並翻譯成漢語後，研究的天地擴大了。年輕學者敖光旭充份地利用了該譯本中的有關部份，配以其他

---

[174] H. Fox to Sir Ronald MacLeay, 23 December 1924, enclosed in Sir Ronald MacLeay to Victor Wellesley, private and confidential, 7 January 1924, FO371/10230, pp. 186-94 [Reg. No. F503/3/10, 19 February 1924]: at pp. 190-4, paragraph 5.

[175] InteIntelligence Report: June Quarter 1922, enclosed in Sir James Jamieson (Consul-General, Canton) to Sir Beilby F Alston (Minister, Peking), Separate, 24 June 1922, FO228/3276, pp. 428-446: at p. 433.

漢語史料，試圖從俄國的角度回答這個問題，[176]而整理出如下一幅藍圖：

蘇聯共產黨推翻了沙俄王朝後，意氣風發，決心以世界革命作掩護征服全球。在歐洲推進世界革命失敗後，就致力在遠東打開缺口。[177]中國政局動盪，是俄國渾水摸魚的好地方。結果共產國際最後選擇支持孫中山。理由之一是孫中山為了中國的獨立自主而畢生奮鬥，對中國的激進派有強大的號召力。陳廉伯偷運軍火的事情曝光後，尤其是英國駐廣州代理總領事翟比南向孫中山發出最後通牒後，俄共在 1924 年 9 月 5 日組織了全國性的「不許干涉中國協會」，[178]光在列寧格勒就有數十萬人的示威遊行聲援孫中山，[179]「顯然使孫中山備受鼓舞」。[180]

1924 年 10 月 7 日，「蘇聯援助孫中山的第一批軍火（8,000 枝俄式長槍，每槍配子彈 500 發，其他武器若干），由『沃羅夫斯基』巡洋艦運抵廣州，隨船抵穗的還有一批顧問。」[181]孫中山更是感動，但敖光旭認為這種援助仍不足以促使孫中山下決心鎮壓商團。於是鮑

---

[176] 敖光旭：〈共產國際與商團事件——孫中山及國民黨鎮壓廣州商團的原因及其影響〉，載林家有、李明主編：《孫中山與世界》（長春：吉林人民出版社，2004），第 198-228 頁。

[177] 同上，第 199 頁。

[178] 同上，第 2005-6 頁，引李玉貞：《孫中山與共產國際》（臺北：中央研究院近代史研究所，1996），第 407-8 頁。

[179] 同上，第 206 頁，引林偉民：〈我到俄國一個月的感想〉，《中國工人》，1924 年第 11 期。

[180] 同上，第 223 頁。

[181] 同上，第 223 頁。

羅廷就把 1924 年 10 月 10 日被商團打死的示威學生和工人從 6 人以最大限度誇大到幾十人。[182]鮑羅廷以此吩咐蔣介石密電已經帶兵去了韶關準備北伐的孫中山請戰。[183]孫中山聞訊震怒非常：「按總理秉性慈祥博愛，雖任何刺激，從來未形諸顏色，其憤激情形，生平以此為最。」[184]鮑羅廷又授意中共廣州地委在 1924 年 10 月 10 日晚上即要求國民黨政府鎮壓商團，同時廣泛發動廣州附近各縣工、農、學界向廣州政府請願，並做好準備鎮壓商團。[185]敖光旭認為孫中山還是下不了決心，以致鮑、蔣頻頻電催孫中山返穗「鎮攝」。孫中山終於讓其夫人宋慶齡電囑鮑羅廷暨蘇聯顧問對軍隊進行巷戰訓練。[186]並於 10 月 14 日晚上秘密回到廣州，與鮑羅廷和兩位其他蘇聯顧問制定攻打商團的具體計劃，[187]當晚深夜凌晨時份即

---

[182] 此話反映在〈蔣介石請嚴辦商團致孫文密電暨孫文批〉，1924 年 10 月 11 日，中國第二歷史檔案館編：《中華民國史檔案資料彙編》（南京：江蘇古籍出版社，1986 年），第四輯（下），第 789 頁。

[183] 蔣中正：〈蔣介石請嚴辦商團致孫文密電暨孫文批〉，中國第二歷史檔案館編：《中華民國史檔案資料彙編》（南京：江蘇古籍出版社，1986 年），第四輯（下），第 789 頁。

[184] 孫中山的伺衛李榮的回憶：〈總理病逝前後〉，載尚明軒、王學莊、陳松等編：《孫中山生平事業追憶錄》（北京：人民出版社，1986），第 648 頁。

[185] 敖光旭：〈共產國際與商團事件〉，第 224-5 頁，引《中共廣東區委關於廣東農民運動報告》，1926 年 10 月印。

[186] 宋慶齡致鮑羅廷電，1924 年 10 月 13 日，載《宋慶齡書信集》（北京：人民出版社，1999），上冊，第 43-44 頁。感謝金沖及先生，應我電求，把此件複印後用快遞送來，特此鳴謝。

[187] 李玉貞：《孫中山與共產國際》（臺北：中央研究院近代史研究所，1996），第 405 頁。

發難。商團瞬即瓦解。⑱⑧

敖光旭博士這項研究成果，讓人耳目一新。筆者希望在他成績的基礎上，結合筆者蒐集到的英國檔案和其他史料，對這事件做進一步分析。敖文有關鍵性的四點：第一、孫中山被告知商團槍殺了手無寸鐵的幾十名學生和工人的時候，⑱⑨是他鎮壓商團的一個轉捩點。第二、鎮壓商團之所以成功，是因為有蘇聯顧問參與其事，「集中了數十名蘇聯顧問的黃埔軍校幾乎成了第二政府」。⑲⓪又有剛運到的蘇聯武器，加上黃埔學生軍、工團軍、農團軍、吳鐵城警衛軍以及部份滇軍、湘軍等又能如期在深夜凌晨時份對廣州商團集中地的西關發起猛烈攻擊。同樣重要的是，有工人在西關不顧生死地作內應⑲①（按即理髮匠放火燒屋以至商團不戰自亂）。第三、有中共積極參與：「孫中山返穗後即秘密召集宣傳會議，30 餘共產黨人及國民黨『左派』與會。會議決定了軍事行動之前和之後的部署。⑲②共產黨人譚平山、周恩來、陳延年、阮嘯仙……等參加了革命委員會所屬之臨時軍事指揮部的工作，並動員廣州工人、市郊農民支持

---

⑱⑧ 敖光旭：〈共產國際與商團事件〉，第 225-6 頁。

⑱⑨ 此話反映在〈蔣介石請嚴辦商團致孫文密電暨孫文批〉，1924 年 10 月 11 日，中國第二歷史檔案館編：《中華民國史檔案資料彙編》（南京：江蘇古籍出版社，1986 年），第四輯（下），第 789 頁。

⑲⓪ 敖光旭：〈共產國際與商團事件〉，第 225 頁。

⑲① 敖光旭：〈共產國際與商團事件〉，第 225-6 頁。

⑲② 敖光旭：〈共產國際與商團事件〉，第 225 頁，引賴先聲的回憶〈在廣東大革命的洪流中〉，載中共廣州市委黨史資料征集研究委員會編：《廣州大革命時期回憶錄選編》（廣州：廣東人民出版社，1986），第 32-33 頁。

配合鎮壓商團。[193]」第四、敖文沒有回答為何孫中山在接了英國駐廣州總領事 1924 年 8 月 29 日的最後通牒後仍然於 1924 年 10 月 14 日深夜凌晨時份攻打西關以鎮壓商團。但這不是敖光旭的過失，他寫該論文之目的不是要回答這個問題。他的目標是探索俄方如何促使孫中山鎮壓商團。因此，看來該問題還得由筆者來嘗試回答。准此，故事又必須從頭說起。而敖光旭提出的一些看法，也發人深省，引起筆者莫大興趣而決心作進一步探索。

1924 年 8 月 29 日清晨，[194]英國駐廣州代理總領事翟比南向孫中山發出最後通牒，阻止他攻打商團之根據地西關。當天，孫中山共寫了三封信，都是給滇軍當中軍事力量最強大的第二軍軍長范石生以及師長廖行超。這兩封信具關鍵性，故全文抄錄如下，以便具體分析。第一封的內容是這樣的：

> 小泉、品卓二兄鑒：此次民心之憤激，實因恨客軍而起。我之對商民，以爲籌備送客則可，用武逐客則不可，因此遂爲衆怨之的。所幸工人農團猶向政府，若兩兄不能爲政府立威信，則工人農團將必有畏勢而退縮，則人心盡去，而大局更

---

[193] 敖光旭：〈共產國際與商團事件〉，第 225-6 頁，引黃穗生：〈試析中共廣州地委平定商團叛亂鬥爭中的策略〉，載中共廣東省委黨史研究室編：《廣東黨史研究文集》（北京：中央黨史出版社，1991），第 393 頁。

[194] S. P. Waterlow's minutes of 10 September 1924 on Sir James MacLeay to Ramsay MacDonald, Tel. 246, 5 September 1924, dispatched at 9.50 p.m., received on 6 September 1924 at 7 a.m., FO371/10244, pp. 27-33 [Reg. No. F3043/19/10, 6 September 1924]: at p. 28, paragraphs 1-2.

危矣！政府萬一不固，則滇軍必無倖免之理，此實關於滇軍生死之機，不獨革命成敗已也。鐵城槍斃其團副，此乃份所當然，彼輩一時不就範，只有一以法繩之而已。望兄等速決心，不能稍示猶豫。陳廉伯已助東江之敵以大款，不日當有大反攻，若吾人不先清內患，則前方危矣。如明日尚無解決，則吾人非與彼輩決一生死不可。此時正要由死中求生，不可一誤再誤時間，爲敵人之利器拙，速乃吾黨之生路。務望與紹基及樊軍一致行動，速下萬鈞之威，不顧一切，死裏求生乃可，否則追悔無及矣。勇決勇決，革命幸甚！中國前途幸甚！此致，即候毅安。孫文、中華民國十三年八月二十九日午前二時。[195]

這封信帶出一個問題：孫中山是在收到翟比南的最後通牒之前、還是之後寫這封信的？

第一、如果是之前，則重建當時的歷史，則似乎當時孫中山的處境比翟比南更苦惱。1924 年 8 月 28 日的晚上，孫中山徹夜難眠，因為第二天早上，若商團罷市如舊，就要向西關的商團動武了，前途未卜，他心情非常緊張。熬了一個晚上，第二天天未亮就起來，一直等到日上三竿，仍然毫無動靜。不是早已說好了嗎？「西關一帶已責成師長廖行超設法着各商店於 29 日上午一律復

---

[195] 孫中山：〈致范石生、廖行超囑對商團採堅定態度函〉，1924 年 8 月 29 日，載《國父全集》（1989），第 5 冊，第 524 頁。

業、老城一帶責成軍長范石生設法着各商店同時開市」。[196]現在罷市如舊，將士們跑到那裡去了？而且，早已經警告了商團同時又早已經通知了外國駐廣州的領事團說要今早行動，現在毫無聲色，何顏對內、對外？政府威信一垮，則「人心盡去」。細細咀嚼孫中山這封信，一口氣說了兩次「死裡求生」之類的話。哀求范石生的苦態躍然紙上。為何這樣低聲下氣？為了「中國前途。」

第二、如果孫中山是在收到翟比南的最後通牒之後仍然寫這封信——而從當時情況來說，筆者相信這第二個可能性比第一個要大，因為孫中山在信的下款寫上「午前二時」等字樣。到了這個時候，心焦如焚的翟比南的那道最後通牒若還未送達就真的奇矣怪哉！——這種現象說明甚麼問題？說明該通牒沒有動搖孫中山鎮壓商團的決心；證明他認識到，鎮壓商團是他唯一的出路。為甚麼他會這樣想？竊以為翟比南的所謂最後通牒，其實已經是孫中山收到的第三道類似的警告了。第二道是口頭的，即 1924 年 8 月 28 日晚上列強駐廣州領事團向他發出的警告。[197]這第二道警告沒有動搖孫中山的決心。至於第一道，則如果我們設身處地般為孫中山想一想，就不難想像，當孫中山在 1924 年 8 月 10 日發覺突然出現在黃

---

[196] 佚名：〈省報所述扣械案情形〉，香港《華字日報》，1924 年 9 月 1 日，第 12 頁第 2 欄。

[197] S. P. Waterlow's minutes of 10 September 1924 on Sir James MacLeay to Ramsay MacDonald, Tel. 246, 5 September 1924, dispatched at 9.50 p.m., received on 6 September 1924 at 7 a.m., FO371/10244, pp. 27-33 [Reg. No. F3043/19/10, 6 September 1924]: at p. 28, paragraphs 2.

埔的「哈佛」號上所載的軍火其實是商團所訂購時，[198]無形中就收到了。此話怎說？

因為，自從 1919 年 5 月列強簽署的「對華武器禁運協定」開始生效以後，最熱心執行該協定的就是英國。英國政府害怕更多的武器流入中國後，治安就會更壞，更不利英國人做生意。[199]孫中山也曾多次從歐洲坐船回中國，沿途要經過英國人控制的蘇彝士運河（Suez Canal），並在英國殖民地科倫坡（Columbo）、新加坡、甚至香港等地補充燃料、食物、清水等。要靠岸就必須申報船上的貨物，並由海關人員上船檢查。這麼一大批軍火怎能順利地通過這麼多個由英國人嚴密把守的關卡？孫中山很自然就會懷疑：是英國政府保駕護航。其目的是要幫助商團拿到武器來推翻他的政府。這麼一想，無形之中就是領到英國的最後通牒。他打了個冷戰。

1924 年 8 月 11 日，他派陳友仁拜會英國駐廣州代總領事翟比南，要求他派一艘軍艦到黃埔監視「哈佛」號，並在必要時制止商團登船卸貨。遭到拒絕。[200]陳友仁為孫中山打第二個冷戰。翟比南

---

[198] Bertram Giles to Sir Ronald Macleay, Despatch 140, Very Confidential, Canton 21 August 1924, enclosed in MacLeay to MacDonald, Desp. 561 (5592/24), Very Confidential, 6 September 1924, in FO371/10240, pp. 44-88 [Reg. No. 3443/15/10, 16 Oct 1924]: at pp. 53-61, paragraphs 8.

[199] 見陳存恭：〈列強對中國的軍火禁運，民國 8 年—18 年〉，載《中國近現代史論叢，第 23 編，民初外交，下》（臺北：商務印書館，1986），第 954-971 頁。

[200] Bertram Giles to Sir Ronald Macleay, Despatch 140, Very Confidential, Canton 21 August 1924, enclosed in MacLeay to MacDonald, Desp. 561 (5592/24), Very Confidential, 6 September 1924, in FO371/10240, pp. 44-88 [Reg. No. 3443/15/10, 16 Oct 1924]: at pp. 53-61, paragraphs 10.

告訴陳友仁說「哈佛」已經在當天到了廣州。翟比南注意到陳友仁臉色大變。[201]看來是陳友仁為孫中山打第三個冷戰。因為軍火到了商團的根據地廣州，要是他們一窩蜂般登船卸貨，並派「重兵」把守碼頭以防意外，他們的陰謀就會得逞！

為甚麼孫中山會認為這是陰謀？

1911 年武昌起義後他到倫敦遊說英國政府，得到當時英國著名的機關槍製造廠維克斯遜斯·馬克沁（Vickers Sons & Maxim）的負責人之一，特瓦·鐸遜爵士（Sir Trevor Dawson）的積極幫助，既把孫中山的書面陳詞親呈外交部，[202]以便該部轉呈英國外相愛德華·葛雷爵士（Sir Edward Grey）。鐸遜爵士本人又於翌日晚上[203]拜訪了該外相。[204]目的是遊說英國政府支持孫中山。鐸遜以爵士之尊，如此降格為孫中山「跑腿」；無他，希望孫中山當權後為他帶來大量的軍火生意而已。可以想像，孫中山為了表達他自己的誠意，也會詳細地向鐸遜爵士詢問購買軍火的辦法和手續，例如信貸應該如何

---

[201] Bertram Giles to Sir Ronald Macleay, Despatch 140, Very Confidential, Canton 21 August 1924, enclosed in MacLeay to MacDonald, Desp. 561 (5592/24), Very Confidential, 6 September 1924, in FO371/10240, pp. 44-88 [Reg. No. 3443/15/10, 16 Oct 1924]: at pp. 53-61, paragraphs 10.

[202] "Statement handed by Sir Trevor Dawson to Mr. McKenna", enclosed in Grey to Jordan, Desp. 364, 14 November 1911, Reg. No. 45661, FO371/1095, pp. 165-173: at p. 169.

[203] Dawson to Grey, official, 15 November 1911, grouped with Grey to Jordan, Tel. 170, 17 November 1911, Reg. No. 45816, FO371/1095, pp. 183-188: at p. 188, paragraph 1.

[204] Grey to Jordan, Desp. 364, 14 November 1911, Reg. No. 45661, FO371/1095, pp. 165-173: at p. 166.

安排，款項應該如何支付，訂單應該給誰，發票應該如何開列，在武器的產地申請出口的手續，如何僱船運輸，船上清單應該怎樣，保險費用如何，沿途應該注意那些事項，發貨的地點必須有代理公司，收貨的地方也必須有代理人等等。蹲在廣州一隅的小小一個銀行買辦陳廉伯，儘管在理論上或從書本或其他途徑學會這些知識，實踐起來，從何着手？肯定有知情的外國勢力暗中幫忙，安排信貸，穿針引線。孫中山打第四個冷戰。

誰有這個本領為陳廉伯安排信貸，並穿針引線在老遠的歐洲購買軍火？他是匯豐銀行的買辦，事情還不明白嗎？匯豐銀行神通廣大，孫中山打第五個冷戰。匯豐銀行又是英國在華勢力最龐大的機構之一，與英國政府的關係也密切。官商勾結！孫中山打第六個冷戰。難怪他在 1924 年 8 月 11 日即不顧一切地命令砲艦把砲口瞄準「哈佛」號不許任何人卸貨。[205]這條英方消息有中方材料佐證：孫中山命令「寶壁鑑架砲嚴陣制止。」[206]另派三艦從旁監視。[207]英國消息說孫中山隨即命砲艦強迫「哈佛」號離開廣州回到黃埔。[208]中

---

[205] Bertram Giles to Sir Ronald Macleay, Despatch 140, Very Confidential, Canton 21 August 1924, enclosed in MacLeay to MacDonald, Desp. 561 (5592/24), Very Confidential, 6 September 1924, in FO371/10240, pp. 44-88 [Reg. No. 3443/15/10, 16 Oct 1924]: at pp. 53-61, paragraph 10.

[206] 天仁：〈扣留商團軍械之趨勢〉，香港《華字日報》，1924 年 8 月 13 日，第 3 頁。

[207] 香港《華字日報》，1924 年 8 月 15 日，第 3 頁第 3 欄。

[208] Bertram Giles to Sir Ronald Macleay, Despatch 140, Very Confidential, Canton 21 August 1924, enclosed in MacLeay to MacDonald, Desp. 561 (5592/24), Very Confidential, 6 September 1924, in FO371/10240, pp. 44-88 [Reg. No. 3443/15/10, 16 Oct 1924]: at pp. 53-61, paragraph 10.

方材料則除佐證了英方消息以外還點出了該艦正是「永豐」號，[209]其餘各艦撤退。[210]為何把它解回黃埔？在那裡，從 1924 年 6 月 16 日起，孫中山即已建立起了黃埔軍校，[211]是孫中山的勢力範圍。此舉已經是用武力挑戰了英國的權威。因為此舉侵犯了中國海關的權力，而中國海關是由英國人控制的。列強駐廣州領事團馬上向北京公使團請示是否要武力對付孫中山。[212]

當北京的公使團還在商量對策時，廣州方面的情況又猝變。事緣「永豐」號在 1924 年 8 月 11 日成功地把「哈佛」號押回黃埔後，孫中山即命廣東省長廖仲愷發佈安民，該告示在當天下午 5 時發佈，曰：

省署佈告 1924 年 8 月 11 日

為佈告事，現據粵海關監督署報告挪威商輪，運有槍枝 9 千餘桿，子彈甚多，到省請核示辦法等情。查槍彈為違禁品，照章必須呈准領照，方得購運。本署查無核准購運此項大宗

[209] 厥初：〈孫政府圖擢商團槍彈之解剖〉，香港《華字日報》，1924 年 8 月 14 日，第 3 頁。

[210] 香港《華字日報》，1924 年 8 月 13 日，第 12 頁第 1 欄。

[211] 孫中山：〈在陸軍軍官學校開學典禮的演說〉，1924 年 6 月 16 日，載《廣州國民日報》，1924 年 6 月 20-24 日以〈帥座對軍校開學演詞〉連載，收入《孫中山全集》第 10 卷第 290-300 頁。同文見《國父全集》（1989）第 3 冊第 472-479 頁。

[212] Sir Ronald MacLeay to Ramsay MacDonald, Despatch 561 (5592/24), Very confidential, 6 September 1924, FO371/10240 [Reg. No. 3443/15/10, 16 Oct 1924], pp. 44-88: at pp.48-52, paragraph 4.

> 槍彈之案，嗣查軍政部於本月 4 日，曾准商團領照購槍，惟原案聲明 40 日後運到，現距 4 號，計僅 6 日，時日不符，究竟該挪威商輪所運槍彈，與商團所購是一是二，自非詳晰查明，不足以昭慎重，現奉帥令，除飭由海關扣留，一面查明此外有無他種危險物品運載到省外，並飭該挪威商輪，移泊黃埔，聽候查明核辦。如實係安份商人，購為自衛之用，自必驗明核發，現值軍事時期，槍彈關係治安甚重。此項處置，實為維持全省治安起見。合行出示佈告，俾眾週知，此佈。廣東省長廖仲愷。[213]

這份佈告顯示出，到了這個時候，孫中山方面還不知道「哈佛」號究竟偷運了多少發子彈進入廣州，而查核軍政部於 1924 年 8 月 4 日發給陳廉伯的執照紀錄也沒有具體數目，因而只能在佈告中說「子彈甚多」。商團團長陳廉伯等看了這告示後，似乎連夜開會商量對策，並在第二天公文呈請孫中山准予卸貨。文曰：

> 呈為呈請事，玆職團以近來地方盜匪充斥，商民入團者數千之多，原有槍械，實不敷分配。槍擬向南利洋行訂購步槍 4,850 桿，另配子彈 1,150,000 顆；駁殼手槍 4,331 枝，另配子彈 2,060,000 顆；又大小手槍 660 桿，另配子彈 164,200

[213] 廣東省長廖仲愷佈告，1924 年 8 月 11 日下午 5 時，載：〈省報紀孫政府扣留商團軍火事〉，香港《華字日報》，1924 年 8 月 13 日，第 12 頁第 1-2 欄：其中第 1 欄。

顆，合共 1,129 箱，當經先行呈奉軍政部核准發給務字 53 號護照一紙，令飭沿途水陸軍警暨各關卡一體查照放行在案。現此項軍械已附挪威輪船載運抵省河。伏念此項軍械係全省備資購置，為輔助軍警圖謀自衛之用。素仰帥座扶植民權，提倡民治，中外欽崇。職團幸託帡幪，迭荷恩施，全體團軍，同深愛戴。用敢具呈，伏乞俯予令行粵海關監督，轉祝務司，隨時准予職團起卸。並分令各軍一體查照，俾免誤會而利運輸，實為德便。謹呈大元帥孫。粵省商團正團長陳廉伯，副團長李頌韶鄧介石。（計附大本營軍政部護照一紙）[214]

而附上之護照內容是這樣的：

大本營軍政部護照務字 53 號（1924 年 8 月 6 日）

茲據粵省商團總所呈報，向南利洋行購買步槍 4,850 桿，另配子彈 1,150,000 顆；駁殼手槍 4,331 枝，另配子彈 2,060,000 顆；又大小手槍 660 桿，另配子彈 164,200 顆，合共 1,129 箱，請發護照，運回應用等情，合行填發護照，仰沿途水陸軍警暨各關卡一體查照施行，無得留阻，須至護照者，給粵省商團長陳廉伯收執。限 11 月 4 日繳銷。[215]

---

[214] 粵省商團呈大元帥文（1924 年 8 月 12 日），載：〈省報紀孫政府扣留商團軍火事〉，香港《華字日報》，1924 年 8 月 13 日，第 12 頁第 1-2 欄：其中第 1 欄。

[215] 大本營軍政部發給陳廉伯的護照（1924 年 8 月 6 日），載：〈省報紀孫政府扣留商團軍火事〉，香港《華字日報》，1924 年 8 月 13 日，第 12 頁第 1-2 欄：其中第 1 欄。

上面一紙呈文與附上護照的的內容，說明陳廉伯等進口了共 3,374,200 發子彈。商團突然進口這麼一大批子彈，意欲何為？不是明顯地馬上要用來開火嗎？槍口對着誰？英國駐廣州總領事館的情報說，商團歷來的弱點是缺乏子彈，[216]所以一直沒有甚麼作為。如果孫中山對商團的瞭解不亞於英國總領事的話，那麼當他看到陳廉伯等的呈文和護照上開列的子彈數目後，他馬上會意識到，若商團拿到「哈佛」號輪船上的軍火，立刻就會變得很有作為了！同時，在廣州方面負責接貨的外國代理南利洋行一知道事情曝光後，又立即逃亡。[217]在這種種跡象面前，除非是上等傻瓜，否則孫中山對陳廉伯等偷運軍火進入廣州等情，必定認為是推翻政府的大陰謀。英國駐華公使在掌握到同樣的情報時得出的結論也是：目的明顯地是要推翻政府。[218]陰謀已經曝光，孫中山如果不馬上採取行動，就是坐以待斃！於是孫中山馬上作出了另外一個果斷決定。他下令把「哈佛」號輪船上的軍火強行卸貨。[219]列強被打個措手不

---

[216] Bertram Giles to Sir Ronald Macleay, Despatch 140, Very Confidential, Canton 21 August 1924, enclosed in MacLeay to MacDonald, Desp. 561 (5592/24), Very Confidential, 6 September 1924, in FO371/10240, pp. 44-88 [Reg. No. 3443/15/10, 16 Oct 1924]: at pp. 53-61, paragraph 14.

[217] Bertram Giles to Sir Ronald Macleay, Despatch 140, Very Confidential, Canton 21 August 1924, enclosed in MacLeay to MacDonald, Desp. 561 (5592/24), Very Confidential, 6 September 1924, in FO371/10240, pp. 44-88 [Reg. No. 3443/15/10, 16 Oct 1924]: at pp. 53-61, paragraph 11.

[218] MacLeay to MacDonald, Desp. 561 (5592/24), Very Confidential, 6 September 1924, in FO371/10240, pp. 44-88 [Reg. No. 3443/15/10, 16 Oct 1924]: at pp. 48-52, paragraph 2.

[219] Bertram Giles to Sir Ronald Macleay, Despatch 140, Very Confidential, Canton 21 August 1924, enclosed in MacLeay to MacDonald, Desp. 561 (5592/24),

及。

就是說，從 1924 年 8 月 12 日起，孫中山已經實際上與英國不宣而戰了。從這個角度看問題，翟比南那 1924 年 8 月 29 日的最後通牒，大有姍姍來遲之感。本來已經開戰了，孫中山也已把老命豁出去了，還怕甚麼？若英方不執行翟比南那道最後通牒，孫中山就能倖免，他就能繼續革命，按照他自己的意志挽救中國。若英方真的開火，炮火不認人，他就與商團在混戰中同歸於盡，因為他已經沒有別的出路。與商團同歸於盡有甚麼好處？壯烈犧牲，可以喚醒國人，繼續革命。因此，竊以為對那位已經作了最壞打算的孫中山來說，翟比南書面的最後通牒應該沒有決定性的影響。他早已經堅決不移地要鎮壓商團了。

其實，被孫中山理解為第一道警告的事情，全是一場誤會。正如前述，英國政府對「哈佛」號走私軍火，事前並不知情。待發覺以後，該船已快靠近科倫坡。殖民地部馬上於 1924 年 7 月 11 日電令科倫坡總督搜查。[220] 7 月 19 日該船抵達科倫坡時，即由副稅務司親自出馬上船搜查，不但查貨並查文件。船長出示正確的船貨清單，明確地顯示出船上的貨物包括軍火並準確地列出各式軍火的數

Very Confidential, 6 September 1924, in FO371/10240, pp. 44-88 [Reg. No. 3443/15/10, 16 Oct 1924]: at pp. 53-61, paragraphs 10. See also MacLeay to MacDonald, Desp. 561 (5592/24), Very Confidential, 6 September 1924, in FO371/10240, pp. 44-88 [Reg. No. 3443/15/10, 16 Oct 1924]: at pp. 48-52, paragraph 4.

[220] CO to Governor of Ceylon, Telegram, 11 July 1924, Despatched 7.50 p.m., FO371/10238, pp. 108-115 [Registry No. F2510/15/10, 26 July 1924]: at pp. 111-2.

字，在法律上無懈可擊。副稅務司在法律上能找到唯一能夠對付該船的藉口，是該船攜帶了超過 560 英磅（5 cwt）的爆炸品而沒有存放在安全軍火庫（magazine），罰款 200 盧比後予以放行。㉑科倫坡總督把搜查結果既電稟倫敦，也咨會新加坡總督和香港總督；並補充說，該船已於 7 月 24 日離開科倫坡。㉒英國外交部就把希望寄託在新加坡，因為那裡的殖民地政府早在 1922 年已經以訓令的方式公佈過，從 1922 年 7 月 1 日開始，禁止任何人等向中國輸出任何軍火，為期三年。㉓若該船進港，當局打算馬上依法辦事。但道高一尺魔高一丈。該船船長從一開始就有命在先，沿途從那一個埠從新啟程，就必報告總部。㉔總部為科倫坡一役抹了一把汗，似乎就電令該船全速開往廣州，沿途不許再靠岸。這麼一改變計劃，就讓陳廉伯的陰謀露出破綻，因為他在賄賂得來空白的執照上填寫貨

㉑ W.T. Southorn to Colonial Secretary (Ceylon), Memo Hav, 28 July 1924, enclosed in W.H. Manning (Governor Ceylon) to Thomas (CO), 9 August 1924, FO371/10239, pp. 118-26 [Reg. No. F3096/15/10, 11 September 1924]: at p. 120-2.

㉒ Governor of Ceylon to CO, Telegram, 30 July 1924, FO371/10238, pp. 165-69 [Registry No. F2654, 7 August 1924]: at p. 166.

㉓ Government Proclamation, Singapore 17 June 1922, Straits Settlements Gazette No. 48 of 23 June 1922, in FO371/10239, pp. 127-46 [Reg. No. F3135/15/10, 18 September 1924]: at p. 141, paragraph 6.

㉔ Captain Knut Scott Gundersen's sworn statement, 21 July 1924, Government Proclamation, Singapore 17 June 1922, Straits Settlements Gazette No. 48 of 23 June 1922, in FO371/10239, pp. 127-46 [Reg. No. F3135/15/10, 18 September 1924]: at pp. 123-4.

到日期是 40 天以後。[225]結果貨物大大提前到達，馬上增加孫中山的疑慮。關鍵是，孫中山對於英國政府早已想盡辦法扣留「哈佛」號並試圖把其軍火充公所作的努力毫不知情，所以說他錯怪了英國政府。

孫中山下定決心鎮壓商團，但范、廖駐西關，鎮壓商團必須得到他們同意，只好寫了上面那封信，苦苦懇求范石生等出兵。

范石生和廖行超接孫中山這封信後，似乎回信說，他們正在設法調停商團與政府的衝突。以致孫中山馬上又寫了第二封信，着重地說：若范、廖拒絕攻打商團的話，則「須悉將商團繳槍」，此舉「能行則生，不能行則死」。全文如下：

> 小泉、品卓二兄鑒：商團數來調和，每次皆以事故中變，此其故意延長時間，以待東江敵人反攻而爲夾擊之計，已無疑義，我等不可尚在夢中也。今日若尚無解決，則非死中求生不可。望兩兄速決心與政府一致對商團爲最後之忠告，明日須悉將商團繳槍，勒令商戶開市。如有不從，則由有紀律之軍隊協同學生、工人，將西關全市之米糧、布疋悉數徵發，

---

[225] 孫中山：〈中國內亂之原因〉，1924 年 11 月 25 日，《國父全集》（1989），第三冊，第 527-535 頁：其中第 529 頁。同文以〈在神戶歡迎會的演說〉為題目刊於《孫中山全集》第 11 卷第 377-389 頁：其中第 381 頁。范石生口述、許崇勳筆記：〈滇軍第二軍戰史〉，載峨山彝族自治縣文史資料委員會編：《峨山彝族自治縣文史資料選輯第二輯：范石生專輯》（峨山縣城：峨山彝族自治縣文史資料委員會，1989），第 110-196 頁：其中第 190 頁。

以爲戰時軍用。如此，則吾軍前後方可免饑寒之憂，乃可持久。此爲戰時必要之舉，各國皆有先例，在我當仿而行之。能行則生，不能行則死，生死關頭在此，成敗利鈍亦在此，望兩兄速決而力行之，大局幸甚。此致。孫文。中華民國十三年八月二十九日。[226]

結果范、廖仍然抗命而與商團達成協議，以錢贖槍：商團報效政府軍費五十萬，政府發還商團槍枝。[227]孫中山心裏有數：商團拿到軍火以後肯定倒戈相向。但范、廖抗命，他有什麽辦法？爲了挽回面子，他寫了當天的第三封信。無可奈何之情，躍然紙上：

小泉、品卓二兄鑒：所擬各節尚無礙難之處，今後辦法不獨陳廉伯之表示悔悟措詞如何，尤當察其誠意如何。如真有誠意服從政府，則何事不可通融辦理？所以，千頭萬緒，都在一「誠」字而已。故於開市之後，請兩兄約同各簽字之人到來面談一切，以觀其誠意之所在。如明開市，即請午後四點鐘到來可也。此候

毅安

[226] 孫中山：〈致范石生、廖行超着與政府一致收繳商團槍支勒令商團開市函〉，1924 年 8 月 29 日，載《國父全集》（1989），第 5 冊，第 525 頁。

[227] 佚名：〈省報所述扣械案情形〉，香港《華字日報》，1924 年 9 月 1 日，第 12 頁第 1 欄。

孫文。中華民國十三年八月二十九日。[228]

陳廉伯已經孤注一擲地進口大量槍枝彈藥來倍增其商團的武裝以推翻孫中山的政府，悔悟云云，只不過是拖延戰術，待軍火到手，肯定翻臉不認人，何來誠意？竊以為孫中山也不相信自己在信裡所寫的話。只因為他是光棍司令，無可奈何而已。

對於范、廖在這一天——即 1924 年 8 月 29 日——的所作所為，時人稱為「半兵諫式」，[229]可謂一針見血。難怪孫中山在 1924 年 8 月 31 日召開的國民黨中央會議上「斥責范石生、廖行超不服從政府命令，並聲明絕對否認范、廖訂立之『調和條件』。」[230]范石生後來的自辯值得注意，他信誓旦旦地說，當時曾「絕對服從總理」，[231]又說「主憂臣辱，主辱臣死！」[232]但范石生自辯之時，已是 1933 年 6 月 11 日。[233]當時蔣中正已大權在握，並推行了孫中山造神運動以自重，范石生的兵權又已經被蔣中正架空，若不如此

---

[228] 孫中山：〈覆范石生、廖行超函〉，1924 年 8 月 29 日，載《孫中山全集》，第 10 卷，第 610 頁，據香港《華字日報》編《廣東口械潮》（香港《華字日報》，1924 年冬版），影印原函。

[229] 本仁：〈孫文以狂威逼扣械案解決之續訊〉，香港《華字日報》，1924 年 9 月 1 日，第 3 頁。該報把本仁描述為「本報廣州特約通訊員」。

[230] 《孫中山年譜長編》，下冊，第 1990 頁，1924 年 8 月 31 日條，引〈帝國主義與反革命壓迫下的孫中山政府〉，載《嚮導周刊》，第 85 期。

[231] 范石生：〈讀《記廣州商團之變》後〉，上海海天出版社編：《現代史資料，第三集》（上海：海天出版社。1934 年 4 月初版，香港波文書局 1980 年 7 月重印），第 14-20 頁：其中第 14 頁。

[232] 同上，第 15 頁。

[233] 范石生致現代史資料編輯函，1933 年 6 月 11 日，載同上第 14 頁。

自辯，後果堪慮。儘管如此，范石生還不得不承認，當孫中山把范石生與商團所訂立的調和條件翻閱一過後憤然說：「關於此事，我簡單答覆，就是不滿意三字！」[234]爲何范石生把這種對他不利的話也複述？因爲「其時伍梯雲在座」，[235]范石生若不如實道來，萬一伍朝樞挺身作證，范石生就無地自容。於是范石生馬上補充說：「夜間奉總理親筆函示：『所陳條件，尚無窒礙，應准照辦，並希明日率領商團代表到大本營請候訓話。』——此函原件轉商團代表，被其影印《扣械潮》一書上。」[236]

爲何孫中山到了當天晚上就作了 180 度的轉變？范石生沒有交待。但上面提到過的、對偷運軍火一事瞭如指掌的英國駐廣州代理總領事翟比南的絕密報告卻提供了一條重要綫索。該報告說，陳廉伯曾賄賂了滇軍第二號人物而取得了進口軍火的一紙空白執照，內容由陳廉伯自己填寫。[237]竊以為所謂「滇軍第二號人物」，非范石生莫屬。[238]而賄賂的內容，不是甚麼金銀財寶而是「哈佛」輪上的

---

[234] 范石生：〈讀《記廣州商團之變》後〉，上海海天出版社編：《現代史資料，第三集》（上海：海天出版社。1934 年 4 月初版，香港波文書局 1980 年 7 月重印），第 14-20 頁：其中第 16 頁。

[235] 同上。

[236] 同上。

[237] Bertram Giles to Sir Ronald Macleay, Despatch 140, Very Confidential, Canton 21 August 1924, enclosed in MacLeay to MacDonald, Desp. 561 (5592/24), Very Confidential, 6 September 1924, in FO371/10240, pp. 44-88 [Reg. No. 3443/15/10, 16 Oct 1924]: at pp. 53-61, paragraph 8.

[238] 當時滇軍總司令是楊希閔，是當然的第一號人物。其他將領，論實力聲望地位等等，誰也超不過范石生，故云。

部份軍火。[239]孫中山把商團的軍火扣押起來後，又下令強迫商團開市否則武力對付。這種做法，讓范石生渴望得到的軍火付諸流水。他的反應會怎樣？那就視乎他對那批軍火重視的程度。若他極端重視那批軍火的話，他就會採取極端的手段企圖得到它。

事實證明，范石生是極端重視軍火的。當一個半月後的 1924 年 10 月 14 日深夜凌晨時份，范石生終於遵從孫中山命令而同意配合粵軍鎮壓商團時，穗人觀察到，「吳鐵城、許崇智、盧師諦各部只顧搶物」，[240]尤以李福林部「為最」。[241]但范石生部則「專注繳械」「以倍一己之勢力」。[242]

范石生刻意培養自己的實力而採取極端的手段來爭取他認爲本來是屬於他的軍火，完全有可能。什麼極端手段？竊以為在 1924 年 8 月 29 日的白天，范石生手持他擅自與商團達成的協議往見孫中山而碰了一鼻子灰時，在白天眾目睽睽之下當然沒孫中山奈何。

---

[239] Bertram Giles to Sir Ronald Macleay, Despatch 140, Very Confidential, Canton 21 August 1924, enclosed in MacLeay to MacDonald, Desp. 561 (5592/24), Very Confidential, 6 September 1924, in FO371/10240, pp. 44-88 [Reg. No. 3443/15/10, 16 Oct 1924]: at pp. 53-61, paragraph 8.

[240] 特約專訪員法天（函）：〈茫茫浩劫中之廣州見聞〉，香港《華字日報》，1924 年 10 月 22 日，第 2 頁第 5 欄。

[241] 特約通訊員超人（函）：〈茫茫浩劫中之廣州見聞〉，香港《華字日報》，1924 年 10 月 20 日，第 2-3 頁：其中第 3 頁第 3 欄。又見佚名：〈福軍焚殺搶掠另詳〉，香港《華字日報》，1924 年 10 月 17 日，第 12 頁第 1 欄。

[242] 特約專訪員法天（函）：〈茫茫浩劫中之廣州見聞〉，香港《華字日報》，1924 年 10 月 22 日，第 2 頁第 5 欄。

若趁夜闌人靜之際直闖孫中山居處而用「半兵諫式」[243]強迫孫中山親筆同意該項協議，就可以解釋為何孫中山到了晚上竟然完全改變初衷了。而范石生馬上又將該函「原件轉商團代表，被其影印《扣械潮》一書上，」[244]更是范石生防止孫中山反悔的重要手段而可以視為兵諫的旁證。至於兵諫本身，若沒人張揚出，時人不會知道。這種敗壞孫中山威信的事情，相信不是孫中山那一方傳出去。不是孫方就是范方，范方若沒范石生點頭，誰敢聲張？讀 1933 年被削了兵權後的范石生那種肉麻的自辯之詞諸如「主憂臣辱，主辱臣死！」[245]就完全可以想像出 1924 年手握重兵的范石生那種囂張跋扈。

歸根結底，范石生的自辯是回應「記廣州商團之變」一文。茲引該文的有關部份如下：

> 此時各軍，以滇軍范石生之力量為最強，范乃於二十八日，偕廖行超入見孫中山，請接受商團條件，和平解決，孫即嚴詞拒絕，廖仲愷汪精衛蔣介石均主徹底解決，務須繳械。但范石生自恃實力，公然向孫中山報告，本人只能再負責兩天，後期請總統自行斟酌，如有其他軍隊敢於開入市內，本

[243] 本仁：〈孫文以狂威逼扣械案解決之續訊〉，香港《華字日報》，1924 年 9 月 1 日，第 3 頁。該報把本仁描述為「本報廣州特約通訊員」。

[244] 范石生：〈讀《記廣州商團之變》後〉，載上海海天出版社編：《現代史資料》，第三集（上海：海天出版社，1934 年 4 月初版，香港波文書局 1980 年 7 月重印），第 14-20 頁：其中第 16 頁。

[245] 同上，第 15 頁。

> 人決下令痛擊！自范石生態度改變，廖行超與之朋比，湘軍勢存觀望，福軍無甚力量，則總統所恃者，僅蔣介石之軍校學生二千，樊鍾秀之豫軍一千矣！中山知不能與爭於此時，乃毅然允范石生之請。[246]

此段引文所述的具體細節不一定全都準確，但范石生兵諫的味道卻極爲傳神，佐證了本章所引的其他史料。難怪孫中山在 1924 年 8 月 31 日國民黨中央會議上怒斥范石生，並聲明絕對否認范石生擅自訂立的「調和條件」。[247]孫中山怒斥范石生的講話記錄，其反映當時尾大不掉之處，是中國官方史料中罕見的一種。自從為孫中山造神的運動開始以後，一切有損他權威的事情都避而不談，以致給人的假象是衆人皆服從孫中山，增加了歷史工作者瞭解商團事變的困難。至於英國的史料，則早於 1923 年 12 月已報導了范石生獨斷獨行，視孫中山如無物的現象。[248]

整理范石生從偷運軍火到鎮壓團整個過程當中對於軍械的態度，我們可以得出這樣一幅藍圖：他首先是把一紙空白的進口軍火

---

[246] 平子：〈記廣州商團之變〉，《現代史料》，（上海：海天出版社，1934 年；香港：波文書局重印，1980 年），第三集，第 7-14 頁：其中第 10 頁。

[247] 《孫中山年譜長編》，下冊，第 1990 頁，1924 年 8 月 31 日條，引〈帝國主義與反革命壓迫下的孫中山政府〉，載《嚮導周刊》，第 85 期。

[248] H. Fox to Sir Ronald MacLeay, 23 December 1924, enclosed in Sir Ronald MacLeay to Victor Wellesley, private and confidential, 7 January 1924, FO371/10230, pp. 186-94 [Reg. No. F503/3/10, 19 February 1924]: at pp. 190-4, paragraph 5.

執照私自授與陳廉伯以換取他給予部份「哈佛」輪上軍火的承諾。[249] 其次是違抗孫中山的命令而擅自與陳廉伯達成協議以便取得該部份軍火。[250]其三是用「半兵諫式」強迫孫中山親筆接受該協議。[251]其四是公開孫中山該親筆信以杜絕其公開反悔的意圖。其五、當孫中山沒把「哈佛」號的軍火全部還給商團而把它繼續藏在黃埔軍校時，范石生揚言要派兵滅校奪械。[252]迫得校長蔣中正急電已到了韶關的孫中山回師廣州：「叛軍與奸商聯成一氣，其勢益凶，埔校危在旦夕，中決死守孤島，以待先生早日回師來援。」[253]蔣中正直斥范石生為叛軍，孫中山的覆電則顯得徹底的無可奈何：「某軍欲劫械，並欲殺兄，故暫宜避之。」[254]其六、最後到了孫中山下令攻打商團時，范石生便急忙參加，但止於警戒以保存實力；但商團一呈

---

[249] Bertram Giles to Sir Ronald Macleay, Despatch 140, Very Confidential, Canton 21 August 1924, enclosed in MacLeay to MacDonald, Desp. 561 (5592/24), Very Confidential, 6 September 1924, in FO371/10240, pp. 44-88 [Reg. No. 3443/15/10, 16 Oct 1924]: at pp. 53-61, paragraph 8.

[250] 佚名：〈省報所述扣械案情形〉，香港《華字日報》，1924 年 9 月 1 日，第 12 頁第 1 欄。

[251] 特約專訪員本仁（函）：〈孫文以狂威逼扣械案解決之續訊〉，香港《華字日報》，1924 年 9 月 1 日，第 3 頁。

[252] 宋希濂：〈參加黃埔軍校前後〉，載黨德信、黃靄玲編：《第一次國共合作時期的黃埔軍校：紀念黃埔軍校創建六十週年》（北京：文史哲出版社，1984），第 237-260 頁：其中第 252 頁。感謝邱捷教授借我是書。

[253] 蔣中正：〈覆上總理書決死守埔島並請從速處置商械〉，1924 年 10 月 9 日於黃埔，載《總統蔣公思想言論總集》一套 40 卷（臺北：中國國民黨黨史委員會，1984），卷 36 別錄，第 124 頁。

[254] 孫中山：〈答蔣電北伐必成捨長來韶由爭食互殺〉，1924 年 9 月 9 日《國父全集》（1989），第 5 冊，第 542 頁。

敗象即馬上盡情搶掠其軍火並據為己有。[255]事後孫中山也只能追認「范石生取去商械一千桿。」[256]自始至終，范石生的目標是一致的：軍火！

事後范石生當然儘量為自己洗脫，甚至把私自授予陳廉伯空白護照的責任全推給別人：「全省團員眾，大宗軍械不易得，粵漢鐵路總理許崇灝隸團籍，言於大本營軍政部長程潛，請得護照，向歐西購之。」[257]這篇在商團事變剛剛結束約一個月後由范石生口述、許崇勳筆記的「滇軍第二軍戰史」，在上述眾多證據面前大有此地無銀三百兩之慨。但從軍閥的角度來衡量范石生，則竊以為他比許崇智、李福林、盧師諦等都有遠見。試想：一個軍閥，以當時的社會狀態來說可謂不愁兵源，最缺的是軍械。有械就有兵，械兵皆全就有實力，轉過頭來就可以把別的軍閥搶來的財物轉搶過來。相反地，若只搶財物而不首先爭取所有機會拿到軍械以鞏固自己的實力，則搶來的財物很快也會被較強的軍閥轉搶過去，甚至性命不保。以致「暴軍爭贓互戰」的消息不絕於耳。[258]有某軍閥頭目在鎮

---

[255] 特約通訊員法天（函）：〈茫茫浩劫中之廣州見聞〉，香港《華字日報》，1924年10月22日，第2頁第5欄。

[256] 特約專訪員呼天（函）：〈賊兵搶掠之實況〉，香港《華字日報》，1924年10月22日，第3頁第1欄。

[257] 范石生口述、許崇勳筆記：〈滇軍第二軍戰史〉，載峨山彝族自治縣文史資料委員會編：《峨山彝族自治縣文史資料選輯第二輯：范石生專輯》（峨山縣城：峨山彝族自治縣文史資料委員會，1989），第110-196頁：其中第190頁。

[258] 佚名：〈暴軍爭贓互戰〉，香港《華字日報》，1924年10月20日，第12頁第1欄。又見佚名：〈暴軍自相戕殺消息另誌〉，香港《華字日報》，1924年10月21日，第12頁第1-2欄。

壓商團時，搶來的財物堆積如山，深恐別軍來搶。忽發奇想：香港是個法治的地方，治安極好。若把搶來的財物運到香港，最是保險不過。當這六、七艘重得快要沉沒的寶船到達香港時，後果當然是「人贓並獲」！有些個別官兵攜贓逃抵香港而遭逮捕後，被香港法官「判入苦工監兩個月。」[259]這批渾蛋，對英國的法治精神一知半解，活該！

花了如斯筆墨探索范石生，目的只有一個：試圖說明 1924 年 8 月 29 日，孫中山之所以沒有如言用武力對付堅持罷市的商團，非不願也，是不能也。不能，是由於范石生抗命，而不是由於英國駐廣州代總領事翟比南的最後通牒阻止了孫中山。蓋當時孫中山認為，不鎮壓商團，他就只有死路一條。若鎮壓商團，就能殺出一條血路。以他對英國國情的認識來估計英國的對外行徑，則兩艘蹲在白鵝潭的英國兵艦除了起到阻嚇作用以外，實際上能有多少作為？在他發出總攻擊令前砲轟他的大本營嗎？於法不合，而英國人是世界上最重視法律的民族之一。之後砲轟嗎？於事無補。砲轟停泊在廣州河面的政府艦隊嗎？同樣於事無補。砲轟正在與商團巷戰的政府軍嗎？那就等同砲轟一座沒有軍事防衛的、人煙稠密的大城市，為文明國際社會所不容。不錯，1857 年 12 月英法聯軍攻打廣州時就曾砲轟過這座沒有軍事防衛的、人煙稠密的大城市，炸死了不少平民，結果被歐洲其他文明國家譴責。[260]現在英國政府要不要重蹈

---

[259] 佚名：〈賊兵挾贓來港被拘〉，香港《華字日報》，1924 年 10 月 21 日，第 9 頁第 3 欄。

[260] BBC TV historical documentary “Scotland’s Empire”, Episode 6, screened on Friday 6 February 2004. 同時參見拙著 *Deadly Dreams: Opium, Imperialism, and the Arrow War (1856-60) in China* (Cambridge University Press, 1998).

覆轍？竊以為孫中山當時估計英國當局是不會的。結果怎麼樣？1924 年 8 月 29 日當天，兩艘英艦止於把「永豐」艦監視起來，迫得「永豐」艦避回東堤，然後尾追不捨，以致「永豐」艦始終不能開砲。㉖①如此而已。到了 1924 年 10 月 14 日深夜近凌晨時份，政府軍與商團駁上火後，英艦的行動也止於把駛進白鵝潭之西的「永豐」艦監視起來。㉖②對於岸上的戰鬥，束手無策。無他，英艦的主要任務是保護聚居在沙面的英國人命財產，若「永豐」號沒駛進靠近沙面的白鵝潭，英艦也懶得理會。孫中山 1896 年 10 月倫敦蒙難的經歷及接下來留英九個月學習英國文化與風土人情所作過的努力，並沒白費。

不錯，孫中山後來在 1924 年 10 月 9 日覆信給蔣中正時說：「英艦所注意者，必大本營、永豐、黃埔三處，數十分鐘便可粉碎，吾人對彼絕無抵抗之力。此次雖倖免，而此後隨時可以再行發生，此不得不避死就生一也。」㉖③但是，孫中山說這些話時的主要動機，是希望勸服蔣中正放棄黃埔軍校而把所有學生帶到韶關跟他一起北伐，所以把黃埔也說成是英艦攻擊的目標。砲轟一所學校 ?! 那怕是一所軍官學校 ?! 稍為了解英國國情的人都會認為是不可想像的。竊以為孫中山也不相信自己所說的話。當然蔣中正也不

---

[261] 本仁（函）：〈孫文以狂威逼扣械案解決之續訊〉，香港《華字日報》，1924 年 9 月 1 日，第 3 頁。

[262] 佚名：〈客述前夜昨早之省城情形〉，香港《華字日報》，1924 年 10 月 22 日，第 2 頁第 5 欄。

[263] 孫中山：〈復蔣中正告在粵有三死因亟宜北伐謀出路函〉，1924 年 9 月 9 日《國父全集》（1989），第 5 冊，第 528 頁。

是隨便就給嚇唬掉的人；結果蔣中正也抗命而拒絕結束黃埔軍校。而抗命的理由，有很大程度也包括了蔣氏不相信英艦會砲轟一群無辜學生，只是說不出口而已。最後蔣中正用冠冕堂皇諸如「中決死守孤島，以待先生早日回師來援，必不願放棄根據重地，致吾黨永無立足之地也」[264]等詞彙，來顧全孫中山的面子。

至於范石生方面，則既參加了商團偷運軍火這場骯髒買賣，則第一、似乎這個時期的范石生信奉盜亦有道之理，故總不成反覆無常而攻打走私的同謀者。第二、骯髒買賣曝光後，若他擅自與陳廉伯達成協議而強迫孫中山接受，讓陳廉伯拿到全部軍火，他不費吹灰之力就可以得到「哈佛」輪上的部份軍火，何樂而不為？第三、若遵從孫中山命令而攻打商團，則商團也不是善男信女，勝負未卜。儘管勝了而范石生他自己也會元氣大傷，軍閥不為；而摧毀了西關這商業重地，范石生就失去了他平常敲詐的對象，智者不為。第四、翟比南已經發出了最後通牒，而自從 1924 年 8 月 28 日已經有兩艘英國兵艦應翟比南電求而從香港駛到廣州白鵝潭，[265]並馬上把早已奉命駛進泮塘海口脫下砲衣準備時辰一到就開火的「永豐」艦監視起來，迫得「永豐」艦避回東堤。但英艦尾追不捨，以致「永豐」始終不能開砲。[266]若范石生就近知道這一切，更不要開

[264] 蔣中正：〈覆上總理書決死守埔島並請從速處置商械〉，1924 年 10 月 9 日於黃埔，載《總統蔣公思想言論總集》一套 40 卷（臺北：中國國民黨黨史委員會，1984），卷 36 別錄，第 124 頁。

[265] 佚名：〈英艦到省〉，香港《華字日報》，1924 年 9 月 1 日，第 12 頁第 1 欄。

[266] 本仁（函）：〈孫文以狂威逼扣械案解決之續訊〉，香港《華字日報》，1924 年 9 月 1 日，第 3 頁。

火。范石生可不是孫中山，讓他與商團同歸於盡，他可不幹！

但為甚麼在一個半月後的 1924 年 10 月 14 日深夜近凌晨，范石生又參加鎮壓商團？其實到了「十四日范廖尚欲調停」。267但別的部隊都動員起來了，打劫焉能落後？在這種情況下，只能盜亦無道了。但為了保存實力，范石生等客軍只擔任警戒，衝鋒陷陣則由粵軍的許崇智部、李福林部和吳鐵城的警衛軍負責，268蔣中正當總指揮。269但當粵軍攻破商團防線後，范石生部馬上加入搶劫。並「專注繳械」「以倍一己之勢力」。270

既然孫中山在 1924 年 8 月 29 日沒有鎮壓商團是由於范石生等將士抗命，那就意味着有朝一日若有將士用命，而他在廣州的惡劣情況又沒有改善的話，他還是會鎮壓商團的。這一天，在 1924 年 10 月 14 日深夜近凌晨時份來臨了。這一天是怎樣來臨的？

要回答這個問題，說來話長，只好留待下一章（即本書第九章）探索。

---

267 十四晚夜船函：〈孫政府焚劫商場之大慘劇——十四日范廖尚欲調停〉，香港《華字日報》，1924 年 10 月 17 日，第 2-3 頁：其中第 2 頁第 5 欄。

268 十四晚夜船函：〈孫政府焚劫商場之大慘劇——十四日范廖尚欲調停〉，香港《華字日報》，1924 年 10 月 17 日，第 2-3 頁：其中第 3 頁第 2 欄。

269 十四晚夜船函：〈孫政府焚劫商場之大慘劇——十四日范廖尚欲調停〉，香港《華字日報》，1924 年 10 月 17 日，第 2-3 頁：其中第 3 頁第 3 欄。

270 特約專訪員法天（函）：〈茫茫浩劫中之廣州見聞〉，香港《華字日報》，1924 年 10 月 22 日，第 2 頁第 5 欄。

六、小結

本章在探索一些歷史懸案中得出下面幾個結論：(1)廣州商團並不是由於英國政府的官員煽動而辦起來的。(2)英國政府有沒有煽動廣州商團的首領陳廉伯組織商人政府以代替孫中山的政府。(3)英國政府有沒有協助陳廉伯購買和偷運軍火到廣州。(4)英國政府有沒有通過其駐廣州的代理總領事在 1924 年 8 月 29 日向孫中山發出最後通牒。(5)孫中山在接了該最後通牒後，不予理會，仍然堅持鎮壓商團，以范石生抗命不果。

本章來不及回答而留待下一章解決的問題包括於(1)孫中山終於在 1924 年 10 月 14 日晚深夜近凌晨用武力鎮壓商團，他的決策過程是怎麼樣的？其中牽涉些甚麼重大問題例如他與俄國的關係？(2)本章緒論中置疑「哈佛」輪上的軍火是黃埔軍校當局偵察出來和該等軍火是「黃埔軍校全體學生表決將其扣留」的說法，[271]理由何在？(3)也是本章緒論中提到過的：孫中山在 1924 年 11 月到了日本時又說，在「哈佛」號到達廣州之前好幾天，英國駐廣州總領事已經把該船載有軍火的消息告訴了他，[272]此話怎講？而這三道難題之

---

[271] 徐嵩齡：〈1924 年孫中山的北伐與廣州商團事變〉，《歷史研究》，1956 年第 3 期，第 59-69 頁：其中第 61 頁，引胡去非：《總理事略》商務版，第 292 頁。

[272] 孫中山：〈中國內亂之原因〉，1924 年 11 月 25 日，《國父全集》（1989），第三冊，第 527-535 頁：其中第 529 頁。同文以〈在神戶歡迎會的演說〉為題目刊於《孫中山全集》第 11 卷第 377-389 頁：其中第 382 頁。

間，又存在着甚麼扣人心弦的關係？

但在結束本章之前，筆者覺得有責任排解中國大陸的一樁筆墨官司。1961 年，北京中華書局出版了一本《文史資料選輯》，其中有一篇湊合了李朗如等七位老人家個別回憶而寫成的文章，題為「1924 年廣州商團事變見聞」。該文有如下一段文字：「有一說……孫大元帥召集商會要人和范石生、廖行超等坐談……孫直指范、廖說：『我不怕商團聯合左右兩隻老虎向我反噬』。」[273]萬壽康先生讀後大為不服，撰長文與其商榷。[274]所據史料包括由范石生口述、許崇勳筆記的「滇軍第二軍戰史」，[275]以及范石生與軍政府大本營和商團的一些來往信件。並因此而得出如下結論：「范石生在簽訂上述六項條件前，既得到孫大元帥俞允，簽訂後又得到孫大元帥指令……次第發還（軍械）」。准此，萬壽康否定李朗如等之說，而孫中山後來鎮壓商團是出爾反爾的結論就呼之欲出了。竊以為本章發掘出來的中英史料既證明了該「戰史」不可靠；又證明范石生擅自與商團達成的六項協定是違背孫中山意願的。當孫中山抗議後，范石生竟然用半兵諫方式強迫孫中山執行該六項協定。故筆

---

[273] 李朗如等：〈1924 年廣州商團事變見聞〉，《文史資料選輯》，第 15 輯，第 96-101 頁：其中第 98 頁。

[274] 萬壽康：〈范石生與廣州商團事件〉，全國政協文史資料委員會藏未刊稿（權 65-1331）——承邱捷教授複印擲下。該文定稿於 1964 年，接下來 1966 年爆發的文化大革命把出版的事情束之高閣。現在據聞發表了。恕筆者孤陋寡聞，至今還未查出具體發表在那一本書。

[275] 載峨山彝族自治縣文史資料委員會編：《峨山彝族自治縣文史資料選輯第二輯：范石生專輯》（峨山縣城：峨山彝族自治縣文史資料委員會，1989），第 110-196 頁。

者認為，若萬壽康先生也能看到筆者所看過的史料，肯定就不會偏信范石生一面之詞。另一方面，李朗如等七位老人家似乎都未曾親自參與其事，故文章充滿「有一說」、「又有一說」等詞，看來他們所反映的都是道聽途說。但上面所引李朗如等的一段回憶，卻反映了一個事實，即當時孫中山對范石生的憤怒溢於言表。而這種憤怒流傳到街坊後，雖然表達方式走了樣，卻傳神地顯示了孫中山當時憤怒的程度。

第九章
挑戰英國 1924-1925

緒　論

本章與第八章是一氣呵成的。第八章來不及解決的問題，在本章繼續探索。由於 1924 年 8 月 29 日清晨英國駐廣州的代理總領事翟比南向孫中山發出最後通牒三天以後，即 1924 年 9 月 1 日，孫中山與英國的關係奇峰突起，竊以為是孫中山畢生之中第一次、也是唯一的一次挑戰英國。所以另起一章，結合相關的問題一併探索。

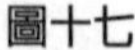
圖十七

圖十八

1924 年 8 月 10 日，替廣東商團偷運軍火的「哈佛」號挪威輪船駛進廣州的黃埔港。圖十七所示乃該「哈佛」號輪船（黃埔軍校博物館提供）。看圖可知是一艘體積高大的遠洋輪船，無論從陸地上 24 小時輪番遠眺或搖着小舢舨圍繞着該船團團轉一萬次也無法偵知船上秘密藏有軍械。而且該等軍械都密封在箱子裡！偏偏有人說該等軍械是被黃埔軍校的師生偵查出來的。 如此治史也太兒戲！圖十八所示乃當時黃埔軍校學生在操練（廣東省檔案館提供）。

徐嵩齡：〈1924 年孫中山的北伐與廣州商團事變〉，《歷史研究》，1956 年第 3 期，第 59-69 頁：其中第 61 頁。

一、挑戰英國

所謂挑戰英國者，乃指 1924 年 9 月 1 孫中山向全世界發表宣言，指責英國政府支持商團來推翻他的廣州政府。又說翟比南的最後通牒「無異宣戰」，「實為帝國主義狂熱之一種表現」。更說：「吾人前此革命之口號曰排滿，至今日吾人之口號當改為推翻帝國主義之干涉，以排除革命成功之最大障礙。」❷若把這幾句話解釋為孫中山倒過來也向英國宣戰是過份的話，則將其解釋為挑戰又如何？故此章就姑且以「挑戰英國」命名。

其實，本書第八章開始時就引用過這份宣言。❸當時是把它作為引子，把探索方向引向商團事變之中孫中山與英國的關係。現在筆者已經在第八章中把一些關鍵問題探索過並提出了某些看法，倒過頭來重溫這宣言，發覺其意義大不一樣，簡直是奇峰突起。此話怎說？

任何稍具自尊的領導人，在接到像翟比南那種最後通牒時，都會馬上提出抗議。孫中山則等了整整三天以後才作出反應。這證明在孫中山當時的心目中，有比自尊更要緊的事情必須全神貫注地處理而絕對不能分心。那樁要緊的事情就是鎮壓商團，因為他認為若不馬上鎮壓商團，他的政府就束手待斃。結果范石生抗命，甚至答應商團把「哈佛」號運來的全部軍火發還給商團。商團得械後必定

---

❷ 孫中山：〈反對帝國主義干涉吾國內政之宣言〉，1924 年 9 月 1 日，《國父全集》（1989），第 2 冊，第 160-161 頁：其中第 161 頁第 19 行。

❸ 見本書第八章〈緒言〉部份。

如虎添翼而盡快執行其處心積慮推翻孫中山政府的陰謀。而且，孫中山早已先入為主地誤認英國政府從一開始就暗中幫助陳廉伯進行他的陰謀，包括協助他把軍火從西歐偷運到廣州。那麼，分心抗議絕對無補於事。而且，當孫中山在 1924 年 8 月 29 日收到的英方最後通牒後仍拼命勸說范石生鎮壓商團的同時，若自己又把該通牒公開，馬上就會嚇怕了范石生，智者不為。❹

范石生的行徑把孫中山那本來已經非常兇險的處境變得更為兇險。孫中山必須馬上另想辦法圖存。有何別法？他在 1924 年 8 月 29 日寫給范石生的第二封信❺已露端倪：他要求范石生「將西關全市之米糧、布疋悉數徵發，以爲戰時軍用。如此，則吾軍前後方可免饑寒之憂，乃可持久。」❻要米糧、布疋來應付戰事？戰事何來？他要藉北伐之名離開險地。果然，他於 1924 年 9 月 1 就在大本營召開軍事會議，議決北伐。❼由此可見，不待 1924 年 9 月 3 日直皖戰爭爆發❽而給予孫中山北伐的藉口，他已經在 1924 年 8 月 29 日開始這方面部署了。

突然之間說馬上要北伐，談何容易！首先，孫中山剛害了一場

---

❹ 箇中細節，見本書第八章。

❺ 全文見本書第八章。

❻ 孫中山：〈致范石生、廖行超着與政府一致收繳商團槍支勒令商團開市函〉，1924 年 8 月 29 日，載《國父全集》（1989），第 5 冊，第 525 頁。

❼ 《孫中山年譜長編》，下冊，第 1992 頁，1924 年 9 月 3 日條。

❽ 《孫中山年譜長編》，下冊，第 1990 頁，1924 年 9 月 1 日條，引廣州《民國日報》1924 年 9 月 3 日。

為期三個月的大病，身體衰弱。❾第二、就連英國人也說，那些來自外省的吸血鬼，有誰會願意離開廣東這塊肥肉？❿第三、開拔費無着。自從「哈佛」號扣械所引起的罷市風潮以來，「廣州商人找到了拒絕繳納苛捐雜稅的武器，以致到了直皖戰爭爆發的時候，孫政府的財政已經枯竭。」⓫第四、英國駐廣州總領事館注意到，孫中山的將領不滿情緒極高，士兵又百病叢生。⓬病兵𢤱將，如何打仗？第五、出征必先保證補給，當時孫中山從廣東已經拿不到補給了。第六、出征又必先鞏固後方，若後方空虛，則敵人從背後捅他一刀的話，就腹背受敵。他深知當時在他背後的商團和陳炯明隨時樂意捅他一刀，更誤會英國政府會助紂為虐。如此種種，都是實際困難，孫中山在〈北伐宣言〉⓭中用何等冠冕堂皇的話都掩蓋不

---

❾ See C. Martin Wilbur, *Sun Yat-sen: Frustrated Patriot* (New York: Columbia University Press, 1976), pp. 261-3.

❿ Political Summary, Canton, for September Quarter 1924, compiled by F.A. Wallis of the British Consulate-General at Canton and enclosed in B.Giles to James MacLeay, Separate, 30 September 1924, FO228/3276, pp. 574-578: at 575-578, paragraph 3.

⓫ Political Summary, Canton, for September Quarter 1924, compiled by F.A. Wallis of the British Consulate-General at Canton and enclosed in B.Giles to James MacLeay, Separate, 30 September 1924, FO228/3276, pp. 574-578: at 575-578, paragraph 4.

⓬ Political Summary, Canton, for September Quarter 1924, compiled by F.A. Wallis of the British Consulate-General at Canton and enclosed in B.Giles to James MacLeay, Separate, 30 September 1924, FO228/3276, pp. 574-578: at 575-578, paragraph 4.

⓭ 孫中山：〈中國國民黨北伐宣言〉，1924 年 9 月 18 日，見《孫中山全集》，第 11 卷，第 75-77 頁。

了。

關鍵是：孫中山認為必須離開廣州以圖存；離開廣州最光彩的藉口是北伐；北伐必須時間準備；爭取時間的有效辦法之一是阻嚇英國不要馬上動手對付他。孫中山之有這種想法，是因為從「哈佛」號偷運軍火的事情曝光那一天開始，他就誤認英國政府已經暗中協助陳廉伯來消滅他。如此，則若他公開地大吵大鬧，把他所認為的英國「陰謀」也曝光，他就覺得在戰略上可能收到阻嚇的作用，阻嚇英國不要明目張膽地幫助那由於范石生已經答應還械予他們而如虎添翼的商團，馬上來攻打他那已經是岌岌可危的政府。

孫中山那份聲討英帝國主義干涉中國內政的宣言，不是用漢語在廣州公佈，而是用英語在香港公佈於《孖喇西報》。⓮其以英國政府為首要對象之目的，顯而易見。至於他給英國首相麥克唐納的抗議電報，則除拍往倫敦以外，⓯也同時間（1924年9月5日）用英語在香港公佈於《孖喇西報》。⓰無他，孫中山這醉翁之意不在酒。他公開地向全世界聲討英帝國主義陰謀推翻他的政府，完全是戰略地虛張聲勢。後來有些學者把孫中山這份宣言與電報視作他與

⓮ Anon, "Sun Yat-sen and Imperiaist England -- The Time is Come", *Hong Kong Daily Press*, 5 September 1924. I wish to thank Mr. Bernard Hui of the Public Record Office of Hong Kong for a photocopy of this article.

⓯ Sun Yatsen to Ramsay MacDonald, Telegram, 1 September 1924, received 2 September 1924, FO371/10244 [F3004/19/10].

⓰ Anon, "Sun Yat-sen and Imperialist England -- A Cable to the British Prime Minster", *Hong Kong Daily Press*, 5 September 1924. I wish to thank Mr. Bernard Hui of the Public Record Office of Hong Kong for a photocopy of this article.

英國決裂的明證，看來是誤解了他的真正意圖。否則就無法解釋為何孫中山在接受了俄國的援助以後，在病榻垂危之時，⓱仍念念不忘爭取英國的支援，並在 1925 年 1 月 22 日派陳友仁往遊說行將回國述職的英國駐華公使麻克類爵士。⓲

麻克類公使在 1924 年 9 月 5 日從當天的報章看到⓳有關孫中山致麥克唐納的電報後，馬上電詢英國駐廣州代理總領事翟比南。待接覆電而得悉翟比南的確曾於 1924 年 8 月 29 日向孫中山發出最後通牒後，⓴即於當天（1924 年 9 月 5 日）晚上 9 時零 5 分從北京發急電向外交部報告其事。㉑現在能看到的，在該封電報上的批示，只有如下簡單的一句話：「看 F3044 上的批示，1924 年 9 月 8

⓱ Sir Ronald Macleay (Peking) to Austen Chamberlain, Desp. 64, Confidential, 31 January 1925, Received 31 March 1925, FO371/10917, pp. 196-99 [Reg. No. F1150/2/10, 31 March 1925].

⓲ Sir R Macleay (Peking) to Austen Chamberlain, Desp. 40, 23 January 1925, FO371/10917/pp. 185-6, F879/2/10.

⓳ Sir James MacLeay to Ramsay MacDonald, Tel. 245, 5 September 1924, dispatched at 9.05 p.m., received on 6 September 1924 at 9 a.m., FO371/10244, pp. 023-26 [Reg. No. F3043/19/10, 6 September 1924]: at pp. 24-26, paragraph 1.

⓴ Sir James MacLeay to Ramsay MacDonald, Tel. 245, 5 September 1924, dispatched at 9.05 p.m., received on 6 September 1924 at 9 a.m., FO371/10244, pp. 023-26 [Reg. No. F3043/19/10, 6 September 1924]: at pp. 24-26, paragraph 4.

㉑ Sir James MacLeay to Ramsay MacDonald, Tel. 245, 5 September 1924, dispatched at 9.05 p.m., received on 6 September 1924 at 9 a.m., FO371/10244, pp. 023-26 [Reg. No. F3043/19/10, 6 September 1924]: at pp. 24-26.

日」。㉒所謂 F3044 者，是外交部當時的現行文件編號。原來麻克類公使在 1924 年 9 月 5 日晚上 9 時 50 分從北京發出了第二份急電，而這遲發的電報反而早到：在倫敦時間 1924 年 9 月 5 日晚上 7 時就到了，外交部註冊組把給予它 F3044 的編號。㉓第一份急電則遲至 1924 年 9 月 6 日早上 9 時才送到。㉔這種歷史巧合，就讓外交部有機會把兩份電報一起批閱，而結果批示都寫在第二份電報上。從批示看，兩份電報一直上呈到外交部常務次長。㉕真可謂勞師動眾。

麻克類公使在第二封急電中鄭重地報告翟比南的最後通牒給了「孫中山和此間的布爾什維克份子作猛烈反英宣傳的機會。」㉖此

㉒ E. W.P. Mills's minute of 8 September 1924 on Sir James MacLeay to Ramsay MacDonald, Tel. 245, 5 September 1924, dispatched at 9.05 p.m., received on 6 September 1924 at 9 a.m., FO371/10244, pp. 23-26 [Reg. No. F3043/19/10, 6 September 1924]: at p. 23.

㉓ Sir James MacLeay to Ramsay MacDonald, Tel. 246, 5 September 1924, dispatched at 9.50p.m., received on 5 September 1924 at 7 p.m., FO371/10244, pp. 27-33 [Reg. No. F3043/19/10, 6 September 1924]: at p 27.

㉔ Sir James MacLeay to Ramsay MacDonald, Tel. 245, 5 September 1924, dispatched at 9.05 p.m., received on 6 September 1924 at 9 a.m., FO371/10244, pp. 23-26 [Reg. No. F3043/19/10, 6 September 1924]: at pp. 24-26.

㉕ See the minute of 10 September 1924 by the Rt Hon. Ronald McNeill, M.P. (Under Secretary of State for Foreign Affairs) on Sir James MacLeay to Ramsay MacDonald, Tel. 246, 5 September 1924, dispatched at 9.50p.m., received on 5 September 1924 at 7 p.m., FO371/10244, pp. 27-33 [Reg. No. F3043/19/10, 6 September 1924]: at p. 29.

㉖ Sir James MacLeay to Ramsay MacDonald, Tel. 246, 5 September 1924, dispatched at 9.50p.m., received on 5 September 1924 at 7 p.m., FO371/10244, pp. 27-33 [Reg. No. F3043/19/10, 6 September 1924]: at p 30.

語說明他又已經從報章上看到了孫中山的對外宣言。因為，孫中山是在該宣言中而不是在給麥克唐納首相的電文裡，嚴厲譴責英帝國主義的。在該宣言裡，孫中山挖英帝國主義的瘡疤，可謂挖到最疼的地方：其中着重提到其在印度阿姆利薩（Amritsar）這座古城，為了鎮壓印度人民要求獨立自主，而不惜槍殺大批手無寸鐵而又無路可逃的群眾。㉗此事在當時已令世界側目，後來更沒有一位英國人不引以為恥。㉘以致麻克類公使在其急電中鄭重指出，英國皇家海軍駐香港司令之授權在穗兵艦在必要時採取敵對行動是「出格」（ultra vires）。㉙英國外交部常務次長批示曰：「我們必須支持他（按指麻克類公使）抗議（軍人干預外交事務）並准此咨會海軍部」。㉚

孫中山一下子捅了馬蜂窩，弄得英國駐華公使館、英國外交部、英國海軍部等機關內的人，都雞飛狗跳。孫中山原意不在此。他原意是希望把英國弄得在國際舞臺上雞飛狗跳，尷尬之餘而不馬

㉗ 孫中山：〈反對帝國主義干涉吾國內政之宣言〉，1924 年 9 月 1 日，《國父全集》（1989），第 2 冊，第 160-161 頁。

㉘ 這是筆者自 1968 年以來，最初是負笈到牛津大學當研究生、研究員，在劍橋大學當客座研究員等多年，以及後來又不斷地每年都回英國研究和作學術交流所得到的體會。

㉙ Sir James MacLeay to Ramsay MacDonald, Tel. 246, 5 September 1924, dispatched at 9.50p.m., received on 5 September 1924 at 7 p.m., FO371/10244, pp. 27-33 [Reg. No. F3043/19/10, 6 September 1924]: at p 30.

㉚ See the further minute, n.d., by the Rt Hon. Ronald McNeill, M.P. (Under Secretary of State for Foreign Affairs) on Sir James MacLeay to Ramsay MacDonald, Tel. 246, 5 September 1924, dispatched at 9.50p.m., received on 5 September 1924 at 7 p.m., FO371/10244, pp. 27-33 [Reg. No. F3043/19/10, 6 September 1924]: at p. 29.

上戕害他，以便他爭取更多時間準備北伐。若他有緣目睹這齣活劇，肯定笑得人仰馬翻。他的恩師康德黎醫生是最具幽默的蘇格蘭人，這從倫敦蒙難當中報界對康德黎言行的報導就可見一斑。㉛沒想到康德黎的弟子孫中山，漫不經意就學得如此高深道行。這齣活劇，都是由於麻克類公使在報章上看到孫中山的宣言和電報而引起。公使情急之下就暗示外交部通過海軍部教訓教訓駐守香港的海軍司令。㉜但他到底是老練的人，故當他冷靜下來以後就改為建議外交部通過英國海軍駐華艦隊總司令要求駐香港海軍司令對事件呈交一份報告了事。㉝否則，這齣戲越演越烈，真的變成英國文武大臣都隨着孫中山的指揮棒來又飛又跳時，就太不像話了。

但孫中山到底沒目睹這齣活劇，而務實的英國人又不動聲色，他無從知道他的宣言和電報起了甚麼作用。他密切注視國際形勢之餘，發覺英國首相麥克唐納親赴日內瓦參加國際聯盟第五屆大會並致詞，大談「喬治亞國之獨立，國際和平及正義等事」，於是他又致電國際聯盟（League of Nations）主席莫達（Monsieur Motta），嘲笑「麥唐納先生在協助廣州的叛亂與反動分子之後，在以尋求高加索石油的『誠實經紀人』身份，前往日內瓦鼓吹喬治亞共和國的反革

㉛ 見拙著 *The Origins of An Heroic Image: Sun Yatsen in London, 1896-1897* (Oxford University Press, 1986).

㉜ Sir James MacLeay to Ramsay MacDonald, Tel. 246, 5 September 1924, dispatched at 9.50p.m., received on 5 September 1924 at 7 p.m., FO371/10244, pp. 27-33 [Reg. No. F3043/19/10, 6 September 1924]: at p 30.

㉝ Sir Ronald MacLeay to FO, Tel. 265, 16 September 1924, FO371/10244, pp. 113-19 [Reg. No. F3127/19/10, 16 September 1924]: at p. 114, paragraph 2.

命，也就不足爲奇。」[34]他同時又把電文的英語原告在香港的《孖喇西報》公佈。[35]此舉之主要目的，顯然又是希望在國際社會上令到英國政府再次尷尬而不馬上戕害他，以便他爭取更多時間準備北伐。

1924 年 9 月的孫中山在國際舞臺上大吵大鬧，譴責英國駐廣州代理總領事翟比南的最後通牒。1924 年 11 月的孫中山，在成功地鎮壓了廣州商團一個多月以後，卻於日本公開地說：

> 英國領事和我們的私交很好，便將陳廉伯買軍火的原委告訴我們說：「你們還不知道陳廉伯的行動嗎？香港和上海的外國報紙老早就說，陳廉伯要運動商團反對你們政府，你們還沒有留心那種新聞嗎？我老實告訴你罷，有幾個英國人許久便教陳廉伯買軍火、練軍隊，反對廣州政府。這不過是頭一批軍火，以後還有二批、三批。至於這種主張，只是幾個英國人的事，我可以報告我們公使，懲辦他們。你們可以辦你們的商團，對付陳廉伯。」我知道這種情形之後，便把那船軍火完全扣留。[36]

---

[34] 孫中山：〈致國際聯盟主席莫達告英國首相麥克唐納之矛盾行為電〉，1924 年 9 月 24 日，《國父全集》（1989），第 5 冊，第 533-4 頁。

[35] Anon, "Sun Yatsen and the British Prime Minister -- a telegram to the League of Nations", *Hong Kong Daily Press*, 26 September 1924. I wish to thank Mr. Bernard Hui of the Public Record Office in Hong Kong for a copy of this article.

[36] 孫中山：〈中國內亂之原因〉，1924 年 11 月 25 日，《國父全集》（1989），第 3 冊，第 527-535 頁：其中第 529 頁。同文以〈在神戶歡迎

此段讀來，猶如天方夜譚。孫中山明顯地在運用另一種策略。這策略的目標是甚麼？回味其語氣，則似乎他在強調他與英國總領事的友誼。觀其聽眾，乃旅居東京、大阪、神戶三埠的國民黨黨眾。㊲看來孫中山在故技重施：在中國人面前誇誇其談他與英國政府的友誼；在英國政府面前又誇誇其談他在中國所得到的支持。這種技巧，在本書第五章已經有較為深刻的分析。這次他在日本演說，則竊以為他的目標，還包括在日本人面前誇誇其談他與英國政府友誼。因為，只有上等傻瓜才不估計到，聽眾當中有日本的間諜混雜在其中！孫中山這次從廣州北上途中故意繞道日本，看來是希望爭取到日本當局某種程度上的支持。無奈日本權貴大都避而不見，孫中山受盡白眼，結果創作了這天方夜譚來自壯聲威，可以理解。再有一種可能性，就是他希望藉此向英國當局發出一個信息：他沒有記仇，他還是渴望得到英國政府的友誼。君不見，孫中山在1925年1月22日就派陳友仁往遊說行將回國述職的英國駐華公使麻克類爵士，爭取英國的支援。㊳

但是，孫中山憑甚麼會認為，他若對英國當局發出不再記仇的信息，英國政府就會對他友善？竊以為到了這個時候，他很可能已經醒覺到，過去他是錯怪了英國政府；他很可能已經認識到，英國

會的演說〉為題目刊於《孫中山全集》第11卷，第377-389頁：其中第382頁。

㊲ 孫中山：〈在神戶歡迎會的演說〉，1924年11月25日，《孫中山全集》第11卷，第377-389頁：其中第377頁註*。

㊳ Sir R Macleay (Peking) to Austen Chamberlain, Desp. 40, 23 January 1925, FO371/10917/pp. 185-6, F879/2/10.

政府並沒有陰謀協助商團來推翻他廣州政府。他終於認識到這一點，是有一個過程的。要探索這個過程，就必須把時間拉回到 1924 年 9 月 1 日，孫中山一邊發表宣言譴責英國駐廣州代總領事的最後通牒，一邊積極籌備北伐以圖存這個關鍵時刻。

二、北伐哄英

若置身於當時孫中山的處境和心理狀態，竊以為他會覺得，儘快宣佈離開廣州以北伐，可以起到見好於英國的作用而減少其繼續暗中協助陳廉伯的慾望。因為，正如本書第六、七、八章所顯示的，他三次在廣州成立政府而造成英國在廣東商業的損害越來越嚴重，以致香港滙豐銀行的總經理也要對付他。因此，他在 1924 年 9 月 3 日就讓英國人的探子探出他連日來在大本營多次召開軍事會議，商討北伐之事。[39]

又，若他宣佈他會把客軍通通帶走，則更起到見好於英國的作用。以致他又在 1924 年 9 月 4 日發表談話，聲稱：「兩星期內，所有滇、桂、湘、豫、山、陝各軍一律出師北伐，為浙（江）盧（永祥）聲助。本省治安及東江方面由中央直轄粵軍（許崇智部）佈防留守。至糧餉問題自有籌措方法。屆時各軍須一致先行出發，決不容緩。」同樣重要的是，他同時宣佈：「本大元帥決定五日內先

---

[39] 廣東省檔案館藏，粵海關檔案全宗號 94 目錄號 1 案卷號 1585 秘書科類《各項事件傳聞錄》，1924 年 8 月 3 日條。

統兵出發韶關，設立大本營於是處，以便居中策應。」❹⓪

到了五日之後的 1924 年 9 月 9 日，他還是沒法成行時，他又於 1924 年 9 月 10 日，發表〈為實現民治告粵民三事文〉，鄭重宣佈：㈠在最短時期內悉調各軍實行北伐。㈡以廣東付之廣東人民，實行自治，廣州市政廳剋日改組，市長付之民選，以為全省自治之先導。㈢現在一切苛雜捐稅悉數蠲除，由民選官吏另訂稅則。❹①英國人最愛聽到的，是第一條和第三條，因為它們對英國在廣東的商業有起死回生的作用。孫中山在實際上能不能辦到這三條是另外一回事，但至低限度他表達了他的意圖，起到哄哄英國人的作用。英國人也不傻，對於孫中山能否把客軍帶走，英國人是表示懷疑的。他們認為這批來自外省的吸血鬼，肯定不願意離開廣東這塊肥肉？❹②至於蠲除一切苛捐雜稅，則政府固然有權這樣做，但客軍在他們自己地盤內擅自抽取的苛捐雜稅❹③甚至私造硬幣等無法無天的行徑，❹④則政府除了向他們動武以外，毫無辦法。而廣州政府暫時是沒有這

---

❹⓪ 孫中山：〈在北伐第五次軍事會議的談話〉，1924 年 9 月 4 日，《孫中山全集》第 11 卷，第 10-11 頁。

❹① 孫中山：〈為實現民治告粵民三事文〉，《國父全集》（1989），第 2 冊，第 167-169 頁。同文另目曰〈告廣東民眾書〉則見《孫中山全集》第 11 卷，第 34-36 頁：其中第 36 頁。

❹② Political Summary, Canton, for September Quarter 1924, compiled by F.A. Wallis of the British Consulate-General at Canton and enclosed in B.Giles to James MacLeay, Separate, 30 September 1924, FO228/3276, pp. 574-578: at 575-578, paragraph 3.

❹③ 如廣東省檔案館藏，粵海關檔案全宗號 94 目錄號 1 案卷號 1584 秘書科類《各項事件傳聞錄》，1924 年 5 月 15 日條。

❹④ 見廣東省檔案館藏，粵海關檔案全宗號 94 目錄號 1 案卷號 1584 秘書科類《各項事件傳聞錄》，1924 年 3 月 29 日條。

個能耐對付他們的。但說到底，孫中山公開表達了他的良好願望，英國人是受用的。㊺

又過了一天，還是毫無動靜。孫中山只能不斷地使出他的哄字訣。1924 年 9 月 11 日，孫中山辦了兩件事：第一是批准把「哈佛」號輪船放行，以示寬大。㊻第二是在歡宴但懋辛等的演說中再次表達他北伐的雄圖偉略：「這次戰爭是北方自己大分裂，予我們南方以極大的機會，可以收革命最後的大成功……我們便要過黃河，直取北京，鞏固共和。」㊼孫中山還未出珠江，就誇誇其談過黃河。英國人只好耐心等待。

所謂哄者，不是說孫中山沒有誠意北伐。他的確是要北伐，因為他認為實在不能在廣州待下去。但北伐需要資源，他嚴重缺乏這種資源。在走投無路之餘，他再次想到俄國，於是在 1924 年 9 月 12 日就給蘇聯駐北京公使加拉罕寫了一封信，曰：

> 明晨我將赴韶關，但走前還想致短函告知您，我完全同意您在 7 月 11 日來信對當今中國局勢的極為英明的估價。

㊺ Political Summary, Canton, for September Quarter 1924, compiled by F.A. Wallis of the British Consulate-General at Canton and enclosed in B.Giles to James MacLeay, Separate, 30 September 1924, FO228/3276, pp. 574-578: at 575-578.

㊻ 孫中山：〈給胡漢民等的指令〉，1924 年 9 月 11 日，《孫中山全集》第 11 卷，第 44-45 頁。

㊼ 孫中山：〈在廣州歡宴但懋辛等的演說〉，《孫中山全集》第 11 卷，第 41-41 頁：其中第 42 頁，據黃貽孫記：〈大元帥歡宴但懋辛石青陽演說辭〉，載廣州《民國日報》（臨時特刊），1924 年 9 月 12 日。

您從我本月 1 日的宣言和作為《廣州（民國日）報》的附錄於本月 8 日發表的我關於庚子議定的談話（我把這兩個文件給您隨信附上）可以看出，現在已經是在中國與世界帝國主義公開鬥爭的時候了。在這場鬥爭中，我願得到貴國這個偉大國家的友誼與支援，俾可幫助中國擺脫帝國主義的強力控制，恢復我國在政治和經濟上的獨立。

近期內我將修書一封向您詳述情況，暫時就此擱筆。請接受我兄弟般的問候和最良好的祝願，望您身體健康。

您忠實的孫中山，1924 年 9 月 12 日。㊽

細細咀嚼這封信的微言大義，不難注意到它的主要目的是尋求俄國的物資援助。為了達到這個目的，孫中山不惜與他不信任的俄國㊾的代表稱兄道弟，甚至讚他英明。第二、不像本章提到過的孫中山的其他函電，他沒有把他發給加拉罕的這封信公諸於世。無他，孫中山不願意英國更加敵視他，甚至加快步伐消滅他。至於他在信中提到的 1924 年 9 月 8 日發表的關於庚子議定的談話，則完全是關於他對中國海關剩餘款項中國海關主權的問題。㊿他的觀

㊽ 孫中山：〈致加拉罕函〉，1924 年 9 月 12 日，載《孫中山全集》第 11 卷，第 45-46 頁，據李玉貞譯同條而刊於俄國出版的俄文《孫中山全集》（莫斯科，1964 年）。

㊾ 詳見本書第七章。

㊿ 見孫中山：〈與外國記者的談話〉，1924 年 9 月上旬，載《孫中山全集》第 11 卷，第 40-41 頁，據李玉貞譯：〈孫中山發表聲明——中國要走蘇聯的路〉，莫斯科《真理報》，1924 年 9 月 17 日。

點，英國人完全了解並因此跟他交過手。[51]所以不怕把它發表了讓英國人知道。

又是一天過了。

1924 年 9 月 13 日，上午 9 時，孫中山與夫人宋慶齡離開大本營至廣州黃沙火車站，10 時乘粵漢鐵路花車北上韶關。隨行的有秘書長古應芬、會計司長黃昌穀、北伐第二軍軍長柏文蔚、贛軍司令李明揚、高等檢查廳長林雲陔、廣東警衛軍司令吳鐵城，以及參軍、副官、秘書等 30 餘人。護衛花車者有鐵甲車兩輛、大本營衛士隊、廣東警衛軍駁殼隊、贛軍警衛隊和手提機關槍隊等數百人。下午 4 時抵達韶關車站，滇軍師長趙成樑及部屬數百人，北伐第二軍衛隊數十人以及曲江縣長、當地紳、商、工、學各界和滇軍軍樂隊等到站歡迎。孫中山就在粵漢鐵路公司養路處下榻並把該處暫為大本營。[52]

孫中山終於離開廣州了，英國人鬆了口氣。果如他們所料，范石生、廖行超等沒有隨行，肯定是他們抗命而拒絕參加北伐。至於孫中山本人，肯定也鬆了口氣。因為到達韶關以後，他就暫時離開了商團、陳炯明以及他認為是英國人所給予他的威脅。但是，他到了韶關以後的日子並不好過。因為正如英國人所料，他由於開拔費無着而滯留在韶關。[53]

---

[51] 見本書第七章。

[52] 《孫中山年譜長編》，下冊，第 2002-3 頁，1924 年 9 月 13 日條，引《廣州民國日報》，1924 年 9 月 17 日。

[53] 特約專訪員天仁：〈北路吃緊中之孫文〉，香港《華字日報》，1924 年 10 月 23 日，第 3 頁第 2-3 欄：其中第 3 欄。

英國駐廣州總領事館對孫中山此舉的評價是這樣的：孫中山為人異乎尋常地執着（exceptionally obstinate）而又非常勇敢（very courageous）。[54]字裡行間，充分地流露出敬意：他們似乎在說：只有像孫中山那樣「異乎尋常執着」的人，才會知其不可而為之地提出北伐以圖存。筆者希望補充一句：只有像孫中山那樣「非常勇敢」的人，才會出人意表地挑戰大英帝國以達到其爭取北伐有啟步機會之目的。

孫中山北上了，廣州那檔爛攤子和已經扣起來的商團軍火怎麼處理？處理過程中，孫中山又如何終於醒覺到過去他是錯怪了英國政府？

三、廣州留守與商團扣械

在孫中山離開廣州的 1924 年 9 月 13 日，他「特派大本營總參議胡漢民留守廣州，代行大元帥職務。」[55]自從「哈佛」號船上的軍火曝光後，孫中山即委派胡漢民、廖仲愷等成立五人小組[56]，專

---

[54] Political Summary, Canton, for September Quarter 1924, compiled by F.A. Wallis of the British Consulate-General at Canton and enclosed in B.Giles to James MacLeay, Separate, 30 September 1924, FO228/3276, pp. 574-578: at 575-578, paragraph 4.

[55] 孫中山：〈特派胡漢民代職令〉，1924 年 9 月 13 日，載《孫中山全集》第 11 卷，第 58 頁。

[56] 其他四人是伍朝樞、廖仲愷、盧興原、傅秉常。

責處理該案。[57]准此，該是時候探索本書第八章中提到過的「哈佛」輪上的軍火，是黃埔軍校當局偵察出來和該等軍火是「黃埔軍校全體學生表決將其扣留」[58]的說法了。

根據英國駐廣州代理總領事翟比南的絕密報告，「哈佛」號船上的軍火之所以曝光，完全是由於知道內幕的某人堅持船上的貨物清單必須如實。[59]本書第八章已經鎖定該人正是粵海關代理稅務司羅雲漢（W.O. Law）。既然羅雲漢堅持按照正規手續辦事，則可以想像到：正規手續就是公函通知當地政府查辦。於是孫中山就知道「哈佛」號船上載有軍火了，不必勞駕黃埔軍校當局去偵察。至於扣留「哈佛」號船上的軍火的決定權，當然是掌握在中華民國陸海軍大元帥孫中山的手裡，「黃埔軍校全體學生表決將其扣留」[60]云

---

[57] Bertram Giles to Sir Ronald Macleay, Despatch 140, Very Confidential, Canton 21 August 1924, enclosed in MacLeay to MacDonald, Desp. 561 (5592/24), Very Confidential, 6 September 1924, in FO371/10240, pp. 44-88 [Reg. No. 3443/15/10, 16 Oct 1924]: at pp. 76-83, paragraph 18. 又見孫中山：〈給胡漢民等的指令〉，1924 年 9 月 11 日，《孫中山全集》第 11 卷，第 44-45 頁。

[58] 徐嵩齡：〈1924 年孫中山的北伐與廣州商團事變〉，《歷史研究》，1956 年第 3 期，第 59-69 頁：其中第 61 頁，引胡去非：《總理事略》商務版，第 292 頁。

[59] Bertram Giles to Sir Ronald Macleay, Despatch 140, Very Confidential, Canton 21 August 1924, enclosed in MacLeay to MacDonald, Desp. 561 (5592/24), Very Confidential, 6 September 1924, in FO371/10240, pp. 44-88 [Reg. No. 3443/15/10, 16 Oct 1924]: at pp. 76-83, paragraph 7.

[60] 徐嵩齡：〈1924 年孫中山的北伐與廣州商團事變〉，《歷史研究》，1956 年第 3 期，第 59-69 頁：其中第 61 頁，引胡去非：《總理事略》商務版，第 292 頁。

云，猶如天方夜譚。

英方的情報，有中方的各種報導佐證：

> 昨十日（按即 1924 年 8 月 10 日）……上午，哈活（按即「哈佛」號）入口，停車歪砲臺附近（按即白鵝潭），海關據報，即轉政府。稱有外國船裝運大批軍火入口，可否准予起卸等語，政府據報，派員赴哈活號輪船，會同關員查驗。聞查驗結果，共計七九步槍四千八百五十枝，駁殼搶四千二百餘枝，另手槍數百支，各項子彈共三百餘萬發，價格在百餘萬元。該員即呈覆政府。政府須候查明核辦，當即令飭海關扣留，毋得擅自起卸，並令「江固」號前往保護該輪船，聽候處分。61

孫中山過了一個緊張、漫長的黑夜：

> 孫中山令吳鐵城、傅（秉常）交涉使同某某等四艦前行與海關交涉，直候至天明，在白鵝潭上尚未有結果，當夕戒嚴至旦……時人心惶惶，恐有大數。62

為何孫中山要派四隻兵艦與海關交涉？因為法律規定輪船進入港口

---

61 編輯：〈省報紀孫政府扣留商團軍火事〉，香港《華字日報》，1924 年 8 月 13 日，第 12 頁第 1 欄。

62 特約通訊員文人：〈孫政府壓迫商團之大風潮〉，香港《華字日報》，1924 年 8 月 15 日，第 3 頁第 1-3 欄：其中第 1 欄。

報關以後，該船就完全在海關的控制之下，[63]地方政府不能干涉。既然粵海關代理稅務司英人羅雲漢在輪船報關的問題上堅持按照正規手續辦事，以致丟官在所不惜；則可以想像到：羅雲漢在輪船保管的問題上，同樣會堅持按正照手規續辦理而禁止孫中山干涉本來是海關職權範圍的事情。由於孫中山準確地意識到商團用「哈佛」號走私軍火是陰謀推翻他的政府，[64]於是他就不顧一切地動粗了：派四隻軍艦去強行干涉。結果，「十一日帥座以此項危險品，停泊省河海面，殊屬危險，即派『永豐』艦監視該船移黃埔，其餘各艦，均應撤退。」[65]

上面那三則漢文報導，除了日期錯誤地推前了一天（即把 1924 年 8 月 11 日發生的事情推前到 10 日，又把 12 日發生的事情推前到 11 日）[66]以外，情節是扣人心弦的。當時的廣東警衛軍司令吳鐵城甚至把家人送到香港去。[67]警衛軍是負責維持治安的，故外人把警衛軍司令

---

[63] Sir Ronald MacLeay to Ramsay MacDonald, Despatch 561 (5592/24), Very confidential, 6 September 1924, FO371/10240 [Reg. No. 3443/15/10, 16 Oct 1924], pp. 44-88: at pp.48-52, paragraph 4.

[64] 詳見本書第八章。

[65] 編輯：〈省報紀孫政府扣留商團軍火事〉，香港《華字日報》，1924 年 8 月 13 日，第 12 頁第 1 欄。

[66] 準確日期見英國駐廣州代總領事的絕密報告：Bertram Giles to Sir Ronald Macleay, Despatch 140, Very Confidential, Canton 21 August 1924, enclosed in MacLeay to MacDonald, Desp. 561 (5592/24), Very Confidential, 6 September 1924, in FO371/10240, pp. 44-88 [Reg. No. 3443/15/10, 16 Oct 1924]: at pp. 76-83。

[67] Bertram Giles to Sir Ronald Macleay, Despatch 140, Very Confidential, Canton 21 August 1924, enclosed in MacLeay to MacDonald, Desp. 561 (5592/24),

翻譯為 Police Commissioner。(68)連警衛軍司令也把家人送去香港，當時的緊張局面可知。為何吳鐵城這麼緊張？因為孫中山可以動粗，難道列強就不可以動粗？萬一英國駐廣州總領事向香港電召兵艦，而英艦只需「數十分鐘便可粉碎」「大本營，永豐、黃埔三處」。(69)炮火無情，待殃及池魚時，就追悔莫及。

把這麼緊張的局面輕鬆平常地描述成黃埔軍校當局偵察出該等軍火，並由「黃埔軍校全體學生表決將其扣留。」(70)讓人發笑。作者胡去非是甚麼人？承蔣永敬教授賜告，他是胡漢民的筆名。(71)那個時代的國民黨極度缺乏軍事人才，蔣中正曾在日本軍事學校學習，故胡漢民等對他非常重視，並刻意栽培。(72)這些情況讓筆者聯想到，很可能是胡漢民為了樹立蔣中正在國民黨內的威信，故意把這筆功勞劃了給蔣中正。至於 1956 年的徐嵩齡，既奉毛主席的話

Very Confidential, 6 September 1924, in FO371/10240, pp. 44-88 [Reg. No. 3443/15/10, 16 Oct 1924]: at pp. 76-83, paragraph 17.

(68) 同上。

(69) 孫中山：〈復蔣中正告在粵有三死因亟宜北伐謀出路函〉，1924 年 9 月 9 日，《國父全集》（1989），第 5 冊，第 528 頁。

(70) 徐嵩齡：〈1924 年孫中山的北伐與廣州商團事變〉，《歷史研究》，1956 年第 3 期，第 59-69 頁：其中第 61 頁，引胡去非：《總理事略》商務版，第 292 頁。

(71) 2004 年 7 月 18 日筆者在廣州珠島賓館向蔣永敬教授請教的結果。當時我們正出席在廣州舉行的「慶祝中山大學暨黃埔軍校建校 80 週年孫中山國際學術研討會」。

(72) 承蔣永敬教授指引，拜讀了他的大文〈胡、汪、蔣分合關係之演變〉，《近代中國歷史人物論文集》（臺北：中央研究院近代史研究所，1993），第 1-27 頁。

為神明，(73)又通過胡漢民在《總理全集》中捏造的事實而不知不覺地歌頌蔣總統英明。(74)則筆者回顧 1956 年即將降臨中國大陸的狂風暴雨諸如百花齊放、百家爭鳴，不禁為徐嵩齡抹了一把汗。

「哈佛」號在「永豐」艦的大砲指揮下於 1924 年 8 月 12 日駛回黃埔後，又在該等大砲的威脅下被政府人員把船上的軍火通通卸下。(75)所謂政府人員，當時在黃埔的，自然是黃埔軍校師生。該校的一位學生回憶說：「哈佛」號被押到黃埔後，「泊近校門，嚴加監視，旋奉大元帥令，將是船槍械全行提出扣留於本校。黃埔位於珠江下游，江面頗寬，大船只能停泊於江的中心，乃派我們這些學生分乘小木船前往提取，用了差不多一天的時間，才把全部槍械子彈等運完。」(76)該等師生不但「各盡所能」地把軍火通通卸下，對罐頭牛奶、鐵釘等都「各取所需」。(77)當時黃埔軍校的教材肯定不

---

(73) 徐嵩齡：〈1924 年孫中山的北伐與廣州商團事變〉，《歷史研究》，1956 年第 3 期，第 59-69 頁：其中第 60 頁，引《毛澤東選集》，第二卷，第 750 頁。

(74) 徐嵩齡：〈1924 年孫中山的北伐與廣州商團事變〉，《歷史研究》，1956 年第 3 期，第 59-69 頁：其中第 61 頁，引胡去非：《總理事略》商務版，第 292 頁。

(75) Bertram Giles to Sir Ronald Macleay, Despatch 140, Very Confidential, Canton 21 August 1924, enclosed in MacLeay to MacDonald, Desp. 561 (5592/24), Very Confidential, 6 September 1924, in FO371/10240, pp. 44-88 [Reg. No. 3443/15/10, 16 Oct 1924]: at pp. 53-61, paragraph 11.

(76) 宋希濂：〈參加黃埔軍校前後〉，載黨德信、黃靄玲編：《第一次國共合作時期的黃埔軍校：紀念黃埔軍校創建六十週年》（北京：文史哲出版社，1984），第 237-260 頁：其中第 250 頁。

(77) Bertram Giles to Sir Ronald Macleay, Despatch 140, Very Confidential, Canton 21 August 1924, enclosed in MacLeay to MacDonald, Desp. 561 (5592/24),

包括國際法。(78)而聰明的胡漢民也沒把這筆功勞劃了給蔣中正。

同日，即 1924 年 8 月 12 日，廣東省長廖仲愷發表佈告，謂「泰西各國，對於地方自衛之義勇軍團，均有一定之法規，無論市鎮鄉村各種團體，莫不依法編制，受政府之指揮監督……是以政府對於農團軍之宣言，已有農民自衛軍當受政府之絕對監督……等語。……農團如是，商團何莫不然？惟民國草創，法制仍屬未備，凡已成立之團體，如係辦理多年，又無越軌行動者，自應一仍其舊，除俟專章頒布，再事改良。……本省長對於各種自衛團軍辦法，現正從事起草，應如何設立總分各機關，如何聯絡各地分團，自當詳細規定，以昭劃一而免紛紊。」(79)一句話，孫中山着手控制商團了！此舉與扣械屬雙管齊下。

難道孫中山不怕商團反抗而把事情弄得更糟糕？商團已露反態，孫中山只能往前，絕對不能後退。而且，按照英國情報的估計，商團的實力還不足以挑戰政府，主要的原因是因為商團缺乏子彈，而各路客軍又表示效忠孫中山。(80)英國人作出這種估計，相信

Very Confidential, 6 September 1924, in FO371/10240, pp. 44-88 [Reg. No. 3443/15/10, 16 Oct 1924]: at pp. 53-61, paragraph 18.

(78) The tinned milk and nails were destined for a Swedish firm in Hongkong, Karl Podiker and Co. See ibid.

(79) 廖仲愷佈告，1924 年 8 月 14 日，載佚名：〈省署壓制商團續誌——商團忍氣改名目〉，《香港華字日報》，1924 年 8 月 14 日，第 12 頁第 1-2 欄：其中第 1 欄。

(80) Bertram Giles to Sir Ronald Macleay, Despatch 140, Very Confidential, Canton 21 August 1924, enclosed in MacLeay to MacDonald, Desp. 561 (5592/24), Very Confidential, 6 September 1924, in FO371/10240, pp. 44-88 [Reg. No. 3443/15/10, 16 Oct 1924]: at pp. 53-61, paragraph 14.

孫中山也能作出同樣的估計。事實證明，這種估計是準確的：商團自知不敵，決定暫時忍氣吞聲。當時商團已經組織了廣東全省商團聯防總部，準備大展鴻圖，但因為省署制止，迫得改名為籌備處。[81]

孫中山在這個時候決定改守為攻而設法控制商團，還有一個重要原因。陳廉伯在護照上填寫了貨到日期為 40 天以後，結果「哈佛」號在 6 日以後就到了廣州，[82]讓孫中山懷疑，商團可能還有第二批、第三批軍火在途中。[83]很幸運地，第一批軍火被發現了。若第二批、第三批軍火漏網，後果就不堪設想。在這種情況下，只有牢牢地把商團控制住，才可免於難。商團的對策就是罷市。而且越罷越烈，以致孫中山宣佈，若商團在 1824 年 8 月 29 日還不開市，就用武力把商團通通繳械。估計到商團肯定用武力抵抗，則所謂武力繳械者就等同攻打商團了。無奈負責執行繳械的滇軍將領范石生在關鍵時刻竟然抗命，甚至擅自與商團定約，以錢贖械。這些情節，在本書第八章已有所交代。

孫中山如何處理這由范石生所造成的困難局面？《香港華字日

---

[81] 廖仲愷佈告，1924 年 8 月 14 日，載佚名：〈省署壓制商團續誌——商團忍氣改名目〉，《香港華字日報》，1924 年 8 月 14 日，第 12 頁第 1-2 欄：其中第 1 欄。

[82] 廣東省長廖仲愷佈告，1924 年 8 月 11 日下午 5 時，載：〈省報紀孫政府扣留商團軍火事〉，香港《華字日報》，1924 年 8 月 13 日，第 12 頁第 1-2 欄：其中第 1 欄。

[83] 孫中山：〈中國內亂之原因〉，1924 年 11 月 25 日，《國父全集》（1989），第 3 冊，第 527-535 頁：其中第 529 頁。同文以〈在神戶歡迎會的演說〉為題目刊於《孫中山全集》第 11 卷，第 377-389 頁：其中第 382 頁。

報》以〈扣械案尚有餘波——以改組制商團死命〉為題，轉載了當時廣州的一篇重要報導：「省報云：自罷市風潮解決後，其執行條約問題，頗為一般人士所注意。記者特因此事叩問鄭君杏圃。據云，伊等（鄧介石因赴港未往）於 31 日晚偕同范軍長、廖師長之代表黃參謀謁大元帥，對於六條約中之報效軍費五十萬元一條，概予取消。謂商團既願幫助政府，政府斷不受重金，但商團須遵令改組，始能將械發還。如一星期內不能改組，則延至二星期亦無不可。總以改組完成，然後可以發還云云。」[84]

竊以為這又是孫中山在這個時候以退為進的策略的另外一個組成部份。五十萬元事小，控制商團事大。取消五十萬元，可示寬容，爭取輿論界的同情；而改組商團以置其於政府控制之下，則或可免後患。但這種策略有一定的危險，若商團假意接受改組，待領回扣械後馬上倒戈，孫中山會被打個措手不及。竊以為孫中山已經把這種危險性考慮進去了，結果是有恃無恐。所恃者何？到了 1924 年 8 月 31 日，距離 1924 年 8 月 12 日強卸「哈佛」號輪船上的軍火的日子已經超過 18 天，他應該知道，該批軍火，都是廢鐵，商團拿去也沒多大作為。此話怎說？

當 1924 年 7 月 19 日，「哈佛」號駛進英屬殖民地科倫坡港口而接受檢查時，英方即特意檢查該批軍械的性能等。發覺那批長槍都是 1890 年製造的，是已經被使用到老掉了牙齒的陳年舊貨。另一方面，該批長槍和駁殼等都是德國貨，但子彈卻是法國製造

---

[84] 佚名：〈扣械案尚有餘波——以改組制商團死命〉，《香港華字日報》，1924 年 9 月 3 日，第 12 頁第 1-2 欄。

的。[85]子彈與槍對不上號，不是爛銅廢鐵是甚麼？看來這批軍火都是歐戰的剩餘物資，被收買爛銅爛鐵的商人高價賣了給廣州商團。

這條英方史料，有兩條中方材料佐證。第一、負責保管扣械的黃埔軍校校長蔣中正後來寫信給孫中山抱怨說：「商械並不精銳……總之，保管此槍，徒成怨府，而毫無補益，萬懇從速處置，俾卸無謂之責守，或亦可減少各方覬覦黃埔之野心，未始非保存基本之一道也。鈞意如何？立候示遵！」[86]作為軍人，蔣中正肯定是第一個急於拆箱檢驗的人，也就是第一個知道扣械乃廢鐵的人，並儘快把這個消息告訴了孫中山。所以，相信孫中山在卸貨當天的 1924 年 8 月 12 日，或第二天，就得到這個信息而有恃無恐。第二、後來商團領到第一批扣械時，同樣發覺是狀況甚壞的東西，於是破口大罵孫中山等偷龍轉鳳，用新近運到的俄式舊槍頂替他們訂購的新式武器。[87]其實，孫中山才不會這樣做。因爲，新近運到的俄式武器雖然也是使用過的舊槍，但此八千枝俄槍都是同一個款式的，不像商團那批偷運進口的軍械那樣參差不齊，故特別珍貴，

---

[85] W.T. Southorn to Colonial Secretary (Ceylon), Memo Hav, 28 July 1924, enclosed in W.H. Manning (Governor Ceylon) to Thomas (CO), 9 August 1924, FO371/10239, pp. 118-26 [Reg. No. F3096/15/10, 11 September 1924]: at p. 120-2, paragraph 5.

[86] 蔣中正：〈覆上總理書決死守埔島並請從速處置商械〉，1924 年 10 月 9 日於黃埔，載《總統蔣公思想言論總集》，一套 40 卷（臺北：中國國民黨黨史委員會，1984），卷 36 別錄，第 124 頁。

[87] 廣東省檔案館藏，粵海關檔案全宗號 94 目錄號 1 案卷號 1585 秘書科類《各項事件傳聞錄》，1924 年 10 月 11 日條。

「一枝不可分散。」[88]

四、發還扣械與鎮壓商團

商團領到第一批扣械的日子，正是 1924 年 10 月 10 日雙十節。孫中山之批准發還扣械，既鑑於陳廉伯等同意改組商團，也鑑於商團正、副團長陳廉伯、陳恭受分別通電，表示支持孫中山和服從廣州革命政府，同時否認試圖利用廣州商團軍危害廣州政府。[89]竊以為陳廉伯等此舉，只不過是戰略上的暫時退卻，待領到全部扣械後重新估計形勢後再作打算。但他的部屬在領取第一批扣械的當天，就已經按耐不住而與慶祝雙十節的遊行隊伍火拼起來了。當然，遊行隊伍早已帶有濃厚的挑釁情緒。他們早些時候在廣州第一公園舉行盛大集會時，共產黨人周恩來就在集會快要結束時號召他們「衝出公園去向反革命派做示威運動。」[90]當他們遊行到西濠口時，商團軍正在那裡起卸部份扣械而把附近的街道封鎖了。但遊行隊伍堅持強行通過，雙方一言不合就大打出手。火拼間遊行隊伍中工人死六人。[91]這個數目被鮑羅廷誇大為「數十人」，又說這數十

---

[88] 孫中山：〈答蔣電北伐必成捨長來韶由爭食互殺〉，1924 年 9 月 9 日《國父全集》（1989），第 5 冊，第 542 頁。

[89] 陳廉伯、陳恭受通電，1924 年 9 月 15 日，載《廣東口械潮》，卷 2，第 92-93 頁。廣東省檔案館藏，粵海關檔案全宗號 94 目錄號 1 案卷號 1585 秘書科類《各項事件傳聞錄》，1924 年 9 月 17 日條。

[90] 敖光旭引周恩來：〈民族解放協會代表周恩來演說詞〉，《雙十特刊》（廣州，1924）。

[91] 廣東省檔案館藏，粵海關檔案全宗號 94 目錄號 1 案卷號 1585 秘書科類《各項事件傳聞錄》，1924 年 10 月 11 日條。

名死者中包括學生，並把這虛構的故事通過電話告訴蔣中正。蔣中正又通過電報轉告孫中山，電文曰：

> 急。韶州孫大元帥鈞鑒：密。頃據許總司令電話，言工團軍及學生遊街時，被商團擊傷數人，現已了事云。而據鮑爾（羅）廷君來電話，言工團及學生被商團擊斃數十人，現在尙有工團軍潛伏各處，不敢出來者。囑中正代問總理如何處置！中正之意，非責成許總司令及李登同嚴辦商團不可。如何？乞覆。中正叩。灰戌。[92]

孫中山的批示值得注意，他只是命令「嚴行查辦」而沒有下領鎮壓商團。批文曰：

> （孫中山批）代答並令：當着省長、總司令、民團統率處處長，嚴行查辦。文。[93]

孫中山之決定鎮壓商團，是兩天之後的 1924 年 10 月 12 日、他聽過廖仲愷當面報告之時。他的侍衛李榮回憶說：

---

[92] 蔣介石：〈蔣介石請嚴辦商團致孫文密電，1924 年 10 月 10 日〉，中國第二歷史檔案館編：《中華民國史檔案資料彙編》（南京：江蘇古籍出版社，1986 年），第 4 輯（二），第 789 頁。

[93] 孫中山對蔣介石：〈蔣介石請嚴辦商團致孫文密電，1924 年 10 月 10 日〉的批示，1924 年 10 月 11 日，載《孫中山全集》第 11 卷，第 173 頁，據廣東省社會科學院歷史研究所藏原件照片。

> 翌年（即民 13 年）誓師北伐，師次韶關，總理即派榮及鄧才往南雄負責特務工作，於 10 月 12 日，回韶報告總作經過，復適廖仲凱由廣州赴韶，面陳商團叛變及後方動搖情形，旋隨奉總理面諭，即夜會同廖仲凱回市，召集聯義（誼）社等革命同志團體，會同黃埔軍校學生，大本營直轄粵滇湘桂各軍，肅清市面一帶反動份子，以免後顧之憂。（按總理秉性慈祥博愛，雖任何刺激，從來未形諸顏色，其憤激情形，生平以此為最。）[94]

李榮關於 1924 年 10 月 12 日孫中山聽過廖仲愷當面報告之後，憤激地決定鎮壓商團的回憶，有孫中山在當天所發出的電報以及翌日孫中山讓宋慶齡寫給鮑羅廷的一封信為佐證。電報說：

> （限即刻轉到，提前飛送，萬萬火急。）廣州胡留守鑑：密。刻仲愷到，並接電知省中已有非常之變。我以北伐重要，不能回省戡亂。請兄即宣佈戒嚴，並將政府全權付託於革命委員會，以對付此非常之變，由之便宜行事以戡亂，則小醜不足平也。委員為汝為、介石、精衛、仲愷、友仁、平山。我為會長。兄不在列者，留有餘地也。接電即發表，切勿猶豫致誤為要。孫文。侵戌。（13年10月12日）[95]

---

[94] 孫中山的伺衛李榮的回憶：〈總理病逝前後〉，載尚明軒、王學莊、陳松等編：《孫中山生平事業追憶錄》（北京：人民出版社，1986），第 648-51 頁：其中第 648 頁。

[95] 孫中山致胡漢民密電，1924 年 10 月 12 日，載《孫中山全集》第 11 卷，第 175 頁，據譚編《總理遺墨》第三輯影印原稿。

宋慶齡的信說：

親愛的鮑羅廷先生：

孫醫生[96]要我寫信給你，因爲昨天廖仲愷先生送來一些報告使他想到即使他對廣州上演的一切採取視而不見、聽而不聞的辦法，也不能挽救廣州。只有採取恐怖統治，使他們害怕才能挽救廣州。

由此，孫醫生決定立即採取行動。昨晚他把吳鐵城將軍的部隊調回廣州。這些人將接受委員會的命令，但他們需要更多的巷戰訓練。所以孫醫生希望你請你的專家們在這方面對他們加以訓練。

最近一批槍支彈藥將不再調到韶關，根據原先的決定，它們將用於重新武裝許崇智將軍的部隊，條件是許將軍立即開戰並實施委員會決定的任何措施。這次戰鬥的目的是打垮叛軍和造反的商團。

你的誠摯的

羅莎蒙德·孫

一九二四年十月十三日於韶關[97]

准此，我們在一方面有蔣中正 1924 年 10 月 10 日告訴孫中山

[96] 原文譯作博士，不確，孫中山從未拿過博士學位，應作醫生。

[97] 宋慶齡致鮑羅廷電，1924 年 10 月 13 日，載《宋慶齡書信集》（北京：人民出版社，1999），第 43-44 頁。感謝金沖及先生，應我電求，把此件複印後用快遞送來，特此鳴謝。

關於商團軍槍殺遊行工人、學生數十人的電報。[98]孫中山接電後只批示曰「嚴行查辦」[99]而沒有下令鎮壓商團。孫中山甚至在回覆蔣中正時說：「答電如下：北伐必成，無款亦出，決不回顧廣州，望兄速捨長洲來韶。因有某軍欲劫械並殺兄，故暫宜避之。陳賊來攻，我可放去，由爭食之軍自相殘殺可也。亂無可平，只有速避耳。」[100]而在另一方面，我們有李榮關於 1924 年 10 月 12 日的回憶和同日孫中山發給胡漢民的密電以及翌日宋慶齡寫給鮑羅廷的信：三者都提到廖仲愷面告孫中山「省中已有非常之變」。[101]就是說，故事是一樣的，但消息來源不同。蔣中正的消息來自鮑羅廷。廖仲愷的消息來源，則廖仲愷是否說是親自目睹，至今無從查考。但孫中山是相信了廖仲愷的話，結果罕有地激動，並馬上決定鎮壓商團，連夜把吳鐵城將軍的部隊調回廣州準備行動。這種現象說明了什麼問題？孫中山對鮑羅廷的話和動機是存有戒心的，不會輕信。考慮到孫中山歷來是主張用強硬手段對付商團，只是礙於客軍抗命才不能如願以償；而現在蔣中正藉鮑羅廷的故事來請戰，孫中

---

[98] 蔣介石：〈蔣介石請嚴辦商團致孫文密電，1924 年 10 月 10 日〉，中國第二歷史檔案館編：《中華民國史檔案資料彙編》（南京：江蘇古籍出版社，1986 年），第 4 輯（二），第 789 頁。

[99] 孫中山對蔣介石：〈蔣介石請嚴辦商團致孫文密電，1924 年 10 月 10 日〉的批示，1924 年 10 月 11 日，載《孫中山全集》第 11 卷，第 173 頁，據廣東省社會科學院歷史研究所藏原件照片。

[100] 孫中山：〈答蔣電北伐必成捨長來韶由爭食互殺〉，1924 年 9 月 9 日，《國父全集》（1989），第 5 冊，第 542 頁。

[101] 孫中山致胡漢民密電，1924 年 10 月 12 日，載《孫中山全集》第 11 卷，第 175 頁，據譚編《總理遺墨》第三輯影印原稿。

山反而不予理會，他對鮑羅廷的戒備程度可見一斑。至於廖仲愷，則他是孫中山的親信，孫中山是信賴他的。廖仲愷的消息來源是否同樣是鮑羅廷？據現存史料也是無從查考，但可能性極高。關鍵是，若廖仲愷沒提鮑羅廷的名字，孫中山似乎就沒有這種戒心。

廖仲愷歷來是主張鎮壓商團的。若他聽了鮑羅廷的故事，他會主觀地傾向於相信它，因為這是鎮壓商團的最佳藉口。准此，筆者忽發奇想，會不會鮑羅廷通過蔣中正企圖刺激孫中山失敗後，又煽動廖仲愷親往韶關一趟？廖仲愷是當時國民黨員中最左傾的，而似乎也是最樂於聽鮑羅廷的意見的人。

如此這般，商團的命運，似乎就按照鮑羅廷的意志而被鎖定。孫中山終於對駐紮於西關的商團開火了，那位曾經用最後通牒方式警告他不要開火的英國駐廣州代總領事反應如何？此外，還有一樁歷史懸案有待解決：孫中山可有秘密返穗督師？兩個問題都在下節一起探索。

五、孫中山可有秘密返穗督師？

由於鎮壓商團的部署既迅速又秘密，事前預兆甚少，孫中山更沒有事先通知外國人，所以當 1924 年 10 月 14 日深夜近零時政府軍向西關發起攻擊時，旅居廣州的外國人都頗感意外。但他們的文書卻為戰鬥過程提供了珍貴的歷史材料。有一位英國傳教士在 1924 年 10 月 15 日寫道：「昨晚差不多整個晚上，激烈的戰鬥都在進行中。政府軍用機關槍發起攻擊，並試圖推倒商團軍早已建立起來的街頭防禦工事，但據說遭到商團軍的頑強抵抗而傷亡慘重。

政府軍繼而用大炮轟擊商團軍，我們不斷聽到砲彈在我們頭上飛過的尖叫聲，而與我們住所有兩街之隔的一棟房子就不幸被流彈擊中。被孫中山召到廣東以趕跑陳炯明並一直支持孫中山的滇軍，到目前爲止似乎嚴守中立。但若他們決定在今天晚上參加戰鬥的話，戰情會更加激烈。我們除了留在家裏聽天由命以外，別無他法。」[102]

信寫到這裡，該傳教士即接英國駐廣州總領事的信，指示他與其家屬及同事等馬上到沙面租界暫避。蓋總領事估計當天晚上情況會更兇險。傳教士等只好從命，並於當天，即 1924 年 10 月 15 日下午三時三十分僱船離開住所。船剛啓碇，就收到商團軍潰退的消息。該船在一片步槍、機關槍、大炮和用以炸開商團軍防禦工事的炸藥爆炸聲中開往沙面。從船上遠眺西關，可以看到三處地方已經着火焚燒。船抵沙面，已傳來商團軍投降的消息。該傳教士等在沙面朋友家寄宿了一個晚上以後，第二天，即 1924 年 10 月 16 日，就可以安全返回家園了。該傳教士抱怨總領事多此一舉。[103]

這封目擊者所寫的信，除了生動地描述了當時的戰鬥情況之外，也間接地顯露了當時英國駐廣州總領事的窘境。由於戰鬥在深夜突發，他熬了一個晚上才能差人冒着槍林彈雨帶信分別向各個旅

---

[102] Rev Mr W.W. Clayson (Canton) to Rev F. H. Hawkins, LL.B (London, LMS Foreign Secretary), 15 October 1924, p. 1, CWM/LMS, South China, Incoming correspondence 1803-1936, Box 23 (1923-1924), Folder 2 (1924), Jacket E (August-Oct 1924).

[103] Rev Mr W.W. Clayson (Canton) to Rev F. H. Hawkins, LL.B (London, LMS Foreign Secretary), 15 October 1924, postscript dated 16 October 1924, CWM/LMS, South China, Incoming correspondence 1803-1936, Box 23 (1923-1924), Folder 2 (1924), Jacket E (August-Oct 1924).

穗英僑傳召他們到沙面避難。幸虧他們都安然無恙，否則追究責任時，他難逃反應緩慢之咎。從這個角度看問題，就能明白爲何他曾在 1924 年 8 月 29 日向孫中山發出最後通牒，[104]企圖阻止他砲轟西關的商團軍了。

此外，由於英國外交部有官員認為在鎮壓商團的過程中發生過大屠殺的事情，在研究孫中山與英國的關係時候，孫中山曾否秘密返穗督師，就成了不可忽視的問題。因爲，若他果真曾在場督師而又的確發生過大屠殺的話，他就難逃責任了。

有人回憶說，孫中山於 1924 年 10 月 14 日夜的確曾秘密返穗主持大局。[105]准此，筆者決定把當時每天的有關文獻逐一分析，且看能得出怎麼結論。

第一、孫中山在 1924 年 10 月 12 日決定鎮壓商團後，已經同時又決定不返穗了。他在當天給胡漢民的密電中已經說得很清楚：「我以北伐重要，不能回省戡亂。請兄即宣佈戒嚴，並將政府全權付託於革命委員會，以對付此非常之變，由之便宜行事以戡

[104] Sir James MacLeay to Ramsay MacDonald, Tel. 245, 5 September 1924, dispatched at 9.05 p.m., received on 6 September 1924 at 9 a.m., FO371/10244, pp. 023-26 [Reg. No. F3043/19/10, 6 September 1924]: at pp. 24-26, paragraph 5.

[105] 敖光旭：〈共產國際與商團事件——孫中山及國民黨鎮壓廣州商團的原因及其影響〉，載林家有、李明主編：《孫中山與世界》（長春：吉林人民出版社，2004），第 198-228：其中第 225 頁，引賴先聲的回憶〈在廣東大革命的洪流中〉，載中共廣州市委黨史資料征集研究委員會編：《廣州大革命時期回憶錄選編》（廣州：廣東人民出版社，1986），第 32-33 頁。

亂。」⑩⑥

第二、孫中山在 1924 年 10 月 13 日委託跟他一起在韶關的譚延闓調兵遣將諸電報中，絲毫沒有孫中山要回廣州的跡象。當天第一道電報說：「十萬火急。廣州胡留守鑑：捷密。並轉仲愷先生。帥令楊師長虎率所部回省，聽候革命委員會調遣。該部給養無着，到時請接濟補充。延闓。元申。印。」⑩⑦這封電報在同日下午五點到達廣州。⑩⑧當天第二道電文說：「飛火急。廣州胡留守鑑：總密。譯轉宋總指揮：西村一帶由湘軍擔任彈壓，希速派得力軍隊千人前往駐紮，以資策應，並通電粵漢沿路各部隊一體警戒。諸事請商承留守辦理。延闓。元申。印。」⑩⑨這道電文在同日 12 時到達廣州。⑪⓪

第三、孫中山在 1924 年 10 月 14 日，就是所謂孫中山秘密返穗的當天，從韶關調兵遣將：「令警衛軍、工團軍、農民自衛軍、飛機隊、甲車隊、兵工廠衛隊、陸軍講武學校、滇軍幹部學校學

---

⑩⑥ 孫中山致胡漢民密電，1924 年 10 月 12 日，載《孫中山全集》第 11 卷，第 175 頁，據譚編《總理遺墨》第三輯影印原稿。

⑩⑦ 譚延闓：〈關於查辦商團事件致胡漢民密電〉，1924 年 10 月 13 日之一，中國第二歷史檔案館編：《中華民國史檔案資料彙編》（南京：江蘇古籍出版社，1986 年），第 4 輯（二），第 791-2 頁。所據乃廣州民國政府檔案。

⑩⑧ 同上。

⑩⑨ 譚延闓：〈關於查辦商團事件致胡漢民密電〉，1924 年 10 月 13 日之二，中國第二歷史檔案館編：《中華民國史檔案資料彙編》（南京：江蘇古籍出版社，1986 年），第 4 輯（二），第 792 頁。所據乃廣州民國政府檔案。

⑪⓪ 同上。

生，統歸蔣司令指揮。」[111]又「令軍校第二、三隊出發廣州市，何連長芸生由省帶贛軍新兵百名回校防守。」[112]當晚 6 時（鹽酉）許，孫中山又從韶關發出下面一封電報：「無限火急。提前飛轉廣州胡留守鑑：總密。並譯轉楊、許、劉、范、李、廖諸兄。今日情況如何，收繳商團槍枝刻不容緩，務於 24 點鐘內辦理完竣，以免後患。否則，東江逆敵反攻，必至前後受敵。望諸兄負責速行，不可一誤再誤。盼覆。孫文。鹽酉。印。」[113]這封電報在當天晚上 9 時到達廣州。[114]而在當晚 8 時（寒戌），蔣中正則電請孫中山回廣州指揮：「韶州孫大元帥鈞鑒：各軍聯合一致，解決商團，約今明兩日內開始行動云。昨日解送之子彈，務乞儲存一處，暫勿分給，否則臨急無所補充，困難更甚。如逆敵反攻省城，先生可否率隊南下平亂，中正之意，必如此方有轉機也。解彈來韶之學生，何日反省，乞覆。中正叩。寒戌。」[115]

第四、孫中山在 1924 年 10 月 15 日，就是所謂孫中山已經秘

---

[111] 中國第二歷史檔案館編：《蔣介石年譜初稿》（北京：檔案出版社，1992），第 249-250 頁。

[112] 中國第二歷史檔案館編：《蔣介石年譜初稿》（北京：檔案出版社，1992），第 250 頁。

[113] 孫中山致胡漢民並譯轉楊、許、劉、范、李、廖電：〈孫文為平定商團叛亂致胡漢民等密電〉，1924 年 10 月 14 日，中國第二歷史檔案館編：《中華民國史檔案資料彙編》（南京：江蘇古籍出版社，1986 年），第 4 輯（二），第 787 頁。

[114] 同上。

[115] 蔣中正：〈上大元帥南下平亂電〉，1924 年 10 月 14 日於黃埔，載《總統蔣公思想言論總集》一套 40 卷（臺北：中國國民黨黨史委員會，1984），卷 36 別錄，第 126 頁。

密返穗後的翌日，他從韶關發出了下面兩道電報，證明孫中山並沒有應蔣中正所求返回廣州。第一道電報是中午 12 時（刪午）發出的：(1)「韶州大本營來電。萬火急。廣州胡留守鑑：總密。刪電悉。商團既用武力以抗政府，則罪無可逭。善後處分，必將商團店戶、貨物、房屋，悉行充公。其為首之團匪嚴行拿辦。萬勿再事姑息。除貽後患。其在省外之商團，當限期自首悔罪，永遠脫離商團，否則亦照在省團匪一律懲辦。為要。孫文。刪午。印。」[116](2)第二道電報是在當晚七時許發出「韶州大本營來電。萬急。廣州胡留守鑑：總密。商團繳械，想已辦妥也。未入商團之商店，應嚴令即日開市。其已入商團者，應分別處罰：為首者沒收財產，附從者處以罰金，論情罪輕重，由數百至萬元，作北伐軍費。宜及此時，迅速辦理，免致日久生怠。孫文。咸戌。印。」[117]很幸運，電報機似乎很快就接通，讓這封電報在當天午後七時三刻到達廣州。[118]

第五、孫中山在 1924 年 10 月 16 日從韶關發出了下面兩道電報：(1)「韶州來電。提前飛送。萬火急。廣州胡留守鑑：總密。據李福林報告：團匪高踞西濠口大新公司樓上放槍，密擊我軍。着即

---

[116] 孫中山致胡漢民電：〈為平定商團叛亂致胡漢民密電〉，1924 年 10 月 15 日(1)，中國第二歷史檔案館編：《中華民國史檔案資料彙編》（南京：江蘇古籍出版社，1986 年），第 4 輯（二），第 787 頁。所據乃廣州國民政府檔案。

[117] 孫中山致胡漢民電：〈為平定商團叛亂致胡漢民密電〉，1924 年 10 月 15 日(2)，中國第二歷史檔案館編：《中華民國史檔案資料彙編》（南京：江蘇古籍出版社，1986 年），第 4 輯（二），第 787-8 頁。所據乃廣州國民政府檔案。

[118] 同上。

將該公司佔領充公，不必畏懼外人干涉，以彼先破中立故也。務要令到即刻執行。切切。此令。孫文。銑戌。印。」[119]這封電報在當天晚上 9 時 30 分到達廣州。[120](2)「提前。萬火急。廣州胡（漢民）留守，楊（希閔）、劉（震寰）、許（崇智）總司令鑑：捷密。已着楊虎率其全部解杜、鄧兩犯來韶。銑巳電暫不執行。孫文。銑亥。印。」[121]這封電報在當天下午 12 時到達廣州。[122]

在這大批原始檔案面前，孫中山在 1924 年 10 月 14 日晚上秘密返穗駐紮在兵工廠督師云云，有如天方夜譚。那麼，難道孫中山不會悄悄從韶關回廣州幾個小時後又返回韶關？以當時的交通條件來說，竊以為這個可能性並不存在。猶記 1924 年 9 月 13 日，上午 10 時，孫中山乘粵漢鐵路花車北上韶關。下午 4 時才抵達韶關車站。[123]全程共走了六個小時。若來回就必須超過十二個小時，天都亮了，還有甚麼秘密夜行可言？為何火車這麼慢？因為當時的粵漢鐵路還是單軌行車。[124]

---

[119] 孫中山致胡漢民電：〈為平定商團叛亂致胡漢民密電〉，1924 年 10 月 15 日(2)，中國第二歷史檔案館編：《中華民國史檔案資料彙編》（南京：江蘇古籍出版社，1986 年），第 4 輯（二），第 788 頁。所據乃廣州國民政府檔案。

[120] 同上。

[121] 孫中山致胡漢民電：〈為平定商團叛亂致胡漢民密電〉，1924 年 10 月 15 日(2)，中國第二歷史檔案館編：《中華民國史檔案資料彙編》（南京：江蘇古籍出版社，1986 年），第 4 輯（二），第 788 頁。所據乃廣州國民政府檔案。

[122] 同上。

[123] 《孫中山年譜長編》，下冊，第 2002-3 頁，1924 年 9 月 13 日條，引《廣州民國日報》1924 年 9 月 17 日。

[124] 承邱捷教授相告，特此銘謝。

另外一個重要考慮是：當時的火車上沒有收發無線電報的設備。若孫中山在韶關調動軍隊後，卻坐上一列火車以致與軍隊失去十多個小時的接觸，完全是不可思議的事情。再者，像攻打商團這種在深夜衝鋒陷陣的事情，若年老體衰的孫中山在場，反而諸多不便，智者不為。若說他在廣州就近指揮要比遠在韶關好，則以電訊設備來說，當時沒有無線電話、手機之類的東西，也沒無線電台。在廣州兵工廠則連電報設備也沒有，條件比韶關差，無法調動軍隊。

同時，孫中山若真的回穗督師，他必須帶多少衛兵才算足夠保護他個人的人身安全？多帶了就分薄攻打商團的兵力，少帶了又不安全。麻煩之至。最後，蔣介石[125]、胡漢民[126]、吳鐵誠[127]、范石生[128]等人事後都分別有不同形式的回憶錄，若真的有總理指揮之事，都會大書特書，偏偏他們全都沒提此事，可作為反證。

既然如此，為何竟然又有人言之鑿鑿地回憶說，孫中山於

---

[125] 毛思誠編：《民國十五年前之蔣介石先生》（香港：龍門書店，1936）。中國第二歷史檔案館編：《蔣介石年譜初稿》（北京：檔案出版社，1992）。

[126] 蔣永敬：《胡漢民先生年譜》（臺北：中國國民黨中央黨史委員會，1978）。

[127] 吳鐵誠：《吳鐵誠回憶錄》第六章〈商團叛亂〉，轉載於周康燮：《1924年廣州商團事件》，中國近代史資料分類彙編之七，（香港：崇文書店，1974），第77-83頁。

[128] 范石生：〈讀《記廣州商團之變》後〉，載上海海天出版社編：《現代史資料，第三集》（上海：海天出版社，1934 年 4 月初版，香港波文書局 1980 年 7 月重印），第 14-20 頁。

1924 年 10 月 14 日夜秘密返穗督師？[129]竊以為這種現象與本書第八章中所討論過的、鮑羅廷指揮共產黨員在國民黨中打楔子的策略是分不開的。鎮壓商團過後，粵民憤懣已極，「共產黨首領陳獨秀所辦之《嚮導週報》，即極力向孫政府攻擊」。其中第八十八期〈商團擊敗後廣州政府的地位〉，文中有「上海各報紛載中山先生已率軍回駐兵工廠，對於商團決用武力解散。於是反革命的紙老虎，經十五那一日的惡戰，便完全截穿了」的報導。繼而攻擊孫中山的政府說：「若早日採取斷然手段，解散商團，其犧牲與損失，決不若今日之巨大可怖。」對於「《嚮導週報》攻擊政府、不惜盡其傾陷之能事」，中國國民黨中央執行委員會發表公開信，「以此函警告：如貴報無相當之道歉及更正，則本會當採適當之方法、以自洊雪。此致《嚮導週報》記者。」[130]那位回憶商團事變的人似乎是共產黨員，當時很可能看了《嚮導週報》第 88 期的報導，信以為真，於是真誠地向中共廣州市委黨史資料徵集研究委員會述說其記憶所及。[131]結果嚴重地誤導了歷史工作者。

---

[129] 敖光旭：〈共產國際與商團事件——孫中山及國民黨鎮壓廣州商團的原因及其影響〉，載林家有、李明主編：《孫中山與世界》（長春：吉林人民出版社，2004），第 198-228 頁：其中第 225 頁，引賴先聲的回憶：〈在廣東大革命的洪流中〉，載中共廣州市委黨史資料征集研究委員會編：《廣州大革命時期回憶錄選編》（廣州：廣東人民出版社，1986），第 32-33 頁。

[130] 佚名：〈記嚮導週報攻擊孫政府事〉，《廣東扣械潮》（香港：華字日報社，1924 冬），卷 4 特別記載，第 23-26 頁（總 435-8 頁）。

[131] 敖光旭：〈共產國際與商團事件——孫中山及國民黨鎮壓廣州商團的原因及其影響〉，載林家有、李明主編：《孫中山與世界》（長春：吉林人民出版社，2004），第 198-228 頁：其中第 225 頁，引賴先聲的回憶：〈在

若孫中山以黨魁的身份主持了上述中國國民黨中央執行委員會討論《嚮導週報》事件，他對俄國會有甚麼感想？長期以來，有學者死死地抓着孫中山說過的一句話不放，這句話就是「我黨今後之革命，非以俄爲師，斷無成就」；並據此大做文章，說這是孫中山向俄國一面倒的明證。其實這句話只是孫中山在 1924 年 10 月 9 日寫信給蔣中正之中的一句話，全文是這樣的：

> 革命委員會當要馬上成立，以對付種種非常之事。漢民、精衛不加入，未嘗不可。蓋今日革命，非學俄國不可。而漢民已失此信仰，當然不應加入，於事乃爲有濟；若必加入，反多妨礙，而兩失其用，此固不容客氣也。精衛本亦非俄派之革命，不加入亦可。我黨今後之革命，非以俄爲師，斷無成就。而漢民、精衛恐皆不能降心相從。且二人性質俱長於調和現狀，不長於徹底解決。現在之不生不死局面，有此二人當易於維持，若另開新局，非彼之長。故只好各用所長，則兩有裨益。若混合做之，則必兩無所成。所以現在局面由漢民、精衛維持調護之。若至維持不住，一旦至於崩潰，當出快刀斬亂麻，成敗有所不計。今之革命委員會，則爲籌備以出此種手段，此固非漢民、精衛之所宜也。故當分途以做事，不宜拖泥帶水以敷衍也。此複。

廣東大革命的洪流中〉，載中共廣州市委黨史資料征集研究委員會編：《廣州大革命時期回憶錄選編》（廣州：廣東人民出版社，1986），第32-33頁。

再：明日果有罷市之事，則必當火速將黃埔所有械彈運韶，再圖辦法。如無罷市，則先運我貨前來，商械當必照所定條件分交各戶可也。若兄煩于保管，可運至兵工廠或河南行營暫存俱可。即候毅安

孫文　十月九日[132]

在這封信中，孫中山已經把他那句「以俄爲師」的話的背景說得很清楚了。寫信的日期是 1924 年 10 月 9 日。當時孫中山在廣州實在待不下去而迫得藉北伐美名而離開，已夠丟臉。結果雖然三令五申，而隨他到韶關的客軍只有那屬於極少數的、譚延闓的湘軍和樊鍾秀的豫軍。屬於絕大多數的楊希閔、范石生和廖行超所率領的的滇軍和劉震寰所率領的桂軍，仍然盤據廣東魚肉粵民。孫中山更是丟臉。孫中山帶兵到了韶關以後，長期以開拔費無着而滯留在那裡。進退維谷。回師廣州嗎？已經沒有這個可能。關於這一點，英國人看得很清楚，[133]孫中山在他給蔣中正的函電中說得更清楚。北上嗎？又巧婦難為無米之炊。要打破這種「不生不死局面」，唯一的辦法是學習俄共那種「快刀斬亂麻，成敗有所不計」的辦法以便

---

[132] 孫中山：〈致蔣中正函以俄為師〉，1924 年 10 月 9 日，載《孫中山全集》第 11 卷，第 145-6 頁。所據乃廣東省社會科學院歷史研究所藏原件照片。

[133] Political Summary, Canton, for September Quarter 1924, compiled by F.A. Wallis of the British Consulate-General at Canton and enclosed in B.Giles to James MacLeay, Separate, 30 September 1924, FO228/3276, pp. 574-578: at 575-578, paragraph 4.

「徹底解決」問題；而再不能繼續採用胡漢民、汪精衛那種「調和現狀」的手段。[134]

可以說，孫中山那句經常被人引用的、「以俄為師」的話，是他瀕臨絕境時，針對某一個緊急問題而提出的某一種特殊的解決方法，他無意長期地利用這種特殊方法作爲長遠政策來解決中國各種各樣的複雜問題。但偏偏有人用孫中山這句非常之語來以偏概全。這種做法，無助於我們全面地了解孫中山的長遠政策。

過了六天之後，商團被鎮壓了，廣州的局勢全面改觀，孫中山於 1924 年 10 月 20 日勝利地回師廣州。之後，我們就再沒有聽到他說「以俄為師」之類的話了。這毫不奇怪，當初用電話唆使蔣中正向孫中山請戰的是鮑羅廷。現在指使《嚮導週報》的記者「攻擊政府、不惜盡其傾陷之能事」而捏造了孫中山在 1924 年 10 月 14 日「率軍回駐兵工廠」以便「用武力解散」商團的故事之人，[135]明顯地同樣是鮑羅廷。孫中山會無可避免地認為鮑羅廷居心叵測。在這以後，孫中山還能鼓吹「以俄為師」？相反地，他在 1924 年 11 月 25 日於日本神戶演說時，又重新討好英國了。[136]

---

[134] 孫中山：〈致蔣中正函以俄為師〉，1924 年 10 月 9 日，載《孫中山全集》第 11 卷，第 145-6 頁。所據乃廣東省社會科學院歷史研究所藏原件照片。

[135] 佚名：〈記嚮導週報攻擊孫政府事〉，《廣東扣械潮》（香港：華字日報社，1924 冬），卷 4 特別記載，第 23-26 頁（總 435-8 頁）。

[136] 孫中山：〈中國內亂之原因〉，1924 年 11 月 25 日，《國父全集》（1989），第 3 冊，第 527-535 頁：其中第 529 頁。同文以〈在神戶歡迎會的演說〉為題目刊於《孫中山全集》第 11 卷，第 377-389 頁：其中第 382 頁。

六、商團對英國存有幻想是其垮臺原因之一

為何貌似強大的商團卻土崩瓦解得如此迅速？竊以為買辦陳廉伯對英國政府的支持存有幻想是原因之一。他秘密購買和偷運軍火的計劃，得到香港匯豐銀行高層的積極支持和大力協助，很可能讓他對英國政府產生了幻想。當中國海關總稅務司的英人安格聯爵士對這樁買賣予以默許，會增加了陳廉伯的幻想。香港總督司徒拔爵士、英國駐廣州總領事杰彌遜爵士、代總領事翟比南等先後視若無睹，恐怕更讓陳廉伯想入非非。這麼一大批不同行業的英國人，其中還包括的外交官，共同在不同程度地參與他的計劃，無疑會令陳廉伯相信，英國政府在暗中支持他。事實上，英國政府對這批大鬼小鬼的鬼蜮行徑毫不知情。知道後又大發雷霆。[137]陳廉伯可真是一廂情願地會錯了意。

陳廉伯幻想英國政府在暗中支持他，孫中山又懷疑英國政府在暗中支持陳廉伯。在這個問題上，孫、陳可說是彼此彼此。他們都被當時的表面現象矇騙了。

孫中山扣押了商團用「哈佛」號運來的軍火後，商團即不斷罷市來抗議。孫中山又以解除商團武裝來要脅商團開市。英國當局恐怕有變，即派兵艦到廣州候命。[138]陳廉伯會怎麼想？1924 年 8 月 29 日清晨，英國駐廣州代總領事翟比南向孫中山的政府遞交最後

---

[137] 關於這種種情況，本書第八章已有交代。

[138] 見本書第八章。

通牒。廣州馬上謠傳「孫政府得此，大為震動。」[139]陳廉伯又會怎麼想？他不知道，甚或知道後又不願意相信，英國之派兵艦赴穗以及翟比南之發出最後通牒，純粹是為了保護英僑和英國在穗的利益，與陳廉伯本人的政治野心毫無關係。

陳廉伯對英國政府存有幻想的另外一個可能因素，是他自命要成立一個商人政府的目標。英國以商立國，於是他可能就認為有連理之誼。關於他這個商人政府之夢，敖光旭博士特別以此為題專門撰寫了〈大商團主義〉一文。[140]其實，英國雖然名為以商立國，但長期以來執政的人，無論屬保守黨還是自由黨，都是貴族。而高級公務員又大多數是貴族出身。這種現象，直到 1924 年工黨上臺後才慢慢開始有所改變。至於廣大公務員隊伍，都是牛津劍橋大學的畢業生，可以說是自成一個「精英階級」。所以英國政府絕對不是一個由商人組成的政府，雖然該政府是以開拓市場擴展商業為其主要目的之一。又雖然英國下議院的議員有不少成功的商人當選，但貴族家庭出生的議員仍然佔絕大多數。[141]所以，若說英國政府是由商人所組成的政府，純粹是誤解了英國政府和英國政治的性質。

那怕是在商言商吧，陳廉伯那個時代的廣州商人與同期的英國

---

[139] 特別通訊（1924 年 8 月 30 日發自廣州）：〈孫文以狂威逼扣械案解決續聞〉，《香港華字日報》1924 年 9 月 2 日，第 3 頁第 2-3 欄：其中第 3 欄。

[140] 敖光旭：〈「商人政府」之夢——廣東商團與「大商團主義」的歷史考察〉，載《近代史研究》，總 136 期（北京：2003 年 7 月，第 4 期），第 177-248 頁。

[141] 見拙著 *Deadly Dreams: Opium, Imperialism, and the Arrow War (1856-60) in China* (Cambridge University Press, 1998).

商人，無論在教養、價值觀、世界觀、法律概念、行事方式等等，都有天淵之別。當時英國人對廣州商團的性質與其首領陳廉伯的才華的評價是這樣的：「一個缺乏墨索里尼般領袖才華來率領的廣州法西斯組織」（a Canton fascismo with as yet no Mussolini）。[142]就是說，廣州商團是群龍無首的烏合之衆。爲何筆者作這種詮釋？當時的義大利，無論在教育、文化、經濟、政治、軍事各方面，一般來說比諸英國都非常落後。把廣州商團與義大利的法西斯組織相提並論，褒貶可知。至於陳廉伯的領導才華，英國當局認為他簡直不值一哂。[143]

至於陳廉伯高價從西歐買來大批廢銅爛鐵並煞有介事地偷運到廣州，相信就連遠在西歐的那批奸商都在抿嘴竊笑。此外，一位身在廣州而又非常認同商團軍自衛身家之目標與行動的外國傳教士，也哀嘆商團軍領導無人。[144]至於當時中國人對陳廉伯的評價又如

---

[142] Political Summary, Canton, for September Quarter 1924, compiled by F.A. Wallis of the British Consulate-General at Canton and enclosed in B.Giles to James MacLeay, Separate, 30 September 1924, FO228/3276, pp. 574-578: at 575-578, paragraph 3.

[143] See, e.g., Political Summary, Canton, for September Quarter 1924, compiled by F.A. Wallis of the British Consulate-General at Canton and enclosed in B.Giles to James MacLeay, Separate, 30 September 1924, FO228/3276, pp. 574-578: at 575-578.

[144] Rev Mr W.W. Clayson (Canton) to Rev F. H. Hawkins, LL.B (London, LMS Foreign Secretary), 15 October 1924， pp. 1-3: at p. 2, CWM/LMS, South China, Incoming correspondence 1803-1936, Box 23 (1923-1924), Folder 2 (1924), Jacket E (August-Oct 1924).

何？北京政府收到的秘密情報稱陳廉伯「人本凡庸」。[145]可以說，當時中、外、遠、近的人，對陳廉伯的評價都極低。這樣的料子能構思出什麼大商團主義？能成立什麼商人政府？由他來領導商團陰謀推翻孫中山的政府，哪不會成事不足敗事有餘？果然，他苦心經營多時的廣州商團，瞬息土崩瓦解。

瞬息土崩瓦解的另外一些原因，包括商團缺乏子彈。正因為如此，英國人早洞悉商團絕對不敵那些忠於孫中山的軍隊。[146]就算商團子彈充足，但商團軍的成員都只是普通店員，平常穿起制服操演時那怕神氣十足；抗議苛捐雜稅時可以摩拳擦掌；制止個別客軍鬧事時當然大義凜然；1924 年 10 月 10 日對付示威群眾時甚至殺氣騰騰。但到了真正打仗時，就由於缺乏正規軍事訓練和組織紀律而變成烏合之眾。陳廉伯企圖以此烏合之眾來推翻孫中山並成立自己的商人政府。唉！

論者有謂，商團「計劃一則范、廖許以中立，二則外有民團，以為民團攻其外，范、廖中立制其內，又以總罷市制其財政，當可達目的。」[147]若陳廉伯果真依靠這種紙上談兵的邏輯來推翻政府，

---

[145] 岑任誠關於孫中山扣留廣州商團軍械致北京軍事處密電，1924 年 8 月 15 日，北洋政府大總統檔案，載中國第二歷史檔案館編：《中華民國史檔案資料彙編》（南京：江蘇古籍出版社，1991）第 4 輯，第 2 冊，第 772 頁。

[146] Bertram Giles to Sir Ronald Macleay, Despatch 140, Very Confidential, Canton 21 August 1924, enclosed in MacLeay to MacDonald, Desp. 561 (5592/24), Very Confidential, 6 September 1924, in FO371/10240, pp. 44-88 [Reg. No. 3443/15/10, 16 Oct 1924]: at pp. 53-61, paragraph 14.

[147] 特約通訊員法天（函）：〈茫茫浩劫中之廣州見聞〉，《香港華字日報》，1924 年 10 月 22 日，第 2 頁第 2-3 欄。

則可謂兒戲得很！該論者繼而把陳廉伯失敗的責任全推到范石生和廖行超的身上：「詎料范、廖存心狡猾，事起則大變宗旨，不特不中立，反有逼人開市及助攻商團之舉。」[148]一位冷眼旁觀的傳教士也評論說：「若沒有部份客軍曾保證支持商團軍，我相信商團軍是不會貿然動武的。結果該等客軍食言，不但不支持商團軍，反而趁火打劫。」[149]他雖未點出該批客軍的名字，但范石生部早已呼之欲出。若陳廉伯果曾信賴這種唯利是圖的軍閥首領的保證來推翻政府，又可謂幼稚之至。如此幼稚之人，卻揚言要建立起甚麼商人政府，不是痴人夢囈？

七、小結

廣東扣械與商團事變，是孫中山革命一生中最困難的時刻之一。憑着他一貫的堅強毅力和驚人的樂觀態度，到底又走過來了。至於他的對手陳廉伯及所謂陳之大商團主義，[150]竊以為陳廉伯這般幼稚無知，有何本事能夠構思出什麼概念、理想、甚至主義？

---

[148] 特約通訊員法夭（函）：〈茫茫浩劫中之廣州見聞〉，《香港華字日報》，1924年10月22日，第2頁第2-3欄。

[149] Rev Mr W.W. Clayson (Canton) to Rev F. H. Hawkins, LL.B (London, LMS Foreign Secretary), 15 October 1924，postscript,CWM/LMS, South China, Incoming correspondence 1803-1936, Box 23 (1923-1924), Folder 2 (1924), Jacket E (August-Oct 1924).

[150] 敖光旭：〈「商人政府」之夢——廣東商團與「大商團主義」的歷史考察〉，載《近代史研究》，總136期（北京：2003年7月，第4期），第177-248頁。

剩下來的是甚麼？陳廉伯逃匿香港。國內形勢，則在直奉戰爭中，由於馮玉祥倒戈，吳佩孚敗北。孫中山的盟友張作霖入關，邀請孫中山北上參加善後會議。孫中山就帶病北上，走完他人生最後的一段路。

第十章　尾　聲

圖十九

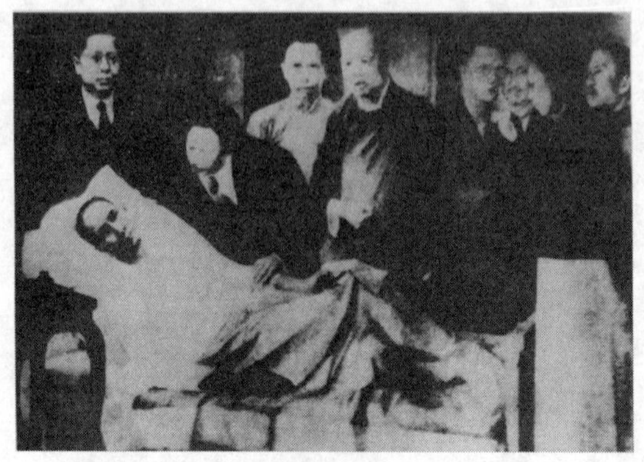

圖二十

1925 年 3 月 12 日上午 9 時 30 分，爲中國的獨立統一而奮鬥一生的孫中山，終於病逝於北京鐵獅子胡同行轅。圖十九所示乃中山先生遺體（採自《國父全集》（1989）第 1 冊）。圖二十所示乃廣州方面爲中山先生所舉行的追悼會（廣東省檔案館提供）；後來正是像圖中所示的這批黃埔軍校的學生，繼承孫中山遺志，1926 年冒死北伐，終於統一中國。

這是本書最後的一章了。本來，一本書的最後一章都是該書的結論。筆者不才，對於孫中山一生與英國的複雜關係，實在不敢倉促妄下結論。而且，光是研究了孫中山與英國的關係而未及其他列強，任何結論都嫌片面。躊躇再三，最後決定以「尾聲」為題作結束。

這尾聲是很平淡的。孫中山從廣州北上到達上海後，上海工部局即派偵探跟蹤他。該偵探報告說：1924 年 11 月 19 日下午 3 時，孫中山在他的上海寓所（29 Rue Moliere）舉行茶會，招待約共 30 名中、日記者和一名英國記者。汪精衛、葉楚傖、戴季陶、邵元冲等代表孫中山接待來賓。孫中山發表演說時表示，決心廢除不平等條約和治外法權，收回租界，打倒軍閥，打倒帝國主義。又說由於列強控制了中國海關，所以中國的收入每年就流失約 \$500,000,000，造成中國工業不前，大批工人餓死。❶英國外交部批示曰：「孫似乎比平時更語無倫次。」❷

另一方面，英國駐滬代總領事又向倫敦報告說：在上海的粵商對孫中山不理不睬，孫中山在上海碰了一鼻子灰。❸英國外交部對

---

❶ Police Report, 20 November 1924, enclosed in Sir R MacLeay (Peking) to FO, Desp. 761, 29 November 1924, FO371/10917, pp. 067-72 [Reg. No. F278/2/10, 22 January 1925]: at p. 71-2. 那飯桶偵探把邵元冲的姓氏搞錯了，把他說成是邵趙元冲。

❷ L. Collier's minutes of 23 January 1925 on Police Report, 20 November 1924, enclosed in Sir R MacLeay (Peking) to FO, Desp. 761, 29 November 1924, FO371/10917, pp. 067-72 [Reg. No. F278/2/10, 22 January 1925]: at p. 71-2.

❸ J.T. Pratt (Acting Consul General, Shanghai) to Sir Ronald McLeay (Peking), Desp. 158, 22 November 1924, in FO371/10917, pp. 83-86 [F281/2/10, 22 January 1924], at p. 85-86.

這種情況的分析是：旅滬粵商不會饒恕孫中山鎮壓了廣州商團。殘酷的現實不容許他們對反帝的口號感情用事；在上海，他們得到外國勢力的保護，可以完全不必與孫中山虛與委蛇。❹

孫中山從上海拐了一個彎到日本去，希望爭取到日本政府的支持。結果失望而歸到了天津就再次病倒了。待他在 1924 年 12 月 31 日終於到達北京時，已病入膏肓。就連英國駐華公使也注意到，孫中山看來真正病得厲害。正由於他病得厲害，所以沒法開腔對那批到北京火車站來歡迎他的政府內閣部長和大群學生。而是預先印刷了一批傳單在火車站派發給那些前來歡迎他的群眾。在傳單中，孫中山誓言爭取廢除不平等條約，把中國從那次殖民地的苦難中拯救出來。准此，英國駐華公使在元旦給英國外交部發了一封密電報告此事。❺孫中山的誓言直接影響到英國在華利益，所以英國外交部的第一道批示曰：「錄副咨會海軍部和陸軍部。」❻上司簽名表示同意。❼再上一層樓，第三道批示曰：「典型的、對列強以

❹ G.S. Moss's minutes of 23 January 1924 on J.T. Pratt (Acting Consul General, Shanghai) to Sir Ronald McLeay (Peking), Desp. 158, 22 November 1924, in FO371/10917, pp. 83-86 [F281/2/10, 22 January 1924], at p. 83.

❺ Sir R MacLeay (Peking) to FO, Decypher, Tel 4 R, 1 January 1925, D. 5.30 p.m., 1 January 1925, R. 1.30 p.m. 1 January 1925, FO371/10916, pp. 231-32 [Reg. No. F12/2/10, 1 January 1925]: at p. 232.

❻ G. S. Moss's minute of 2 January 1924 on Sir R MacLeay (Peking) to FO, Decypher, Tel 4 R, 1 January 1925, 1 January 1925, FO371/10916, pp. 231-32 [Reg. No. F12/2/10, 1 January 1925]: at p. 231.

❼ L. Collier's initials of 2 January 1924 on Sir R MacLeay (Peking) to FO, Decypher, Tel 4 R, 1 January 1925, 1 January 1925, FO371/10916, pp. 231-32 [Reg. No. F12/2/10, 1 January 1925]: at p. 231.

及列強在華條約的攻擊，雖然語調稍微溫和了些。」❽這份文件一直上呈到外交常務次長，❾可見英國外交部對此事之重視。

1925 年 1 月 25 日，英國外交部收到英國駐日本公使密電曰：「承日本外交大臣相告，據可靠消息說，孫中山患了癌症。」❿英國外交部的第一道批示曰：「錄副咨會海軍部、陸軍部、殖民地部。」⓫兩位上司先後簽名表示同意。⓬ 1925 年 1 月 31 日，英國駐華公使在給倫敦的秘密報告中寫道：「孫中山因為肝臟長了惡性腫瘤而病情危殆，命不久矣。孫中山的病危，以及奉軍在長江所取得的軍事勝利，推遲了國民黨發動政變以推翻臨時政府的計劃，同時也推遲了國民黨與張作霖鬧翻的時刻。」⓭英國外交部的第一道

---

❽ B.C. Newton's minutes of 2 January 1924 on Sir R MacLeay (Peking) to FO, Decypher, Tel 4 R, 1 January 1925, 1 January 1925, FO371/10916, pp. 231-32 [Reg. No. F12/2/10, 1 January 1925]: at p. 231.

❾ Victor Wellesley's initials of 3 January 1924 on Sir R MacLeay (Peking) to FO, Decypher, Tel 4 R, 1 January 1925, 1 January 1925, FO371/10916, pp. 231-32 [Reg. No. F12/2/10, 1 January 1925]: at p. 231.

❿ Sir Charles Elliot (Tokyo via Peking) to FO, Decypher, Tel 3, 5 January 1925, FO371/10916, pp. 233-34 [Reg. No. F44/2/10, 5 January 1925]: at p. 234.

⓫ G.S. Moss's minutes of 7 January 1925 on Sir Charles Elliot (Tokyo via Peking) to FO, Decypher, Tel 3, 5 January 1925, FO371/10916, pp. 233-34 [Reg. No. F44/2/10, 5 January 1925]: at p. 233.

⓬ L. Collier's and S. P. Waterlow's minutes, both of 7 January 1925, on Sir Charles Elliot (Tokyo via Peking) to FO, Decypher, Tel 3, 5 January 1925, FO371/10916, pp. 233-34 [Reg. No. F44/2/10, 5 January 1925]: at p. 233.

⓭ Sir Ronald MacLeay to Austin Chamberlain, Desp. 64, 31 January 1925, Confidential, FO371/10917, pp. 196-99: at p. 197-9, paragraph 7.

批示曰：「錄副咨會海軍部、陸軍部、殖民地部。」⓮該報告一級一級地上呈到外交次長，同時也一級一級地得到簽名同意如此辦理。⓯

1925 年 1 月 22 日，孫中山派陳友仁往拜會英國駐華公使麻克類。陳友仁對麻克類說，孫中山得悉麻克類行將休假回國述職，本來準備親來送別的。無奈病重臥床不起，就只好派陳友仁代他傳話了。麻克類把漫長的一席對話歸納如下：陳友仁說，如果孫中山能活下來的話，在未來數月裡，國民黨很可能在孫中山的領導下成立中央政府而執掌全國政權。為了未雨綢繆，孫中山與國民黨亟欲積極改善他們與列強的關係，尤其是與英國的關係，廓清目前孫中山與英國政府之間所存在的敵對情緒，更希望英國與列強重新評估它們對中國的政策，改為支持中國的進步力量。麻克類回答說，孫中山隨時可以得到英國的友誼，只要他對英國表示友好而不再存敵意就是了。至於英國的對華政策，則英國會一如既往地嚴守中立，不會偏幫任何一方；但會承認一個全中國人民認可的中央政府。若國民黨組織了一個得到全中國人民認可的中央政府，英國政府同樣會承認它。⓰

⓮ G.S. Moss's minutes of 1 April 1925 on Sir Ronald MacLeay to Austin Chamberlain, Desp. 64, 31 January 1925, Confidential, FO371/10917, pp. 196-99: at p. 196.

⓯ Sir Ronald MacLeay to Austin Chamberlain, Desp. 64, 31 January 1925, Confidential, FO371/10917, pp. 196-99: at p. 197-9, paragraph 7.

⓰ Sir Ronald MacLeay to Austin Chamberlain, Desp. 40, 23 January 1925, Confidential, FO371/10917, pp. 185-186: at p. 186.

孫中山再一次蒙受白眼。本來，孫中山已受盡了英國當局的白眼。臨終前還主動地最後一次自討沒趣，此無他，不忍中國這爛攤子繼續爛下去而大有託孤之意，希望英國政府幫忙拯救這奄奄一息的孤兒而已。孫中山這託孤之意，反映了他對英國認識的侷限性。他一生之中接觸最多、時間最長、感情最深的，是他的恩師康德黎醫生。康德黎醫生悲天憫人，對孫中山有着深遠的影響。綜觀孫中山畢生行徑，尤其是他那種樂觀與幽默感，處處可以看到康德黎的影子。康德黎是虔誠的基督徒。孫中山在某一個意義上說也是虔誠的基督徒，只不過他在早年就把這種虔誠的目標從拯救中國人的靈魂改為拯救中國整個國家和民族的性命，並為此終生奮鬥不懈。孫中山倫敦蒙難後留在英國自學九個月，發覺絕大部份英國人，像恩師康德黎一樣，在星期天都上禮拜堂守禮拜，可能就誤認為絕大部份英國人都像恩師那樣虔誠和悲天憫人。

孫中山這種推理，不是完全沒有根據的。君不見，在他被中國駐倫敦公使館綁架並幽禁起來準備偷運回國處以極刑時，英國朝野上下得悉後對他都表現出最大的同情和支持，英國首相親自過問其事，孫中山得以逃出生天。之後的九個月，孫中山都在康德黎那個圈子裡生活，結識的大都是像康德黎那樣有教養的、以濟世為懷的醫生。⓱難怪孫中山對英國文化是非常嚮往的。據說，1897 年 7 月孫中山自英國東歸後，接着住在日本的十年裡（1897-1907），沒

⓱　見拙文：〈跟蹤孫文九個月、公私隱情盡眼簾〉，《近代中國》（臺北：近代中國出版社，2003-2004），總 152 期，第 93-116 頁；總 153 期，第 65-88 頁；總 154 期，第 3-33 頁；總 155 期，第 140-168 頁；總 156 期，第 167-190 頁。

有看過一本日文的書。多次進出日本時，都是帶着大批英文的書回到日本，旅居時閒來閱讀。可以說，孫中山是通過英語文化去瞭解世界的。孫中山這種表現，在當時日本留學或旅居的大批中國知識份子，是獨一無二的。當時的旅日中國知識份子，從保皇黨的梁啟超，到後來同盟會的黃興、宋教仁、胡漢民、汪精衛等，甚至後來中國共產黨的創始人陳獨秀等，都是通過日本文化去瞭解世界，因而深受日本文化影響。只有孫中山跳出了這個框框，以致後來的日本當道認為孫中山的思想感情絲毫不受日本「控制」而對他越來越敵視。日籍的同盟會員北一輝後來甚至試圖暗殺孫中山以便掃除這位不親日的中國領袖。⓲可見孫中山受英國文化影響之深。可惜英國政府沒有珍惜孫中山這份深厚的感情而盡是給他白眼，直到他嚥下最後一口氣為止。

孫中山在嚥下最後一口氣之前，有氣無力地對美國主教派教會（American Episcopal Church）在漢口教區的主教 the Rev. Logan R. Roots 說：「請告訴世人，我至死都是基督徒。」⓳美國主教派教

⓲ 這是筆者總結他與中央研究院近代史研究所黃自進研究員在 2004 年 8 月 3、4、5 日在該所親切交談的結果。至於有關史料，黃先生慨允日後寄贈，筆者特此鳴謝。待收到該批史料後，筆者再作分析研究。若在本書一校、二校期間來得及的話，即予補充。否則留待將來再算。在這方面，筆者參考了黃自進先生的大作《北一輝的革命情結：在中日兩國從事革命的歷程》（臺北：中央研究院近代史研究所，2001），《吉野作造對近代中國的認識與評價》（臺北：中央研究院近代史研究所，1995）和〈利用與被利用：孫中山的反清革命運動與日本政府之關係〉，《中央研究院近代史研究所集刊》第 39 期（2003 年 3 月），第 107-152 頁。

⓳ Irma Tam Soong, “Sun Yat-sen’s Christian Schooling in Hawai`i”, The Hawaiian Journal of History, Vol. 31 (1997): pp. 151-178.

會，源自聖公會。聖公會是一個世界性的組織，源自英國；在美國、加拿大、澳大利亞、紐西蘭、南非等英語世界都有分支。這些分支都是獨立的教會，各自為政。但每年舉行一次的年會，則由英國的總主教（Archbishop of Canterbury）主持。孫中山選擇了美國主教派教會在漢口教區的主教口授此遺言，似乎企圖通過他爭取全世界聖公會基督徒、尤其是英國聖公會基督徒的同情。因為，幾乎所有英國的政要都是英國聖公會基督徒。孫中山希望通過基督教的關係，在嚥下最後一口氣之前作最後努力，爭取英國當局對中國的同情。結果也是枉然。

1924 年 3 月 12 日，孫中山在北京協和醫院病逝。1924 年 3 月 14 日，蘇聯中央執行委員會在俄文的報章上發表了所謂孫中山致蘇聯遺書。這封遺書，據說是陳友仁草擬的，至於內容是否曾經得到孫中山首肯，則國民黨內部歷來都有爭議。姑勿論真相如何，關鍵在於英國駐俄大使館當它是真的並且連忙把它全文翻譯成英文送回倫敦。⓱因此它就在本書的分析範圍之內了。該遺書要求該蘇聯繼續支持中國國民黨把中國從帝國主義的枷鎖中解放出來，使中國脫離次殖民地的苦海而成為一個真正獨立自主的國家。這封遺書的目的，不曉得是真正希望得到蘇聯的支持還是藉此再度向英國打蘇聯牌，希望英國有所顧忌轉而幫助國民黨。如果屬後者，而該遺書又的確曾得到中山先生首肯的話，則中山先生在天之靈也會流淚。

⓱ A translation of the Message from Dr Sun Yat-sen to the Central Executive Committee of the Union of Socialist Soviet Republics, as published in Izvestiya of 14 March 1925, FO371/10917, pp. 247-50 [Reg. No. F1228/2/10, 6 Apr 1925]: at p. 250

因為，英國外交部的第一道批示仍是枯燥乏味的那一句：「錄副給……」，而這次不是錄副給海軍部、陸軍部，只是給英國駐華公使館和殖民地部。⓲錄副給駐華公使館的目的是藉此讓公使知道有這回事。錄副給殖民地部是讓該部作為打擊馬來亞共產黨的參考資料。兩者都不是該遺書要達到之目的。而且，這份文件只上達到英國外交部中國處處長就不再上呈了，中間各官都只是簽名表示知道就了事。⓳

鑑於 1923 年 1 月 26 日孫中山在上海與蘇聯代表發表了《孫文越飛宣言》⓴後，孫中山向香港總督司徒拔打他的蘇聯牌，結果非常成功，香港總督破格接待他。後來在關餘的爭執中，該督更站在孫中山這一邊，處處幫着他說話。㉑准此，竊以為孫中山在臨終前重施故技而作最後一擊，是極有可能的事情。可惜英國外交部不是香港總督司徒拔，不吃這一套。

俱往矣！中山先生與英國的關係，就如此這般無聲無色地結束了。

⓲ G.S. Moss's minutes of 6 April 1925 on R.N. Hodgson (Moscow) to Austen Chamberlain, Desp. 169, 20 March 1925, enclosing A translation of the Message from Dr Sun Yat-sen to the Central Executive Committee of the Union of Socialist Soviet Republics, as published in *Izvestiya* of 14 March 1925, FO371/10917, pp. 247-50 [Reg. No. F1228/2/10, 6 Apr 1925]: at p. 247.

⓳ See the minutes of L. Collier (6 April 1925), B.C. Newton (7 April 1925) and S.P. Waterlow (7 April 1925) on ibid.

⓴ 該宣言的英語原稿，經世界新聞社翻譯成漢語，見王聿均：《中蘇外交的序幕》（臺北：中央研究院近代史研究所，1963），第 453-4 頁。

㉑ 詳見本書第七章。

英中對照

Agent 代表

Aglen, Sir Francis Arthur, 1869-1932 總稅務司安格聯爵士

Alice Memorial Hospital 雅麗氏利濟醫院

American Episcopal Church 美國主教派教會

Amritsar 阿姆利薩（印度古城）

Anglican Church 聖公會

Anglo-Saxon Alliance 盎格魯・撒遜聯盟

Anglo-Saxon 盎格魯、撒遜民族

Angus, Inspector 香港安格斯警長

Bagehot, Walter 沃爾特・白哲格特

Baptist Church 浸信會

Barker, Major-General Sir Digby 巴駕少將

Barker, Sir J. Ellis 巴卡

Barlow, A.H. 巴羅（香港匯豐銀行總經理 1924）

Barnes 巴恩斯地區（倫敦西南部）

Barton, Sir Sydney 巴爾敦（英國駐上海總領事 1922-1929）

Basel Mission 巴色傳道會

Belilios, The Hon. E.R. 比利羅士先生

Bergere, Marie-Claire 白吉爾

Bismark 俾士麥

Botanist 植物學家

Brahmaputra River 布拉馬普特拉河（印度）

Brahmaputra River 布拉馬普特拉河（發源自西藏高原而往西流入印度）

Brenan, Byron 布倫南（英國駐廣州領事，1895）

Bridges Street 香港港島必列者士街

Brunyate, Sir William 威廉斯·布蘭華特爵士（香港大學校長，1923）

Buckingham Palace 倫敦白金漢宮

Caldwell, Mr Daniel R. 香港高露雲律師

Caldwell, Mrs Chan Ayow 香港高三桂太太

Calvinist Church 加爾文宗

Canton Hospital 廣州博濟醫院

Carr, E.H. 卡爾（British FO）

Central Criminal Court 倫敦中央刑事法庭

Chalmers, Rev. John, M.A., LLD. 湛約翰博士牧師

Chan Man Shiu (Chen Wenshao) 陳聞韶（香港西醫學院未畢業）

Charing Cross Hospital 倫敦查靈十字醫院

Chartered Bank of India 香港渣打銀行

Chemists 化學家

Chen, Eugene 陳友仁

China Mail 香港《德臣西報》

China Medical Missionary Journal《傳教士醫生在中國集刊》

Chinese Mail 香港《華字日報》❶

Choa Han Shun (Zhao Hanxun) 趙漢勛（香港西醫學院未畢業）

Choa Poa Swee (Zhao Baorui) 趙寶瑞（香港西醫學院未畢業）

Chung Kun Ai 鍾工宇

Church Missionary Society 教會傳道會

Church of Christ in China 中華基督教會（1918 年成立）

Civil Hospital 香港政府民用醫院

Cole, George 柯耳（倫敦公使館英僕）

Collins, Edwin 埃德溫・柯林斯

Colonial Secretary, Hong Kong 香港輔政司

Colorado 科羅拉多州

Columbo 科倫坡

Congregational Church 綱紀慎會（香港公理堂）

Constitution Hill 倫敦立憲山

Corps Diplomatique 公使團

Crick 克特先生

Crystal Palace 倫敦水晶宮

Damon, Rev. Francis 芙蘭締文牧師

David Sasson, Sons & Co. 香港沙宣洋行

Dawson, Sir Trevor 特瓦・鐸遜爵士

---

❶ From our Own Correspondent, 'The Threatened Rising at Canton – Numerous Arrests', *China Mail*, 29 October 1895, p. 4, col. 3.

de Courcy, J. E. B. 德寇西（滙豐銀行廣州分行代表，1924）

de Lamarck, Jean Baptiste 拉馬克（法國生物學家 1744-1829）

Dean of the Diplomatic Body 公使團領袖公使

Deng Tingkeng 鄧廷鏗

Denver 丹佛市

Des Voeux Road Central 香港德輔道中

Des Vouex, Sir William 香港總督德輔爵士（Oct 1887-May 1891）

Dickens, Charles 查里斯·狄更斯

Diocesan Home and Orphanage (Boys) 主教區男收容所、男孤兒院

Diplomatic Body 公使團

Dressers 敷裹員

Ducit Amor Patriae 盡心愛國（香港輔仁文社座右銘）

Duncan, Chesney 鄧勤

Ede, Montague 蒙塔古·依特（Union Insurance Co.of Canton）

Eichler, Rev. E.R. 艾書拉牧師

The English Constitution《英國憲法》

Feng Yongheng 馮詠蘅（駐舊金山總領事）

Fleet Street 倫敦艦隊街

Forbes, Donald 福勃士（滙豐銀行廣州分行代表，1923）

Gilbertian 搞笑

Giles, Sir Bertram 翟比南（1924 年英國駐廣州代理總領事）

Giles, Professor Herbert 翟理斯

Glen Line 倫敦格蘭輪船公司

Gong Zhaoyuan 龔照瑗

Gordon, General Charles 戈登

Grafton High School 澳洲卦拉夫敦中學

Gray's Inn Place 倫敦格雷法學院坊

Great Seal 英國國徽

Green Park 倫敦青園

Green, Edwin 埃德溫・格林（滙豐銀行倫敦總部檔案主任 2004）

Grey, Sir Edward 愛德華・格雷爵士（英國外相）

Habeas Corpus 保護人權令

Hager, Rev Robert 喜嘉理牧師

Harper, Rev Andrew P. 安德魯・哈帕牧師（廣州嶺南大學建人）

Hartmann, Rev. 夏特曼牧師

Haxell's Hotel 倫敦赫胥旅館

Hickey, Dr Stephen 史提芬・賀祺博士

Hindu Kush Mountains 興都庫什山脈（阿富汗）

Hobson, Dr Benjamin 合信醫生

Daily Press 香港《孖喇西報》

Hong Kong Government Civil Hospital 香港政府民用醫院

Telegraph 香港《士蔑西報》

Hotel Savoy 倫敦薩福伊旅館

Hotung, Edward 愛德華・何東（按即何世儉）

Hotung, Sir Robert 羅伯特・何東爵士

Hsu Tsak Tsan (Xu Zezeng) 徐則曾（香港西醫學院未畢業）

Hunter, Professor Janet 瑾恩訥・琿祂教授

Inflexible, HMS 英國軍艦「不屈」號

Informal 非官式的

Irrawaddy River 伊洛瓦底江（發源自西藏高原而往南流入緬甸）

James Matheson 占姆士·馬地臣

Jamieson, Sir James William 杰彌遜（英國駐廣州總領事 1906-1926）

Jardine Matheson & Co. 怡和洋行

Jardine, William 威廉·渣甸

Jarvis, Chief Inspector Frederick 弗里德里克·喬佛斯探長

Jordan, Sir John Newell 朱爾典（英國華公使 1906-1920）

Kerr, Dr John G. 嘉約翰醫生

King, Professor Gordon 哥頓·慶教授（香港大學醫科學院院長，1940s）

King, T.H. 景警長（香港）

King's College, London 倫敦英王學院

Kita Ikki 北一輝

Knox, Philander 美國國務卿費蘭德·諾克斯（1911）

Kong Wing Wan (Jiang Yunwan) 江雲萬（香港西醫學院未畢業）

Kong Ying Wa (Jiang Yinghua) 江英華（香港西醫學院 1892 畢業）

Krakhan 加拉罕（蘇聯駐華大使）

Kuhn, Professor Philip 孔菲力教授

Kwan King Leung (Guan Jingliang) 關景良（香港西醫學院 1893 年畢業）

Lau Sze Fuk (Liu Sifu) 劉四福（香港西醫學院 1895 年畢業）

Law, W.O. 羅雲漢（粵海關代理稅務司，1924）

Lea, Homer 荷馬李

League of Nations 國際聯盟

Letters Patent《英王制誥》（1843 年 4 月 5 日簽署）

Li Shengzhong 李盛鐘

Lockhart, The Hon. J.H. Stewart 斯圖爾特·洛克

London Missionary Society 英國倫敦傳道會

Ludgate Circus 倫敦勒門迴旋處

Luen Yee Seamen's Society 聯誼社

Lutherine Church 基督教信義宗

Macao Fort 車歪砲台

Macartney, Sir Halliday 馬格里爵士

MacDonald, Ramsay 英國的工黨領袖藍賽·麥克唐納（1924）

MacLeay, Sir Ronald William 麻克類爵士（英國駐華公使 1922-1926）

Materia Medica 藥物學

McGroger, Mr 麥格里格先生

Messrs Sander Weiler and Company 南利洋行

Methodist Church 基督教循道宗

Midland Railway Station 米特蘭火車總站

Mild reprimand 溫和的譴責

Military Department 廣州軍政府軍政部

Milne, Rev. William 米鄰牧師

Moorhen, HMS 英國炮艦「摩漢」號

Morrison Hall 香港大學馬禮遜堂

Morrison, Dr Robert 馬禮遜醫生

Motta, Monseiur 莫達（國際聯盟主席）

Mussolini 墨索里尼

Nethersole Hospital 那打素醫院

Newton, B.C. (British FO) 牛敦

North China Daily News《字林西報》

North China Herald《華北捷報》

Norwich Independent Labour Party 英國哪列獨立工黨

Norwich 英國英國哪列市

Oahu College 瓦湖中學（又音譯奧阿厚中學，位於火奴魯魯）

Ou Fengchi 區鳳墀

Oxford 牛津

Peak Hospital 香港山頂醫院

Pearce, Rev. Thomas W. 托馬斯·皮堯士牧師

Physician 內科醫生

Physiologist 生理學家

Pidgin English 洋涇濱英語

Police Commissioner 廣州警衛軍司令（1924）

Portsmouth 英國朴次茅斯海港

Preacher 宣教師

Preaching Hall 福音堂

President Jefferson「杰斐遜總統」號郵輪

Red Fort 車歪砲台

Reid, Thomas H. 黎德（香港《德臣西報》主筆）

Renown, H.M.S. 「揚名」號

Rhenish Mission（德國）基督教禮賢會

Ritz 列茲

Robinson, Sir William 香港總督羅便臣爵士（Dec 1891-Jan 1898）

Root, Senator Elihu 美國前任國務卿伊理胡·魯特（1911）

Royal Horticultural Society 英國皇家園藝協會

Royal Instructions《皇家訓令》（1843 年 4 月 6 日簽署）

Royal Palace of Justice 倫敦皇家最高法院

Royal Prerogative 君主特權

Saint Louis College 聖路易斯學院（檀香山）

Saloon 客輪頭等艙

San Francisco 三藩市（舊金山）

Sander Weiler and Company 南利洋行

Sandwich Islands 三文治群島（今稱夏威夷群島）

Schiffrin, Harold Z. 史扶鄰

Senex 塞尼克斯（筆名）

Senior Consul 領袖領事官

Seton, Mrs Rosemary 茹施瑪麗·斯頓女士

Severn, The Hon. Mr Claud, C.M.G. 尊敬的葛羅·司芬先生

Shi Zhaozeng 施肇曾（駐紐約領事）

Sit Nam (Xue Nan) 薛南（香港西醫學院未畢業）

Song Chong Chai (Song Changcai) 宋長才（香港西醫學院 1913 年畢業）

South China Morning Post 香港《南華早報》

Spence, Professor Jonathan 史景遷教授

Spithead 英國斯皮特裏德海域

St Joseph's College 香港聖若瑟書院

St Paul's College 香港聖保羅書院

Staples, Tina 天娜·史特普斯（滙豐銀行敦總部檔案處副主任 2005）

Stephen, Alexander Gordon 史提芬（香港匯豐銀行總經理 1921-24）

Strand 河濱（路）

Stubbs, Sir Edward Reginald 司徒拔爵士

Stubbs, Sir Edward Reginald 愛德華·雷金納德·司徒拔（香港總督）

Suez Canal 蘇彝士運河

Surgeon 外科醫生

Thames 英國泰晤士河

Therapeutist 治療學家

Thomson, John *C. M.A.*, *C.M*, *M.D.* 湯姆生醫生

Tracy, USS 美國軍艦「錘喜」號

Trafalgar Square 倫敦特拉法加廣場

Treasury Solicitor 英國財政部首席律師

Trustee 信托人

Tung Wah Hospital 香港東華醫院

U I Kai (Hu Erkai) 胡爾楷（香港西醫學院 1895 年畢業）

Union Church 香港基督教愉寧堂（俗稱大石柱堂）

Union Insurance Company of Canton 廣州聯合保險公司

United Kingdom 英聯合王國

Vaccine Institute 香港防禦疾病疫苗研究所

Vickers Sons & Maxim 維克斯遜斯・馬克沁（英國著名的機關槍製造廠）

Wang Zhixin 王誌信

Wellcome Institute Library for the History and Understanding of Medicine 倫敦瓦刊醫學史圖書館

Wells, Rev. Herbert R. 威禮士牧師

Wesley Church 基督教衛理宗

West Creek Wharf 廣州西濠口

Windsor Castle 溫沙堡

Wodehouse, P. P. J. 沃豪思（香港警司）

Wong Enoch (Wang Ernuo) 王以諾（香港西醫學院未畢業）

Wong I Ek (Wang Yiyi) 王怡益（香港西醫學院 1895 年畢業）

Wong Kau (Wang Jiunie) 王九臬（香港西醫學院未畢業）

Wong Sai Yan (Wang Shi'en) 王世恩（香港西醫學院 1895 年畢業）

Wong, John 王忠毓（香港西醫學院未畢業）

Wood, Dr Frances 吳芳思博士

Wu Zonglian 吳宗濂

Xie Zuantai 謝纘泰

Yang Ru 楊儒(駐美公使 1896)

Yeung Chi Yuen (Yang Zhiyuan) 楊志遠（香港西醫學院未畢業）

Yin Wenjie 尹文楷（區鳳墀女婿）

Zhang Zhuling 張祝齡牧師

參考資料及書目

一、Archival Materials (Unpublished and Published) 未刊及已刊檔案資料

In the Chinese Mainland（中國大陸）

1. Beijing Palace Museum Archives 中國第一歷史檔案館：外務部 536 號，有關龔照瑗公使的文件；外務部 870 號，駐倫敦公使館財務報告；外務部 871 號，有關張德彝公使的文件。

2. Beijing Palace Museum Archives 兩廣總督譚鍾麟奏稿，載中國第一歷史檔案舘編：《光緒朝硃批奏摺》第 118 輯（北京：中華書局，1996），第 137-139 頁。

3. Chen, Chunhua *et al*. 陳春華、郭興仁、王遠大譯：《俄國外交文書選譯：有關中國部份 1911.5-1912.5》（北京：中華書局，1988）。

4. Du, Yongzhen 杜永鎮編：《近代史資料專刊——陸海軍大元帥大本營公報選編》。北京：中國社會科學出版社，1981。

5. Guangdongsheng 廣東省檔案館藏，粵海關檔案全宗號 94 目錄號 1 案卷號 1572 秘書科類《收回粵海關》，1919-1921。

6. Guangdongsheng 廣東省檔案館藏，粵海關檔案全宗號 94 目錄號 1 案卷號 1580-1586 秘書科類《各項事件傳聞錄》，1917-1925。

7. Guangzhou 廣州〈軍政府公報〉，收入《南方政府公報》第一輯（石

家莊：河北人民出版社，1987 年 12 月影印出版）。

8. Guangdongsheng 廣東省檔案館藏，廣東〈軍政府公報〉，第 1 號，廣州：1917 年 9 月 17 日，收入《南方政府公報》線裝書共一套 3 輯（石家莊：河北人民出版社，1987 年 12 月影印出版），第一輯（共 78 冊）〈軍政府公報〉，第一冊，第 4 頁，廣東省檔案館藏，編號政類 1359-1436：其中第 1359。

9. Guohui《國會非常會議紀要》（廣州：1917-1918）。

10. Li, Yuzhen 李玉貞譯：《聯共、共產國際與中國，1920-1925》第一卷（臺北：東大圖書公司，1997）。

11. Yunnan 雲南省檔案館藏，陳炳焜通電，1917 年 9 月 2 日，載《雲南檔案史料》（昆明：雲南檔案館，1983 年 9 月內部發行），第 2 期，第 24 頁。感謝廣東省檔案館張平安副館長代筆者向雲南省檔案館電索該件。

12. Zhonggong, zhongyang dangshi yanjiushi 中共中央黨史研究室第一研究部翻譯：《聯共（布）、共產國際與中國國民革命運動，1920-1927》，一套六冊，（北京：北京圖書館出版社，1997）。

13. Zhongguo, di er lishi dangan guan 中國第二歷史檔案館編：《中華民國史檔案資料彙編》（南京：江蘇古籍出版社，1986 年）。

14. Zhongguo, dier lishi dangan guang 中國第二歷史檔案館：〈孫中山鎮壓廣東商團叛變文電〉，《歷史檔案》，1982 年，第 1 期，第 47-50 頁。

15. Zhongguo, geming bowuguan 中國革命博物館編：〈館藏孫中山先生 1922-1924 年函電選載：關於平定商團叛亂事件的函電十三件〉，《黨史研究資料》（成都：四川人民出版社，1982），第 3 集，第 174-189 頁。

16. Zhongguo,dier lishi danganguan 中國第二歷史檔案館編：《中華民國史檔案資料匯編》第 4 輯（南京：江蘇古籍出版社，1986）。

17. Zhongyang, danganguan 中央檔案館編：《中共中央政治報告選輯，1922-1926》。北京：中共中央黨校出版社，1981。Chen, Chunhua et al. 陳春華、郭興仁、王遠大譯：《俄國外交文書選譯：有關中國部份 1911.5-1912.5》（北京：中華書局，1988）。

18. Zhou, Kangxie 周康燮：《1924 年廣州商團事件》，中國近代史資料分類彙編之七，（香港：崇文書店，1974）。

In Taipei（臺北）

1. Academia Sinica Archives 國史館大溪（蔣中正）檔案。

2. KMT Archives 中國國民黨黨史館檔案。

In Hong Kong（香港）

1. Hong Kong Annual Administrative Reports, 1841-1941, v. 2, 1887-1903. Edited by R.L. Jarman. Archive Editions, 1996.

2. Hong Kong Annual Administrative Reports, 1883-1895, deposited at the Public Record Office, Hong Kong.

3. Hong Kong Legislative Council Sessional Papers 1896, Hong Kong University Libraries http://lib.hku.hk/Digital Initiatives/Hong Kong Government Reports/Sessional Papers1896/College of Medicine.

4. Minute-book of the Senate, College of Medicine for Chinese, in the Registrar's Office, University of Hong Kong.

5. Minute-book of the Court, College of Medicine for Chinese, in the Registrar's Office, University of Hong Kong.

6. " History and Records of the Diocesan Boys School, Part 3a – Year by Year (1860-1947), p. 29, year 1883, typescript, HKMS88-294, Hong Kong Public Record Office.

In England （英國）

1. Cantlie Papers deposited at the Wellcome Institute Library.

2. *Church Missionary Society Archive: Section I: East Asia Missions, Parts 10-14* (Marlborough Wiltshire: Adam Matthew Publications, 2002).

3. Diaries of Lady Mabel Cantlie, in the custody of Dr James Cantlie.

4. CO129 British Colonial Office Records, deposited at the National Archives, London.
FO 17 British Foreign Office Records: General Correspondence, China, deposited at the National Archives, London.
FO 228 British Foreign Office Records: Embassy and consular reports, China, deposited at the National Archives, London.
FO 371 British Foreign Office Records: General Correspondence, China, deposited at the National Archives, London.
5. Greater London Council: Map 143 J.St.M. 1864.
6. Hongkong and Shanghai Banking Corporation: Group Archives, depside at the HSBC Head Office, London.
7. London Missionary Society Records (deposited at the School of Oriental and African Studies, University of London): CWM/LMS, South China, Incoming letters 1803-1936, Box 11 (1887-92); Box 12 (1893-94); Box 13 (1895-97); Box 22 (1920-1922); Box 23 (1923-1924), Box 24 (1925-1927); CWM/LMS, South China, Reports 1866-1939, Box 2 (1887-97).
8. Musgrove Papers: BL Add.39168/138-141: Sun Yatsen's letters to G.E. Musgrove, deposited at the British Library.
9. Records of the College of Medicine for Chinese in Hong Kong, deposited at the Royal Commonweal Society Library, Cambridge.

In the USA（美國）

1. Archives of the American Board of Commissioners. ABC 16: Missions to Asia, 1827-1919. IT 3 Reel 260, 16.3.8: South China, Vol. 4 (1882-1899) Letters C-H: Hager. Charles Robert Hager: 3-320, deposited at the Houghton Library, Harvard University.
2. Boothe Papers, Hoover Institution, Stanford University.
3. Power Papers, Hoover Institution, Stanford University.
4. Wellington Koo Papers, Columbia University, New York.
5. Yale Divinity School Archives.

Newspapers（中英報章）

1. *Central China Post* 《華中郵報》
2. *China Mail* (Hong Kong) 香港《德臣西報》
3. *Chinese Mail* (Hong Kong) 香港《華字日報》
4. *Daily Press* (Hong Kong) 香港《孖喇西報》
5. *Hankow Daily News* 《漢口日報》
6. *North China Daily News* 《字林西報》
7. *North China Herald* 《華北捷報》
8. *South China Morning Post* (Hong Kong) 香港《南華早報》
9. *Telegraph* 香港《士蔑西報》
10. *Law Times* (London) 《泰晤士法律報》
11. *Strand Magazine* (London) 《河濱雜誌》
12. *Times, The* (London)《泰晤士報》
13. *East Asia* (London) 《東亞》

二、Works in Western Languages

A Brief History of the Metropolitan Police. London (1983).

Aberdeen University Calendar, 1870-1871, and *1871-1872*.

Aberdeen University Review, Vol.13, 1925-1926.

Aberdeen University, Preliminary Record of the Arts Class, 1866-1870. Murray, Aberdeen, 1901.

Aberdeen University, Records of the Arts Class, 1868-1872. 1st edition, edited by P. J., Anderson, Aberdeen University Press, 1892; 2nd edition, edited by Stephen Ree, Aberdeen University Press, 1930.

Aberdeen University, Roll of Graduates 1860-1900. Edited by Johnston, Col. William. Aberdeen University Press, 1906.

Aberdeen University, Roll of Service. Aberdeen University Press, 1921.

Adcock, St John (ed). *Wonderful London: The world's greatest city described by its best writers and picture by its finest photographers*. 3 volumes. London, Fleetway House, n.d.

Adelaide Advertiser. Adelaide, Australia.

Aitken, W. Francis. 'The Museums and Their Treasures', in Adcock, St John (ed), *Wonderful London: The world's greatest city described by its best writers and picture by its finest photographers*. 3 volumes. (London, Fleetway House, n.d.), pp.1096-1109.

Alcock, Leslie. *Arthur's Britain: History and Archaeology, A.D. 367-634*. London, Allen Lane the Penguin Press, 1971.

Altman, A.A. and Schiffrin, H.Z. 'Sun Yat-sen and the Japanese, 1914-1916'. *Modern Asian Studies*, Vol.6 (Apr 1972), pp.129-149.

Amann, Gustav. *The Legacy of Sun Yat-sen: A History of the Chinese Revolution*. Translated from the German by F. P. Grove. New York: Carrier, 1929. [Fisher 951.041/11]

Anderson, Benedict. *Imagined Communities: Reflections on the Origins and Spread of Nationalism*. 1st edition, 1983. Revised and extended edition, London: Verso, 1991. [U320.54/30A].

Andrew, Donna T. *Philanthropy and Police: London Charity in the Eighteenth Century*. London: 1989.

Anschel, Eugene. *Homer Lea, Sun Yat-sen and the Chinese Revolution*. New York: Praeger, 1984.

Armstrong, Martin. 'Leafy London: In Park and Pleasaunce', in Adcock, St John (ed), *Wonderful London: The world's greatest city described by its best writers and picture by its finest photographers*. 3 volumes. (London, Fleetway House, n.d.), pp.367-378.

Arrowsmith, 1854-1954, 1954-1979. J.W. Arrowsmith, Bristol. 1st edition, 1955; 2nd edition, 1979.

Aurora Borealis Academica: Aberdeen University Appreciations, 1860-1889.

Aberdeen University Press, 1889.

Ayres, G. M. *England's First State Hospitals and the Metropolitan Asylums Board.* London: 1971.

Bahya IBN Yusuf. *The Duties of the Heart...* Translated with an introduction by Edwin Collins. Oriental Press, London, 1904.

Baildon, W. Paley. *The Quin-Centenary of Lincoln's Inn, 1422-1922.* London, 1922.

Baines, T. *History of Town and Commerce of Liverpool.* 1852.

Balme, Harold. *China and Modern Medicine.* Edinburgh House, 1921.

Banffshire Journal. Banffshire, Scotland.

Banks, J. A. *Prosperity and Parenthood.* London: 1954.

Barclay, William. *The Schools and Schoolmasters of Banffshire.* Banff, 1925.

Barnett, Suzanne Wilson. 'National Image: Missionaries and Some Conceptual Ingredients of Late Ch'ing Reform', in Paul A. Cohen and John E. Schrecker (eds.), *Reform in Nineteenth-Century China* (Camb., Mass.: Harvard East Asian Research Center, 1976), pp. 160-9.

Barry, Jonathan, and Colin Jones. *Medicine and Charity Before the Welfare State.* London: 1991.

Beier, A. L., and R. Finlay (eds.). *London 1500-1700, the Making of the Metropolis.* London: 1986.

Bergere, Marie-Claire. *Sun Yat-sen* (Paris, 1994), translated by Janet Lloyd (Stanford: Stanford University Press, 1998).

Biagini, Eugenio F. and Alastair J. Reid (eds.). *Currents of Radicalism: popular radicalism, organised labour, and party politics in Britain, 1850-1914.* Cambridge, Cambridge University Press, 1991.

Bible. Revised standard version, Catholic edition. London, Catholic Truth Society, 1966.

Bibliographical Dictionary of Japanese History. Compiled by Seiichi Iwao and translated by Burtan Watson. Tokyo, Kodansha International Ltd., 1978.

Bickers, Robert. *Britain in China: Community, Culture and Colonialism, 1900-49*. Manchester: Manchester University Press, 1999.

Birmingham Post. Birmingham.

Black and White. London.

Blake, Robert Lord. *A History of Rhodesia*. London, Eyre Methuen, 1977.

Bland, J.O.P. and Backhouse, E. *China Under the Empress Dowager*. London, 1910.

Bland, J.O.P. *Li Hung-chang*. London, 1917.

Bolt, Christine. *Victorian Attitudes to Race*. London, Routledge & Kegan Paul, 1971.

Boorman, Howard L (ed). *Biographical Dictionary of Republican China*. New York, Columbia University Press, 1967.

Booth, William. *In Darkest England and the Way Out*. London, Salvation Army, 1890.

Bosanguet, Helen. *Social Work in London 1869-1912*. London: 1914.

Boulger, Demetrius C. *The Life of Sir Halliday Macartney K.C.M.G*. London, 1908.

Boyce, D. Geroge. *Nationalism in Ireland*. London, Croom Helm, 1982.

Braden, Charles. *These Also Believe*. New York, MacMillan, 1957.

Brewer, John. *The Sinews of Power, War, Money, and the English State*. London: 1989.

Briggs, Asa. *Victorian Cities*. London: 1968.

Brinton, Crane. *The Anatomy of Revolution*. New York, 1957.

Brinton, Crane. *English Political Thought in the Nineteenth Century*. London, 1933.

Brisbane Courier. Brisbane, Australia.

Brisbane Telegraph. Brisbane, Australia.

British Review. London.

Britton, Roswell S. *The Chinese Periodical Press, 1800-1912*. Shanghai, 1933.

Brown, J. M. *Hong Kong's Transition, 1842-1997*. Basingstoke: Macmillan, 1997

Bruce, Maurice. *The Coming of the Welfare State*. London: 1961.

Brundage, Anthonoy. *The Making of the New Poor Law -- the Politics of inquiry, Enactment and Implementation, 1832-1839*. London: 1978.

Brundage, Anthony. *England's 'Prussian Minister' -- Edwin Chadwick and the Politics of Government Growth, 1832-1854*. Pennsylvania: 1988.

Brunnert, H.S. and Hagelstrom, V.V. *Present Day Political Organization of China*. Translated by A. Beltchenko and E.E. Moran. Shanghai, 1912

Bruun, Geoffrey. *Nineteenth Century European Civilization, 1815-1914*. New York, 1960.

Bunker, Gerald E. 'The Kidnapping of Sun Yatsen in London, 1896.' Seminar paper, Harvard University, 1963.

Burnett, J. *Poverty and Want: A Social History of Diet in England from 1815*. London: 1979.

Cadbury, W.W. and Jones, M.H. *At the Point of a Lancet: One Hundred Years of the Canton Hospital, 1835-1935*. Kelly and Walsh, Shanghai, 1935.

Cambray, Philip G. *Club Days and Ways: The Story of the Constitutional Club, London, 1883-1962*. London, the Constitutional Club, 1963.

Cantlie, James and Jones, C. Sheridan. *Sun Yat-sen and the Awakening of China*. London, 1912.

'Cantlie, James', *Aberdeen University Preliminary Record of the Arts Class, 1866-70* (Murray, Aberdeen, 1901), p.10.

'Cantlie, James', *Aberdeen University Records of Arts Class, 1866-1870* (Aberdeen University Press, 1930), pp.19-20.

'Cantlie, James', *Aberdeen University Roll of Graduates 1860-1900*, edited by Johnston, Col. William (Aberdeen, 1906), p.76.

'Cantlie, James', *Aberdeen University Roll of Service* (Aberdeen University Press, 1921), p.147.

'Cantlie, James: An Obituary', *Aberdeen University Review*, Vol.13, (1925-26), pp.283-4.

Cantlie, Neil and Seaver, George. *Sir James Cantlie: A Roman in Medicine*. London: John Murray, 1939.

Cape Argus. Cape Town, South Africa.

Carnoy, Martin. *Education as Cultural Imperialism*. New York: David McKay, 1974. [370.193/216]

Chadwick, Owen. *The Victorian Church*. London: 3rd edition, 1971.

Chan, Gilbert. 'An Alternative to Kuomintang-Communist Collaboration: Sun Yat-sen and Hong Kong, January - June 1923'. *Modern Asian Studies*, 13.1 (1979), pp. 127-139.

Chan, Lau Kit-ching and Peter Cunich (eds.), *An Impossible Dream: Hong Kong University from Foundation to Re-establishment, 1910-1950*. Oxford University Press, 2002.

Chan, Mary Man-yue. 'Chinese Revolutionaries in Hong Kong, 1895-1911.' Master's thesis, University of Hong Kong, 1963.

Chandler, George. *Liverpool Shipping: A Short History*. Phoenix House, London, 1960.

Chang, Hao. 'Liang Ch'i-ch'ao and Intellectual Changes in the Late Nineteenth Century.' *Journal of Asian Studies*, Vol.29, No.1, (Nov 1969).

Ch'en, Jerome. *Yuan Shi-k'ai, 1859-1916: Brutus Assumes the Purple*. George Allen & Unwin, London, 1961.

Chen, Leslie H. Dingyan. *Chen Jiongming and the Federalist Movement: Regional Leadership and Nation Building in Early Republic China*. Ann Arbor: University of Michigan Center for Chinese Studies, 1999.

Chen, Stephen and Payne, Robert. *Sun Yat-sen, a Portrait*. John Day, New York, 1946.

Chen, Yuan-chyuan. 'Elements of an East-West Synthesis in Dr. Sun Yatsen's Concept of the "Five-Power Constitution" and in the Chinese Constitution of 1946' in Kindermann, G.K., (ed.), *Sun Yat-sen: Founder and Symbol of China's Revolutionary Nation-Building*. (Munchen, 1982), pp.143-172.

Cheng, Chu-yuan. *Sun Yat-sen's Doctrine in the Modern World*. Boulder: Westview Press, 1989. [951.0410924/10]

Chere, Lewis. 'The Hong Kong Riots of October 1884: Evidence of Chinese Nationalism'. *Journal of the Hong Kong Branch of the Royal Asiatic Society*. V. 20 (1980),

Chien, Tuan-sheng (1964). 'The Kuomintang: Its Doctrine, Organization, and Leadership'. In Albert Feurerwerker (ed.). *Modern China*. Englewood Cliffs: Prentice Hall, 1964. Pp. 70-88.

Chin, Hsiao-yi. 'The Influence of Chinese Confucian Political Theory and Cultural Tradition on Sun Yatsen's Ideology of Synthesis' in G.K. Kindermann (ed.), *Sun Yat-sen: Founder and Symbol of China's Revolutionary Nation-Building*. (Munchen, 1982), pp.97-110.

China Mail. Hong Kong.

Chinese Biographical Dictionary. Compiled by H.A. Giles, 1898.

Chiu, Ling-yeong. 'The Debate on National Salvation: Ho Kai versus Tseng Chi-tse'. *Journal of the Hong Kong Branch of the Royal Asiatic Society*. V. 11 (1971),

Choa, G.H. *The Life and Times of Sir Kai Ho Kai*. Hong Kong: Chinese University Pres, 1981.

Christchurch Press. Christchurch, New Zealand.

Chung, Kun Ai. *My Seventy Nine Years in Hawaii, 1879-1958*. Hong Kong: Cosmorama Pictorial Publisher, 1960.

Chung, Stephanie Po-yin. *Chinese Business Groups in Hong Kong and Political Change in South China, 1900-25*. Basingstoke: Macmillan, 1998.

Chung, Stephanie Po-yin. *Chinese Business Groups in Hong Kong and Political Change in South China, 1900-25*. London: Macmillan, 1998.

Church, R. A. *The Great Victorian Boom, 1850-1873.* London: 1973.

Clerk of the Corporation of London. *Charities Linked with the City of London.* London: 1979.

Cohen, Paul A. and John E. Schrecker (eds.), *Reform in Nineteenth-Century China*. Camb., Mass.: Harvard East Asian Research Center, 1976.

Cole, John. *Down Poorhouse Lane*. Littleborough: 1984.

Coleman, B. I. (ed.). *The Idea of the City in Nineteenth Century Britain*. London: 1973.

Concise Dictionary of National Biography, 1901-1970.

Connell, Jim Alexander, A.L.A. (comp.) *The Royal Agricultural Hall*. London, Islington Libraries, 1973.

Cowherd, R. *Political Economists and the Poor Laws*. Athens, Georgia: 1977.

Crowther, M. A. *The Workhouse System, 1834-1929. The History of an English Social Institution.* London: 1981.

Cunich, Peter. "Godliness and Good Learning: The British Missionary Societies and HKU". In Chan Lau Kit-ching and Peter Cunich (eds.), *An Impossible Dream: Hong Kong University from Foundation to Re-establishment, 1910-1950*. Oxford University Press, 2002.

Daily Chronicle. London.

Daily Graphic. London.

Daily Mail. London.

Daily News. London.

Daily Telegraph. London.

Davies, Stephen (with Elfed Roberts), *Political Dictionary for Hong Kong*. Hong Kong: MacMillan, 1990.

Davis, John. *Reforming London: The London Government Problem, 1855-1900*. Oxford: 1988.

Dictionary of South African Biography, Vols.1-4, edited by W.J. de Kock et al. Johannesburg, Cape Town, Pretoria and Durben, 1968-1981.

Digby, Ann. *Pauper Palaces*. London: 1978

Digby, Ann. *The Poor Law in Nineteenth Century England and Wales*. Historical Association, 1982.

Diplomaticus. 'Lord Salisbury's New China Policy.' *Fortnightly Review* (new series), 65.388 (April 1, 1899), pp.539-550.

Dougan, David. *The Great Gun-Maker: The Life of Lord Armstrong*. First published by Frank Graham in 1970. Reprint at Warkworth, Northumberland: Sandhill Press, 1991.

'Douglas, Sir Robert Kennaway', in *Who Was Who*, 1897-1916 , p.205.

Driver, Felix. *Power and Pauperism, the Workhouse System, 1834-1884*. Cambridge: 1993.

Duncan, Chesney. *Tse Tsan-tai: His Politicla and Journalist Career*. London, 1917.

Dyos, H. J. *Exploring the Urban Past: Essays in Urban History*. Cambridge: 1982.

Dyos, H. J. and M. Wolff (eds.). *The Victorian City: Images and Realities*. London: 1973.

Eberspaecher, Cord. *Die deutsche Yangtse-Patrouille. Deutsche Kanonenbootpolitik im Zeitalter des Imperialismus 1900-1914* (Kleine Schriftenreihe zur Militaer- und Marinegeschichte Vol. 8), Verlag Dr. Dieter Winkler, Bochum 2004.

Echo. London.

Eddey, Keith. *The English Legal System. Sweet & Maxwell, London* (3rd edition), 1982.

Edsall, Nicholas C. *The Anti-Poor Law Movement, 1834-1844*. Manchester:

1971.

Elleman, Bruce A. *Diplomacy and Deception: The Secret History of Sino-Soviet Diplomatic Relations, 1917-1927*. Armonk, N.Y.: M.E. Sharpe, 1997.

Ellison, T. *Gleanings and Reminiscences of Cotton Trade*. 1905.

Endacott, G.B. *A History of Hong Kong*. London, 1958.

English and Empire Digest, The. Replacement volume 16, 1981 reissue. Butterworth & Co., London, 1981.

Ensor, R.C.K. *England 1870-1914*. Oxford University Press, Oxford, 1936.

Ermasheff , I.I. *Sun Yat-sen*. Moscow, 1964.

Evening News. London.

Evening Standard. London.

Everyman's Encyclopadia. (Ed.) D.A. Girling. 6th edition. London, J.M. Dent & Sons, 1978.

Faure, David. 'The Common People in Hong Kong History', a paper presented to the International Conference on the History of Hong Kong and Modern China, held at the University of Hong Kong on 3-5 December 1997.

Fee, Elizabeth and Roy Acheson (eds.). *A History of Education in Public Health*. Oxford: 1991.

Finer, S. E. *The Life and Times of Sir Edwin Chadwick*. London: 1952.

'Finlay, Robert Bannatyne', in *Who Was Who*, 1929-1940 , p.446.

Fletcher, G. S. *The London Dickens Knew*. London: 1970.

Floud, Roderick and Donald McCloskey (eds.). *The Economic History of Britain Since 1700*. Cambridge: 2 edition, 1994.

Foldman, David and Gareth Stedman Jones (eds.). *Metropolis London: Histories and Representations since 1800*. London, Routledge, 1989.

Ford, J.F. 'An Account of England, 1895-1986 -- Bu Fung Ling, Naval Attache at the Imperial Chinese Legation in London.' *China Society Occasional*

Papers, No.22 (London, 1982).

Foreign Office List, 1896. Harrison and Sons, London, 1896.

Foreign Office, List, 1897. Harrison and Sons, London, 1896.

Foster, Joseph. *Men at the Bar.* London, 1885.

Foucault, Michel. *The Birth of the Clinic: An Archaeology of Medical Perception.* Translated from the French by A. M. Sheridan Smith. New York: Vintage Books, 1975. [Medical Library 362.11/1].

Franke, Wolfgang. *The Reform and Abolition of the Traditional Chinese Examination System.* Harvard University, Centre for East Asian Studies, 1960.

Fraser, Derek (ed.). *Municipal Reform and the Industrial City.* Leicestr: 1982.

Fraser, Derek. *The Evolution of the british welfare State.* Basingstoke: 1984.

Fraser, Derek. *The New Poor Law in the Nineteenth Century.* London: 1976.

Fraser, Derek. *Urban Politics in Victorian England.* Leicester: 1976.

Frazer, Derek. *Power and Authority in the Victorian City.* Oxford: 1979.

Frazer, W. M. *A History of English Public Health, 1834-1939.* London: 1950.

Fuller, S. D. *Charity and the Poor Laws.* London: 1901.

Gaster, Michael. 'The Republican Revolutionary Movement'. In Denis Twitchett and John K. Fairbank (eds.). *The Cambridge History of China, Vol. 11: Late Ch'ing, 1800-1911, Part 2.* Cambridge: Cambridge University Press, 1980. Pp.463-534.

George Benard Shaw, *Man and Superman 1947.* [Fisher U822.91.S.1/21].

George, M. Dorothy. *London Life in the Eighteenth Century.* London: 1925; reprinted, 1992.

Gildea, Robert. *Barricades and Borders: Europe 1800-1914.* 2nd edition. Oxford: Oxford University Press, 1996 [Fisher 940.28/45].

Giles, Herbert A. (compiler). *Chinese Biographical Dictionary.* London, 1898.

'Giles, Herbert Allen', in Venn, J.A. (comp.) *Alumni Cantabrigienses: A biographical list of all known students, graduates, and holders of office at the University of Cambridge from the earliest times to 1900*. Part 2, from 1752-1900, Vol.3. (Cambridge University Press, Cambridge, 1947), p.49.

'Giles, Herbert Allen', in *Who Was Who*, 1929-1940 , p.512.

Glasgow Herald. Glasgow.

Glass, Stafford. *The Matabele War*. Longmans, London, 1968.

Globe. London.

Gore's Official Directory, 1897.

Granshaw, Lindsay, and Roy Porter (eds.). *The Hospital in History*. London: 1989.

Granshaw, Lindsay. *St Mark's Hospital, London: A Social History of a Specialist Hospital*. London, 1985.

Graphic. London.

Grayer, M.H. *The Heritage of the Anglo-Saxon Race*. Haverhill, Mass., Destiny Publishers, 1941.

Green, D. 'The Metropolitan Economy: Continuity and Chang, 1800-1939'. In K. Hoggart and D. Green (eds.), *London: A New Metropolitan Geography*. 1991.

Grey, Edward (Viscount Grey of Fallodon, K.G.). *Twenty-Five Years, 1892-1916.* Two Vs. London: Hodder and Stoughton, 1925.

Hackett, Roger F. 'Chinese Students in Japan, 1900-1910.' *Papers on China*, 3:134-169. Harvard University, Committee on International and Regional Studies, 1949.

Hager, Charles R. 'Dr. Sun Yat Sen: Some Personal Reminiscences.' *The Missionary Herald* (Boston, April 1912). Reprinted in Sharman, Sun Yat-sen, pp.382-387.

Halevy, Elie. *The Growth of Philosophical Radicalism*. London: 1972.

Harnack, E.P. 'Glen Line to the Orient.' *Sea Breezes*, new series, Vol.19 (April 1955), pp.268-292.

Harold Z. 'Sun Yat-sen: His Life and Times'. In Cheng, Chu-yuan. *Sun Yat-sen's Doctrine in the Modern World.* Boulder: Westview Press, 1989. [951.0410924/10]

Harrison, Brian. *Peacable Kingdom: Stability and Change in Modern Britain.* Oxford: 1982.

Hartt, Julian. 'Americans' Plot for Chinese Revolt Revealed: Letters at Hoover Tower Tell of 1908 Conspiracy.' *Los Angeles Times*, 13 Oct 1966.

Hayne, M.B. 'The Quai D'Orsay and French Foreign Policy, 1891-1914'. Unpublished Ph.D. thesis, University of Sydney, 1985

Hearnshaw, E.J.C. *The Centenary History of King's College, London, 1828-1928.* George Harrap & Co., London, 1929.

Hennock, G. P. '', *Economic History Review* v. 40 (1987), 207-27.

Hennock, G. P. '', *Social Survey in Historical Perspectives, 1880-1940.* Cambridge, Cambridge University Press, 1991.

Hennock, G. P. 'Poverty and social theory ... ', *Social History*, v. 1 (1976), 67-91.

Henriques, Ursula. *Before the Welfare State: Social Administration in Early Industrial Britain.* London: 1979.

Hesman, C. R. *Sun Yat-sen.* London: SCM Oressm 1971.

Heuston, R.F.V. *Lives of the Lord Chancellors 1885 to 1940.* Oxford University Press, Oxford, 1964.

Hilton, Boyd. *The Age of Atonement.* Oxford: 1988.

Himmelfarb, Gertrude. *Poverty and Compassion: The Moral Imagination of the Late Victorians.* New York: 1991.

Himmelfarb, Gertrude. *The Idea of Poverty: England in the Early Industrial Age.* London and Boston: 1984.

Hobart Mercury. Hobart, Australia.

Hobsbawn, Eric J. *Nations and Nationalism since 1780*. Cambridge University Press, 1992.

Hocking, Charles. *Dictionary of Disasters at Sea*, 1824-1962. 2 vols., Lloyd's Register of Shipping, London, 1969.

Hodgkinson, Ruth. *The Origins of the National Health Service: The Medical Services of the New Poor LawThe Origins of the National Health Service: The Medical Services of the New Poor Law*. London: 1967.

Hofbauer, Imre. *The Other London*.

Hollis, P. *Ladies Elect: Women in English Local Government, 1865-1914*. Oxford: 1987.

Honourable Society of Gray's Inn, The. London, 1st edition, 1969; 2nd edition, 1976.

Hope, Valerie. *My Lord Mayor: 800 Years of London's Mayoralty*. London: 1989.

Howard, Richard C. 'K'ang Yu-wei (1858-1927): His Intellectual Background and Early Thought', in Wright, A.F. and Twitchett, D. (eds.), *Confucian Personalities*, pp.294-316. Stanford, 1962.

Howard, Richard C. 'The Chinese Reform Movement of the 1890s: A Symposium.' *Journal of Asian Studies*, Vol.29, No.1, (Nov 1969).

Hsiao Kung-ch'uan. *A Modern China and a New World: K'ang Yu-wei, Reformer and Utopian, 1858-1927*. Seattle: University of Washington Press, 1975.

Hsiao, Kung-chuan. *A Modern China and a New World: K'ang Yu-wei, Reformer and Utopian, 1858-1927*. Seattle, 1975.

Hsiao, Kung-chuan. 'K'ang Yu-wei and Confucianism.' *Monumenta Serica* 18 (1959), 96-212.

Hsiao, Kung-chuan. *Rural China: Imperial Control in the Nineteenth Century*. Seattle, 1960.

Hsu, Chi-wei. 'The Influence of Western Political Thought and Revolutionary History on the Goals and Self-Image of Sun Yatsen and the Republican Revolutionary Movement in China', in Kindermann, G.K. (ed.), *Sun Yat-sen: Founder and Symbol of China's Revolutionary Nation-Building*. (Munchen, 1982), pp.111-127.

Hsueh, Chun-tu. 'Sun Yat-sen, Yang Ch'u-yun, and the Early Revolutionary Movement in China.' *Journal of Asian Studies*, Vol. 19, No. 3 (May 1960), pp.317-318.

Hsueh, Chun-tu. 'Sun Yat-sen, Yang Ch'u-yun, and the Early Revolutionary Movement in China'. *Journal of Asian Studies*. V. 19, no. 3 (May 1960)), pp. 307-318.

Hsueh, Chun-tu. *Huang Hsing and the Chinese Revolution*. Stanford: Stanford University Press, 1961.

Hsueh, Chun-tu. *Revolutionary Leaders of Modern China*. New York: Oxford University Press, 1971. [Fisher 951.040922/2]

Hu Sheng. *Imperialism and Chinese Politics* (English translation). Beijing, 1955.

Huang, Philip C. *Liang Ch'i-Ch'ao and Modern Chinese Liberalism*. Seattle, 1972.

Huddersfield Examiner. Huddersfield, Britain.

Hummel, Arthur W. (ed.). *Eminent Chinese of the Ch'ing Period*. 2 vols. Washington D.C., 1943, 1944.

Hutchinson, John and Anthony D. Smith (eds.). *Nationalism*. New York: Oxford University Press, 1994. [320.54/76]

Hutchinson, John. *Modern Nationalism*. London: Fontana Press, 1994. [320.54/90]

Ignatieff, Michael. *Total Institutions*. London: 1983.

Illustrated London News. London.

Irish Times. Dublin.

Islington Gazettee.

Jacobs, Dan N. *Borodin -- Stalin's Man in China*. Cambridge, MA: Harvard University Press, 1981.

Jacobs, Dan N. *Borodin -- Stalin's Man in China*. Cambridge, MA: Harvard University Press, 1981.

Jansen, Marius B. *The Japanese and Sun Yat-sen*. Harvard Historical Monographs, 27. Camb., Mass., 1954.

John Unger (ed.). *Chinese Nationalism*. Armonk, NY: M. E. Sharpe, 1996. [320.5323/9]

Jones, G. Stedman. *Languages of Class: Studies in English Working Class History, 1832-1982*. Cambridge: Cambridge University Press, 1983.

Jones, G. Stedman. *Outcasts London: A Studey in the Relationship Between Classes in Victorian Society*. Oxford: 1971.

Jordan, W. K. The *Charities of London, 1480-1660*. London: 1948.

Judges and Law Officers, 1897.

Keeton, G. W. and G. Schwarzenberger (eds.). *Jeremy Bentham and the Law*. London: 1948.

Kelly's Post Office London Directory, 1897.

Kennedy, J. *Asian Nationalism in the Twentieth Century*. London: Macmillan, 1968.

Kennedy, Joseph. *Asian Nationalism in the Twentieth Century*. London: Macmillan, 1968. [320.158/31]

Kidd, A. J. and K. W. Roberts. *City, Class and Culture: Studies of Cultural Production and Social Policy in Victorian Manchester*. Manchester: 1985.

Kiernan, V.G. The *Lords of Human Kind: European attitudes towards the outside world in the Imperial Age*. London, Weidenfeld And Nicolson, 1969.

Kindermann, G. 'Sunyatsenism - Prototype of a Syncretistic Third World Ideology.' *Ibid*., pp.79-96.

Kindermann, G. (ed.). *Sun Yat-sen: Founder and Symbol of China's Revolutionary Nation-Building*. (Munchen, 1982).

Kindermann, Gottfried-Karl. 'The Imperialist Challenge to Nineteenth Century Chia'. In Gottfried-Kaqrl Kindermann (ed.). *Sun Yat-sen: Founder and Synbol of China's Revolutionary National-Building*. Munich: Gunter Olzog Verlag, 1982.

King, Frank H.H. *The History of the Hong Kong and Shanghai Banking Corporation*. 3 vs. Cambridge University Press, 1988.

Kirkman-Gray, B. *A History of English Phlanthropy*. New York: 1967.

'Kitto, The Late Reverend Prebendary', in *St Martin-in-the-Fields Monthly Messenger*, No.158 (May 1903), pp.9-13.

Klapper, Charles. *The Golden Age of Tramways*. London, Routledge & Kegan Paul, 1961.

Knott, John. *Popular Opposition to the 1834 Poor Law*. London: 1967.

L. 'The Future of China', Fortnightly Review, New Series, Vol.60 (1Aug 1896), pp.159-174.

Laitinen, Kauko. *Chinese Nationalism in the Late Qing Dynasty: Zhang Binglin as an Anti-Manchu Propagandist*. London: Curzen, 1990.

Lambert, Royston. *Sir John Simon, 1816-1904 and English Social Administration*. London: 1963.

Lauterpacht, Hersh (ed.). *L.F.L. Oppenheim, International Law: A Treatise*. 8th edition, London, 1957.

Lees, Lynn Hollen. *Exiles of Erin: Irish Migrants in Victorian London*. Manchester: 1979.

Lees, Lynn Hollen. *Poverty and Pauperism in Nineteenth Century London*. Ceicester: 1988.

Legge, James (ed.), *The Chinese Classics*, 4 vs. Oxford: Clarendon Press, 1893.

Leong, S.T. "Sun Yatsen's International Orientation, The Soviet Phase, 1917-1925", in J.Y. Wong (ed.), *Sun Yatsen: His International Ideas and*

International Connections. Sydney: Wild Peony, 1987.

Leong, S. T. *Sino-Soviet Diplomatic Relations, 1917-1926*. Canberra: Australian National University Press, 1976.

Levenson, Joseph R. *Liang Ch'i-ch'ao and the Mind of Modern China*. Harvard Historical Monographs, No.26. Camb., Mas., 1953.

Levy, Leon S. *Nassau W. Senior, 1790-1864*. Newton Abbot: 1970.

Lewis, R. A. *Edwin Chadwick and the Public Health Movement, 1832-1854*. London: 1952; reprinted, 1968.

Li, Chien-lung. *The Political History of China,1840-1928*. Translated by Teng, Ssu-yu and Ingalls, Jeremy. Princeton, New Jersey, 1956.

Linebarger, Paul. *Sun Yat-sen and the Chinese Republic*. New York, 1925.

Linebarger, Paul. *The Political Doctrines of Sun Yatsen*. Westport, Conn.: Hyperion Press, 1937. [320.951041/1].

Liverpool Echo. Liverpool.

Lo, Hui-min (ed.). *The Correspondence of G.E. Morrison, Vol.1, 1895-1912*. Cambridge University Press, Cambridge, 1976.

Loden, Torbjorn. 'Nationalism Transcending the State: Changing Conceptions of Chinese Identity'. In Stein Tonnesson and Hans Antlov (eds.). *Asian Forms of the Nation*. Surrey: Curzon Press, 1996. Chapter 10.

London and China Express. London.

London County Council, *Names of Streets and Places in the Administrative County of London, 1955* (Loncon County Council, 1955)

Longmate, Norman. *The Workhouse*. London: 1974.

Lubenow, William C. *The Politics of Governmoent Growth: Early Victorian Attitudes Towad State Intervention, 1833-1848*. Newton Abbot: 1971.

Lum, Yansheng Ma and Raymond Mun Kong Lum, *Sun Yat-sen in Hawaii: Activities and Supporters*. Honolulu HI: Hawaii Chinese History Center, 1999.

MacDonagh, O. *Early Victorian Government, 1830-1870*. London: 1977.

Macfarlane, Alan. *The Origins of English Individualism*. Oxford: 1978.

MacNaghten, Sir Melville L. *The Days of My Years*. Edward Arnold, London, 1914.

Manchester Guardian. Manchester.

Mandler, Peter (ed.). *The Uses of Charity: The Poor on Relief in the Nineteenth Century Metropolis*. Pennsylvania: 1990.

Mao, Tse-tung, Soong Ching-ling, *et al. Dr. Sun Yat-sen: Commemorative Articles and Speeches*. Peking, 1957.

Marquand , David. *Ramsay MacDonald*. London: Jonathan Cape, 1977.

Marshall, Dorothy. *The English Poor in the Eighteenth Century*. London: 1926.

Marshall, T. H. *The Right to Welfare and Other Essays*. (New York: 1981.

Martin, Bernard. *Strange Vigour: A Biography of Sun Yat-sen*. William Heinemann, London 1944.

Martin, Bernard. 'Sun Yat-sen's Vision for China.' China Society Occasional Papers, No. 15 (London, 1966).

Martin, E. W. (ed.). *Comparative Development in Social Welfare*. London: 1972.

Massingham, H.J. 'A Look at the Zoo', in Adcock, St John (ed), *Wonderful London: The world's greatest city described by its best writers and picture by its finest photographers*. 3 volumes. (London, Fleetway House, n.d.), pp.154-165.

Megarry, Rt. Hon. Sir Robert. *An Introduction to Lincoln's Inn*. London, 1st edition, 1971; revised, 1980.

Michael, Franz. *The Taiping Rebellion: History and Documents, Vol.1 History*. Seattle, University of Washington Press, 1966.

Midwinter, Eric. *Social Administration in Lancashire, 1830 to 1860: Poor Law, Public Health and Police*. Manchester: 1969.

Midwinter, Eric. *The Development of Social Welfare in Britain*. Buckingham,

1994.

Miltoun, Francis. *All About Ships and Shipping. A Handbook of Popular Nautical Information*. 4th edition, revised and edited by Harnack, E.P., 1930.

Morning Advertiser. London.

Morning Leader. London.

Morning Post. London.

Morning: The People's Daily. London.

Morris, James. *Pax Britannica: The Climax of an Empire*. London: Harmsworth, 1979.

Morrison, G.E. *An Australian in China*. London, 1902.

Morse, Hosea Ballou. *The International Relations of the Chinese Empire*. 3 vols. London, 1910-1918.

Morse, Hosea Ballou. *The Trade and Administration of the Chinese Empire*. London, 1908; reprinted in Taipei, 1966.

Muramatsu, Yuji. 'Some Themes in Chinese Rebel Ideologies', in Wright, Arthur F. (ed.), *The Confucian Persuasion*. (Stanford, 1960), pp.241-267.

Nath, Marie-Luise. 'China in World Politics: Sun Yatsen's Views on International Relations', in Kindermann, G.K. (ed.), *Sun Yat-sen: Founder and Symbol of China's Revolutionary Nation-Building*. (Munchen, 1982), pp.301-309.

New Issue of the Abridged Statistical History of Scotland Illustrative of its Physical, Industrial, Moral, and Social Aspects, and Civil and Religious Institutions, from the Most Authentic Sources, arranged Parochially with Biographical, Historical, and Descriptive Notices. Edited by Dawson, James Hooper. W.H. Lizars, Edinburgh, 1857.

New Statistical Account of Scotland by the Ministers of the Respective Parishes, under the Superintendence of a Committee of the Society for the Benefit of the Sons and Daughters of the Clergy. Vol.13, Banff-Elgin-Nairn. William

Blackwood and Sons, Edinburgh and London, 1845.

New Zealand Herald. Auckland, New Zealand.

Ng, Lun Ngai-ha. 'The Hong Kong Origins of Dr. Sun Yat-sen-Address to Li Hung-chang'. *Journal of the Hong Kong Branch of the Royal Asiatic Society*. V. 21 (1981).

Ng, Lun Ngai-ha. 'The Hong Kong Origins of Dr. Sun Yat-sen-Address to Li Hong-chang'. *Journal of the Hong Kong Branch of the Royal Asiatic Society*. V. 21 (1981).

Ng, Lun Ngai-ha. 'The Role of Hong Kong Educated Chinese in the Shaping of Modern China'. *Modern Asian Studies*. V. 17, pt. 1 (1983), pp. 137-163.

Nikiforov, V.N. *Sun Iat-sen, Oktiabr 1896; dve nedeli iz zhizni kitaiskogo revoliutsionera* (Sun Yatsen, October 1896; two weeks in the life of a Chinese revolutionary). Nauka, Moscow, 1977.

Nivison, David S. and Wright, Arthur F (eds.). *Confucianism in Action*. Stanford, 1959.

Notes on the Constitution, Administration, History and Buildings of the Inner Temple. London, 1962.

Novak, Tony. *Poverty and the State: An Historical Sociology*. Milton Keynes, 1988.

Observer. London.

Offer, Avner. *Landownership, Law, Ideology and Urban Development in England*. Cambridge: 1981.

Olsen, Donald. *The Growth of Victorian London*. London: 1976.

Otago Press. Otago, New Zealand.

Overland China Mail. Hong Kong.

Overland Mail. London.

Owen, David. *English Philanthropy, 1660-1960*. Cambridge, Mass.: 1982.

Owen, David. *The Government of Victorian London, 1855-1889*. Edited by Roy

MacLeod. Cambridge, Mass: 1982.

Oxford Dictionary of National Biography: From the earliest times to the year 2000. (Eds.) H.G.C. Matthew and Brian Harrison. 61 vs. Oxford University Press, 2004.

Oxley, Geoffrey W. *Poor Relief in England and Wales, 1601-1834*. Newton Abbot: 1974.

Pall Mall Gazette. London.

Parry, J. P. *Democracy and Religion: Gladstone and the Liberal Party, 1867-1875*. Cambridge, Cambridge University Press, 1986.

Pelling, Margaret. *Cholera, Fever and English Medicine, 1825-1865*. Oxford: 1978.

Peterson, M. Jeanne. *The Medical Profession in Mid-Victorian London*. Berkeley, California: 1978.

Porter, Roy. *London: A Social History*. London: 1994.

Poynter, J. R. *Society and Pauperism: English Ideas on Poor Relief, 1795-1834*. London: 1969.

Prochaska, Frank. *Women and Philanthropy in Nineteenth Century England*. Oxford: 1980.

Public Opinion. London.

Pye, Lucian. 'How China's Nationalism was Shanghaied'. In Jonathan Unger (ed.). *Chinese Nationalism*. New York: M.E. Sharpe 1996.

Queen's London: A pictorial and Descriptive record of the great metropolis in the last year of Queen Victoria's reign. London, Cassell, 1902.

Ranger, T.O. 'The nineteenth century in Southern Rhodesia', in Ranger, T.O. (ed.) *Aspects of Central African History*. (Heinemann, London, 1968), pp.112-153.

Records of the Honourable Society of Lincoln's Inn: The Black Books, Vol.5, 1845-1914. Edited by Roxburgh, Sir Ronald. London, 1968.

Rees, Tim and Andrew Thorpe (eds.). *International Communism and the Communist International*, 1917-1943. Manchester: Manchester University Press, 1998.

Restarick, Henry B. *Sun Yat Sen, Liberator of China*. New Haven, 1931.

Rhoads, Edward J. M. *China's Republican Revolution -- The Case of Kwangtung, 1895-1913* (Camb., MA: Harvard University Press, 1975. [check]

Richard, Timothy. *Forty-five Years in China*. New York, 1916.

Richardson, Ruth. *Death, Dissection and the Destitute*. London: 1978.

Rigby, Richard. *The May 30th Movement: Events and Themes*. Canberra: Australian University Press, 1980.

Roach, John. *Social Reform in England, 1780-1880*. London: 1978.

Roberts, David. *Paternalism in Early Victorian England*. London: 1979.

Roberts, F. D. *Victorian Oigins of the British Welfare State*. Nerw Haven, Conn.: Yale University Press, 1960.

Rose, Michael E. *The Relief of Poverty, 1834-1914*. London: 1986.

Rose, Michael E. (ed.). *The English Poor Law, 1780-1930*. Newton Abbot: 1971.

Rose, Michael E. (ed.). *The Poor and the City: The English Poor Law in its Urban Context, 1834-1914*. Leicester: Leicester University Press, 1985.

Rowntree, B. S. *Poverty: A Study of Town Life*. 1st edition, 1901; 2nd edition, 1902.

Rowntree, S. *Poverty: A Study of Town Life*. 2nd edition, 1902.

Royal Court of Justice. London (1983).

Sabin, A. K. *The Silk Weavers of Spitalfields and Bethnal Green*. London, 1931.

Scalapino, Robert A. and Schiffrin, H. 'Early Socialist Currents in the Chinese Revolutionary Movement: Sun Yat-sen versus Liang Ch'i-ch'ao', *Journal of Asian Studies*, Vol.18, No.3, (May 1959).

Scalapino, Robert A. and Yu, George T. *The Chinese Anarchist Movement*. University of California, Centre for Chinese Studies.

Schiffrin, Harold Z. and Sohn, Pow-key. 'Henry George on Two Continents: A Comparative Study in the Diffusion of Ideas', *Comparative Studies In Society and History*, 2 (Oct 1959), 85-108.

Schiffrin, Harold Z. *Sun Yat-sen: Reluctant Revolutionary*. Little Brown, Boston, 1980.

Schiffrin, Harold Z. 'Sun Yat-sen's Early Land Policy: The Origin and Meaning of "Equalization of Land Rights', *Journal of Asian Studies*, Vol.16 (Aug 1957), pp. 549-564.

Schiffrin, Harold Z. *Sun Yat-sen and the Origins of the Chinese Revolution*. University of California Press, Berkeley & Los Angeles, 1968.

Schiffrin, Harold. 'Sun Yat-sen: A Leadership Model for Developing Countries'. In Eto Shinkichi and Harold Schiffrin (eds.). *China's Republican Revolution.* Tokyo: Tokyo University Press, 1994. pp. 153-168.

Schwartz, Benjamin. *In Search of Wealth and Power: Yen Fu and theWest*. Harvard University Press, Camb., Mass., 1964.

Scott, Carolyn. *Betwixt Heaven and Charing Cross: The Story of St Martin-in-the-Fields*. Robert Hale, London, 1971.

Scull, Andrew T. *Museums of Madness: The Social Organzation of Insanity in Nineteenth Century England*. London: 2nd edition, 1982.

Seaman, L.C.B. *Life in Victorian London*. London, B.T. Batsford, 1973.

Sell's Dictionary of the World's Press, 1897.

Sharman, Lyon. *Sun Yat-sen: His Life and its Meaning*. New York, 1934.

Sheppard Francis. 'London and the Nation in the Nineteenth Century'. Royal Historical Society Transactions No.35 (London 1985), pp.51-74.

Sheppard, Francis. *London, 1808-1870: The Infernal Wen*. London: 1971.

Shinkichi , Eto and Harold Schiffrin (eds.). *China's Republican Revolution.* Tokyo: Tokyo University Press, 1994

Simpson, W. Douglas. *The Fusion of 1860: A Record of the Centenary Celebrations and a History of the University of Aberdeen 1860-1960*. Oliver and Boyd, Edinburgh, 1963.

Sinclair, Robert. *East London*. Loncon, Robert Hale, 1950.

Sinn, Elizabeth. 'The Strike and Riot of 1844: A Hong Kong Perspective'. *Journal of the Hong Kong Branch of the Royal Asiatic Society*. V. 22 (1982),

Slack, Paul. *Poverty and Policy in Tudor and Stuart England*. London: 1988.

Smellie, K. B. *A History of Local Government*. London: 1968.

Smith, Carl T. *A Sense of History: Studies in the Social and Urban History of Hong Kong*. Hong Kong: The Hong Kong Educational Publishing Co., 1995.

Smith, Carl T. *Chinese Christians: Elites, Middlemen, and the Church in Hong Kong*. Oxford University Press, 1985.

Smith, F. B. *The People's Health, 1830-1910*. London: 1979.

Smith, Richard J. *China's Cultural Heritage: The Qing Dynasty, 1644-1912*. Boulder: Westview Press, 1994.

Snyder, Louis L. *The Meaning of Nationalism*. London: Longman, 1977. [320.54/13]

Soothill, William E. *Timothy Richard of China*. London, 1924.

South African Dictionary of National Biography, (ed.) Eric Rosenthale. London, 1966.

Speaker. London.

St James Gazette. London.

St Martin-in-the-Fields Monthly Messenger, No.82 (Oct 1896); No.83 (Nov 1896); No.84 (Dec 1896); No.90 (June 1897); No.158 (May 1903).

Standard. London.

Stansky, Peter (ed.). *The Victorian Revolution: Government and Society in*

Victoria's Britain. New York: 1973.

Star. London.

Stedman Jones, G. *Outcast London*. Oxford, Oxford University Press, 1971.

Stevens, Sylvester K. *American Expansion in Hawaii, 1842-1898*. Harrisburg, Penn., 1945.

Stewart, Jean C. *The Quality of Mercy: The Lives of Sir James and Lady Cantlie*. George Allen & Unwin, London, 1983.

Stokes, Gwenneth. *Queen's College*, 1862-1962. Hong Kong, 1962.

Straits Times. Singapore.

Strand Magazine. London.

Summerson, John. *Georgian London*. London: 3rd edition, 1978.

Sun Yatsen. 'Judicial Reform in China', *East Asia*, Vol.1, No.1. (Jul 1897).

Sun Yatsen. 'China's Present and Future: The Reform Party's Plea for British Benevolent Neutrality', *Fortnightly Review* (New series), Vol.61, No.363 (March 1, 1897), pp. 424-440.

Sun Yatsen. *Kidnapped in London*. Bristol, 1897.

Sun Yatsen. 'My Reminiscences', *The Strand Magazine*, (Mar 1912), pp.301-307.

Sun, Yatsen. *Prescriptions for Saving China: Slected writings of Sun Yat-sen*, edited by Julie Lee Wei, Ramon H, Myers and Donald G. Gillin. (Stanford, California: Hoover Institution Press, 1994).

Sun, Yat-sen. *The Teachings of Sun Yat Sen: Selections from his Writings*. Compiled and introduced by Professor N. Gangulee. London: Sylvan Press, 1945. [951.041 Sun].

Sun. London.

Swift R. and S. Gilley (eds.). *The Irish in the Victorian City*. London: 1985.

Sydney Morning Herald. Sydney, Australia.

T'ang Leang-li. *The Inner History of the Chinese Revolution.* London: Routledge, 1930. [Fisher 951.0399]

Talmud. *The Wisdom of Israel: being extracts from the Babylonian Talmud and Midrash Rabboth.* Translated from the Aramaic and Hebrew with an introduction by Edwin Collins. London, 1904.

Tatler. London.

Taylor, A.J.P. *English History, 1914-1945*. Oxford University Press, Oxford, 1965.

Taylor, Geoffrey. *The Problem of Poverty, 1660-1834.* London: 1969.

Teng, Ssu-yu, and Fairbank, John K. *China's Response to the West: A Documentary Survey, 1839-1923*. Camb., Mass., 1954.

Thane, Pat (ed.). *The Origins of British Social Policy*. London: 1978.

Thane, Pat. *The Foundations of the Welfare State*. London: 1985.

The Age. Melbourne, Australia.

The Times. London.

Thomas, Donald. *The Victorian Underworld.* London: John Murray, 1998.

Thomas, William. *The Philosophical Radicals: Nine Studies in Theory and Practice*. Oxford: 1979.

Thompson, E. P. and E. Yeo. *The Unknown Mayhew*. London: 1973.

Thompson, F. M. L. (ed.). *The Cambridge Social History of Britain, 1750-1950.* Cambridge: Cambridge University Press, 1990.

Thompson, Phyllis. *A Place for Pilgrims: The Story of the Foreign Missions Club in Highbury, London*. London, (1983).

Time and Tide. London.

Tomlinson, H.M. 'Down in Dockland', in Adcock, St John (ed). *Wonderful London: The world's greatest city described by its best writers and picture by its finest photographers*. 3 volumes. (London, Fleetway House, n.d.), pp.147-154.

Tompson, Richard. *The Charity Commission and the Age of Reform*. London: 1979.

Tonnesson, Stein and Hans Antlov (eds.). *Asian Forms of the Nation*. Surrey: Curzon Press, 1996.

Toronto Star. Toronto, Canada.

Treble, James H. *Urban Poverty in Britain, 1830-1914*. London: 1983.

Trevelyan, Marie. *Britain's Greatness Foretold. The Story of Boadiceà, the British Warrior Queen* ... With an introduction, 'The Prediction Fulfilled', by Edwin Collins, etc. J. Hogg, London, 1900.

Tsang, Steve. *Hòng Kong: An Appointment with China*. London: Tauris, 1997.

Tse, Tsan Tai. *The Chinese Republic: Secret History of the Revolution*. Hong Kong, 1924.

Twitchett, Denis and John K. Fairbank (eds.). *The Cambridge History of China, Vol. 11: Late Ch'ing, 1800-1911, Part 2*. Cambridge: Cambridge University Press, 1980.

Unger , Jonathan (ed.). *Chinese Nationalism*. New York: M.E. Sharpe 1996.

University College London Calendar, 1877-1978.

Venn, J.A. (comp.) *Alumni Cantabrigienses: A biographical list of all known students, graduates, and holders of office at the University of Cambridge from the earliest times to 1900*. Part 2, from 1752-1900, Vol.3. Cambridge University Press, Cambridge, 1947.

Wakeman, Frederic Jr. *Strangers at the Gate: Social Disorder in South China, 1839-1861*. Berkeley and Los Angeles, 1966.

Walker, D.M. *The Oxford Companion to Law*. Oxford University Press, Oxford, 1980.

Walkowitz, Judith R. *City of Dreadful Delight: Narratives of Sexual Danger in Late-Victorian London.* Chicago, University of Chaicago Press, 1982.

Walton, John K. and Alastair Wilcox (eds.). *Low Life and Moral Improvement in Mid-Victorian England*. Leicester: 1990.

Wang Ke-wen. *Modern China: An Encyclopedia of History,k Culture and Nationalism*. New York: Garland, 1998.

Wang, Gung-wu. 'Sun Yatsen and Singapore', *Journal of the South Seas Society*, 15 (Dec 1959), pp. 55-68.

Wang, Y.C. *Chinese Intellectuals and the West: 1872-1949*. Chapel Hill, 1966.

Weale, B.L. Putman. *The Fight for the Republic in China*. New York, 1917.

Webb, Sidney and Beatrice. *English Local Government: English Poor Law History*. London: 1927.

Webb, Sidney and Beatrice. *English Local Government: The Manor and the Borough*. London: 1908.

'Webster, Richard Everard', in *Concise Dictionary of National Biography, 1901-1970*, p.710.

Wesley-Smith, Peter. *Unequal Treaty, 1898-1997: China, Great Britain, and Hong Kong's New Territories*. Revised edition. Hong Kong: Oxford University Press, 1998.

Western Daily Press. Bristol.

Westminster Gazette. London.

White, Jerry. *Rothschild Buildings: Life in an East End tenement block 1887-1920*. London, Routledge and Kegan Paul, 1980.

Whiting, Allen S. *Soviet Policy in China, 1917-1924*. Stanford: Stanford University Press, 1954.

Whiting, Allen S. *Soviet Policy in China, 1917-1924*. Stanford: Stanford University Press, 1954.

Who Was Who, 1929-1940.

Wilbur, C. Martin and Julie Lien-ying How. *Missionaries of Revolution: Soviet Advisers and Nationalist China*. Cambridge, MA: Harvard University Press, 1989.

Wilbur, Martin C. *Sun Yat-sen: Frustrated Patriot*. New York, 1976.

Williams, Karel. *From Pauperism to Poverty*. London: 1981.

Wohl, Anthony. *Endangered Lives: Public Health in Victorian Britain*. London: 1983.

Wong, J. Y. *The Origins of An Heroic Image: Sun Yatsen in London, 1896-1897*. Oxford University Press, 1986.

Wong, J.Y. *Anglo-Chinese-Relations, 1839-1860: A calendar of Chinese documents in the British Foreign Office Records*. Published for the British Academy by Oxford University Press, 1983.

Wong, J.Y. 'Chinese Attitudes Towards Hong Kong: An Historical Perspective', *Journal of the Oriental Society of Australia*, v. 15-16 (1983-84), pp. 161-169.

Wong, J.Y. 'Resurrecting Sun Yatsen: The Past, Present and Future of Sun Yatsen Studies', in J. Y. Wong (ed.), *Sun Yatsen: His International Ideas and International Connections*. (Sydney: Wild Peony, 1987), pp. 3-12.

Wong, J.Y. 'Sun Yatsen and Pan-Asianism', in J. E. Hunter (ed.), *Aspects of Pan-Asianism*, (London: London School of Economics, 1987), pp .17-32.

Wong, J.Y. 'Sun Yatsen and the British', in J. Y. Wong (ed.), *Sun Yatsen: His International Ideas and International Connections*, (Sydney: Wild Peony, 1987), pp. 91-110.

Wong, J.Y. 'The Future of Hong Kong', in J. E. Hunter (ed.), *Hong Kong and the People's Republic of China* (London: London School of Economics, 1996), pp. 1-36.

Wong, J.Y. 'Three Visionaries in Exile: Yung Wing, K'ang Yu-wei and Sun Yat-sen, 1894-1911', *Journal of Asian History* (Otto Harrassowitz, Wiesbaden, West Germany), v. 20, no. 1(1986), pp. 1-32.

Wong, J.Y. *Deadly Dreams: Opium, Imperialism, and the Arrow War* (1856-60) in China. Cambridge University Press, 1998.

Wong, J.Y. *Yeh Ming-ch'en: Viceroy of Liang-Kuang, 1852-1858*. Cambridge University Press, 1976.

Wood, Ethel M. *A History of the Polytechnic*. Macdonald, London, 1965.

Wood, Peter. *Poverty and the Workhouse in Victorian Britain*. Stroud: 1991.

Woodruffe, K. *From Charity to Social Work in England and the United States of America*. London: 1968.

Woods, R. and J. Woodward (eds.). *Urban Disease and Morotality in 19th Century England*. London and New York: 1984.

Woolf, S. *The Poor in Western Europe in the 18th and 19th Centuries*. London and New York: 1986.

Wright, Arthur F. (ed.). *The Confucian Persuasion*. Stanford, 1960.

Wright, Arthur F. and Twitchett, D. (eds.). *Confucian Personalities*. Stanford, 1962.

Wright, Mary (ed.). *China in Revolution: The First Phase, 1900-1913*. New Haven: Yale University Press, 1968.

'Wright, Sir Robert Samuel', in *Who Was Who*, 1897-1916, pp.782-783.

Yim, Kwan-ha. 'Yuan Shih-k'ai and the Japanese'. *Journal of Asian Studies*. V. 24, no. 1(1964).

Young, Ernest P. *The Presidency of Yuan Shih-k'ai, 1859-1916*. University of Michigan Press, Ann Arbor, 1977.

Young, Ernest P. 'Ch'en T'ien-hua (1875-1905): A Chinese Nationalist', *Papers on China*, No.13, pp.113-162. Harvard University, East Asian Research Centre, 1959.

Young, G. M. *Early Victorian England*, 1830-1865. London: 1934.

Young, K. and P. L. Garside. *Metropolitan London: Politics and Urban Change, 1837-1981*. London: 1982.

Yung Wing. *My Life in China and America*. Henry Holt, New York, 1909.

三、中日文參考書籍

Anon 佚名：〈孫中山與臺灣〉，載中國人民政治協商會議安徽省委員會文史資料研究委員會編：《安徽文史資料選輯》第 5 輯（合肥：安徽人民出版社，1983）。

Anon 佚名：《孫逸仙傳記》（上海：民智書局，1926）。

Anon 佚名：《楊衢雲略史》（香港：1927）。

Ao, Guangxu 敖光旭：〈「商人政府」之夢——廣東商團與「大商團主義」的歷史考察〉，載《近代史研究》，總 136 期（北京：2003 年 7 月），第 4 期，第 177-248 頁。

Ao, Guangxu 敖光旭：〈共產國際與商團事件——孫中山及國民黨鎮壓廣州商團的原因及其影響〉，載林家有、李明主編：《孫中山與世界》（長春：吉林人民出版社，2004），第 198-228 頁。

Bai, Yu et al. 白玉等：〈國共合作平定商團叛亂述略〉，《太原師專學報》，1989 年第 3 期。

Barlow, Jeffrey G. 杰佛里·巴洛著、黃芷君等譯：〈1900-1908 年孫中山與法國人〉，《辛亥革命史叢刊》第 6 輯。

Bastid, Marianne 巴斯蒂：〈法國的影響及各國共和主義者團結一致——論孫中山和法國政界的關係〉，《孫中山和他的時代》（北京：中華書局，1990 年 10 月）一套 2 冊（上），第 454-470 頁。

Bergere, Marie-Claire 白吉爾：〈二十世紀初法國對孫中山的政策——布加卑事件（1905-1906）〉，《孫中山和他的時代》（北京：中華書局，1990 年 10 月），一套 2 冊（上），第 442-453 頁。

Cai, Degen 柴德庚等編：《中國近代史叢刊——辛亥革命》，一套 8 冊（上海：人民出版社，1981）。

Chen, Chunhua et al. 陳春華、郭興仁、王遠大譯：《俄國外交文書選譯：有關中國部份 1911.5-1912.5》（北京：中華書局，1988）。

Chen, Cungong 陳存恭：〈列強對中國的軍火禁運，民國 8 年-18 年〉（臺北：中央研究院近代史研究所，2000 年修訂本）。

Chen, Cungong 陳存恭：〈列強對中國的軍火禁運，民國 8 年-18 年〉，載《中國近現代史論叢，第 23 編，民初外交，下》（臺北：商務印書館，1986），第 954-971 頁。

Chen, Ding Yan 陳定炎、Gao Zonglu 高宗魯：《一宗現代史實大翻案：陳炯明與孫中山、蔣介石的恩怨真相》（香港：Berlind Investment Ltd, 1997）。

Chen, Duxiu 陳獨秀：〈中共中央執委會書記陳獨秀給共產國際的報告，1922 年 6 月 30 日〉，中央檔案館編：《中共中央政治報告選輯，1922-1926》（北京：中共中央黨校出版社，1981），第 8 頁。

Chen, Gongbo 陳公博：〈我與共產黨〉，《寒風集》（上海：地方行政社，1945）。

Chen, Guo 陳果：〈廣州商團叛變後的陳廉伯〉，載中國人民政治協商會議廣州委員會文史資料研究委員會編：《廣州文史資料》，第 19 輯（廣州：文史資料出版社，1965），第 86-95 頁。

Chen, Guting 陳固亭編：《國父與日本友人》（臺北：幼獅 1977 年再版）。

Chen, Jianan 陳劍安，〈廣東會黨與辛亥革命〉，載《紀念辛亥革命七十周年青年學術討論會論文選》（北京：中華書局，1983），上冊，第 23-72 頁。

Chen, Jianming 陳建明：〈孫中山與基督教〉，《孫中山研究論叢》第五集（廣州市中山大學出版社，1987），第 5-25 頁。

Chen, Jianming 陳建明：〈孫中山早期的一篇佚文——〈教友少年會紀事〉〉，《近代史研究》，總 39 期（1987 年第 3 期），第 185-190 頁。

Chen, Jinglue 陳景呂：〈葉舉對商團請援的態度〉，載中國人民政治協商會議廣州委員會文史資料研究委員會編：《廣州文史資料》，第 7 輯（廣州文史資料研究委員會出版，1963），第 78-79 頁。

Chen, Junqian 陳駿千、Chen Guo 陳果：〈佛山商團見聞〉，載中國人民政治協商會議廣東省委員會文史資料研究委員會編：《廣東文史資料》第 19 輯（廣州文史資料研究委員會出版，1965），第 96-101 頁。

Chen, Sanjing 陳三井：〈中山先生歸國與當選臨時大總統〉，載教育部主編《中華民國建國史：第一編，革命開國（二）》（臺北：國立編譯館，1985）。

Chen, Sanjing 陳三井：《中山先生與美國》（臺北：學生書局，2005）。

Chen, Sanjing 陳三井：《中山先生與法國》（臺北：臺灣書店，2002）。

Chen, Sanjing 陳三井：《華工與歐戰》（臺北：中央研究院近代史研究所，1986）。

Chen, Shaobai 陳少白：〈興中會革命史別錄——楊衢雲之略史〉，轉載於《中國近代史資料叢刊——辛亥革命》（上海：上海人民出版社，1981），第 1 冊，第 77 頁。

Chen, Shaobai 陳少白，〈興中會革命史要〉（南京，1935），收入柴德賡編：《辛亥革命》第 1 冊，頁 21-75。

Chen, Shnurong 陳樹榮：〈孫中山與澳門初探〉，《廣東社會科學》，1990 年第 4 期。

Chen, Xiqi 陳錫祺主編：《孫中山年譜長編》，一套二冊（北京：中華書局 1991 年）。

Chen, Xiqi 陳錫祺：〈關於孫中山的大學時代〉，載陳錫祺：《孫中山與辛亥革命論集》（廣州：中山大學出版社，1984），第 35-64 頁。

Chen, Xiqi 陳錫祺：《孫中山與辛亥革命論集》（廣州：中山大學出版社，1984）。

Chen, Yinke 陳寅恪：〈馮友蘭中國哲學史上冊審查報告〉，《金明館叢稿二編》（上海：古籍出版社，1982），第 247 頁。

Chen, Zihui 陳子惠：〈工商界老人回憶商團事變——陳子惠的回憶〉，載中國人民政治協商會議廣州委員會文史資料研究委員會編：《廣州文史資料》，第 7 輯（廣州文史資料研究委員會出版，1963），第 60-61 頁。

Cui, Baiyan 崔拜言：〈工商界老人回憶商團事變——崔拜言的回憶〉，載中國人民政治協商會議廣州委員會文史資料研究委員會編：《廣州文史資料》，第 7 輯（廣州文史資料研究委員會出版，1963），第 65-66 頁。

Dang, Dexin 黨德信、Huang Ailing 黃靄玲編：《第一次國共合作時期的黃埔軍校：紀念黃埔軍校創建六十週年》（北京：文史哲出版社，1984）。

Deng, Zeru 鄧澤如：《中國國黨二十年史蹟》（上海：正中書局，

1948）。

Deng, Zeru 鄧澤如輯錄：《孫中山先生廿年手劄》，一套 4 冊（廣州：述志公司，1927；臺北：文海出版社，1966 重印）。

Du, Yongzhen 杜永鎮編：《近代史資料專刊——陸海軍大元帥大本營公報選編》（北京：中國社會科學出版社，1981）。

Duan, Yunzhang 段云章：《放眼看世界的孫中山》（廣州：中山大學出版社，1996）。

Duan, Yunzhang 段云章：〈共產國際、蘇俄對孫中山陳炯明分裂的觀察和評論〉，《中山大學學報論叢》（社科），第 20 卷（2000 年 6 月），第 26-34 頁。

Duan, Yunzhang 段云章，Ni, Junming 倪俊明編：《陳炯明集》上、下卷（廣州：中山大學出版社，1998）。

Editor 編輯：〈對第七輯的若干補充訂正和質疑〉，載中國人民政治協商會議廣州委員會文史資料研究委員會編：《廣州文史資料》，第 17 輯（廣州：廣東人民出版社，1979），第 191 頁。

Eshan, yizu zizhi xian weiyuanhui 峨山彝族自治縣文史資料委員會編：《峨山彝族自治縣文史資料選輯第二輯：范石生專輯》（峨山縣城：峨山彝族自治縣文史資料委員會，1989）。

Fan, Liang 范良：〈平息商團叛亂〉，《史料選輯》（南京），第 1 輯。

Fan, Mulan 范木蘭、Fan Yalan 范亞蘭：〈范石生事略〉，載峨山彝族自治縣資料委員會編：《峨山彝族自治縣文史資料選輯第二輯：范石生專輯》（峨山縣城：峨山彝族自治縣文史資料委員會，1989），第 3-32 頁。

Fan, Shisheng 范石生口述、許崇勳筆記：〈滇軍第二軍戰史〉，載峨山彝族自治縣文史資料委員會編：《峨山彝族自治縣文史資料選輯第二輯：范石生專輯》（峨山縣城：峨山彝族自治縣文史資料委員會，1989），第 110-196 頁。

Fan, Shisheng 范石生：〈讀〈記廣州商團之變〉後〉，載上海海天出版社編：《現代史資料，第三集》（上海：海天出版社，1934 年 4 月初版，香港波文書局 1980 年 7 月重印），第 14-20 頁。

Fang, Yuning 方毓寧：〈孫中山平定廣州商團叛亂的革命措施〉，《歷史教學》，1984 年，第 4 期，第 20-22 頁。

Felber, Roland 羅·費路：〈孫中山與德國〉，《孫中山和他的時代》（北京：中華書局，1990 年 10 月）（上），第 471-499 頁。

Felber, Roland 費路：〈借助新的檔案資料重新探討孫中山在二十年代（1922 年至 1923 年）與蘇俄關係以及對德態度的問題〉，載《孫中山與華僑：紀念孫中山誕辰 130 週年國際學術討論會論文集》（神戶：孫中山紀念會，1996），第 57-69 頁。該文後來轉載於林家有、李明主編：《孫中山與世界》（長春：吉林人民出版社，2004），第 350-362 頁。

Feng, Ziyou 馮自由：《華僑革命開國史》（臺北：商務印書館，1953 重印）。該書後來又收入《華僑與辛亥革命》（北京：中國社會科學出版社，1981）。

Feng, Ziyou 馮自由：《革命逸史》，一套 6 冊（北京：中華書局，1981）。

Fu, Sheng 福生：〈國聯史略〉，《現代史料》（上海：海天出版社，1934），第三集，第 2-7 頁。

Gao, Liangzuo 高良佐：〈總理業醫生活與初期革命運動〉，《建國月刊》（南京 1936 年 1 月 20 日版）。

Ge, Zhiyi 戈止義：〈對〈1894 年孫中山謁見李鴻章一事的新資料〉之補正〉，《學術月刊》（上海：上海人民出版社，1982），第 8 期，第 20-22 頁。

Guangdong, sheng 廣東省社會科學研究所歷史研究室編：《朱執信集》（北京：中華書局，1979）。

Guangzhou, wenshi ziliao yanjiu weiyuanhui 廣州文史資料研究委員會：〈孫中山有關商團事變函電補遺〉，載中國人民政治協商會議廣州委員會文史資料研究委員會編：《廣州文史資料》（廣州文史資料研究委員會出版，1963），第 8 輯，第 121-123 頁。

Guo, Hengyu 郭恆鈺：《共產國際與中國革命——第一次國共合作》（臺北：東大圖書公司，1991 年 4 月再版）。

Guo, Tingyi 郭廷以：《中華民國史事日誌》一套四冊（臺北：中央研究院近代史研究所，1979）。

Hager, Rev. Robert 喜嘉理：〈美國喜嘉理牧師關於孫逸總理信教之追述〉，載馮自由：《革命逸史》，一套 6 冊（北京：中華書局，1981），第二集 12-17 頁。該文另目〈關於孫逸仙（中山）先生信教之追述〉而轉載於《中華基督教會公理堂慶祝辛亥革命七十週年特刊》，第 5-7 頁。又另目〈孫中山先生之半生回觀〉而轉載於尚明軒、王學莊、陳松等編《孫中山生平事業追憶錄》（北京：人民出版社，1986），第 521-524 頁。

Hanyu, etc《漢語成語詞典》（成都：四川辭書出版社 2000 年 10 月再版）。

Hao, Ping 郝平：《孫中山革命與美國》（北京：北京大學出版社，2000）。

He, Luzi 何陸梓：〈商團事變時廣州市的錢銀業〉，中國人民政治協商會議廣州委員會文史資料研究委員會編：《廣州文史資料》第 7 輯（廣州：文史資料出版社，1963），第 87-91 頁。

He, Ruebi 何汝璧：〈辛亥革命時期孫中山與法國〉，《陝西師大學學報》（哲社），1991 年第 4 期。

He, Yuefu 賀躍夫譯：〈孫中山倫敦蒙難獲釋後與記者的兩次談話〉，《中山大學學報》（社哲），1985 年第 4 期。

Hu, Bin 胡濱譯：《英國藍皮書有關辛亥革命資料選譯》，上、下兩冊（北京：中華書局，1984）。

Hu, Chunhui *et al.* 胡春惠等編：《近代中國與亞洲》學術討論會論文集，上、下兩冊（香港：珠海書院亞洲研究中心，1995）。

Huang, Fuqing 黃福慶：《清末留日學生》（臺北：中央研究院近代史研究所，1975）。

Huang, Xiurong 黃修榮主編：《蘇聯、共產國際與中國革命的關係新探》（北京：中共黨史出版社，1995）。

Huang, Yuhe (Wong, J.Y.) 黃宇和：〈英國對華「炮艦政策」剖析：寫在「紫石英」號事件 50 週年〉，《近代史研究》，（北京：中國社會科學院近代史研究所，1999 年 7 月），總 112 期，第 1-43 頁。

Huang, Yuhe (Wong, J.Y.) 黃宇和：〈葉名琛歷史形象的探究——兼論林則徐與葉名琛的比較〉，《九州學林》（香港城市大學和上海復旦大學合編），第 2 卷（2004），第 1 期，第 86-129 頁。

Huang, Yuhe (Wong, J.Y.) 黃宇和：〈孫中山第一次旅歐的時間和空間的考訂〉，《孫中山和他的時代》（北京：中華書局，1990 年 10 月），下冊，第 2298-2303 頁。

Huang, Yuhe (Wong, J.Y.) 黃宇和：《黃宇和院士系列之二：孫逸仙倫敦蒙難》（上海：上海書店出版社，2004）。

Huang, Yuhe (Wong, J.Y.) 黃宇和：《孫逸仙倫敦蒙難真相：從未披露的史實》（臺北：聯經，1998）。

Huang, Yuhe (Wong, J.Y.) 黃宇和：〈分析倫敦報界對孫中山被難之報道與評論〉，《孫中山研究》，第一輯（廣州：廣東人民出版社，1986 年 6 月），第 10-30 頁。

Huang, Yuhe (Wong, J.Y.) 黃宇和：〈孫中山倫敦被難研究述評〉，《回顧與展望：國內外孫中山研究述評》（北京：中華書局，1986 年 7 月），第 474-500 頁。

Huang, Yuhe (Wong, J.Y.) 黃宇和：〈中山先生倫敦蒙難新史料的發現與考訂〉，《近代中國》（臺北：近代中國出版社，1995 年 6 月，8 月，10 月），總 107 期：第 174-95；總 108 期：第 278-89 頁；總 109 期：第 49-72 頁。

Huang, Yuhe (Wong, J.Y.) 黃宇和：〈孫中山先生倫敦蒙難史料新證與史事重評〉，《中華民國建國八十週年學術討論集》（臺北：近代中國出版社，1991 年 12 月），第一冊，第 23-63 頁。

Huang, Yuhe (Wong, J.Y.) 黃宇和：〈孫中山的中國近代化思想溯源〉，《國史館館刊》（臺北：國史館，1997 年 6 月），復刊第 22 期，第 83-9 頁。

Huang, Yuhe (Wong, J.Y.) 黃宇和：〈孫逸仙，香港與近代中國〉，《港澳與近代中國學術研討會論文集》（臺北：國史館，2000），第 149-68 頁。

Huang, Yuhe (Wong, J.Y.) 黃宇和：〈微觀研究孫中山雛議〉，《近代史研究》，總 87 期（北京：中國社會科學院近代史研究所，1995 年 5 月），第 195-215 頁。

Huang, Yuhe (Wong, J.Y.) 黃宇和：〈興中會時期孫中山先生思想探索〉，《國父建黨一百週年學術討論集》（臺北：近代中國出版社，1995 年 3 月），第一冊，第 70-93 頁。

Huang, Yuhe (Wong, J.Y.) 黃宇和：〈三民主義倫敦探源雛議〉，中國史學會編：《辛亥革命與 20 世紀的中國》，一套三冊（北京：中央文獻出版社，2002 年 8 月），上冊，第 521-575 頁。

Huang, Yuhe (Wong, J.Y.) 黃宇和：〈英國對孫中山選擇革命的影響〉，林家有、李明主編：《孫中山與世界》（長春：吉林人民出版社，2004），第 250-314 頁。

Huang, Yuhe (Wong, J.Y.) 黃宇和：〈跟蹤孫文九個月、公私隱情盡眼簾〉，《近代中國》（臺北：近代中國出版社，2003-2004），總 152 期，第 93-116 頁；總 153 期，第 65-88 頁；總 154 期，第 3-33 頁；總 155 期，第 140-168 頁；總 156 期，第 167-190 頁。

Huang, Zhen 黃振：〈法國大革命的歷史經驗與辛亥革命道路的選擇〉，《華中師範大學學報》（哲社）1989 年，第 4 期，第 50-57 頁。

Huang, Zijin 黃自進：〈利用與被利用：孫中山的反清革命運動與日本政府之關係〉，《中央研究院近代史研究所集刊》第 39 期（2003 年 3 月），第 107-152 頁。

Huang, Zijin 黃自進：《北一輝的革命情結：在中日兩國從事革命的歷程》（臺北：中央研究院近代史研究所，2001）。

Huang, Zijin 黃自進：《吉野作造對近代中國的認識與評價，1906-1932》（臺北：中央研究院近代史研究所，1995）。

Huazi, ribao 香港華字日報社編：《廣東扣械潮》（香港：華字日報社，1924 冬）。

Huo, Qichang 霍啟昌：〈孫中山先生早期在香港思想成長的初探〉，載《孫中山和他的時代》（北京：中華書局，1990 年 10 月），（中）第 929-940。

Huo, Qichang 霍啟昌：〈幾種有關孫中山在港策進革命的香港史料試釋〉，《回顧與展望：國內外孫中山研究述評》（北京：中華書局，1986 年 7 月），第 440-455。

Ji, Naiwang 紀乃旺：〈試論孫中山的聯德活動〉，《南京大學學報》（哲社）〉，1991 年第 1 期。

Jian, Yihua 姜義華：〈民權思想淵源——上海孫中山故居部份藏書疏記〉，載姜義華著：《大道之行——孫中山思想發微》（廣州：廣東人民出版社，1996），第 108-123 頁。

Jiang, Yongjing 蔣永敬：〈孫中山對中國統一的主張〉，載胡春惠等編：《近代中國與亞洲》學術討論會論文集，上、下兩冊（香港：珠海書院亞洲研究中心，1995），上，第 14-25 頁。

Jiang, Yongjing 蔣永敬：〈胡、汪、蔣分合關係之演變〉，《近代中國歷史人物論文集》（臺北：中央研究院近代史研究所，1993），第 1-27 頁。

Jiang, Yongjing 蔣永敬：《胡漢民先生年譜》（臺北：中國國民黨中央黨史委員會，1978）。

Jiang, Yongjing 蔣永敬：《鮑羅廷與武漢政權》（臺北：傳記文學出版社，1972）

Jiang, Yongjing 蔣永敬、楊奎松：《中山先生與莫斯科》（臺北：臺灣書店，2001）。

Jiang, Zhongzheng 蔣中正：《孫大總統廣州蒙難記》（臺北：1975 年臺重排九版）。

Jiang, Zhongzheng 蔣中正：〈覆上總理書決死守埔島並請從速處置商械〉，1924 年 10 月 9 日於黃埔，載蔣中正：《總統蔣公思想言論總集》一套 40 卷，（臺北：中國國民黨黨史委員會，1984）。

Jiang, Zhongzheng 蔣中正：《總統蔣公思想言論總集》一套 40 卷，（臺北：中國國民黨黨史委員會，1984）。

Jing, Sheng 京聲、Qi Quan 溪泉編：《新中國名人錄》（南昌：江西人民出版社，1987）。

Kindermann, Gottfried-Karl 金姆·曼荷蘭德著，林禮漢譯：《1900 年至

1908年的法國與孫中山》，《辛亥革命史叢刊》第4輯。

Lai, Zehan 賴澤涵：〈廣州革命政府的對外關係〉，載胡春惠等編：《近代中國與亞洲》學術討論會論文集，上、下兩冊（香港：珠海書院亞洲研究中心，1995），下，第984-1024頁。

Li, Ao 李敖：《孫逸仙和中國西化醫學》（臺北：文星書店，1965）。

Li, Boxin 李伯新：《孫中山史蹟憶訪錄》中山文史第38輯（中山市：中國人民政治協商會議廣東省中山市委員會文史學習委員會，1996）。

Li, Dianyuan 李殿元：〈論「商團事件」中的范石生〉，《民國檔案》（南京：中國第二歷史檔案館，1992）第3期，第85-92頁。

Li, Guolin 李國林：〈孫中山先生巴黎遭竊記〉，《民國春秋》1990年第5期。

Li, Henggao 李蘅皋、Yu Shaoshan 余少山：〈粵商自治會與粵商維持公安會〉，載中國人民政治協商會議廣州委員會文史資料研究委員會編：《廣州文史資料》，第7輯（廣州：廣州文史資料研究委員會出版，1963），第21-35頁。

Li, Jikui 李吉奎：《孫中山與日本》（廣州：廣東人民出版社，1996）。

Li, Jinxuan 李進軒：《孫中山先生革命與香港》（臺北：文史哲出版社，1989）。

Li, Langru *et al.* 李朗如等：〈一九二四年的廣州商團事變見聞〉，載中國人民政治協商會議全國委員會文史資料研究委員會編：《文史資料選輯》，第15輯（北京：中華書局，1961），第96-101頁。

Li, Langru *et al.* 李朗如等：〈商團事變〉載中國人民政治協商會議廣州委員會文史資料研究委員會編：《廣州文史資料》，第1輯（廣州：廣東人民出版社，1960）。

Li, Langru *et al.* 李朗如等：〈廣東商團叛亂始末〉載中國人民政治協商會議廣東委員會文史資料研究委員會編：《廣東文史資料》（廣州：廣東人民出版社，1984），第42輯，第242-258頁。

Li, Lezeng 李樂曾：〈孫中山的南京政府與德國〉，《上海大學學報》，1992年第6期。

Li, Shucheng 李書城：〈辛亥革命前後黃克強先生的革命活動〉，載《辛亥革命回憶錄》（北京：文史資料出版社，1981），一套 8 冊，第 1 冊，第 180-216 頁。

Li, Shuixian *et al.* 李睡仙、魯直之、謝盛之等編：《陳炯明叛國史》（福州：新福建報社，1922）。

Li, Shuzeng 李紓曾：〈李曉生未完成自傳稿先睹：辛亥年前的革命生涯〉，載《南大語言文化學報》，第 3 卷第 1 期（1998），第 131-153 頁。

Li, Wanqiong 黎玩瓊：〈談談道濟會堂〉，1984 年 1 月 6 日，載王誌信《道濟會堂史》，第 85-87 頁：其中第 86 頁。

Li, Xiaosheng 李曉生所遺稿，收入佚名著：《辛亥年間同盟會員在倫敦活動補錄》未刊稿。

Li, Yaofeng 利耀峰：〈我是怎樣參加商團的〉，載中國人民政治協商會議廣州委員會文史資料研究委員會編：《廣州文史資料》，第 7 輯（廣州：文史資料出版社，1963），第 92-94 頁。

Li, Yaofeng 利耀峰：〈我是怎樣參加商團的〉，載中國人民政治協商會議廣東委員會文史資料研究委員會編：《廣州文史資料》，第 7 輯（廣州文史資料研究委員會出版，1963），第 95-96 頁。

Li, Yunhan 李雲漢、Wang Ermin 王爾敏：《中山先生民族主義正解》中山學術文化基金叢書（臺北：臺灣書店，1999）。

Li, Yunhan 李雲漢、Wang Ermin 王爾敏：《中山先生民生主義正解》中山學術文化基金叢書（臺北：臺灣書店，2001）。

Li, Yunhan 李雲漢：《從容共到清黨》（臺北：中國學術著作獎助委員會，1966）。

Li, Yuzhen 李玉貞主編：《馬林與第一次國共合作》（北京：光明日報社，1989）。

Li, Yuzhen 李玉貞譯：《聯共、共產國際與中國，1920-1925》第一卷（臺北：東大圖書公司，1997）。

Li, Yuzhen 李玉貞：《孫中山與共產國際》（臺北：中央研究院近代史研究所，1996）。

Li, Zhengxin 李正心：〈從平定商團叛亂事件看孫中山民族革命思想的發展〉，《河北師範大學學報》（哲社），1981 年第 3 期。

Li, Jiannong 李劍農：《中國近百年政治史》一套二冊（湖南：藍田師範學院史地學會，1942；上海：商務印書館，1947）。

Li, Shuhua 李書華：〈辛亥革命前後的李石曾先生〉，載《傳記文學》（臺北，1983），第 24 卷第 2 期，第 42-46 頁。

Liang, Jingchun 梁敬錞：〈一九一一年的中國革命〉，載張玉法主編：《中國現代史論集：第三輯、辛亥革命》（臺北：聯經，1980）。

Liang, Moyuan 梁墨緣：〈航運業對商團的態度〉，載中國人民政治協商會議廣州委員會文史資料研究委員會編：《廣州文史資料》，第 7 輯（廣州：文史資料出版社，1963），第 92-94 頁。

Liang, Wen 梁文：〈孫中山有關商團叛變函電補遺〉，載中國人民政治協商會議廣東委員會文史資料研究委員會編：《廣州文史資料》，第 17 輯（廣州：廣東人民出版社，1979），第 121-123 頁。

Lin, Fang 林芳：〈我參加商團的經過〉，載中國人民政治協商會議廣州委員會文史資料研究委員會編：《廣州文史資料》，第 7 輯（廣州：文史資料出版社，1963），第 97-100 頁。

Lin, Jiayou 林家有、Li Ming 李明主編：《孫中山與世界》（長春：吉林人民出版社，2004）。

Lin, Nengshi 林能士：〈經費與革命——以護法運動為中心的一些探討〉，《國立政治大學歷史學報》，第 12 期（1995 年 5 月），第 111-135 頁。

Lin, Nengshi 林能士：〈第一次護法運動的經費問題，1917-1918〉，《近代中國》，第 105 期（1995 年 2 月），第 132-159 頁。

Lin, Nengshi 林能士：〈試論孫中山聯俄的經濟背景〉，《國立政治大學歷史學報》，第 11 期（1994 年 1 月），第 89-107 頁。

Lin, Qiquan 林其泉：〈臺灣同胞心目中的孫中山〉，《科學與文化》，1981 年第 5 期。

Lin, Qiyan 林啟彥：〈近三十年來香港的孫中山研究〉，《回顧與展望——國內外孫中山研究述評》（北京：中華書局，1986 年 7 月），第

534-538 頁。

Lin, Wenjing 林文靜：〈法國著名小說家比埃·米爾對孫中山的回憶〉，載中國人民政治協商會議浙江省委員會文史資料研究委員會編：《浙江文史資料》，第 32 輯（杭州：浙江人民出版社，1986）。

Lin, Zhijun 林志鈞：〈對〈商團事變〉一文的補充訂正〉，載中國人民政治協商會議廣州委員會文史資料研究委員會編：《廣州文史資料》（廣州：文史資料出版社，1963），第 7 輯，第 106 頁。

Lin, Zhijun 林志鈞：〈商團事變知聞憶錄〉，載中國人民政治協商會議廣州委員會文史資料研究委員會編：《廣州文史資料》（廣州：文史資料出版社，1963），第 7 輯，第 71-77 頁。

Lin, Zhijun 林志鈞：〈對〈1924 年廣州商團事變見聞〉補正〉，載中國人民政治協商會議廣州委員會文史資料研究委員會編：《廣州文史資料》（廣州：廣東人民出版社，1986），第 48 輯，第 242 頁。

Linebarger, Paul 林百克著，徐植仁譯：《孫中山傳記》（上海：新華書局，1927）。

Liu, Jiaquan 劉家泉編：《孫中山與香港》（北京：中央文獻出版社，2001）。

Lu, Danlin 陸丹林：〈記關楚璞的一段談話〉，載中國人民政治協商會議廣州委員會文史資料研究委員會編：《廣州文史資料》（廣州：廣東人民出版社，1963），第 8 輯，第 187 頁。

Lu, Danlin 陸丹林：〈第七輯《商團與商團叛變》的幾則補充——記關楚璞的一段談話〉，載中國人民政治協商會議廣州委員會文史資料研究委員會編：《廣州文史資料》（廣州：廣東人民出版社，1979），第 17 輯，第 187-188 頁。

Lu, Danlin 陸丹林：〈總理在香港〉，載陸丹林著：《革命史譚》（重慶，1944）。

Lue, Fangshang 呂芳上：《革命之再起：中國國民黨改組前對新思潮的回應，1914-1924》（臺北：中央研究院近代史研究所，1989）。

Lue, Fangshang 呂芳上：《朱執信與中國革命》（臺北：東吳大學中國學術著作獎助會，1978）。

Luo, Jialun, *et al.* 羅家倫、黃季陸主編，秦孝儀增訂：《國父年譜》一套 2 冊（臺北：中國國民黨中央黨史委員會，1985）。

Luo, Jialun 羅家倫、黃季陸主編，秦孝儀、李雲漢增訂：《國父年譜》一套二冊（臺北：國民黨黨史會出版，1994）。

Luo, Jialun 羅家倫：《中山先生倫敦蒙難史料考訂》（南京：京華印書館，1935 年重版）

Luo, Xianglin 羅香林：《國父與歐美之友好》（臺北：中央文物供應社，1979 再版）。

Luo, Xianglin 羅香林：《國父之大學時代》（重慶：獨立出版社，1945）。

Ma, Qingzhong, *et al.* 馬慶忠等：〈孫中山與廣州商團事件〉，《孫中山研究論叢》，第 2 集。

Ma, Shitu 馬失途：〈陳炯明也可以翻案嗎？——一本有爭議的新書發表會側記〉，香港《信報》，1998 年 3 月 11 日。

Ma, Shitu 馬失途：〈陳炯明至死不悟〉，香港《信報》，1998 年 3 月 12 日。

Mao, Sicheng 毛思誠編：《民國十五年前之蔣介石先生》（香港：龍門書店，1936）。

Mao, Zhuqing 毛注青：《黃興年譜》（長沙：湖南人民出版社，1980）。

Mao, Zhuqing 毛注青編著：《黃興年譜長編》（北京：中華書局，1991）。

Mei, Shimin 梅士敏：〈孫中山先生在澳門〉，載中國人民政治協商會議上海委員會文史資料研究委員會編：《上海文史資料選輯》，第 57 輯（上海：上海人民出版社，1987）。

Merker, Peter 墨柯：〈德國人眼中的孫中山：同時代外交官的評價〉，《辛亥革命史叢刊》第 11 輯（武漢：湖北人民出版社，2002），第 206-239 頁。至於這位作者墨柯先生的原名，承該刊副主編之一、嚴昌洪教授覆示，乃 Peter Merker 博士，任職於德國埃兒福（Erft）大學。

Miao, Xinzheng 繆鑫正等編：《英漢中外地名詞匯》（香港：商務印書館，1977）。

Mo, Shixiang 莫世祥：〈孫中山香港之行——近代香港英文報刊中的孫中山史料研究〉，《歷史研究》，1997 年第三期（總 247），第 19-31 頁。

Mo, Shixiang 莫世祥：《護法運動史》（臺北：稻禾出版社，1991）。

Mo, Xiong *et al.*莫雄等：〈廣州商團叛變事件見聞〉，載中國人民政治協商會議廣州委員會文史資料研究委員會編：《廣東文史資料》，第 2 輯（廣州：廣東人民出版社，1961）。

Pan, Luming 潘陸明：〈商團與商團叛變〉，載中國人民政治協商會議廣州委員會文史資料研究委員會編：《廣州文史資料》，第 7 輯（廣州：文史資料出版社，1963），第 17-20 頁。

Pan, Luming 潘陸明：〈匯豐銀行與陳廉伯操縱銀業的活動〉，載中國人民政治協商會議廣州委員會文史資料研究委員會編：《廣州文史資料》，第 7 輯（廣州文史資料研究委員會出版，1963），第 17-20 頁。

Pan, Ximing 潘希明：〈工商界老人回憶商團事變——潘希明的回憶〉，載中國人民政治協商會議廣州委員會文史資料研究委員會編：《廣州文史資料》，第 7 輯（廣州文史資料研究委員會出版，1963），第 61-65 頁。

Ping, Zi 平子：〈記廣州商團之變〉，《現代史料》，（上海：海天出版社，1934），第三集，第 7-14 頁。

Qiu, Jie 邱捷：〈孫中山張作霖的關係與〈孫文越飛宣言〉〉，《歷史研究》，總 246 期（1997 年 4 月，第 2 期），第 68-76 頁。該文原作為國際學術討論會的學術報告而收入《孫中山與華僑：紀念孫中山誕辰 130 週年國際學術討論會論文集》（神戶：孫中山紀念會，1996），第 70-81 頁。

Qiu, Jie 邱捷：〈廣州商團與商團事變——從商人角度的再探討〉，《歷史研究》，總 276 期（2002 年 4 月，第 2 期），第 53-66 頁。

Rao, Zhanxiong 饒展雄、Huang Yanchang 黃艷嫦：〈孫中山與香港瑣記〉，載中國人民政治協商會議廣東委員會文史資料研究委員會編：

《廣東文史資料》，第 58 輯（廣州：廣東人民出版社，1988）。

Ren, Jianshu 任建樹、Zhang Quan 張銓：《五卅運動簡史》（上海：上海人民出版社，1985）。

Sang, Bing 桑兵：〈日本東亞同文會廣東支部〉，廣州《中山大學學報：社會科學本版》，總 42 期（2002 年第 1 期），第 1-16 頁。

Schiffrin, Harold Z. 史扶鄰：〈孫中山與英國〉，《孫中山和他的時代》（北京：中華書局，1990 年 10 月）（上），第 411-419 頁。

Shang, Mingxuan *et al.* 尚明軒、王學莊、陳松等編：《孫中山生平事業追憶錄》（北京：人民出版社，1986）。

Shao, Yuanchong 邵元冲：〈總理護法實錄〉，《建國月刊》，第 1 卷（1929 年）第 3 期。

Shen, Zimin 沈自敏：〈辛亥革命與法國〉，《外國史知識》1981 年第 9 期。

Shen, Weibin 沈渭濱：〈1894 年孫中山謁見李鴻章一事的新資料〉，《辛亥革命史叢刊》，第 1 輯（北京：中華書局，1980），第 88-94 頁。

Sheng, Yonghua 盛永華等：〈一個巨人在外開門戶和活動舞臺——圖錄《孫中山與澳門》導言〉，《廣東社會科學》，1990 年第 2 期。

Sheng, Yonghua 盛永華、Zhao Wenfang 趙文房、Zhang Lei 張磊合編：《孫中山與澳門》（北京：文物出版社，1991）。

Song, Qingling 宋慶齡：《宋慶齡書信集（上）》，趙樸初編，（北京：人民出版社，1999）。

Song, Xilian 宋希濂：〈參加黃埔軍校前後〉，載黨德信、黃靄玲合編：《第一次國共合作時期的黃埔軍校：紀念黃埔軍校創建六十週年》（北京：文史哲出版社，1984），第 237-260 頁。

Sulian, Daxue 蘇聯大學：〈孫中山倫敦蒙難記〉，《黑龍江青年》，1981 年第 7 期。

Sun, Wenfang 孫文芳：〈友誼佳話——在倫敦採訪孫中山先生當年蒙難和獲救經過〉，《光明日報》，1981 年 9 月 7 日。

Sun, Yixian 孫逸仙：〈三民主義與中國民族之前途——在東京《民報》創刊週年慶祝大會的演說，1906 年 12 月 2 日〉，載《國父全集》（1989），第 3 冊，第 8-16 頁。又見《孫中山全集》，第 1 卷，第 323-331 頁。

Sun, Yixian 孫逸仙：《孫中山全集》，第 1-11 卷（北京：中華書局，1981-6）。

Sun, Yixian 孫逸仙：《國父全集》，第 1-12 冊（臺北：近代中國出版社，1989）。

Sun, Yixian 孫逸仙：〈上李傅相書〉，原載上海《萬國公報》1894 年第 69、70，轉載於《孫中山全集》，第 1 卷（北京：中華書局，1981），第 8-18 頁。

Sun, Yixian 孫逸仙：《孫中山集外集》（上海：上海人民出版社，1990）。

Sun, Yixian 孫逸仙：《孫中山藏檔選編》（北京：中華書局，1986）。

Sun, Yixian 孫逸仙：〈上李傅相書〉，原載上海《萬國公報》1894 年第 69、70，轉載於《孫中山全集》第 1 卷（北京：中華書局，1981），第 8-18 頁。

Sun, Yixian 孫逸仙：〈建國方略、孫文學說第八章「有志竟成」〉，《國父全集》，第 1 冊，第 409-422 頁。《孫中山全集》，第 6 卷，第 228-246 頁。

Sun, Yixian 孫逸仙：〈革命思想之產生——1923 年 2 月 19 日在香港大學演講〉，載《國父全集》（1989）第三冊第 323-325 頁。《孫中山全集》，第 7 卷，第 115-117 頁。

Sun, Yixian 孫逸仙：〈與法國《朝日新聞》駐美訪員談話（1991 年 10 月）〉，《歷史檔案》，1985 年第 1 期。

Sun, Yixian 孫逸仙：〈致電法國政府通知張翼樞為駐法全權代表〉，《歷史研究》，1981 年第 4 期。

Sun, Zhongquan 孫忠泉：〈孫中山三次蒙難經過〉，《歷史教學》，（1989 年第 3 期），第 50-51 頁。

Tan, Liting 譚禮庭：〈發還扣械的經過及其他〉，載中國人民政治協商會議廣州委員會文史資料研究委員會編：《廣州文史資料》，第 7 輯

（廣州：文史資料出版社，1963），第 67-70 頁。

Tan, Liting 譚禮庭：〈工商界老人回憶商團事變——譚禮庭的回憶〉，載中國人民政治協商會議廣州委員會文史資料研究委員會編：《廣州文史資料》，第 7 輯（廣州：廣州文史資料研究委員會出版，1963），第 57-60 頁。

Tan, Tingfu 譚廷甫：〈商團劫法場的陰謀〉，載中國人民政治協商會議廣州委員會文史資料研究委員會編：《廣州文史資料》，第 8 輯（廣州：廣州文史資料研究委員會出版，1963），第 190-191 頁。

Tan, Tingfu 譚廷甫：〈請求發還扣械代表的各種態度〉，載中國人民政治協商會議廣州委員會文史資料研究委員會編：《廣州文史資料》，第 8 輯（廣州：廣州文史資料研究委員會出版，1963），第 188 頁。

Tan, Yanfu 譚延甫：〈商團謀劫法場的陰謀〉，載中國人民政治協商會議廣州委員會文史資料研究委員會編：《廣州文史資料》，第 17 輯（廣州：廣東人民出版社，1979），第 190-191 頁。

Tan, Yanfu 譚延甫：〈對〈發還扣械及其他〉一文的質疑〉，載中國人民政治協商會議廣州委員會文史資料研究委員會編：《廣州文史資料》，第 17 輯（廣州：廣東人民出版社，1979），第 189-190 頁。

Tang, Zhijun 湯志鈞編：《章太炎政論集》（北京：中華書局，1977 年）。

Tao, Huaizhong 陶懷仲：《三民主義的比較研究》（臺北：三民書局，1978）。

Tian, Zhili 田志立：〈孫中山倫敦蒙難〉，《中國青年》，1981 年第 10 期。

Tie, Zijiu 帖子久：〈工商界老人回憶商團事變——帖子久的回憶〉，載中國人民政治協商會議廣州委員會文史資料研究委員會編：《廣州文史資料》，第 7 輯（廣州文史資料研究委員會出版，1963），第 52-57 頁。

Wan, Shoukang 萬壽康：〈范石生與廣州商團事件〉，全國政協文史資料委員會藏未刊稿（權 65-1331）——承邱捷教授複印擲下。

Wang, Chang *et al.* 王昌等：〈陳廉伯其人與商團事變〉，載中國人民政治協商會議廣州委員會文史資料研究委員會編：《廣州文史資料》，第7輯（廣州：文史資料出版社，1963），第37-45頁。

Wang, Chaoming 王昭明：〈孫中山與法國〉，《近代史研究》，1984 年第1期。

Wang, Ermin 王爾敏：〈孫中山先生在二十世紀的歷史地位〉，《近代中國》，總156期（2004年3月31日），第3-27頁。

Wang, Licheng 王立誠：《美國文化與近代中國教育：滬江大學的歷史》（上海：復旦大學出版社，2001）。

Wang, Lixin 王立新：《美國對華政策與中國民族主義運動（1904-1928）》（北京：中國社會科學出版社，2000）。

Wang, Lixin 王立新：《美國傳教士與晚清中國現代化》（天津：天津人民出版社，1997）。

Wang, Lixin 王立新：《基督教教育與中國知識份子》（福州：福建教育出版社，1998）。

Wang, Xiaoqiu 王曉秋：〈評康有為的三部外國變政考〉，《北方評論》（哈爾濱師範大學學報），1984年第6期。

Wang, Xing-rui 王興瑞：〈清朝輔仁文社與革命運動的關係〉，《史學雜誌》（重慶，1945年12月），第1期第1號。

Wang, Yujun 王聿均：《中蘇外交的序幕》（臺北：中央研究院近代史研究所，1963）。

Wang, Zhixin 王誌信編著：《道濟會堂史——中國第一家自立教會》（香港：基督教文藝出版社，1986）。

Wei, Gong 衛恭：〈商團事變前後見聞雜記〉，載中國人民政治協商會議廣州委員會文史資料研究委員會編：《廣州文史資料》，第7輯（廣州：文史資料出版社，1963），第101-105頁。

Wen, Chen 文琛：〈商團主要人物的言論及與康有為的關係〉，載中國人民政治協商會議廣州委員會文史資料研究委員會編：《廣州文史資料》，第7輯（廣州：文史資料出版社，1963），第81-86頁。

Wilbur, C. Martin 韋慕廷：《孫中山——壯志未酬的愛國者》（廣州：中山大學出版社，1986）。

Wong, J.Y. – See Huang Yuhe 黃宇和。

Wu, Deduo 吳德鐸：〈吳宗濂記孫中山倫敦蒙難〉，載中國人民政治協商會議上海委員會文史資料研究委員會編：《上海文史資料選輯》，第31輯（上海：上海人民出版社，1980）。

Wu, Deduo 吳德鐸：〈孫中山倫敦蒙難〉，《人民日報》，1981 年 9 月 14 日。

Wu, Kunsheng 吳坤勝：〈廣東商團叛亂和孫中山的鬥爭〉，《華南師大學報》（哲社），1983 年第 3 期。

Wu, Liyang 伍立楊：〈陳案難翻〉，貴州《文史天地》，2002 年第 7 期，第 31-2 頁。

Wu, Lun Nixia 吳倫霓霞：〈孫中山先生在香港所受教育與其革命思想之形成〉，載香港《珠海學報》，第 15 期（1985 年），第 383-392 頁。

Wu, Lun Nixia 吳倫霓霞：〈孫中山早期革命運動與香港〉，《孫中山研究論叢》，第三集（廣州：中山大學，1985），第 67-78 頁。

Wu, Lun Nixia 吳倫霓霞：〈興中會前期（1894-1900）孫中山革命運動與香港關係〉，《孫中山和他的時代》（北京：中華書局，1990 年 10 月），中，第 902-928。

Wu, Lun Nixia 吳倫霓霞：〈興中會前期（1894-1900）孫中山革命運動與香港的關係〉，《中央研究院近代史研究所集刊》（臺北：1990 年 6 月），第 19 期，第 215-234 頁。

Wu, Qiandui 吳乾兌：〈1911-1913 年的法國外交與孫中山〉，《近代史研究》，1987 年第 2 期。又見《孫中山和他的時代》（北京：中華書局，1990 年 10 月），上。

Wu, Qiandui 吳乾兌：〈辛亥革命期間的法國外交與孫中山〉，《孫中山研究論叢》（廣州：中山大學出版社，1985），第 3 集，第 130-138。

Wu, Tiecheng 吳鐵誠：《吳鐵誠回憶錄》第六章「商團叛亂」，轉載於周康燮：《1924 年廣州商團事件》，中國近代史資料分類彙編之七，（香港：崇文書店，1974），第 77-83 頁。

Wu, Xiangxiang 吳相湘：《孫逸仙先生傳》一套兩冊（臺北：遠東圖書公司，1982）。

Xin, Ying Han cidian bianxiezu 新英漢辭典編寫組：《新英漢辭典》增訂本（香港：三聯，1975）。

Xu, Songling 徐嵩齡：〈一九二四年孫中山的北伐與廣州商團事變〉，《歷史研究》，1956 年，第 3 期，第 59-69 頁。

Xu, Zhi 徐只：〈江門商團始末記〉，載中國人民政治協商會議廣州委員會文史資料研究委員會編：《廣州文史資料》，第 19 輯（廣州：文史資料出版社，1963），第 102-114 頁。

Xu, Zhiwei 許智偉：〈國父孫逸仙博士之教育思想及其在香港所受教育之影響〉，載《孫中山先生與辛亥革命》（民國史研究叢書）（臺北：1981）上冊，第 315-330 頁。

Yang, Yunsong 楊允松：〈孫中山倫敦被綁是何人所為？〉，《團結報》，1991 年 12 月 7 日。

Ye, Shangzhi 葉尚志：《民生經濟學》（臺北：三民書局，1966）。

Ye, Xiasheng 葉夏聲：《國父民初革命紀略》（廣州：孫總理侍衛同志社，1948）。

Yu, Shengwu 余繩武、Liu Shuyong 劉蜀永合編：《20 世紀的香港》（北京：中國大百科全書出版社，1995）。

Yu, Xinchun 俞辛淳：《孫中山與日本關係研究》（北京：人民出版社，1996）。

Yu, Yanguang 余炎光：〈近代中國人物與香港——中共建國前數年概況之分析〉，載胡春惠等編：《近代中國與亞洲》學術討論會論文集，上、下兩冊（香港：珠海書院亞洲研究中心，1995），下，第 890-984 頁。

Yuan, Honglin 袁鴻林：〈興中會時期的孫楊兩派〉，載《紀念辛亥革命七十周年青年學術討論會論文選》（北京：中華書局，1983），上冊，第 1-22 頁。

Yuan, Runfang 袁潤芳：〈孫中山平定廣州商團叛亂述略〉，《歷史檔案》（1984 年，第 1 期），第 109-114 頁。

Zeng, Qingliu 曾慶榴主編：《中國共產黨廣東地方史》，第 1 卷（廣州：廣東人民出版社，1999）。

Zhang, Guoxiong 張國雄等編：《老房子：開平碉樓與民居》（南京：江蘇美術出版社，2002）。

Zhang, Junmin 張軍民：〈從《新生命》月刊看國民黨理論界對三民主義本體的討論〉，《中山大學學報論叢》（社科），第 20 卷，第 3 期（2000 年 6 月），第 26-34 頁。

Zhang, Junyi 張俊義：〈英國政府與 1924 年廣州商團叛變〉，《中國社會科學院近代史研究所青年學術論壇 1999 年卷》（北京：社會科學文獻出版社，1999），第 48-64 頁。

Zhang, Junyi 張俊義：〈20 年代初期的香港與廣東政局〉，載余繩武、劉蜀永合編：《20 世紀的香港》（北京：中國大百科全書出版社，1995），第 73-101 頁。

Zhang, Kaiyuan 章開沅：〈法國大革命與辛亥革命〉，《歷史研究》，1989 年第 4 期。

Zhang, Lei 張磊：〈孫中山與廣州商團叛亂，《學術月刊》（1979 年，10 月號），第 51-58 頁。

Zhang,Taiyan 章太炎:〈宣言之九〉，《民國報》(1911 年 12 月 1 日)，收入湯志鈞編:《章太炎政論集》(北京：中華書局，1977 年)，第 2 卷，第 529 頁。

Zhang, Xiangxin 張馥蕊：〈辛亥革命時期的法國輿論〉，《中國現代史叢刊》，第 3 冊。

Zhang, Xiluo 張西洛：〈回憶孫中山先生在巴黎——訪問當時在法國留學的水鈞韶老先生〉，《光明日報》，1956 年 10 月 24 日。

Zhang, Yongfu 張永福：〈孫先生起居注〉，載尚明軒、王學莊、陳崧合編：《孫中山生平事業追憶錄》（北京：人民出版社，1986），第 820-823 頁。

Zhang, Yufa 張玉法：《清季的革命團體》（臺北：中央研究院近代史研究所，1975）。

Zhang, Zhenkun 張振鵾：〈辛亥革命時期的孫中山與法國〉，《近代史研究》，1981 年第 3 期。後收入《孫中山研究論文集（1949-1984）》（下）。

Zhang, Leietal. (eds.) 張磊、盛永華、霍啟昌合編：《澳門：孫中山的外向門戶和社會舞臺》（澳門，版權頁上沒有注明出版社是誰，1996）。

Zheng, Zhao 鄭照：〈孫中山先生逸事〉，載尚明軒、王學莊、陳松等編：《孫中山生平事業追憶錄》（北京：人民出版社，1986），第 516-520 頁。

Zheng, Zhongliang 鄭仲良：〈中山縣商團活動概況〉，載中國人民政治協商會議廣州委員會文史資料研究委員會編：《廣州文史資料》，第 19 輯（廣州：文史資料出版社，1963），第 115-8 頁。

Zheng, Zhongliang 鄭仲良：〈中山縣商團活動概況〉，載中國人民政治協商會議廣東委員會文史資料研究委員會編：《廣東文史資料》，第 19 輯（廣州文史資料研究委員會出版，1965），第 115-118 頁。

Zheng, Ziyu 鄭子瑜：〈總理老同學江英華醫師訪問記〉，載孟加錫《華僑日報》，1940 年 1 月 26 日，剪報藏中國國民黨黨史會，檔案編號 041·117。《近代中國》第 61 期（1987 年 10 月 31 日出版）第 112-114 頁又轉載了鄭子瑜先生的文章。

Zhi, Xinliu *etal*. 植梓卿等：〈工商界老人回憶商團事變〉，載中國人民政治協商會議廣州委員會文史資料研究委員會編：《廣州文史資料》，第 7 輯（廣州：文史資料出版社，1963），第 46-66。

Zhi, Ziqing 植梓卿：〈工商界老人回憶商團事變——植梓卿的回憶〉，《廣州資料》（廣州：廣州文史資料研究委員會出版，1963），第 7 輯，第 46-52 頁。

Zhong, Huixiang 鍾徽祥：〈孫中山先生與香港——訪吳倫霓霞博士〉，《人民日報》（海外版），1986 年 11 月 5 日。

Zhong, Zhuoan 鍾卓安：《陳濟棠》（廣州：廣東省地圖出版社，1999）。

Zhonggong, zhongyang dangshi yanjiushi 中共中央黨史研究室第一研究部翻譯：《聯共（布）、共產國際與中國國民革命運動，1920-1927》，一套六冊（北京：北京圖書館出版社，1997）。

Zhongguo, di er lishi dangan guan 中國第二歷史檔案館編：《蔣介石年譜初稿》（北京：檔案出版社，1992）。

Zhongguo, di er lishi dangan guan 中國第二歷史檔案館編：《中華民國史檔案資料彙編》（南京：江蘇古籍出版社，1986 年）。

Zhongguo, di er lishi dangan guang 中國第二歷史檔案館：〈孫中山鎮壓廣東商團叛變文電〉，《歷史檔案》（南京：中國第二歷史檔案館，1982 年），第 1 期，第 47-50 頁。

Zhongguo, geming bowuguan 中國革命博物館編：〈館藏孫中山先生 1922-1924 年函電選載：關於平定商團叛亂事件的函電十三件〉，載《黨史研究資料》（成都：四川人民出版社，1982），第 3 集，第 174-189 頁。

Zhongguo, renmin zhengzhi xieshang huiyi quanguo weiyuanhui 中國人民政治協商會議全國委員會編：《辛亥革命回憶錄》，一套 8 冊（北京：文史資料出版社，1981）。

Zhongguo, shehuikexueyuan etc.中國社會科學院近代史研究所中華民國史研究室編：《中華民國史資料叢稿——大事記》（北京：中華書局，1975）。

Zhongguo, shehuikexueyuan jindaishiyanjiusuo fanyishi 中國社會科學院近代史研究所翻譯室編：《近代來華外國人名辭典》（北京：中國社會科學出版社，1981）。

Zhonghua, Jidujiaohui《中華基督教會公理堂慶祝辛亥革命七十週年特刊》（香港：中華基督教會公理堂，1981），第 2 頁。

Zhongshan, daxue 中山大學孫中山研究所、香港中文大學聯合書院合編：《孫中山在港澳與海外活動史跡》（香港：1986）。

Zhongyan, danganguan 中央檔案館編：《中共中央政治報告選輯，1922-1926》（北京：中共中央黨校出版社，1981）。

Zhou, Kangxie 周康燮編：《1924 年廣州商團事件》，中國近代史資料分類彙編之七（香港：崇文書店，1974）。

Zhou, Wuyi 周武彝：〈陸軍第三中學參加武昌起義經過〉，《辛亥革命回憶錄》，一套 8 冊（北京：文史資料出版社，1981），第 7 冊，第

10-18頁。

Zhou, Xingliang 周興樑：〈孫中山平定廣州商團叛變前後的佚文〉，《團結報》，1988年6月28日。

Zhou, Zhuohuai 周卓懷：〈四十二年前國父經過香港盛況〉，載臺北《傳記文學》，第7卷第5期（1965年11月）：第21-22頁。

Zou, Lu 鄒魯：《乙未廣州之役》，載柴德庚等編：《中國近代史叢刊——辛亥革命》，一套8冊（上海：人民出版社，1981），第1冊，第225-234頁。

Zou, Lu 鄒魯：《中國國民黨史稿》（上海：民智書局，1929；重慶：商務印書館重印，1944；北京：中華書局，1962年重印）。

Zou, Nianzhi 鄒念之編譯：《日本外交文書選譯——關於辛亥革命》（北京：中國社會科學出版社，1980）。

跋

本書〈前言〉中曾提到，2004 年 8 月 5 日星期四早上，承陳三井先生陪筆者坐計程車到台北市區將拙稿《中山先生與英國》親交中山學術文化基金會陳志先秘書並領取稿費後，再承陳三井先生陪同到銀行將全部稿費兌換成英鎊，以便重訪英國，進一步鑽研有關檔案，彌補拙稿最薄弱的環節，即中山先生晚年大事諸如 1924 年 8 月到 10 月間廣東扣械潮與商團事變等錯綜複雜的事件。

不錯，除了已經出版的檔案史料諸如《共產國際、聯共（布）與中國革命檔案資料叢書》❶和《廣東扣械潮》❷等以外，筆者已翻過原始的政府檔案諸如英國外交部、殖民地部、海軍部的檔案，和廣東省檔案館的粵海關檔案等，也看過有關報紙諸如香港的《華字日報》、《德臣西報》和《南華早報》等中英文報章。但是，商業機關的原始檔案諸如匯豐銀行所藏的珍貴史料，尚有待全面地作有系統的研究。私人的文書，諸如傳教士的目擊記等等，也不未涉及。

---

❶ 中共中央黨史研究室第一研究部翻譯：《聯共（布）、共產國際與中國國民革命運動，1920-1927》，一套六冊，（北京：北京圖書館出版社，1997）。

❷ 香港華字日報社編：《廣東扣械潮》（香港：華字日報社，1924 冬）。

一切準備就緒，筆者又於 2004 年 12 月 10 日取道香港和廣州飛英國。先到香港匯豐銀行於 1992 年搬到倫敦的總部，承該行檔案部主任埃德溫·格林先生（Mr Edwin Green）及其副手天娜·史特普斯小姐（Miss Tina Staples）熱情接待，並在該銀行大廈第 36 樓特訂一室讓筆者專用，以便安靜地看文件。又噓寒問暖，送茶遞水，禮數之周到，讓筆者感激莫名。讀書人過慣了清寒的生活，一簞食一瓢水，於願足矣。鮮搾橙汁與新磨咖啡，雖不是非份之想，只嘆平時没空追求而已。

更重要的是，筆者要求查閱的檔案，該行都毫無保留地盡量滿足。須知檔案不藏在該銀行大樓，而是存放在倫敦郊區的檔案庫。每次筆者需要看某些文件時，工作人員都必須開車前往郊區的檔案庫取來供筆者個人使用，工程頗大。過去，鍾寶賢博士曾集中使用過匯豐銀行廣州沙面分行負責人在 1924 年 8 月份寫給該行當時在香港總部的報告，並因而寫就她大作中有關商團事變部份，非常出色。❸這些原件，筆者此行有幸看了。但竊以為牡丹雖好，也必須綠葉扶持。所以，筆者把該行廣州沙面分行負責人從 1923 年到 1924 年這兩年中，寫給該行香港總部的現存報告全看。不單如此，該行香港總部從 1921 年到 1927 年與倫敦辦事處、上海分行和北京分行的公函和私信，都咬文嚼字地，一份一份地慢慢鑽研，細細思考，並把它們與筆者過去所看過的其它文件諸如英國外交部的

---

❸ Stephanie Chung Po-yin. *Chinese Business Groups in Hong Kong and Political Change in South China, 1900-25* (Basingstoke: Macmillan, 1998), pp. 107-125.

檔案好好聯想，收穫非淺。對於整個事件的來龍去脈，又有了更深刻的認識。

當時在廣州也有不少外國傳教士，他們是中山先生晚年大事諸如 1924 年 8 月到 10 月間廣東扣械潮與商團事變等錯綜複雜事件的目擊者。他們的私人文書，從不同的角度報導了事情的經過，及表達了他們不同的看法，是非常珍貴的史料。所以，在匯豐銀行安排不上筆者前往鑽研文件的日子，筆者就到倫敦大學亞非學院特藏部看倫敦傳道會 1922-1925 年的檔案。到了星期六，連該學院特藏部也關門時，就到英國國家檔案館重溫外交部、殖民地部等檔案，並作聯想。

晚上和星期天，就把週日白天所得用來充實拙稿。2005 年 1 月 18 日星期二，應母校牛津大學聖安東尼研究院邀請，以〈中山先生與英國的關係〉為題作學術報告。2005 年 1 月 27 日星期四，又應劍橋大學歷史學院邀請以同樣題目作學術報告。聽眾擠滿了教室，反應非常熱烈，對筆者集思廣益，幫助很大。

到處奔走，日夜蠻幹，目的只有一個：爭取在拙稿一校到達前，趕快彌補拙稿的缺憾。但後果也只有一個：身體提出抗議。當筆者在匯豐銀行鑽研文獻到了最後一天時，尚未到中午時份眼睛已經痛得再也支持不住，只好忍痛提前離開，相約明年再見。第二天躺在床上動彈不得。幸虧到了第三天快要上飛機時，哈！居然又來勁了，可能是歸心似箭的原因吧。

2005 年 3 月 1 日，風塵僕僕地回到雪梨大學準備新一個學年的開始，不久即接到陳三井先生寄來的、經他一校的拙稿。一校稿上密密麻麻地佈滿了老前輩改正錯字、別字、漏字和重複的筆跡，筆者感動得快要掉淚了。人生追求什麼？中山先生畢生追求民族獨立國家統一；讀書人在追求學問的過程中，自然而然地被中山先生那種爲了一個理想而不辭勞苦的精神所感染。

2005 年 3 月 7 日星期一，新的學年開始了。筆者面對面的教書時間每週超過二十個小時，還有不少行政工作。所以筆者只能在晚上開夜車按照陳三井先生的一校在電腦上改正錯漏等字，同時核對註解中引用過的史料。遇到問題時，又不斷函請三井先生幫忙核對臺灣方面的史料。

2005 年 3 月 25 日復活節，雪梨大學放假一週，於是在當天就飛廣州。承廣東省檔案館張平安副館長暨同仁熱情幫助核實資料，銘感於心。其中最有趣的是：廣東都督陳炳焜 1917 年 9 月 1 日發出的、反對孫中山在廣州舉行國會非常會議的通電。該通電在廣州已找不到，但據悉雲南卻有收件，故請廣東省檔案館聯繫他們雲南的同行代找原件複印傳來，以便核對。

過去筆者曾在中山大學歷史系圖書館複印過一些《文史資料》和其他文章，帶回澳洲參考過後即列進拙稿的參考書目。現在校對時發覺或缺出版的地名、出版社名、出版日期，輯號、頁數不等，真要命！於是再到該系圖書館復核，有些是查出來了，但查不到的更多。都怪筆者對該舘不熟，事倍功半，而時間又是這麼緊張！承邱捷教授再予援手，特此致謝。

當筆者在廣州閱讀一校稿的過程中，用字遣詞遇到疑難時，就向胡守為老先生請教。承其不厭其詳地指正，特此致謝。有這麼多好友幫忙，讓筆者感到很溫暖！筆者自小學六年班開始即在香港的九龍華人書院肄業，所有科目都是用英語學習（中國語文和中國歷史除外）。只有在週末期間，隨劉敬之老師習四書五經。後來在香港大學唸歷史，也是全部用英語運作，只有晚間私下閱讀中國其他古籍。此後 1968 年開始到英國牛津大學進修博士及博士後，晚間還能讀詩詞歌賦自娛。1974 年開始到澳洲雪梨大學執教至今，則連晚上的時間也必須用作備課、改卷子、科研和寫作。幾十年來一直在英語世界生活。因此，在胡邦用漢語寫作，就大有孤掌難鳴之嘆。現在突然醒悟到自己竟然寫出了這份幾十萬字的拙稿，驚喜之餘，也衷心感謝臺灣中研院近史所的陳三井先生為拙稿進行了細緻的一校，和廣州中山大學的胡守為先生在筆者一校過程中的幫助。有兩位老前輩撐腰，筆者才敢把拙稿付梓獻醜。筆者相信還有不少錯誤，恭候讀者指正。

2005 年 6 月 15 日，接學生書局寄來二校稿。由於筆者曾對一校稿進行過較大幅度的修訂和增補，出版社必須重新排印。篇幅亦已由一校稿的 639 頁增加到二校稿的 707 頁。對於該出版社的編輯部、鮑總經理等寬容大度，特致謝意。對其不惜工本追求學術質量的決心，更是敬仰。投桃報李，筆者馬上放下一切手頭上在課餘該幹的活，專心致意地在二校稿上用功。在英語大學校對漢語稿子，再一次深感孤立無援之苦。感謝胡守為先生過去曾為筆者購置了一套三冊共 7923 頁的《漢語大詞典》（縮印本）。遇到疑難時用顯微鏡查核，也算求救有門，為幸！

筆者過去用英語寫作的痛苦經驗是：無論把手稿校對多少次，每次都仍然發現錯字。恭請不同的朋友幫忙校對，他們也找出不同的錯字。同一個朋友幫忙先後校對，也先後找出不同的錯字。這次筆者對二校稿重讀一遍，仍發覺不少錯字！若筆者能擠出時間把二校再讀第二遍第三遍……，肯定還會發現錯漏的地方。讀者海涵，為禱。

番禺 黃宇和 謹識

2005 年 6 月 24 日 近凌晨於

澳洲 雪梨橋畔 壯士頓海灣 青松院

國家圖書館出版品預行編目資料

中山先生與英國

黃宇和著. – 初版. – 臺北市：臺灣學生，
2005 [民 94]
面；公分（中華民國中山學術文化基金會中山叢書）
ISBN 957-15-1257-5 (精裝)
ISBN 957-15-1258-3 (平裝)

1. 孫文 – 傳記
2. 中國 – 歷史 – 現代（1900–）

005.31 94010307

中華民國中山學術文化基金會中山叢書

中山先生與英國（全一冊）

主編：劉真
著作者：黃宇和
發行人：盧保宏
發行所：臺灣學生書局有限公司
臺北市和平東路一段一九八號
郵政劃撥戶：〇〇〇二四六六八號
電話：(〇二)二三六三四一五六
傳真：(〇二)二三六三六三三四
E-mail: student.book@msa.hinet.net
http://www.studentbooks.com.tw

本書局登記證字號：行政院新聞局局版北市業字第玖捌壹號

印刷所：長欣彩色印刷公司
中和市永和路三六三巷四二號
電話：二二二六八八五三

定價：精裝新臺幣八六〇元
平裝新臺幣七六〇元

中華民國九十四年八月初版

00502

ISBN 957-15-1257-5 (精裝)
ISBN 957-15-1258-3 (平裝)